MOLTKE'NİN
TÜRKİYE
MEKTUPLARI

Helmuth von Moltke Hassa Alayı'nda teğmen
(kendi çizimi)

FELDMAREŞAL
HELMUTH VON MOLTKE

Moltke'nin Türkiye Mektupları

Çeviren:
HAYRULLAH ÖRS

3. Basım

Remzi Kitabevi

MOLTKE'NİN TÜRKİYE MEKTUPLARI / Helmut von Moltke

ISBN 975-14-0507-6

ÜÇÜNCÜ BASIM: 1999

Remzi Kitabevi A.Ş., Selvili Mescit Sok. 3, Cağaloğlu 34440, İstanbul.
Tel (212) 513 9424-25, 513 9474-75, Faks (212) 522 9055
WEB: http://www.remzi.com.tr E-POSTA: post@remzi.com.tr

Remzi Kitabevi A.Ş. tesislerinde basılmıştır.

İçindekiler

ÇEVİRENİN ÖNSÖZÜ

Helmuth von Moltke 26 Ekim 1800 tarihinde Meklenburg'un Parchim kasabasında doğdu. 1819 senesinde Danimarka ordusunda subay olmuştu. 1822'de Almanya hizmetine girdi, 1835-1839 yıllarında Türk ordusunda askerî öğretmen ve tahkimat uzmanı olarak çalıştı. 1840'ta Almanya'ya döndü ve az zamanda değerini gösterdi. 1857'de Danimarka ile Prusya arasındaki savaşta genelkurmay başkanıydı ve bu savaşı fiilen idare eden oydu. 1870 Alman-Fransız savaşında Alman orduları genelkurmay başkanı olan Moltke, harbin kazanılmasında en büyük etkenlerden biri oldu. Kendisine bu harpte feldmareşallikle kont unvanı verildi. 1888 yılında genelkurmay başkanlığından ayrıldı, fakat ölümüne kadar Almanya Millî Savunma Kurulu Başkanlığını muhafaza etti. 1891 senesi 24 Nisanında öldü. Mezarı, 1866'da devletçe kendisine bağlanmış olan Creisenau çiftliğindedir (burası şimdi Polonya topraklarındadır). Prusya-Danimarka, Prusya-Avusturya, Almanya-Fransa savaşlarının dâhi kumandanı von Moltke, özel hayatında son derece alçakgönüllüydü. Az konuşurdu, bu yüzden kendisine suskun feldmareşal derlerdi. Askerî meziyetlerinin yanında geniş bilgisi, kudretli kalemiyle de şöhret kazanmıştı. 1871 yılında, yani Alman-Fransız harbinden bir yıl sonra, Paris'te çıkan Le Temps gazetesinde Türkiye mektuplarından bazı parçaların çevirileri ve eserin hulâsası basılmıştı, fakat yazarın adı verilmemişti. Harbin acılarının o kadar taze olmasına rağmen gazetenin yazı işleri müdürü M. Neffzer aşağıdaki yazıyı yayımlamaktan çekinmedi:

"Bu mektupların yazarının adı verilmemiştir, fakat bu bir sır değildir ve bu ad bizler için ayrı bir ilgiye, acı bir ilgiye değer. Bu acıya katlanmamız ve öğrenmemiz lazım. Bu seyahat notları Mareşal Moltke'nin, Fransa'nın bu amansız düşmanınındır! Bizim için en önemli ve en faydalı nokta, zamanımıza pek az benzeyen bir devirde, barışsever ve Prusya'nın bugünkü ihtiraslarından uzak kalmış hükümdarlar zamanında Prusya subaylarının hangi kültür ve bilgi seviyesine yükselmiş olduklarının görülmesidir. Moltke, bu mektupları yazdığı zaman ancak yüzbaşı ve olsa olsa bir tabur komutanıydı. Fert olarak müstesna bir yaradılışa sahip olduğunu düşünsek de, mensup olduğu teşkilâtın onun bütün yeteneklerini ahenkli bir tarzda geliştirmesinde esas etken olduğunu kabul etmemiz lazımdır."

Yüzbaşı Moltke'nin 1853 Ekiminde, Kalisch'te yapılan manevralardan sonra Doğu seyahatine çıktığı zaman, tıpkı İtalya seyahatine çıkan Goethe gibi, görmek ve öğrenmekten başka gayesi yoktu. Hiç de neşeli ve mutlu geçmeyen, kendi dediği gibi "eğitilmemiş, sadece dayak yemiş" olduğu bir çocukluk devresinden sonra, talihin kendisine sağladığı hayat yolundan artık memnun kalabilirdi. "Ben, herhalde orduda, 1822'de hizmete girmiş olan biricik yüzbaşıyım" diye yazıyordu. Artık eski hulyasını gerçekleştirebilir, önce 1831, daha sonra 1833'te tasarlamış olduğu seyahate çıkabilirdi. Yolculuk planını daha da genişletmeyi, İstanbul ve Atina üzerinden İtalya'ya gitmeyi düşünüyordu. Gelecekteki feldmareşal, seyahati çok severdi, hatta yalnız seyahat planları kurmak bile ona büyük bir zevk verirdi. Hemen hemen bütün Almanlarda olduğu gibi, onda da Güney memleketlerinin mavi göklerine büyük bir özlem vardı. Daha sonraki yazılarından birinde: "Üstünde mavi göğü olmadıktan sonra bütün manzaralar kaç para eder?" demişti.

30 Kasım 1835'te Yüzbaşı Moltke, Bükreş, Rusçuk ve Edirne üzerinden yaptığı çok çetin bir yolculuktan sonra İstanbul'a vardı. O sırada, (1808'den beri) memleketini her bakımdan zamanının gereklerine uydurmak isteyen Sultan Mahmut II padişahtı. Birkaç yıl önce, 1826'da, artık işe yaramaz hale gelmiş olan yeniçerileri ortadan kaldırmış, yerine Avrupa usulleriyle yetiştirilmiş bir ordu kurmaya teşebbüs etmişti. Prusyalı yüzbaşı hiç düşünmediği, hatta başlangıçta istemediği halde, serasker ve nüfuz sahibi bir adam olan Mehmet Husrev Paşa tarafından Türkiye'de alıkonuldu. Aynı zamanda hizmete alınmış olan Prusya subaylarından von Bincke'nin dediği gibi: "Husrev Paşa, harp ilminin her alanında iyi yetişmiş subaylarla, o zamana kadar nizam-ı cedidi kurmada kendisine yardımcı olan aşağı tabakadan maceracılar arasındaki farkı görüyordu".

Türk hükümeti hemen Prusya'dan Moltke'yi, askerî öğretmen olarak istedi ve böylece Moltke kısa zaman için ayrılmış olduğu vatanını ancak dört sene sonra, 1839 yılı sonunda görebildi. Bu sürenin ilk iki yıl dört ayını İstanbul'da, nizamiye askerini yetiştirmek ve harita almakla geçirdi. Bu arada kısa veya uzun süren memuriyetlerle Çanakkale, Bulgaristan, Dobruca ve Tuna boyuna gitmiş, İzmir'e de kısa bir seyahat yapmıştır. 1838'de Anadolu'yu boydan boya geçerek Toros ordu-

suna katılma emrini aldı. Orada, Prusyalı istihkâm yüzbaşısı von Mühlbach'la birlikte Müşir Hafız Paşanın müşaviri olarak çalışacaktı. Moltke bir sene üç ay kadar zaman Fırat ve Dicle havzasından hemen hemen hiç ayrılmadı. O vakte kadar âdeta meçhul olan bu bölgenin haritalarını düzeltti, Garzan askerî harekâtında bulundu, nihayet Nizip meydan savaşına katıldı. Eğer Hafız Mehmet Paşa, Moltke'nin ve öteki Prusya subaylarının tavsiyelerini dinlemiş olsaydı bu savaş belki kazanılabilirdi.

Moltke ayarında bir insanın bir görevi üzerine aldıktan sonra bunu, sanki kendi vatanı için yapıyormuş gibi benimseyeceğinde şüphe yoktur. Arkadaşlarından von Bincke, Nizip muharebesinden sonra bir dostuna şöyle yazmıştı: "Moltke her durumda korkusuz ve kusursuz bir şövalye gibi; temkinli, faal, üstün zekâlı bir kurmay subay olarak hareket etti. Hasta, hemen hemen yataktan kalkamayacak haldeyken bile bulunması gereken yerlerden ayrılmadı... Herkes onu çok sayıyor".

Moltke, 3 Kasım 1838 tarihli mektubunda şöyle diyor: "Elde bu kadar önemli bir vazife varken hasta olmaya vakit yok." Bütün eserde Moltke'nin yabancı bir memlekette ve yabancı bir millet içinde, ne kadar büyük bir gayretle, lisandan tutun da karışık siyasî duruma kadar her şeyi öğrenmek ve benimsemek için uğraştığı görülür. Buna rağmen Moltke'nin Türkçeyi pek mükemmel öğrenmemiş olduğu, eserdeki Türkçe sözlerden ve bazı özel isimlerin yazılış tarzlarıyla ara sıra onlara verdiği manalardan anlaşılmaktadır. Biz tercüme sırasında, Türkiye'ye ait yer ve insan isimlerini onun yazışına göre değil – bazen hayli arayarak – doğru imlâlarıyla yazdık.

* * *

Bu kitap, birkaç çeşit yazı birleştirilerek meydana getirilmiştir: Büyük bir kısmı Moltke'nin sahiden ailesine göndermiş olduğu mektuplardır. Bunlardan ilk bir buçuk seneninkilerinden çoğu annesine yazdıklarıdır. 6, 9, 13, 14, 17, 21, 22, 26 numaralıların böyle olduğu muhakkaktır. 27 Mayıs 1837'de annesi öldükten sonra Moltke'nin, mektuplarını babasına gönderdiği anlaşılmaktadır. Nizip savaşından sonraki mektubu bunlardan biridir. Fakat bu mektuplar aynı zamanda bütün soyu sopu içindi; elden ele geziyor, hepsi tarafından okunuyordu.

Anadolu'dan gönderdiği mektuplardan bazıları kendisi gibi Türkiye hizmetlerinde bulunan arkadaşlarına yazılmıştır: Mesela 12 Nisan 1838 tarihlisi Fisher'e, Malatya kışlık ordugâhından ve Birecik'ten gönderdikleri, von Bincke'yedir. Mektupların asıllarıyla kitabın karşılaştırılması bunların, üzerlerinde hiçbir düzeltmeye lüzum göstermeyecek kadar, mükemmel bir tarzda kaleme alındıklarını ve Moltke'nin sonradan hiçbir değişiklik yapmadığını göstermiştir. O zamanlar Türkiye'den Almanya'ya bir mektubun gitmesi çok uzun sürerdi. Normal olarak Berlin'den İstanbul'a bir mektup 18 günde varabiliyordu, sefer sırasında Malatya veya Diyarbakır'a Berlin'den cevap gelmesi 40-50 günü buluyordu. Böyle uzun zamanda ele geçecek mektuplara da şimdikinden daha fazla itina gösterilmesi tabiî idi.

Kitaptaki parçalara dikkat edilecek olursa bazılarının bir aile ya da dost mektubuna pek benzemeyen karakterde olduğu görülür. Meselâ 2 numaralı mektupta Eflak'ın hali. No. 10'da Osmanlı imparatorluğunun siyasî ve askerî durumu, No. 27'de Türkiye'de karantina, No. 47'de Türkiye'de vergi ve musadere, No. 57'de statüko, No. 64'te Nizip savaşı anlatılmaktadır. Hiç şüphesiz bunlar Moltke'nin, o sırada Prusya sefiri olarak İstanbul'da bulunan Kont Königsmarck'a ya da Prusya genelkurmay başkanına göndermiş olduğu raporlardan parçalardır.

Nihayet bazı kısımlar da doğrudan doğruya bu kitap için yazılmışa benzemektedir. Belki No. 20, Suyolları; No. 33, Troia, ve daha belli olarak Moltke'nin İstanbul'da bulunduğu zamana ait mektupların sonuna konmuş olan No. 34: eski eserlerle, âdeta Türkiye'ye veda yazısı olan No. 66, Sultan Mahmut parçası böyledir. Bu son ikisi, herhalde kitabın bütünlüğünü sağlamak için yazılmış parçalardır ve üzerlerindeki tarihler de sadece mektuplara benzetmek için konmuştur.

Moltke, eserlerinde kendini ön planda göstermekten daima kaçınmıştır, hatta resmî görevinin ne olduğunu bile yazmamıştır.

Dikkate değer noktalardan biri de, dünyanın yuvarlaklığını sırf nezaket icabı kabul etmiş gibi görünen zatın (Mektup No. 66) Hafız Paşa olduğunu bu kitapta bildirmeyişidir. Halbuki bu, hatıralarında açıkça yazılıdır. Moltke'nin, geniş bir kitleye hitap eden bu eserinde Hafız Paşanın adını vermeyişi herhalde eski silah arkadaşlığının hatırasına saygı yüzünden olsa gerektir. Esasen bu kitapta Hafız Paşayı tenkit eden satırlar pek azdır. Bunları asıl, Moltke'nin hatıralarında buluyoruz.

Moltke, mektuplarını eseri için ana malzeme olarak kullanmış, fakat bunları bir bütün, edebî bir eser haline koymak için tam bir sanatçı gibi çalışmıştır.

Acaba Moltke, eserinde kaydettiği yakın ve uzak tarihe ait bilgileri nereden edinmişti? O zamanlar Şarka ait seyahatnameler yok denecek *kadar azdı; olanlar da işe yarar şeyler değildi. Bu kitabın 1870'teki baskısına önsöz yazan Dr. Gustav Hirschfield, Moltke'ye kaynak olan eserleri uzun zaman aradığını söyler. Ona göre, o sırada Almancada bu alanda en önemli eser olan, Hammer'in "İstanbul ve Boğaziçi" adlı kitabından Moltke hiç faydalanmamıştır. Kendisinin, Türkiye'ye hareketinden önce, Viyana civarında Döblin'e giderek Hammer'le görüştüğü ve ondan Türkiye hakkında malûmat aldığı düşünülürse bu hal insana büsbütün garip gelmektedir. Belki Moltke, Hammer'in Türkiye hakkındaki fikirlerini gereği kadar tarafsız bulmamıştı. Anlaşılan Moltke en çok, Hammer'den kendisi için bir tavsiye mektubu almış olduğu ve sık sık ziyaretine gittiği, Avusturya sefiri von Stürmer'den faydalanmıştı. Fakat asıl kaynağının, Gibbon'un* "History of the decline and fall of the Roman Empire" *adlı eseri olduğu anlaşılmaktadır. Moltke, bu kitabı tercüme etmiş, fakat bu tercüme kaybolmuştur. Ne de olsa bu eserlerden alınmış olan kısımlar kitapta pek az yer tutmaktadır.*

. . .

Moltke'nin memleketimizde kalmış olması askerî bakımdan büyük bir fayda sağlamamış olabilir; buna karşılık Türkiye mektupları gibi gerek içindeki bilgiler, gerek yazılış tarzı bakımından üstün değerde bir eserin meydana gelmesi gerçekten çok hayırlı olmuştur. Bu kitapta görmesini ve anlatmasını bilen üstün bir insanın kalemiyle çizilmiş nice portreler ve manzaralar buluyoruz. Bunlar arasında İstanbul, Bursa ve İzmir'in tasvirleri, haris ve hilekâr, aynı zamanda zeki ve becerikli Husrev Paşa; cahil, hurafelere inanan, fakat cesur ve fedakâr Hafız Mehmet Paşa; her bakımdan büyük bir hükümdar vasıflarını taşıyan, yalnız ve yardımcısız Sultan Mahmut, hatta Adakale'nin zavallı sürgün Osman Paşası ve bunun gibi çeşit çeşit insanların portreleri ne büyük bir ustalıkla çizilmiştir. Husrev Paşanın Emirgân'daki yalısıyla Fırat'ta kelekle yolculuk parçaları ne kadar canlı ve güzeldir. O devir vakanüvislerini ve tarihçilerini açınız: Onlarda manzara yoktur, insanlar hep biteviye, silik gölgeler gibidir. Nizip bozgununu vakanüvis Lûtfi Efendi dört beş satır beylik sözle şöyle anlatıverir:

"Nizip nam mahalde iki tarafın kuvve-i askeriyesi bittekabül kûs-i galebe Mısırlı tarafında çalınmış ve Hafız Paşa ordusunun perişan ve müteferrik olmuş olduğu havadisinin İstanbul'a aksinden evvelce Sultan Mahmut Han Hazretleri, saray-ı ukbaya rıhlet eylemiş bulunduklarından bu haber-i keder-eser mesmu-ı âlileri buyurulmamıştır".

Halbuki Moltke'de, ta o acı sona kadar bütün dramı adım adım birlikte yaşarız. Tarihimizdeki acı tatlı bin bir olaydan tek biri olan Nizip savaşını bize hem büyük bir asker, hem de kudretli bir yazar olan Moltke anlatmasaydı o devirde hangi dertlerin koca Osmanlı İmparatorluğu'nu, bütün hazırlıklarına rağmen, âsi bir valinin ordusuna karşı koyamayacak hale getirdiğini belki bu kadar açık bir tarzda anlayamayacaktık.

Moltke'nin bazı eleştirmelerini sert bulabiliriz, fakat onun bu sözleri, hikâyelerini ta çocukluğundan beri dinlediği o muhteşem Türk ordusunun yerine, kudretsiz ellerde perişan olmuş bir orduyla karşılaşma yüzünden değil mi? Türk-Rus Harbi adlı eserinde Moltke şöyle der:

"Vaka-i Hayriye'den sonra yeniçerilerin yerine kısa zamanda, aşağı yukarı 48.000 kişilik, Avrupa askeri kıyafetli, Avrupa usullerince talim görmüş ve silahlanmış bir ordu kuruldu. Bu teşkilâtın yeniliği, halkın bunu benimsemeyişi, olayların zorlaması ve zamanın kısalığı bu ıslahatı pek vakitsiz bir hale koydu... Eski Osmanlı ordularının o debdebeli manzarası, silahlarının ihtişamı, o hiçbir şeyden yılmayan şecaatleri ortadan kalkmıştı. Fakat Babıâli'nin o zamana kadar savaşa sürdüğü sayısız kitlelere bu yeni ordunun bir üstünlüğü vardı: İtaat ediyordu".

Hudutları hâlâ Tuna'dan Hint Okyanusuna kadar uzanan bir ülkeyi bu kırk sekiz bin kişi koruyacaktı. Üstelik 1826'da yeniçeri ocağı kaldırıldığı zaman bu ocak esasen ismi var cismi yok denecek hale gelmişti. Bir zorba yüzlerle uydurma şahıs yerine ulûfe ve tayın alıyor, odalarda, yani kışlalarda birkaç ihtiyar ve işe yaramaz adamdan başka kimse bulunmuyordu. Bu yüzden, yeniçeri ocağından nizamiyeye aktarılabilecek tecrübeli ve değerli asker de hemen hemen bulunamamıştı. Yeni kurulan ve kendisine büyük ümitler bağlanan nizamiye ordusunun henüz talim ve terbiyesi tamamlanmadan 1827'de Navarin'de Osmanlı donanması yakıldı, 1828'de Rus harbi başladı. Daha acemi durumda olan, yeni usulleri bilen subaylardan yoksun ordu bu savaşa girdi. Bunun arkasından Yunanistan'ın istiklâli, Mısır valisi Kavalalı Mehmet Ali Paşanın isyanı çıktı. Mısır ordusu, yani asi bir valinin askerleri, Osmanlı ordusunu Halep ve Konya savaşlarında bozdu, ta Kütahya'ya kadar sürdü, hatta öncüleri Kocaeli yarımadasına, İstanbul'un kapılarına kadar varmıştı. Osmanlı devleti en amansız düşmanlarından, Rusya'dan medet umacak hale düşmüştü. İşte Moltke'nin içinde bulunduğu Hafız Paşa ordusu bütün bu felâketlerden artakalmış, perişan, bakımsız, cahiller elinde bir orduydu. Bu ordu kendi memleketi içinde isyan bastırma vesilesiyle giriştiği hareketlerde ele geçirdiği vatandaşları-

nı esir olarak satabiliyor veya kullanabiliyordu. İşte yine Lûtfi tarihinden birkaç satır:

"Sene-i sabıkada Sivas müşirliğinde memuriyeti mukarrer olan Çerkez Hafız Paşa kuvve-i vafiye-i askeriye ile merkez-i memuriyetine varmıştı. O vakte kadar ol havalinin ekser mahalleleri taht-ı zabıtaya alınamayarak ahalisi hal-i vahşette idiler. Bunların terbiyelerine bakılmak üzere evvel emirde ceygâh-ı eşkıya olan Sencar dağına varılarak havene-i yezidiye ile olunan muharebe seby ü istirkak (köle ve cariye olarak esir etme) olunan bin beş yüz kadar nüfus ve birtakım emval ve eşya beyn-el-asakir iğtinam ve taksim kılınmış..."

Talim görmemiş, eline silahı ilk defa alan zavallıdan *"zararı yok babam, vurur o!"* diye rasgele ateş etmekten başka ne beklenebilirdi? Moltke, Türkiye'de büyük Türk ordusunun hiç değilse kalıntılarını görebileceğini ummuş, fakat bundan eser bulamamıştı. Bir devir, uzun bir can çekişmeden sonra ölmüş, yenisiyse henüz başlayamamıştı.

Moltke'nin yanıldığı birçok noktalar vardır, fakat bunların maksatlı olarak yazdığı iddia edilemez. Çünkü en çok kızması, aleyhinde en çok atıp tutması beklenen Hafız Paşayı bile kötülemek istemediğini görmekteyiz. Dinî taassubu olmadığını da İznik camiini anlatan satırları pek güzel göstermektedir. Bu sebeple Moltke'de garezkârlık ve hakikatleri bilerek değiştirmek gibi şeyler aramamalıdır. Hatalarının kaynakları bir yandan başvurduğu eserler, öte yandan – özellikle başlangıçtaki dil bilmezliği olsa gerektir.

Moltke'nin Türkiye'de bulunduğu sıralarda eskiçağlara ait bilgiler henüz kutsal kitaplarda yazılı olanlarla Yunan ve Latin metinlerinden öğrenilenlerden ibaretti. Eski Mısır yazısı okunalı henüz pek az zaman olmuştu. Klasik çağ eserlerinden başkasına kimse önem vermiyordu. Bu halin pek yakın zamanlara kadar sürdüğünü düşünürsek Moltke'yi bu bakımdan kınayamayız. O da zamanındakilerin hepsi gibi Yunan-Roma eserlerine hayrandır. Meselâ Aleksandria Troas'ı anlatırken, buranın taşlarıyla İstanbul'un en büyük camilerinden birinin inşa edilmiş olduğu gibi, biraz düşünse kendisinin de güleceği, bir iddiayı kitabına geçiriverir. Gerçi pek yakın zamanlara kadar harabeler her memlekette taş ocağı olarak kullanılmıştır ve bunun en güzel örneği Roma'dır. Eski eserleri koruma düşüncesi ancak XIX. yüzyılda ortaya çıkmıştır. Moltke'nin bir notundan, bahis konusu olan binanın Sultan Ahmet Camii olduğu anlaşılmaktadır. Böyle muazzam bir binanın bütün taşlarının ta Çanakkale'den, hem de o zamanki taşıtlarla getirilemeyeceğinden vazgeçelim, bu camiin de İstanbul civarında çıkan kefeki taşından yapılmış ol-

duğunu herkes görebilir. Tekrar edelim ki her memlekette ta son yüzyıla kadar âdet olduğu üzere, harabelerden özellikle mermer ya da başka değerli taş direkler getirtmek bizde de olağan şeylerdendi, fakat bu, pek az sayıda parçalara inhisar etmişti.

Eserde âyet ve hadis diye yazılan, çoğu garip sözlere gelince, bunları Moltke'nin uydurmuş olmasına ihtimal vermiyoruz. Kendisi memleketimizde cahil insanlarla düşüp kalkmış, öğrendiklerinin çoğunu onlardan öğrenmiştir; bu uydurmaların da aynı kaynaklardan öğrenilmiş olduğu tahmin olunabilir.

Böyle birkaç yer bir yana bırakılırsa, Türkiye gibi o devirde, hele karantina yüzünden, pek az gezginin uğradığı, bu sebeple de hakkında pek az eser bulunan bir memleketi genç bir subayın bu kadar iyi tanıyabilmesi takdire değer. Moltke bunu, geniş bilgisi ve kültürü kadar kuvvetli zekâsı ve müstesna kabiliyeti sayesinde başarmıştır.

Moltke'nin mektuplarından hoşumuza gidecek kısımlar birçok defa dilimize çevrilmiştir. Halbuki bir eseri bütünüyle tanımak lazımdır. Hele böyle yüzyıldan daha önce yazılmış ve o zamandan beri milyonlarca insanın okumuş olduğu bir kitabı bizim tam olarak tanımamamız hata olur. Onun için eserde en küçük bir kısaltma bile yapmadık.

Kitapta sık sık bahsi geçtiği için o sıralardaki hastalık salgınları hakkında da birkaç söz söylemek istiyoruz:

Moltke'nin Türkiye'de bulunduğu sırada henüz hastalık mikropları bilinmiyordu. Pastör ancak 1867 yılında, ipek böceklerine gelen bir hastalığın mikrobunu bularak bu alanda ilk adımı attı. Ondan önce salgınların neden ileri geldiği bilinmemekteydi, sadece temasın tehlikeli olduğu denemeyle anlaşılmıştı. Onun için, Moltke'nin kısmen anlattığı acayip, sözde çarelere başvuruluyordu. Kolerayı defetmek için top atıldığı bile vardı. Salgınların adları da bir şey ifade etmiyordu. Bazen aynı hastalığın yedi sekiz ismi vardı. Moltke'nin memleketine dönerken geçirdiği Moldava humması da kolera olsa gerektir.

Moltke, Malatya'da ordunun hastalıktan büyük zayiat vermesini, askerin dayanıksızlığına yoruyor ve "Su iyi, yemek iyi ve bol, yorgunluk az, şu halde tek sebep budur!" diye düşünüyor. Halbuki Napolyon'un 1799'da Suriye'ye hücumunda askerlerinin çoğu hastalıktan, belki de zehirli sıtmadan kırılmıştı. Amerika kurtuluş savaşında 187.000 asker dizanteriye tutulmuş, bunlardan binlercesi ölmüştü. Lekeli hummaya gelince, bunun halk dilinde bir adı da ordubozan'dır. Şu halde Hafız Paşa ordusunu kırıp geçiren kimbilir hangi mikroptu?

Sözümüze son vermeden önce, Moltke'den, hem de artık dünyanın dört bucağında adı duyulmuş bir mareşal olduğu devirde, vakanüvis Lûtfi Efendinin nasıl bahsettiğini okuyalım:

"Hafız Paşa maiyetine Prusyalu birkaç nefer zabit gönderildiği misillû Konya'da Ali Paşaya dahi Adana civarında istihkâmat inşası için mühendisler izam olundu."

Hayrullah ÖRS

Türk Subayları (Kendi çizimi)

Yeni Orsova Paşasını Ziyaret
– Eflak'ta Yolculuk – Bükreş

Bükreş, 25 Ekim 1835

Eski Orsova'nın hemen alt yanında, Tuna'nın dalgalarından, üzerinde bir Türk kalesi bulunan bir ada yükselir. Bu kaleyi yapan Avusturyalılar buna Yeni Orsova adını vermişlerdi; Türkler burasını aldılar, o zamandan beri sınırları Karpatlardan ta Balkan'a kadar gerilediği halde, bugün Adakale'de hâlâ bir Türk paşası oturmaktadır.

Hıristiyan ülkelerinin ta içlerinde kalmış olan burada, üzerinden Peygamber'in şanı ilân edilen tek bir minare yükselir. Sırbistan ve Eflak'taki[1] öz topraklarından sürülmüş olan Türkler de bu adada sığınacak yer bulurlar.

Yol arkadaşım Baron von Bergh'le bana, yanımızda bir gümrük, bir de sağlık memuru bulunarak, Türk paşasını ziyaret için izin verildi. On beş dakikada oraya vardık, ama eğer veba bulaşığı sayılan insanlar veya maddelere şöyle bir dokunuverecek olursak, Avusturya toprağına ancak on beş günde dönebilecektik. Aslında bu tehlike, zaten Türkiye'ye gidecek olan bizler için değil, tekrar geri dönmek zorunda olan iki memur için korkunçtu. Bu yüzden bunlardan biri, paşanın huzurunda bulunduğumuz sırada, odadaki hava akımıyla o yana bu yana savrulan bir tüyden, elindeki uzun değneğiyle kendini korumaya uğraştı durdu.

Osman Paşa, uzak Trandeburg[2] diyarından gelen iki yabancıyı birçok iltifatlarla karşıladı. Kahve, çubuk getirtti ve kalesini

---

(1) Eflak, Romanya'nın güney kesimi. Burası ayrı bir prenslikti, sonra bizde Boğdan denen Moldava ile birleşerek Romanya adını aldı (1858).

(2) Brandenburg yerine yanlışlıkla söylenmiş bir kelime. Moltke hatıra defterine bunu 14 Eylül 1835'te İstanbul'da bir Türkün söylediğini kaydeder.

ziyaret etmemize müsaade etti. Paşa kızıl kaba sakallı, kelli felli bir zattır, ama onun oturduğu kadar kötü yerde bizim köy muhtarlarımız bile oturmaz. Konağı müfrez bir burca yapıştırılmış tahta bir barakadan ibarettir. Adamakıllı soğuk olduğu halde pencereleri camsız, yarı açık bir odada oturuyorduk. Biz, hiç de lüzumu yokken, frak giymiştik, halbuki paşa bizi, birbirinden daha bol ve büyük iki üç kürkü üst üste giymiş olarak, tamamıyla *à son aise*[3] kabul etti.

Kasabada dar sokakların pisliğine şaşıp kaldık. Erkeklerin elbiseleri kırmızı, sarı, mavi, hulasa en cavlak renklerdeydi, ama hepsi de yırtık pırtıktı. Kadınlar sarılmış sarmalanmış, umacılar gibi dolaşıyorlardı. Bütün evler viranlığın izlerini taşıyordu, kaleye de, sanırım ki alındığı günden beri yeni bir tuğla bile konmamıştı. 31 Ekimde Eflak'taki yolculuğumuza devam ettik. Her ne kadar bu memleket hakkındaki hükümlerim pek lehte değilse de, gerçeğin payını da vermek için şunu söylemeliyim ki ben sadece buranın son savaşta korkunç bir şekilde harap edilmiş olan kısımlarını gördüm. Belki de kuzey tarafları daha iyidir. Üstelik biz bu ıssız yerleri günler günü durmadan yağan yağmurda geçtik. Bereket versin talihim varmış da bu yorucu yolculuğu pek hoş bir arkadaşla birlikte yaptım.

Orsova'da bir yük arabası satın almıştık. Çünkü Ulah[4] arabaları çocuk arabalarına benzer. Yükseklikleri 2 ayak 4 pustan fazla değildir, hem de öyle kısa, öyle dardırlar ki, bizim gibi azıcık eşyası bulunsa bile, içlerinde bir adam zor oturabilir. Bütün arabada tek bir parça demir bile yoktur. Dingil başlıkları, dingilleri, her yeri ağaçtandır. Atların koşumlarında da maden diye bir şey aramak boşunadır. Sonraları ırmakları öylesine kabarmış bulduk ki su bizim büyük arabanın içine bile girdi, iki ayak daha alçakta oturmadığımız için birbirimizi tebrik ettik. Fakat bizim arabaya Eflak'ta bir *voiture monstre*[5] gözüyle bakıyorlardı. Sekiz at koşmuşlardı, çetin yerlerde buna birkaç da manda ekliyorlardı, ama yolun müsaade ettiği yerlerde, bodur bir ata semersiz binen ve ayakları hemen hemen yere değen postacının naraları arasında dörtnala yol alıyorduk. Naralar geldiğimizi menzilhaneye ta

---

(3) Teklifsizce, rahatlıkla.
(4) Romenlere o zamanlar verilen ad.
(5) Dev araba.

uzaktan haber veriyor, etrafı çitle çevrili avluya girdiğimiz zaman da yeni atlar hazırlanmış bulunuyordu. Yağmur hiç durmamacasına boşanıyordu. Şapkam ıslanmaktan öyle yumuşamıştı ki kaldırıp arabadan dışarı attım. Krajova'da kürklerimizi kurutmak için fırıncıya gönderdik ve bir çeşit çöreğe benzemiş, yarı yanık olarak geri aldık. Köylerde hiçbir şey bulunmuyordu; ne yiyecek, ne içecek bir şey, ne de geceleyecek bir yer vardı. Hatta menziller bile sefil kulübelerden, daha doğrusu, üzerleri ağaç dallarından bir damla örtülmüş toprak kovuklarından başka şeyler değildi. Bu kadar fakirliği bu zamana kadar hayalimden bile geçirmiş değilim.

Bükreş'te bir misafirhane bulunca sevincimiz az olmadı. Orsova'dan beri böyle bir yerin yüzünü görmemiştik.

Konsolosumuz tarafından Prens Alexandre Ghika'ya takdim edildik ve birçok Boyar[6] aileleriyle tanıştırıldık. Prens bize bir ziyafet verdi, bir de askeri gösteri yapılmasını emretti ama şiddetli bir kar tipisi yüzünden bundan vazgeçmek zorunda kalındı.

Her ne kadar, geçen yıl bu zamanlarda en güzel bir yazın keyfini sürdüğüm Cenova ile aynı enlem üzerinde bulunuyorsak da burada her şey henüz en derin bir kış içinde donmuş kalmıştı. Burada bulunduğumuz sırada şehri, kışlaları ve salonları dolaştık, İstanbul'a yolculuk için de hazırlıklarımızı yaptık.

Bükreş'te en sefil kulübelerin yanı başında en yeni tarzda saraylar ve Bizans üslûbunda eski kiliseler görülür. En bol lüksün yanında en acı sefalet kendini gösterir ve Asya ile Avrupa bu şehirde yan yana gelmiş gibidir.

Eflak'ta Durum – Uzun Bir Köleliğin İzleri – Konsolosluklar – Hükümetin Memlekete Etkisinin Pek Az Oluşu – Sırbistan'la Karşılaştırma

Eflak henüz beş yıldan beri Hıristiyan memleketlerinin arasına girmiştir. Bu her ne kadar çifte bir uyrukluk şeklinde olmuşsa da yine iç yönetimini kendi iradesine göre düzenlemek hakkını elde

---

(6) Romanya'da soylu toprak ağaları.

etmiştir. Bu sebeple Avrupa, kısa zamanda, fakat büyük değişikliklerden sonra beliren daha iyi bir durumun başlangıçlarına ümitle bakmaktadır.

Bu memleketin çehresi uzun bir köleliğin korkunç izlerini taşımaktadır. Hâlâ yarı yarıya harabeler ve moloz yığınları halinde olan şehirler sursuz, kapısızdır. Çünkü şimdiye kadar her türlü savunma bir suç sayılmıştı. Karşı komanın faydasızlığını ve bunun çoğu zaman felaket getirdiğini gören Ulah artık kaçmadan başka kurtuluş çaresi düşünemez olmuştur. Bir Türk kıtası Tuna'yı geçip geldi mi, elinde avcunda kaybedecek bir şey bulunanlar Macaristan ve Siebenburgen ormanlarına sığınıyorlardı. Boyarlar kaçmada daima herkese örnek oluyordu. Bu memleketin köy ve kasabaları vadiler içinde âdeta saklanmıştır. Çünkü geride kalanlar ancak fakirliği, sefaleti ve bir köşeye sığınmasıyla kendini koruyabiliyorlardı. Bugün bile nedir o bahçesiz, yemiş ağaçsız, kilisesiz, neredeyse evsiz köylerin hali! Çünkü evler de toprağa gömülüdür ve sadece çalı çırpıdan bir damla örtülmüştür. Günlerce gidersiniz de çiftlik, değirmen, işletme binası, ağaçlı yol, fidanlık, köprü, ya da saray diye bir şey göremezsiniz.

Her ne kadar üçte biri bodur meşe çalılıklarıyla kaplıysa da ovada hiç ağaç yoktur. Tabii burada ağaç dikmeyi aklına getiren de yok. Tabiatın vermiş olduğu güzel ormanlar da öylesine tahrip edilmiştir ki, kötülük, ihmal ve düşüncesizliğin, tahrip için kullanılan insan kuvvetlerinin bu kadar yıkıp yok etmeye nasıl yettiğine insanın şaşacağı gelir. Bu geniş alanları orman haline getirmek de, buğday tarlası yapmak da aynı derecede güç olacaktır. Ekime elverişli toprakların olsa olsa beşte biri ekilidir. Bu memleket sahiden geniş bir çöle benzer, ama öylesine bir çöl ki, her emeği cömertçe mükâfatlandırmak için sadece çalışkan insan ellerini beklemektedir. Boyarların pek azı, büyük malikânelerini kendileri işletmektedir. En çoğunun evleri şehirlerdedir. Köylerde bulunmayan kiliseler de hep buralarda toplanmıştır.

Son değişikliklerde bu soylu sınıfı çok şey kaybetmiştir. Bunların batması köylülerin altında inledikleri yük azaldığı için değildir (çünkü arazi fiyatları son derece artmıştır), Boyarlar eskiden memuriyetleri satarak ya da bunları gelir vasıtası olarak kendileri kullanarak geçinirlerdi. Şimdiyse buralara sabit maaşlı memurlar yerleştirilmiştir. Sadece memleketin en büyük makamının, Hospodar'lığın[7] satılmayışı bile ne nimet! Eflak'ın başına yetmiş senede kırk hükümdar geçmiştir. Şimdi Hospodarlık payesi kaydı hayat şartıyladır. Henüz babadan oğula intikal etmiyor, herhalde bu memleketin çok yavaş gelişmesinin esas sebeplerinden biri de bu.

Toprak beylerinin keyfi idaresi kayıt altına girmiştir. Emir kullarının haklarını arayabilecekleri mahkemeler vardır. Angaryanın sınırlandırılması sayesinde halk zamandan ve kuvvetten kazanmıştır ama, kuvvet, zaman ve hürriyet onlar için hiç değeri olmayan hazinelerdir. İçinde yetiştikleri ve sevdikleri durumu sürdürmek için de bunlara ihtiyaçları yoktur. Ulah, babasından, ancak şöyle böyle geçinebileceğinden fazlasını ekmemeyi öğrenmiştir. Fazlası zaten efendinin ya da düşmanlarının eline geçecektir. En fazla kanaate alıştığı için başka milletlerin bin türlü ihtiyaçlarını bilmez. Fakirlikten çok işten, barbarlığın sefaletlerinden ziyade medeniliğin kayıtlarından ürker. Ulahlar dikkati çekecek kadar güzel, boylu boslu adamlardır. Dilleri Latinceden doğmadır ve bugün de hâlâ İtalyancaya benzer. Fakat Türk boyunduruğu bu milleti tamamıyla köleleştirmiştir. Silah Ulah için uzun zamandan beri yabancı bir şey olmuştur. Her isteğe boyun eğer, her iyi giyimli adama karşı saygı duyar ve onu kendisine emretmeye ve kendisinden hizmet istemeye haklı sayar. İsterseniz ona umduğunun kat kat üstünde bir hediye verin, bir Ulahın teşekkür ettiğini göremezsiniz. Fakat kendisine yapılan hor muamelelere karşı da yine böyle sessiz kalır, sevincini göstermeyi akılsızlık, acısını meydana vurmayı da faydasız görür. Buna karşılık sefil kovuğunda, kocaman bir ateş karşısında ıslak üstünü başını kurutabilir, mısır kavurabilir ve haydi haydi bir çubuk içebilirse onu neşeli görürsünüz. Ulahın evinde ne ekmek, ne başka yiyecek şey, ne tencere, ne kazan, ne de eşya vardır. Ulah bıçağını, çubuğunu, tütün kesesini kuşağında taşır; bir yere giderken evinde, saklamak yorgunluğuna değecek hiçbir şey bırakmaz. Şu halde bu kuşaktan beklenecek fazla bir şey yok.

Bizim hemşerilerimizden birçokları, daha iyi bir hayat kurabilmek için başka kıtalara hicret etmektedir. Halbuki, eğer mal ve mülk güvenliği olsa her emeğin karşılığını bol bol görebilece-

---

(7) Eflak ve Boğdan beylerinin unvanı. Voyvoda'lık. Bunlar Osmanlı devleti tarafından tayin edildi.

ği, bu zengin memleketin kaynaklarından faydalanmaya kalkışanlar pek az. Göçmenlerin bu kadar az teşvik görmesinin sebebi muhakkak ki yabancıları devlet için bir yük haline koyan konsolosluklardır. Bir konsolosun himayesine giren kimse memleketin kanunlarına tabi değildir. Hükümet ondan ne vasıtasız vergi alabilir, ne onu yargılayabilir, ne de cezalandırabilir. Sade Bükreş'teki Avusturya konsolosunun himayesi altında 5000 kişi varmış. Çoğu zaman Almanların İngiliz, Fransızların da Alman himayesinde oldukları bile görülür, hatta Eflak uyruğu olanlardan da bu yoldan kendi hükümetlerinin emrinden çıkma çaresini bulanlar var. Rusya bu suiistimalden el çekmiştir, ama bütün memlekette başka yollardan muazzam bir himaye usulü uygulamaktadır.

Eflak'ın kıymetli ve adi madenlerden büyük hazinelere sahip olması çok muhtemeldir. Akarsular o kadar çok altın taneleri sürükler ki çingeneler bunlarla hükümete vergi borçlarını öderler. Civa bazı yerlerde damla halinde toprak üstüne çıkar. Burada açıkta bulunan tuz da devletin esas kaynaklarından biridir. Fakat hiçbir yerde maden çıkarma işinin başlangıcına benzer bir şey bile görmedim. Bu teşebbüs ruhu yokluğunun gizli anlaşmalar yüzünden olduğunu söyleyenler vardır. Fakat herhalde asıl sebep madenciliğin ancak zamanla kâr getirebilecek büyük sermayelere muhtaç oluşudur. Bir ırsi hükümdar, bu kadar bol kazanç getirecek bir harcamadan çekinmezdi. Fakat Alexandre Ghika o durumda mı?

Memlekette, ana yollarda menzil teşkilatı kurulmuştur. Yolcular uygun mevsimlerde son derece çabuk, fakat aynı zamanda son derece rahatsız bir şekilde taşınırlar. Yollar ve köprüler için şimdiye kadar en ufak bir iş yapılmamıştır. Bu yüzden, sürekli yağmurlarda bu ağır killi arazide bir yerden ötekine gitmek hemen hemen imkânsız hale gelir. Karpatlardan aşağı yuvarlanan ırmaklar ovada geniş yataklarını doldururlar ve her türlü ulaştırmayı keserler. Yol bakımından bu memleket henüz pek kötü durumdadır. Şoseleri yoktur. Tuna sadece sınırdan geçer, Tuna'ya akan ırmaklarda gemi işleyemez, işler hale getirilebilecek gibi de değildirler. Bu sebeple Tuna, Eflak için, Türkiye'den gelecek vebaya karşı bir set olmaktan pek fazla işe yaramaz. Karantina müesseseleriyse bugün de o haldedir ki, her yolcu muhakkak bunlardan kaçınacaktır. Üstelik bunlar öyle az güvenilir halde ki

Avusturya Eflak sınırında bulunan karantina müesseselerini hâlâ devam ettirmektedir.

Bu ıssız diyarda Bükreş gibi, hemen hemen 100.000 nüfuslu bir şehre rastlamak insanı şaşırtıyor. Bükreş'te saraylar, sosyete ve ziyaretler, tiyatro, *marchandes de mode*,[8] gazeteler, atlar, arabalar vardır. Ama şehir kapısından dışarı adımını atan, barbarlığın ta içine düşer. Bir tabiat araştırıcıları derneği, bir de örnek çiftlik kurmuşlar, fakat Eflak'a patates ziraati bile henüz girmiş değil. Şehirde saray mensuplarını görürsünüz, ama memlekette hükümet göremezsiniz. Şimdiye kadar Eflak'taki duruma tesir eden ıslahat, köylülerin azat edilmesi, bunların üzerindeki yükün azaltılması, vergi ve resimlerin sınırlandırılması ve belirtilmesi, menzil teşkilatı, vebaya karşı koruma hattının çizilmesi, şehirde sokakların kaldırımlanması, 6000 kişilik milis kuvvetinin talim ve terbiyesi, hemen hemen hep, General Kisseleff'in idaresindeki Rus işgal kuvvetinin eseridir. Fakat şunu da söylemek insafa uygun olur ki, Eflak prensinin yapmaya mezun olmadığı birçok şeyleri yapmaya general yetkiliydi. Üstelik bu kadar uzun zamandan beri ve bu kadar ağır bir baskı altında kalmış olan bir memlekette memnun kalınacak bir durumun gelişebilmesi için vakit henüz pek erkendir.

Sırbistan birçok bakımlardan Eflak'ın tamamıyla aksinedir. Sırbistan'da ne Boyarlar vardır, ne de başka soylular; ne büyük şehirler vardır, ne de saray halkı. Sadece halk ve hükümdar vardır. Miloş, bu harikulade adam, halkının hürriyetini kılıcıyla elde etmiştir. Fakat onların vatandaşlık durumlarını düzenlemeye aldırış bile etmemiştir. Gerçi parlamento, seçim ve oya başvurmayı, hulasa Chartre Vérité'nin yeni bir kopyasını Seine nehri kıyısından Morava'ya aktarmak isteyenlerin tekliflerini reddetmekte haklıdır, fakat memleketin kanunlara ihtiyacı olduğunda da şüphe yoktur. Prens bütün iktidarı kendisinde toplamış ve bir ordugâhın düzenini devlet idaresine uygulamıştır. Prens, memleketin bütün topraklarının biricik sahibi olarak kendini görmektedir. Çünkü Türkler buraları zaptettikleri zaman Sırpların mülkiyet hakları ortadan kalkmış ve padişaha geçmişti. Miloş şimdiki arazi sahiplerini gerçek sahip olarak değil, sadece serfler[9] olarak

---

(8) Kadın eşyası, özellikle şapka satanlar.
(9) Toprak köleleri.

görmektedir. Bunların toprakları oğullarına miras kalabilmektedir, fakat vasiyetle akrabalarına bırakmaya hakları yoktur.

Sırplara gelince; bunlar babalarının haklarını kanlarıyla yeniden satın almış olduklarına inanmaktadırlar. Nihayet Miloş bütün dış ticareti, yani kendisinin tüccarlığından yetiştiği kârlı domuz alışverişini, kendi eline almış gibi görünmektedir. Bu sayede hesapsız servetler kazanmıştır ve bu tekel, bazı kanlı hükümlerinden ziyade tepkiler uyandırmıştır.

Miloş Obrenoviç İstanbul'da bulunduğu sırada, nadir görülen iltifatlarla kabul edilmişti ve kendisi Babıâli'ye sahiden sadıktır, çünkü ancak bu sayede prensliğinin devam edebileceğini anlayacak kadar zekidir. Memleketinin içinde, büyük hizmetinin hatırası, bütün maddi yetkiyi elinde toplamış olması ve muazzam bir servetin nüfuzuyla hüküm sürmektedir. Dışarıya karşı da Sırp milletinin savaşçı ve yaman karakteri sayesinde kuvvetlidir, çünkü her ne kadar milis kuvveti kalabalık değilse de her Sırp, eline geçirmek için o kadar uzun zaman mücadele ettiği silahı kullanmasını bilir.

Eflak Kızakları – Yerköy, Rusçuk, Tatarlarla Seyahat – Şumnu – Türk Hamamları – Balkan – Edirne – İstanbul'a Varış

İstanbul, 20 Kasım 1835

Bükreş'te sekiz gün kaldıktan sonra yolculuğumuza kızakla devam ettik. Bilmem ki bu dört at koşulu, oyuncağa benzer, yolcunun bacakları kenarlardan dışarı sarkacak kadar dar ve kısa, süratli gidişte insanın bin bela ile yerinde oturabildiği şeye bu iltifatlı isim verilebilir mi? Daha birinci menzile varmadan postacı attan yuvarlandı. Ben de iki defa kızaktan düştüm. Bu minyatür taşıtın kılavuzu bunlar aldırış bile etmiyor, küçücük atını boyuna sürüyordu. Yükünün en mühim parçasını kaybettiğini, bağıra çağıra, bin bela ile ona haber vermek mümkün oluyordu. Vadilerde dereler yollara taşmıştı. Böyle bir ayak yüksekliğinde bir kızakla üç ayak derinliğinde taşkınlardan nasıl geçildiğini düşünebilirsin. Alabildiğine sürükleniyorduk. Bu memleketlerde Avrupalı bir yolcu için en kötü şey misafirhane diye bir yerin bulunmayışıdır. Akşamları aç, sırılsıklam ve yarı donmuş bir halde bir şehre varınca insan parasıyla ne sıcak bir oda, ne bir yatak, ne de akşam yemeği bulabilir. Yerköy'de birinin evine kabul edilebilmemiz için prensin bir tavsiye mektubu lazım oldu.

Bu şehirde hâlâ son harbin tahribatının izleri görülüyor. İstihkâmların kara tarafı yerle bir edilmiş, buna mukabil Tuna'ya bakan kısımda taş kaplamalı birkaç toprak tabya ayakta kalmış. Nehir kenarındaki ulaştırmaya uygun yeri, muhakkak ki bu kasabayı yeniden geliştirecektir. Daha şimdiden, Bizans tarzında kubbeli kiliselerin yanında birkaç gösterişli taş bina yükseliyor.

Ertesi gün, burada çok geniş olan nehri geçtik. Burada Tuna üzerinde birçok adalar var. Rüzgâr, kuvvetli akıntıya karşı gitmemize yardım etti; çünkü Yerköy Rusçuk'un biraz daha aşağısına düşüyor. Burada, (12 Kasım) Türk toprağına ayak bastık ve karantina dilince "bulaştık". Rusçuk'ta her şey bize yeni ve harikulade göründü. Yerliler bize ne kadar şaşarak bakıyorlarsa biz de etrafımıza o kadar şaşarak bakıyorduk. Yolda paşanın konağının önünden geçtik. Bu, pencereleri kafesli, geniş çatılı, arası tuğla ile doldurulmuş ağaç iskeletli büyük, viran bir evdi. Karşısındaki bir meydanlıkta birkaç top duruyordu. Buradan sonra çarşıyı gezdik. Bu da uzun bir yoldu; iki tarafında sıra sıra küçük dükkânlar vardı. Bunların karşılıklı çatıları âdeta birbirine ulaşıyor ve burada güneş ya da yağmurdan oldukça korunmuş olarak dolaşılabiliyordu. Bu çarşının müşterilere arz ettiği mallar çubuklar, at koşumları, pamuklu veya yarım ipekli dokumalar, meyveler, çizme ve terliklerden ibaretti.

Nihayet hana, yani Türk oteline vardık. Bu hanlar yolcuya bir çatı altı sağlar ama bundan başka hiçbir şey vermez. Herhangi bir zengin paşa böyle bir oteli bir çeşit hayrat olarak yaptırır. Fakat burasını döşemeyi, ya da sadece sağlam bir şekilde muhafazayı düşünen bile yoktur. Her hanın bir çeşmesi, daha zenginlerinin üstelik bir hamamıyla camii vardır, fakat yolcu yatağını, yorganını ve yiyeceğini yanında getirmek zorundadır. Asıl benim dikkatimi çeken, burada, bütün Tuna kıyılarında olduğu gibi kışları sert olan bir şehirde pencere camlarının bile bulunmayışı oldu. Pencereler ya tamamıyla açıktı ya da, olsa olsa, kâğıt yapıştırılarak örtülmüştü. Hana âdeta yerleşmiş olan bir Rum tüccara tavsiye mektubu getirmiştik. Adam hasırını, yastıklarını ve yiyeceklerini bizimle paylaştı. Bir tatarla pazarlık ederek 100 taler bile tutmayan bir para karşılığında bizi ve eşyamızı İstanbul'a götürmesi, üstelik yiyeceğimizi de vermesi için uyuştu. Bizimle bütün bunlar hakkında nasıl anlaşabildiğine hâlâ şaşıyorum. Çünkü Rum ev sahibimiz ancak bizim Türkçe ya da Rumca bildiğimiz kadar Almanca ya da Fransızca biliyordu.

Gün doğarken eğri büğrü kaldırımlar üzerinden şehrin kapısına doğru yollandık. Küçük kervanımız beş atlı ve yedi attan ibaretti. Önde, yanında bir yedek atla kılavuzumuz bir Arap gidiyordu. Bunun yüzünün beyaz kış manzarası içinde biraz yersiz bir görünüşü vardı. Kum çöllerinin bu evladı sık sık üzengilerine kadar kara gömülüyordu. Onun arkasından yük atları yedeğinde olarak sürücü gidiyor, sonra tatarla[10] biz geliyorduk. Hepimiz silahlıydık. Sağ yanımızda da *kamçık*, yani kısa saplı uzun bir kırbaç bulunuyordu.

Yol hemen, oldukça yüksek bir tepeye tırmandı. Buradan şehir tamamıyla görünüyordu. Türklerin esas kalesine bakarken hayret etmekten kendimi alamadım. Uzun, top ateşi altında, yan ateşe açık ve dış istihkâmları bulunmayan hatlarıyla, yarım yamalak silah ve teçhizatına, zayıf profiline rağmen bu kadar kuvvete karşı koyabildiğine göre ya savunma çok inatçı, ya da hücum çok zayıf veya her ikisi de olmuş olacak.

Devamlı yağmur, daha don başlamadan ağır killi toprağı çok yumuşatmıştı. Şimdi bütün kabartılar donmuş ve kalın, fakat gevşek bir karla örtülmüştü. Onun için bu yolculuk hem tehlikeliydi, hem de uzun sürüyordu.

Tatarlar, ne kadar isterse o kadar erken yola çıksınlar, ancak akşamüstü mola verirler. Atlar çok defa yemsiz olarak on iki, hatta on dört saat yol alır. Bayır yukarı adi adımla, düzlükte biniciyi son derece yoran bir nevi kısa süretiyle, bayır aşağı ise hatta en kötü yollarda bile dörtnala gidilir. Gecelenecek yer ta uzaktan göründü mü herkes atını karnı yere değecek gibi doludizgin sürer, o zaman Allah! Allah! naralarıyla, insanın kafasını patlatmaya bire bir kaldırımlar üzerinde, dar yokuşlardan ta hanın ya da kervansarayın avlusuna kadar bir koşudur gider. Orada sürü-

---

(10) Posta sürücüsü.

cü köpük içindeki atları belki bir saat dolaştırır. Binici ise hemen geniş çizmelerini çıkarır, ocağın başında yastıklara dayanarak uzanır. *Leğenle ibrik* getirilir ve hemen onun arkasından tabaksız, fakat küçük bir ayağı bulunan (zarf) bir fincanla şekersiz ve sütsüz, telvesi içinde kahve sunarlar. Sonra çubuklar ortaya çıkar, nihayet önüne bir meşin sofra serilir ve üzerine bir sahan pilav oturtulur. Hemen bunun arkasından da herkes üstündeki elbisesiyle yatıp uyur. Kim atla yolculuğa alışık, hele oldukça dinç değilse kışın tatarlarla Bulgaristan ve Rumeli'den geçmesini tavsiye etmem.

İkinci günün akşamı Şumnu'ya vardık. Üzerinde Stranca kalesinin bulunduğu tepeye çıkınca, zarif minareleri ve büyük kışlalarıyla şehir, şehrin arkasında yükselen sarp dağ ve bunun eteğinde ta Tuna'ya kadar uzanan geniş ova göz alabildiğine görünür. Balkan dağlarının ön kolları Şumnu'yu bir at nalı şeklinde çevreler, açık taraf da tahkimatla emniyet altına alınmıştır. Şehir Rusçuk'tan çok daha sevimlidir ve daha iyi inşa edilmiştir. Büyük camii de pek zarif ve güzeldir. On dört saatlik at yolculuğundan sonra kervansaraya indiğim zaman açlık, soğuk ve yorgunluktan bütün vücudum sıtma tutmuş gibi titriyordu. Üstelik tatar eyerinin kısa üzengileri bacaklarımı âdeta kötürüm etmişti. Bana Türk hamamına gitmemi teklif ettiler. Henüz bu hamam hakkında hiç fikrim olmadığı için, hiç olmazsa göreyim diye, kendimi oraya kadar zor bela sürükledim. Geniş ve yüksek bir kubbe altına girdik, buranın ortasında bir fıskıye şakırdıyor ve bu binada hüküm süren soğuğu benim için âdeta gözle görülür hale getiriyordu. Elbiselerimden en küçük bir parçasını bile çıkarmaya hiç de niyetim yoktu. Üstelik ortalıkta banyo küveti diye bir şey düşünüyordum ve fıskıye ile onun buz sarkıtlarını korkudan ürpererek düşünüyordum. Salonun çepeçevre etrafında tahta setlerde birçok adamların, halılar ve şilteler üzerinde, sadece ince birer keten çarşaf örtünerek yattıklarını hayretle gördüm. Keyifle çubuk içiyor ve bana bu anda o kadar korkunç gelen serinliğin, sanki ağır bir yaz günündeymişler gibi zevkini çıkarıyorlardı.

Çekingen halimizi anlayan hamamcı bizi adamakıllı sıcak olan ikinci bir kubbe altına götürdü ve işaretle soyunmamızı anlattı. Belimize yarı ipekli mavi bir bez tutturdular ve tıraşsız oluşunu herhalde yanlışlık eseri saydıkları, başlarımıza da birer havluyu sarık gibi doladılar. Bu kıyafet değiştirmeden sonra bizi üçüncü bir kubbeli salona soktular. Buranın mermer döşemesi o kadar ısıtılmıştı ki üzerine ancak nalınlarla basmak mümkündü. Kubbenin gün ışığı süzülen yıldız şeklinde ve kalın camlarla örtülü tepe açıklığının tam altında iki ayak[11] yüksekliğinde, üstü mermer, yaspis ve akikle zengin bir şekilde kaplanmış bir seki vardı. İnsan bunun üzerine keyifle yatıyordu. *Tellak* yani hamam hizmetçisi bundan sonra pek acayip bir ameliyeye girişiyordu. Bütün vücut ovuşturuluyor ve bütün kaslar çekilip ovuluyordu. Herif insanın göğsüne diz çöküyor ve başparmağının boğmağını bel kemiği boyunca yukarıdan aşağıya yürütüyordu. Bütün oynak yerlerini, parmakları, hatta boynunu bile şöyle hafifçe bir el hareketiyle çıtlatıyordu. Biz çok defa kahkahayla gülmek zorunda kalıyorduk. Fakat uzun, yorucu at yolculuğunun sızıları yok olmuştu. Tellak el çırparak ameliyatı bitirdiğini haber verdi. Bundan sonra, büyük salonu çevreleyen küçük, daha da sıcak hücrelere girildi. Burada iki musluktan isteğe göre sıcak ve soğuk duru su, mermer kurnalara akıyordu. Bu sefer müşteriye, tımar sırasında Türk atlarına uygulanan usulün aynı yapılıyordu. Yani tellak keçi kılından küçük bir torbayı (*gebre*) sağ eline geçiriyor ve bunu boyuna bütün vücuda sürtüyordu. Bu pek esaslı bir temizlenme. İnsanın bir Türk hamamında yıkanmayanın ömründe hiç yıkanmamış olduğunu söyleyesi geliyor. Bu sefer tellak büyük bir tas güzel kokulu sabun köpüğüyle geliyor. Hurma kabuğu liflerinden bir yumakla müşterisinin tepesinden tabanına kadar, saçlarını, yüzünü, her yerini sabunluyor, bundan sonra da insan hakiki bir zevkle başına, göğsüne ve karnına soğuk su döküyor.

Artık yıkanma bitmiştir. Islanmış bezlerin yerine kuru, ateşte ısıtılmışlarını kuşatıyor, başına bir sarık sarıyor, omzuna da bir bez atıyorlar, çünkü edebe son derece riayet ediliyor. Bergh'le ben bu karnaval kılığında birbirimizi âdeta tanıyamadık ve halimize gülmekten kendimizi alamadık. Bundan sonra giriş salonunda, gördüğümüz Türkler gibi, keyifle uzandık. Orada bir şerbet, kahve veya çubuk içiliyor. Vücut içten öylesine ısınmıştır ki soğuğu âdeta tatlı bir serinlik gibi duyuyor insan. Deri ele son derece düzgün ve yumuşak geliyor. Böyle bir banyonun büyük yorgunluklardan sonra ne kadar dinlendirdiğini ve ne kadar di-

---

(11) Takriben 60 cm.

rilttiğini anlatmak imkânsız. Tatlı bir uykudan sonra ertesi sabah (14 Kasım) yolumuza, sanki hiç yorgunluk çekmemişiz gibi canlı ve zinde devam ettik.

Bütün nehirler taşmış olduğu için Şumnu'dan itibaren eski Şumnu ve Osmanpazarı üzerinden geçmek üzere uzun bir dolambaç takip etmeye karar verdik. Osmanpazarı'ndan itibaren yavaş yavaş Balkanların geniş, karlı alanlarına tırmandık ve kayalık bir araziyi aştıktan sonra derin Kazan vadisini önümüzde gördük. Yol, dimdik buraya iniyordu. Kazan şehri ancak sarp ve dik kaya duvarları arasında açılmış son derin boğaz geçildikten sonra görülebiliyor. Ancak atlıların geçebileceği yol, öbür yakada tekrar dimdik yukarı tırmanıyor. Bundan sonra yol birçok küçük sırtlar ve derin vadilerden geçtiği için çok zahmetli bir hale geliyor. Nihayet, alçak arızalı Rumeli arazisinin göründüğü son tepeye varılıyor. Burada bize doğru daha yumuşak bir rüzgâr esiyor. Karlar ortadan kalktı. Ağaçlarda henüz yaprak var. Yeşil çayırlarda sayısız çiğdemler açmış.

Derinlikleri sislerle örtülü bir boğaz boyunca yemiş bahçeleri ve zeytinlikler arasından küçük İslimye (Selimnia) kasabasına doğru doludizgin yol alıyoruz.

Balkanların ne tarafını gördümse güney yamaçları, kuzey yamaçlarına göre hep daha dik, daha sarp ve daha kayalık. İslimye'den, yüksek, tepeleri sivri sivri dağların muhteşem bir görünüşü var. Güneş bunların en cüretli ve en gözalıcı şekiller gösteren çıplak yamaçlarını aydınlatırken doruklarına bulutlar sarılıyor. Önümüzde geniş bir ova yayılıyor. Burasını yeni atlarla, diz boyu otlar içinden ve son derece dikenli çalılıklar arasından doludizgin geçiyoruz. Geceleyeceğimiz yere varmadan önce akşam olmuştu. Bir kelime bile konuşamadığımız tatarımızın yolunu kaybettiğinin de farkına vardık. Geniş bir çayırlıktaydık ve Tunca'nın taşkınlarıyla dört yanımız çevrilmişti. Üstelik o kadar karanlıktı ki üç adım ötesini görmek mümkün olmuyordu ve kılavuzumuzu kaybetmemek için çok sıkıntı çekiyorduk. Büyük inek ve keçi sürülerine rastlıyorduk, fakat çobanlarına bütün seslenişlerimiz boşa gidiyordu. Herhalde bunlar bir tatarın ziyaretinin kendilerine ancak ücretsiz angarya vadettiğini biliyorlardı. Fakat tatar yine de, Allah bilir nasıl, küçük bir keçi çobanını yakaladı, hemen kollarını bağladı ve kamçısıyla atına da bağlayarak, dere tepe demeden önümüz sıra seğirtmeye mecbur etti. Küçük Bul-

gar yiğitçe kendini savunuyor, sanki şişleniyormuş gibi bağırı-
yordu. Ben de her an onun adamlarının birkaç el silah atışıyla
karşılaşmayı bekliyordum. Bu haksızlığa katlanmak zoru insanı
kendinden iğrendiriyordu. Ama ne sözümüzü anlatabilirdik, ne
de çocuğun yol göstermesinden vazgeçebilirdik. Sanki gök bu
haksızlığın intikamını almak istiyormuş gibi bardaktan boşanır-
casına yağmur yağıyor ve sadece ara sıra çakan şimşekler önü-
müzdeki araziyi aydınlatıyordu.

Böylece belki yarım saat gittik, nihayet küçük kılavuzumuz
sefil bir kulübenin önünde durdu, biz de hemen oraya yerleştik.
Bin bela ile yeşil çam dallarından, doğrudan doğruya toprak üs-
tünde, bir ateş yaktık. Çok geçmeden duman o kadar tahammül
edilmez bir hale geldi ki ancak yere yatarak nefes alabiliyorduk.
Yiyecek bir şey yoktu. Ta vücudumuza kadar ıslanmış olarak uy-
kuya yatmak zorunda kaldık, çünkü çantalarımızdan bile sular
akıyordu. Kulübede kendime kuru bir yer aradım ve yorgunluk-
tan hemen uyudum. Ertesi sabah uyandığım vakit kendime hiç
de rahat bir yer seçmemiş olduğumu gördüm. Bütün yüzüne kes-
kin çakmak taşları saplanmış bir çeşit kızağın üstündeydim. Bu-
rada buğdayı bizim taraflarda olduğu gibi dövmezler, bir çeşit
açık harman yerine sererler, sonra üzerinde, anlattığım kızağı fır-
dolayı döndürür dururlar. Böylece saman da aynı zamanda ufa-
lanmış ve atların yiyebileceği hale getirilmiş olur.

Küçük kılavuzumuza bol bahşiş verdikten sonra, hâlâ süren
yağmur altında yolculuğumuza devam ettik. Fakat daha öğle
vakti sefil bir köyde[12] kalmaya mecbur olduk. Çünkü Tunca'ya
akan kollardan birini geçmeye imkân yoktu. Ertesi sabah su biraz
alçalınca bir geçit yerinden geçtik, fakat yük atımız eşyamızla bir-
likte ırmağa düştü, neredeyse sürüklenip gidecekti. Yollar batak
haline gelmişti nihayet Edirne'ye vardığımız zaman kervanımı-
zın pek acıklı bir görünüşü vardı.

Bütün Türk şehirleri gibi Edirne'nin de dışarıdan görünüşü
pek güzeldir. Geniş, çayırlık bir vadide, muazzam ağaç kümeleri-
nin ve kıvrım kıvrım akan nehir kollarının arasında kubbeleri ve
minareleri, surları ve kuleleri, alçak kırmızı damlardan bir karga-
şalığın üzerinden yükselir, bunların arasında açık yeşil ağaçlıklar
ve yüksek kara serv[ler göze çarpar. Muazzam Sultan Selim ca-

---

(12) Moltke'nin hatıralarına göre, Hasanbeyli köyü.

mii dört narin minaresiyle, en yüksek tepede, etrafı bağlar, bahçeler ve tarlalarla çevrili şehrin üzerinde yükselir. Fakat tatarımız bizi acele etmeye zorladı ve Rusçuk'tan ayrılışımızın onuncu sabahı, eteklerinde bir gümüş çizgi ışıldayan, uzak bir dağ sırasının arkasından güneşin doğduğunu gördük. Bu, milletlerin beşiği Asya idi, tepesi karlı Olympos'tu ve koyu mavi suları üstünde birkaç yelkenlinin kuğular gibi ışıldadığı berrak Propontis idi. Çok geçmeden minareler, gemi direkleri ve servilerden bir orman denizden yükselip parıldadı. İstanbul'du burası.

İstanbul'dan Boğaziçi'ni Geçerek Büyükdere'ye Yolculuk

İstanbul, 3 Kasım 1835

Bir gece Beyoğlu'nda dinlendikten sonra limanda, Altınboynuz'da yüzlercesi dolaşan son derece zarif bir hafif tekneye (*kayık*) bindik. Kayıkçılar kayıklarında oturup beklerler. Türkler şapkalı olan birinin ya gemi kaptanı ya da hekim olacağını tahmin ettikleri için, *Buyurun kaptan, hekimbaşı, hişt!*[13], Rumlara da *Ellado çelebi!* diye seslenirler. Hangisini tercih edeceğinize karar verip oynak teknenin zeminine oturdunuz mu, birkaç kürek vuruşu kayığı, bekleyenler kalabalığının arasından sıyırıp açığa çıkarır.

Fakat şimdi etrafımızı saran büyüyü sana nasıl anlatayım? Sert kıştan en tatlı bir yaza, ıssız bir çölden en hareketli bir hayatın içine girmiştik. Güneş gökte parlak ve sıcak ışıldıyor, sadece ince bir sis, peri masallarını andıran manzarayı şeffaf bir peçe gibi sarıyor. Sağımızda rengârenk ev yığınlarının üstünde sayısız kubbeler, bir su yolunun cüretli kemerleri, damları kurşun örtülü büyük taş hanlar ve hepsinden fazla da dev gibi yedi camiin, Selim, Mehmet, Süleyman, Beyazıt, Ahmet ve Ayasofya camilerinin göklere tırmanan minareleri yükselen İstanbul var. Çınarlarıyla ta denizin ilerilerine doğru uzanıyor. Bosfor dalgalarını tam bu

---

(13) Kitapta italikle dizilen sözler, aslında da Türkçedir.

burna doğru sürüyor, dalgalar eski surun eteklerine çarpıp kırılıyor, köpürüyor. Bunun arkasında Propontis[14], takımadaları ve kayalık kıyılarıyla yayılıyor. Göz bu belirsiz, sisli uzaklıklardan çevriliyor ve Üsküdar'ın (eski Khrysopolis), bu Asya yakasındaki semtin güzel camilerine, Avrupa ile Asya arasında derin sulardan yükselen Kızkulesi'ne, bu mevsimde bile taze yeşillikleriyle göz alan tepelere ve servi ormanlarının karanlıkları içindeki geniş mezarlıklara takılıyor.

Bütün milletlerin bandıralarını taşıyan büyük ticaret gemilerinin ve dev gibi savaş gemilerinin arasından geçerek Haliç'ten Boğaza çıkıyoruz. Sayısız kayıklar anlatılamayacak kadar duru derin sular üstünden dört bir yana kayıp gidiyor. Şimdi sola dönerek, üzerinde frenk şehri Beyoğlu ile bir zamanlar İstanbul'un fethini Cenevizlilerin hiç aldırış etmeden üzerinden seyrettikleri eski surları ve muazzam yuvarlak kulesiyle Galata bulunan burnu dolaşıyoruz.

Hızlı akıntı yüzünden kayıklar Boğazdan yukarı çıkarken Avrupa yakasına iyice sokuluyorlar. Biz de dalgaların yaladığı yazlık evlerin (*yalı*) köşesini bucağını zevkle gözden geçirdik. Pencereler kamış kafeslerle örtülü. Bahçeleri defne ve nar ağaçları gölgelendiriyor, sayısız çiçek saksıları süslüyor. Bol bol açmış güller gelen geçene, bahçe duvarlarının parmaklıklı pencerelerinden gülüyor, yunusbalıkları da kayığın yanıbaşında, durgun su yüzünden soluyarak sıçraşıyor. Boğaziçi'nin her iki kıyısında bir ev birini, bir köy ötekini takip ediyor ve hepsi birden, İstanbul'dan Büyükdere'ye kadar olan üç millik mesafede, zarif köy evleri ve hükümdar sarayları, balıkçı kulübeleri, camiler, kahveler, eski saraylar ve şirin köşklerden upuzun bir şehir teşkil ediyor.

İngiltere ve Fransa sefirlerinin oturduğu Tarabya'nın yeri çok güzeldir. Tarabya, Boğaziçi'nin buradan sonra kayalık ve işlenmemiş olan dağ sırtları arasından Karadeniz'e bakar. Solda geniş bir koyda Büyükderenin evleriyle Avusturya, Rusya, Prusya ve başka sefarethanelerin konakları sıralanır.

Büyükdere'de karaya çıktık ve elçimize[15] kendimizi tanıttık. Elçi bizi fevkalade iltifat ve dostlukla karşıladı. Hatta pek iç açıcı bir yerde bulunan konağında bize bir daire ayırttı.

---

(14) Marmara denizi.
(15) 1835-1842 yıllarında Prusya'nın Türkiye elçisi Kont Königsmarck.

Serasker Paşayı Ziyaret

İstanbul, 24 Kasım 1835

Birkaç gün önce[16], kudreti sonsuz Serasker Mehmet Husrev Paşaya yaptığı ziyaret sırasında, elçimize refakat ettik.

Sultan Beyazıt camiinin yanıbaşında, yedi tepeden birinin üzerinde, geniş, etrafı yüksek bir duvarla çevrilmiş bir alan vardır. Fatih Mehmet Gazi sarayını buraya nakletmişti. Sonradan – zannedersem Kanunî Süleyman saraya kapanınca burası ölen hükümdarların dullarına ikametgâh oldu, şimdi Serasker Kapısıdır. Yüksek, garip şekilli, fakat cüretli bir kule (*yangın kulesi*) Osmanlı ordusu kumandanının oturduğu yeri işaret eder ve uzaktan, yere saplanmış muazzam bir mızrağa benzer.

Sefaretin yedi çifte kayığı Bahçekapı'ya yanaşınca seraskerin zengin takımlı atlarına bindik ve seraskerin kavasları, yani polis askerleri, peşimizde olduğu halde ahşap evlerin, dükkânların, taştan hanların arasındaki dar ve yokuş yollardan ilerledik. Nihayet nöbetçilerin biz geçerken selam durdukları güzel bir cümle kapısından geçerek Serasker dairesinin geniş avlusuna girdik. Eski Doğu âdetince bütün umumi işler evin kapısında görülürdü, buraya da Arapça bap, Türkçe *kapı* denir. Bu cümle kapıları da eski, bu maksada uygun yapı şeklini muhafaza etmiş. Bunların üzeri çoğu zaman kubbelidir ve bunun üstünde de hilâl parıldar. Etrafında bekleyenlerin gölgelenebilmeleri ve sığınmaları için geniş bir saçağı bulunur. İstanbul'daki böyle kapılar veziriazamın sarayının giriş yerindeki Paşakapısı ya da Babıâli, saraydaki Babıhümayun veya imparator kapısı, şimdi şeyhülislâmın oturduğu yeniçeri ağası dairesinin kapısı olan Ağa kapısı, Serasker kapısı ve öteki bazılarıdır.

Bu büyük şahsiyetin ikametgâhı Marmara denizine güzel bir nezareti olan büyük ahşap bir binadır. Önünde geniş bir talim meydanı, arkasında da iki piyade alayı için bir kışla vardır. Serasker elçiyi birçok pencereleri olan büyük bir salonda kabul etti. Burada geniş bir sedirden başka kanapeler, sandalyeler, masa saatla-

---

(16) Hatıra defterine göre 15 Kasımda.

rı ve masalar, hulasa Türk generalinin Avrupalılaştığının bir sürü delili vardı. Zemini güzel bir halı örtüyor, salonun ortasındaki büyük bir mangal da etrafa sıcaklık veriyordu.

Herkes oturduktan sonra yirmi otuz ağa çubuk kahve sunmakla meşgul oldu, çünkü misafire ne kadar hürmet göstermek istenirse ortada o kadar çok uşağın görünmesi lazımdır. Sonra bu ağalar, kolları hürmet alâmeti olarak karınları üstünde kavuşturulmuş, derin bir sessizlik içinde geri geri kapıya doğru gittiler ve efendilerinin bir işareti üzerine salondan çıktılar.

Serasker bir tecrüman aracılığıyla, teklifsiz ve şakacı bir tarzda konuşuyordu. Bana da Prusya Landwehr[17] sistemi hakkında birkaç sual sordu. Bunlardan kendisinin herhalde bu konuyla meşgul olduğu anlaşılıyordu. Bizim askeri teşkilatımızın mükemmelliğini de övdü. Konuşma sırasında, kendisinde de bir tane bulunan harp oyunu bahis konusu oldu. Paşa bunun kullanılışını kendisine anlatabileceğimi öğrenince pek sevinmiş gibi göründü.

Biliyorsun ki benim niyetim üç hafta kadar İstanbul'da kalmak, sonra Atina ve Napoli üzerinden memlekete dönmekti. Fakat serasker, elçinin aracılığıyla, yolculuğumu geciktirmemi resmen istetti, bu da benim bütün gezi planımı değiştirdi. Arkadaşım Baron Bergh'i yalnız başına göndereceğim. Bu beni her bakımdan çok üzüyor.

Tophane'de Gezinti – Sokak Yazıcıları – Galata

İstanbul, 4 Ocak 1836

Son mektubumda sana burada kalma müddetimin hiç de aklımda olmayan bir şekilde uzadığını yazmıştım. Serasker haftada birkaç defa beni çağırtıyor. Fakat şimdi Türkler ramazanı kutladıkları için gündüzün bütün işler duruyor, bu sebeple de ziyaretler gece yapılıyor. Seraskerin beş çifte kayığı beni Galata'da bekliyor, limanın öteki kıyısında da atlarını buluyorum. Dönüş yine

_____
(17) Redif teşkilatı.

böyle oluyor. Önden, elindeki uzun değneği yoldan çekilmeyen herkese hiç acımadan yapıştıran bir kavaş gidiyor, onu paşanın imrahoruyla iki yaya meşaleci takip ediyor, daha sonra da ben, yanımda tercüman olduğu halde kaplan postundan çullu ve sırma dizginli güzel bir Türk aygırına binmiş olarak ilerliyorum. Yüksek kubbe ve minareler meşalelerin titrek alevlerinin kızıl akisleriyle ışıldıyor. Fırtına meşalelerin kıvılcımlarını karlı damlara savuruyor ve nöbetçiler, ya gâvura ya da seraskerin beyaz atına, selam duruyor. Kavaş, serasker elinden kaçırmasın diye, beni sefarethanenin kapısına teslim etmek zorunda.

Buradaki hayat tarzına gelince son derece yeknesak: Kahvaltından sonra, hava ister güzel olsun ister kötü olsun, geziyorum ve hemen daima Beyoğlu ana caddesinden büyük mezarlığa gidiyorum. Yüksek, asırlık serviler karın ağırlığıyla yeşil dallarını yere eğiyor, sayısız dik mezar taşları da buzdan bir örtüyle son derece güzel kaplanmış. Yolun servi ormanından çıktığı noktada Boğaziçi'nin harikulade bir panoraması görülüyor. Aşağıda padişahın Beşiktaş sarayı var. Padişah, kanlı hatıralar saklayan Eski Sarayı artık büsbütün bırakmıştır. Ona kendisinin orada öleceği kehanetinde de bulunmuşlar. Öte yakada Asya'nın karlı tepeleri, 100.000 nüfuslu bir semt olan Üsküdar ve denizin ortasında Leander kulesi yükseliyor.

Şimdi, yukarısında mezarlığın bulunduğu dik bayırdan aşağı, Boğaz kıyısına kadar gel benimle! Bir an duralım ve olanca kuvvetiyle taş rıhtıma çarpıp kırılan ve altın yaldızlı parmaklıklar üzerinden ta padişahın köşküne kadar köpükler saçan dalgaları seyredelim. Rumlar dalgalı denizin kıyıya attığı istiridyeleri topluyorlar, sürülerle köpek de gebermiş bir attan kalan parçaları yemekle meşgul. Muhteşem bir mermer çeşmenin önünden geçerek sağa dönüyor ve damları hemen hemen birbirine değen uzun bir sıra dükkâna varıyoruz. Burada dikkati en çok çekenler yiyecek ve meyveler. Eğer bir gemi bulabilseydim sizin için güzel bir sepet hazırlatırdım. Burada hurma, incir, antepfıstığı, hindistancevizi, kudret helvası, portakal, kuru üzüm, ceviz, nar, kebbat ve başka, adını bile bilmediğim birçok iyi şeyler var. Burada bal bulamacı, sütlaç, keçi sütü kaymağı ve üzüm peltesi bulunuyor. Hepsi de son derece temiz ve mükemmel bir şekilde hazırlanmış; sonra sebze çarşısı geliyor. Burada da karnabaharlar, enginarlar, muazzam kavunlar, balkabakları ve karpuzlar var. Bunun hemen yanıbaşında deniz mahsulleri bulunuyor. Dev orkinoslar gibi muazzam balıklar, gümüş gibi palamutlar, dülger balıkları, kalkan balıkları ve hepsi de pek lezzetli olan bütün deniz canavarları, istiridyeler, ıstakozlar, yengeçler, karidesler ve ailesi.

Çubuklar, kırmızı topraktan lüleler ve kehribardan uzun ağızlıklar yapılan yüzden fazla dükkân arasından geçilerek nihayet Tophane'ye, Topçular mahallesine varılır. Şimdiki padişah tarafından yaptırılan Nusretiye camiinin, yüz ayak yüksekliğinde oldukları halde alt tarafta çapları dokuz ayaktan fazla olmayan iki minaresiyle, camiler arasında üstün bir yeri var. Fırtınalara, sık sık da depremlere karşı durabilmek için böyle narin kulelerin ne kadar iyi inşa edilmesi lazım. Güzel direklerle çevrili avluda, soğuğa rağmen, dindar Müslümanlar bir sıra musluk başında yüzlerini, ellerini ve ayaklarını yıkıyorlar; çünkü bunu yapmazlarsa duaları kabul olunmaz. Bu biraz serince ameliyeden sonra mümin, yüzü Mekke'ye dönük olarak dize gelir, duasını okur, çizmelerini giyer ve gider. Hemen yakında büyük Kılıç Ali camii bulunmaktadır. Bunun avlusunda zarif şeyler satılan dükkânlar vardır. Kemerlerin birinin altında bir Türk mektup yazıcısı, dizinin üstünde bir tabaka kalın kâğıt, elinde bir kamış kalem, oturuyor. Geniş mantolu ve sarı pabuçlu, yüzleri ancak gözleri meydanda kalacak şekilde sarılı kadınlar hararetli hararetli el hareketleriyle ona meramlarını anlatıyorlar ve Türk, yüzünde en ufak bir değişme olmadan harem sırlarını, bir dava işini, padişaha bir dilekçeyi, ya da bir matem haberini yazıyor, kâğıdı ustalıkla katlıyor, bir parça müsline sarıyor, üzerine kırmızı mumla mühür basıyor ve ister bir sevinç mektubu, ister bir matem haberi olsun, karşılığında 20 para alıyor.

Sayısız kahvehanelerin şimdi ayrı bir görünüşü var. Herkes mangalların başına toplanıyor, fakat kahvenin güzelim kokusuyla çubuk yok. Şimdi ramazan! Gün batmadan hiçbir sofu Müslüman ne yiyebilir, ne içebilir, ne tütün içebilir, hatta ne de bir çiçeği koklayabilir. Türkler, ellerinde tespih, sokaklarda ağır ağır dolaşıyorlar ve bu her zaman görülmeyen soğuk yüzünden somurtup duruyorlar. Fakat güneş Muhteşem Süleyman'ın camiinin arkasında batar batmaz imamlar bütün minarelerden sesleniyorlar. "Allahtan gayrı Tanrı yoktur". Şimdi oruç bozmak, Müslümanlar için bir borçtur bile.

Artık Galata surlarına kadar geldik, büyük beyaz kuleye[18] tırmanıyoruz. Bu kulenin de limanın öte tarafındaki şehre, Boğaziçi'nin öbür yakasındaki Üsküdar'a, Marmara denizine, Prens adalarına ve Asya Olympos'una[19] muhteşem bir nezareti var. Sağda bir krallığa değen ve sahiden de, din düşmanları Doğu Roma imparatorluğunun bütün geri kalan kısımlarını yuttukları sırada elli yıldan fazla zaman başlı başına bir imparatorluk olmuş bulunan yarım milyon nüfuslu azametli şehir yayılıyor. Yüksek suru, birçok kubbeleri ve koyu yeşil servileriyle en uçtaki kısım saraydır. Burası 7000 nüfuslu, kendinin surları ve burçlarıyla başlı başına bir şehirdir. Onun tam yanıbaşında birçok kiliselere, hatta Roma'daki St. Pier'e bile örnek olmuş bulunan Ayasofya kilisesinin muazzam kubbesi yükseliyor. Bu kilise şimdi bir camidir. Daha sağda Sultan Ahmet camiinin hayran kalınacak kadar güzel altı minaresi göze çarpıyor. Narin şekilleri yüzünden bu minareler bizim Hıristiyan kiliselerinin en yüksek kuleleriyle kıyaslanamayacak kadar yüksek görünüyor. Fakat en yüksek noktayı Serasker kapısının güzel kulesi teşkil ediyor. Gözün alabildiğine basık damlardan, kırmızı evlerden ve yüksek kubbelerden başka bir şey yok. Bunların da üzerinde, şehrin ortasından geçen ve on altı yüzyıldan sonra bugün de yüz binlerle insana su getiren, İmparator Valens'in su kemerleri yükseliyor. Geniş kemerlerin arasından Hallespont'un bir tarafı pırıldıyor ve Asya'nın dağları da manzarayı çerçeveliyor.

Husrev Paşa

İstanbul, 20 Ocak 1836

Mehmet Husrev Paşa padişahtan sonra imparatorlukta en kudret sahibi insandır. Görünüşü bakımından muhakkak dünyada eşi zor bulunur. Seksenine yakın öyle bir ihtiyar tasavvur et ki bir delikanlının bütün canlılığını, hareketliliğini ve gelgeç tabiatını

---

(18) Galata kulesi.
(19) Uludağ.

Kavalalı Mehmet Ali Paşa

muhafaza etmiş olsun. Süt gibi sakalı, kıpkırmızı yüzü, iri gaga burnu, adamakıllı küçük, fakat pırıl pırıl gözleri dikkati çeken bir fizyonomi meydana getirmektedir. Bunu, kulaklarına kadar çektiği kırmızı fes de güzelleştirmiyor. İri başı, kısa çarpık bacaklı, bodur, enli bir vücudun üstüne oturmaktadır. Bu generalin elbisesi, üzerinde hiçbir alâmet bulunmayan uzun bir ceketle geniş pantolon ve meşin çoraplardan (*terlik*)[20] ibarettir.

Husrev Paşa otuz beş yıl en yüksek devlet memuriyetlerini elinde tutmanın yolunu bulmuştur ki bu da onun becerikliliğine

_____

(20) Mest.

şan verir. Fakat bir de uzun resmî hayatında yaptığı işleri sayma-
ya sıra gelirse, insan onun bütün işinin aslında hemen hemen yal-
nız, padişahın teveccühünü sağlamak için rakipleriyle mücadele-
den ibaret olduğunu görerek şaşar. Husrev Paşa Mısır'a gönderil-
diği zaman maiyetinde Mehmet Ali[21] isminde bir *tüfekçibaşı* var-
dı ki bunun sonradan hidiv oluşu paşayı çok üzmüştü. Husrev
eğer o zamanlar bunu bilseydi, dünyada bir Arnavut eksik bir
Arnavut fazla olacakmışı düşünüp çekinmezdi. Husrev Paşa kap-
tan paşa sıfatıyla Missolungi'nin zaptına iştirak etmişti. O zaman-
dan beri de sultanın gözüne girmiş ve iki bakımdan kendini
onun için vazgeçilmez biri haline koymuştu. Bunlar da payitah-
tın polis şefi ve ıslahatın koruyucusu oluşuydu.

Birinci sıfatıyla Husrev Paşa, inkârı kabil olmayan ve bir padi-
şahın savaşlar ve vilâyetler kaybedebildiği, fakat İstanbul'daki
bir isyana tahammül edemediği Türkiye'de özellikle önemli olan
bir hizmette bulunmuştur. Serasker hemen daima şakacı bir eda
ile konuşur, fakat en nüfuzlular bile onun bir gülümseyişi karşı-
sında titrerler. Payitahtta olan biten her şeyi bilir, her tarafta hafi-
yeleri vardır ve yeni nizama karşı koymak isteyenler için hiç
aman bilmez.

Husrev Paşa padişaha Avrupa usulünce talim görmüş askeri
bir birliği takdim eden ilk kumandandır. Memleketin ileri gelen-
leri arasında, eski güzel Türk kıyafetini Avrupa biçimi üniforma-
nın zevksiz ve rahatsız taklidiyle ilk değiştiren de o olmuştur.
Bu sebeple ıslahatın en başta gelen koruyucularından sayılmak-
tadır.

Seraskerin şahsi hizmetinde yüzlerce ağa, kavas ve seymen
vardır. Bunların hiçbirinin bir para bile olsun belirli ücreti yok-
tur. Fakat herkes büyük paşanın adamlarından birine hediye ver-
meye can atar. Bu arada paşanın hissesinin de az olmadığını tah-
min edebilirsiniz. İstanbul'da herhangi bir iş başarmak isteyen-
lerden paşaya muazzam paralar akar. Bir vali için payitahtta böy-
le bir hami kazanmak uğrunda hiçbir fedakârlık çok görünmez.
Husrev Paşanın muvafakati olmadan büyücek hiçbir ticaret mua-
melesi, hiçbir taahhüt işi sonuçlandırılamaz. Bir Hıristiyan kilise-
si yapılacak, ya da sadece tamir mi edilecek, onun bir ferman ha-
zırlaması lazımdır. Orduda yüksek mevkilere terfi edebilmek ona

---

(21) Kavalalı Mehmet Ali Paşa.

bağlıdır. Karşı konmaz nüfuzu, bir generalin sahasının dışında gibi görünen işlerde de kendini hissettirir. Fakat Türkiye'de asıl olan makamın adından ziyade o makamı işgal eden adamdır. Daha küçük ölçüde olarak imparatorluğun bütün paşaları için de durum böyledir.

Mehmet Husrev Paşanın nakit olarak hesapsız servet biriktirdiği söylenmektedir. Beri yandan kendisi dünyanın en perhizkâr, en itidalli adamıdır. Memleketten geçen mevki sahibi herhangi bir frenkle, kendisinin bütün eski Türk batıl düşüncelerinden nasıl tamamıyla sıyrılmış olduğunu göstermek için, şampanya içer ve bunun bir gazete bendine konu olacağını pekâlâ bilir. Fakat Çamlıca'nın meşhur pınarlarından gelme bir bardak suyu buna kat kat tercih eder. Sofrasına çeşit çeşit yemekler gelir, fakat o bunlardan ancak bir veya ikisine dokunur. Ara sıra bana öyle geliyor ki, Serasker Husrev Paşa içinden, ıslahatla adamakıllı alay etmektedir. Fakat bu onun için iktidarın vasıtasıdır, iktidar da bu ihtiyarın biricik gerçek, zaptedilmez tutkusudur. Bu alanda ona karşı gelmek isteyen herkes kendini sakınmalıdır. Kendi sayesinde olmadan önemli bir mevkie geçen herkesi sade bu yüzden düşman sayar. Bu düşmanlar arasında padişahın en sevdiklerinden biri olan Mustafa Paşa da vardır. Mehmet Husrev, padişaha damatlar bulmuş, düğün ve çeyiz masrafları için de hesapsız para sarf etmişti. Padişahın en büyük kızı, Mustafa Paşaya verilecekti; fakat serasker onun yerine kölesi Halil'i padişaha damat etti. Mustafa mabeyinden uzaklaştırıldı ve Büyük Edirne paşalığı kendisine tevcih edildi. Fakat o bunu bir çeşit sürgün gibi görmekteydi. Şimdi ikinci kız evlenecek, damat olarak da bu sırada hassa kumandanı olan Ahmet Paşadan bahsediliyor, fakat serasker başka birini, kendisine daha hoş görünen hizmetkârı Sait Mehmet'i hazırlamıştır.

Dün kahvaltıda seraskerin yanındaydım. Ahmet Paşanın geldiğini haber verdiler. İhtiyar Husrev hemen sedirin üstüne çıktı ve sırtı kapıya dönük, sonsuz bir dikkatle pencereden sokağa bakmaya başladı. Hassa müşiri, içinden bu kabul tarzına öfke kaynayarak kapıda durdu. Birkaç defa *"Efendim!"* dedi; ama ihtiyar duymuyordu. Bu sahne, Husrev, mağrur müşiri bir gâvurun karşısında kâfi derecede küçük düşürdüğüne kani oluncaya kadar, muhakkak beş dakika sürdü. Sonra Husrev Paşa hiçbir şey olmamış gibi döndü: *"Maşallah Ahmet Paşa! Hoş geldin! Safa geldin!*

Buyurun!" diye bağırdı ve onu sevgiyle kucakladı. Ellerini çırpması üzerine içeriye bir sürü uşak doldu; Husrev Paşa onlara, değerli misafirinin geldiğini kendisine haber vermedikleri için hepsinin kafalarını kestireceğini söyledi.

Doğuda Kadınlar ve Esirler

İstanbul, Arnavutköy[22], *9 Şubat 1836*

Seraskerin arzusu üzerine şimdi burada, onun baştercümanının evinde bulunuyorum. Ev sahibimin adı Mardiraki, yani Küçük Martin, kendisi Ermeni ve zengin, hatırı sayılır bir adam.

Bize çok çalışmamız tembih edildiği halde, gerçekte tercümeden başka her şeyi yapıyoruz. Küçük Martin'e bir çubuk içelim ya da tavla oynayalım dedim mi hemen hazır; ama tercümeden bahsettim mi o zaman önemli bir mazereti çıkıyor. Burada yazılar aşağı yukarı bizde hanımların nakış işlemeleri gibi yazılıyor. Sedirin üstüne bağdaş kuruluyor ve uzun, perdahlanmış kâğıt şeritler üzerine kamış kalemle, sağdan sola doğru harflerle yazılıyor.

Şunu da söyleyelim ki burada hiçbir eksiğim yok ve bir Ermeni ailesinin ev hayatına bir göz atış pek meraklı bir şey. Bu Ermenilere aslında Hıristiyan Türkler demek mümkün, bu hâkim milletin âdetlerinden, hatta lisanından o kadar çok şey almışlar. Halbuki Rumlar kendi özelliklerini çok daha fazla muhafaza etmişler. Hıristiyan oldukları için dinleri tabii onların ancak bir kadın almalarına müsade ediyor. Fakat bu kadın hemen hemen Türk kadınları kadar gözden uzak kalıyor. Ermeni kadınları sokağa çıktıkları zaman onların da ancak gözleriyle burunlarının üst tarafı görülüyor.

Bu evde kadın diye bir şey görmeden bir hayli gün geçirdim. Önce, pek de insanı baştan çıkaracak hali olmayan ihtiyar Bayan M. göründü, ondan sonra, ancak hatırlı bir misafir olduğum için,

---

(22) Moltke hatıra defterine 20 Ocakta "14 günden beri Mardiraki Sebastiani'nin evindeyim" diye yazmıştır.

güzel kızlar birbiri ardı sıra meydana çıktı. Yazık ki hiçbiri Fransızca bilmiyor. İnsan gerçi bir paşayla tercüman aracılığıyla konuşabilir ama, genç bir hanımla bunu yapmak pek acı.

Bir Avrupalıya, evin kızları tarafından ağırlanmak bir acayip geliyor. Sana çubuk getiriyorlar, kahve veriyorlar ve sen onları oturmaya davet edinceye kadar karşında divan duruyorlar. Fakat bu hallerinde onları küçük düşüren hiçbir taraf yok. Bu, gerçekte sadece Tevratî, tabiata uygun bir durum. Doğrusunu söylemek lazımsa şunu itiraf etmeliyiz ki bizde bir genç kız nişanlılıktan evliliğe geçtiği zaman bir basamak inmiş olur. Çünkü ona bir ömür boyunca tapmak imkânı yoktur. Doğuda kadının payesi evlilikle yükselir. Kocasının emir kulu olsa da ev idaresinde hizmetçileri, uşakları, kızları ve oğullarının amiridir. Bununla şunu söylemek istiyorum ki, biz belki bir yönde çok ileri gidiyoruz, öbür yönde de, Ermeniler değil ama, Türkler daha çok ileri gidiyorlar.

Doğuda esaret bahis konusu olunca, bunda daima bir Türk kölesiyle Batı Hint'teki[23] bir zenci esir arasında mevcut, dağlar kadar büyük fark gözden kaçmaktadır. Hatta bizim bu kelimeye verdiğimiz anlamla, esir kelimesi bile yanlıştır. Abd esir değil, hizmetkâr demektir. Abdullah, Allah'ın hizmetkârı, Abd-ülmecid, duanın hizmetkârı[24] vb.dir. Satın alınmış bir Türk hizmetçisi kiralanmış olandan bin defa daha iyi durumdadır. Efendisinin malı, üstelik pahalı bir malı olduğu için efendi onu korur, hasta olursa bakar ve hadden aşırı yorarak onu işe yaramaz hale getirmekten sakınır. Şekerkamışı çiftliklerinde çalışmak gibi işler hiç de bahis konusu değildir. Türklerin umumiyetle adamlarına karşı itidalli hareketten, adaletten ve hayırhahlıktan yoksun oldukları da söylenemez.

Esasen Kur'an, "köleler ve cariyelerin altı kırbaç vuruşundan daha fazlasıyla cezalandırılmamalarını" emretmektedir. Bir Türk esirinin hürriyetten yoksunluğu bir glebae adscripti'[25]ninkinden, birkaç yıl önceye kadar bizde de görülen ve kültürün belirli bir kademesinde daima mevcut olan bu durumdaki bir insandan,

---

(23) Amerika.
(24) Yanlış, Mecit Allah'ın isimlerinden biridir, şan ve celal sahibi anlamındadır.
(25) Toprağa bağlı, miras olarak intikal eden köylü.

daha fazla değildir. Buna karşılık esirin bütün geri kalan durumu, tarlaya bağlı köylününküyle kıyaslanamayacak kadar sıkıntısızdır.

Herhangi bir Avrupa devleti Doğudaki bütün esirlerin azat edilmesini sağlasa, buna esirler pek az müteşekkir kalacaklardır. Daha çocukken velinimetinin evine giren esirler ailenin bir üyesi haline gelir. Yemeklerini, tıpkı ev işlerini onlarla birlikte yaptığı gibi, evin oğullarıyla beraber yer. Bu işler de çok defa bir ata bakmak ya da efendisine refakat etmek, hamama gittiği zaman elbiselerini götürmek, yahut atla dışarı çıktığı zaman çubuğunu taşımaktan ibarettir. Binlerce esirin, *kahveciler* ve *tütüncüler*in kahve pişirmek ve çubuk doldurup ateş vermekten başka iş yaptığı yoktur.

Esirlik hemen hemen hiçbir zaman sadece azat edilmekle son bulmaz. Esirin bütün ömrü boyunca geçimi de sağlanır. Çoğu zaman köle evin kızıyla evlenir, eğer evin oğlu yoksa efendisi onu kendine mirasçı yapar. Padişahın damatları bile satın alınmış esirlerdir, imparatorluğun büyük makam sahiplerinin çoğunun pazar fiyatını tahkik etmek de mümkündür.

Başka garip bir farka da burada işaret etmek zorundayım: Amerika'da Hıristiyan çiftlik sahipleri en kesin yasaklar ve en zalimce vasıtalarla Hıristiyanlığın esirler arasına yayılmasını önlemeye çalışırlar, halbuki Doğuda satın alınmış hizmetkârın, efendisinin dininde yetiştirilmesi kaidedir. Esir olarak alınan çocuklara hemen bir Türk adı verilir, bu adların çoğu Tevrat'taki isimlerdendir. İbrahim Abraham'ın aynıdır, Süleyman (ya da biz Avrupalıların dediğimiz gibi Soliman) Salomon'la, Davut David'le, Musa Moses'le, Zekeriya Zacharias'la, Eyüp Hiob'la, Yusuf Joseph'le vb. birdir. Müslüman dininden bir harp esiri ise öldürülebilir, fakat satılamaz.

Buna karşılık, Doğudaki esirlik aleyhine, çok haklı olarak, söylenecek şey, onun, biraz para karşılığında bir Çerkez babanın çocuğundan ebedî olarak ayrılmasına, Nil kenarındaki büyük tüccarın (Mehmet Ali) her sene Sennar'da insan avı tertiplemesine ve bunun gibi iğrenç hallerdeki acılığa doğrudan doğruya sebep oluşudur.

Bana, Doğuda esirlerin kaderinden çok daha acısı, Türklerin zayıf cins üzerindeki maddi hâkimiyetlerinin büyüklüğü yüzünden, kadınların durumu görünüyor.

Doğuda evlenme sırf cinsî niteliktedir ve Türkler âşık olmak, kur yapmak, ahü vay etmek, mutluluğun en yüksek derecesine ermek filan gibi dırıltılara kulak asmadan, yahut faux frais[26]lere uğramadan dosdoğru meselenin aslına giderler. Evlenme işi akrabalar tarafından kararlaştırılır. Gelinin babası da, kızına drahoma verecek yerde, hemen daima, evinin bir hizmetçisini elden çıkardığı için, tazminat alır. Yeni gelinin peçeli olarak kocasının evine girdiği gün kocasının onu ilk defa, en yakın erkek akrabalarının, hatta erkek kardeşlerinin de son defa gördüğü gündür. Yalnız baba onun bulunduğu harem tarafına girebilir ve düğünden sonra da onun üzerinde daima bir dereceye kadar hâkimiyete sahiptir. Harem, kelime anlamıyla kutsal yer demektir, camilerin iç avluları da aynı adı taşır.

Evlenme tarzı da, ayrılmanın kolaylığını kendinde taşır. Ayrılma daha önceden düşünülen bir durumdur. Onun için de nikâh sırasında, ayrılma halinde, eğer varsa çeyizin geri verilmesi ve tazminat olarak bir paranın ödenmesi kararlaştırılır. Bununla birlikte Müslüman, Kur'an'ın şu âyetini düşünür: "Bilin ki ey erkekler, kadın kaburgadan, yani eğri kemikten yaratılmıştır. Eğri bir kemiği doğrultmak isterseniz kırılır. Ey müminler kadınlara karşı sabırlı olunuz!"

Kanun müminlerin dört kadın almasına müsaade ettiği halde, bir kadından fazlasını alabilecek kadar zengin olan pek az Türk vardır. Ne kadar karısı varsa o kadar evi olması ve bunların da başlı başına idaresi lazımdır. Çünkü tecrübe iki kadının bir konakta birbirleriyle asla geçinemediklerini göstermiştir. Buna karşılık kanun ve âdet Müslümanlara istediği kadar cariye almak hakkını verir. Bir cariyeden doğan çocuğa en küçük bir ayıp gelmez; cariyeler evin asıl kadın veya hanımının emri altındadır. Fakat böyle bir durumun geçimsizlik ve kavga, kıskançlık ve entrikalar için en zengin bir kaynak olacağı kolayca tasavvur edilebilir.

Kadınlar gayet sıkı göz altındadırlar ve kadınlardan başka hiç kimseyle temas edemezler. Bu noktada bütün Müslümanlar aynı fikirdedir ve reform muhakkak ki en son olarak haremlere girebilecektir. Pencereler tahta parmaklıklarla ve bunların arkasında da yukarıdan aşağıya kadar sık bir kamış kafesle örtülüdür, öyle ki, içerisinin en küçük bir parçasını bile dışarıdan birinin görmesine

---

(26) Umulmadık küçük masraflar.

imkân yoktur. Genel olarak küçük, yuvarlak bir delik, bu mahpusların dışarıdaki güzel, hür dünyaya bir göz atabilmelerine müsaade eder. Fakat çok defa, kayıkla geçen erkekleri kadınlar görmesinler diye, 20-30 ayak ayak yüksekliğinde tahta perdelerin Boğaziçi'nin cazip manzarasını örttüğünü de görürsün. Gerçi, birçok insanlar arasında sevilmeye en değeni olacak yerde, karısının görüp göreceği tek erkek olmak daha rahattır. Gezintilerde kadınlar kayığa ya da arabaya daima yalnız kadınlarla birlikte binerler. Koca, karısına sokakta rastlarsa onu selamlaması, hatta sadece tanıdığını göstermesi büyük bir terbiyesizlik sayılır. Bu sebeple kadının evdeki kıyafeti ne kadar mübalağalı bir tarzda açık saçıksa, sokaktaki kıyafeti de o kadar mübalağalı bir şekilde kapalıdır. Beyaz bir peçe saçları ve kaşlara kadar alnı kapatır. İkinci bir peçe de çene, ağız ve burnu örter. Kadınların hayatında en büyük reform, padişahın kadınlarındaki gibi, burun uçlarının ve yanlardan birer tutam saçın görünmesi olmuştur. Vücudun geri kalan kısmını siyah, açık mavi ya da kahverengi hafif bir kumaştan geniş bir ferace örter. Meşin mest ve terliklerden ibaret olan ayakkabıları da böyle çirkindir. Bunlar Türk kadınlarında sarı, Ermenilerde kırmızı, Rumlarda siyah, Yahudilerde mavidir. Böylece ağır ağır, salına salına, hayaletler gibi süzülüp gitmeleri pek sevimsiz bir manzara arz eder.

Muhakkak ki Türk kadınlarının hemen hepsinin yüzleri pek güzeldir. Doğuda hemen hemen bütün kadınların mükemmel tenleri, harikulade gözleri, geniş, kemerli kaşları vardır. Eğer kaşlar burun üzerinde birleşirse bu bir güzelliktir ve Türk kadınları bu cazibenin eksikliğini, kaşlarının arasına siyah boya ile bir yıldız yahut bir hilâl yapmak suretiyle telâfi ederler. Boyalı bir sicim parçasını göz kapakları arasından çekmek suretiyle kirpiklerin siyahlığına da yardım edilir. Tırnaklar, hatta avuç içi, çok defa ayak tabanları kına ile kırmızıya boyanır. Fakat daima oturmayı icap ettiren hayat tarzı Türk kadınlarını hareket zarafetinden, mahpus hayatı ruh canlılığından mahrum etmiştir. Tahsil bakımından erkeklerinden de bir kademe daha aşağıdadırlar.

Kim "Binbir Gece"ye aldanıp da aşk maceraları diyarını Türkiye'de aramaya kalkarsa şartları hiç bilmiyor demektir. Belki Araplarda başkadır ama Türklerde bu meselede en kuru bir şiirsizlik hâkimdir. Zannedersem yukarıda yazdıklarımdan, kadınlarda aşk maceraları için ateşli bir mizacın, erkeklerde ise imkânın bulunmadığı anlaşılır. Eğer bir Türk kadını Müslüman bir erkekle ihanette bulunursa kocası onu hakaretle boşar, yok eğer bunu reayadan, yani devletin Hıristiyan uyruklarından biriyle yaparsa bugün de, 1836'da da, hiç acımadan suda boğulur, reaya da asılır. Bu barbarlığa bizzat ben şahit oldum.

Bundan az önce, Asya sahilindeki bir gezinti sırasında bir sürü zenci cariyeye rastladım. Bunlar sanırım ki yukarı Mısır'dandılar, Habeşistan kadınları ne kadar güzelse bunlar da o kadar iğrençtir. Bu kadınların insana benzer tarafları yoktu; alınları basıktı, burunlarıyla üst dudakları hemen hemen bir hizada idi, kocaman ağızları burunlarının ucundan daha ileri çıkıyordu, çeneleri geri kaçıktı. Bu, hayvan fizyonomisine geçiş halidir. Bu hanımların bütün elbiseleri çuval parçalarından ibaretti, ama süsleri eksik değildi. Mavi camdan bilezikler ayak ve el bileklerini sarıyordu, yüzleri de derilerine açılmış derin kesiklerle süslüydü. Etrafıma yığıldılar ve gırtlaktan gelen sesleriyle ve büyük bir heyecanla anlaşılmaz söyler söylemeye başladılar. Başları olan ihtiyar bir Türk bana, kendilerini satın almak isteyip istemediğimi sorduklarını söyledi. Böyle bir cariye ortalama 100 guldene, yani bir katırdan biraz daha ucuza satılır. İstanbul'daki esir pazarında beyaz cariyeleri görmeme müsaade etmediler, siyahlardan birçoğu avluda oturuyordu. Onlara dağıttığımız çörekleri hırsla kapıştılar. Hepsi de satın alınmak istiyordu.

Fakat Doğuda kadınların durumunu hiçbir şey, bizzat Peygamber'in onlara bu hayattan sonrası için bir yer vaat etmemiş olması kadar açıkça ifade edemez. Cennetteki huriler yeniden dirilip oraya giden dünya kadınları değildir. Kadınların ölümden sonra ne olacaklarını da kimse bilmiyor. Bu bakımdan benim güzel Ermeni kadınlarım daha talihli.

Ermeni Aile Hayatı – Boğaziçi'nde Gezinti

Arnavutköy, 12 Şubat 1836

Benim burada oturduğum ev pek büyük ve geniş. Eteğini Boğazın dalgaları yıkıyor, arka tarafı da yüksek yamaca tırmanıyor. Bu yüzden üçüncü kattan bahçenin setine doğrudan doğruya çı-

kılabiliyor. Ev, burada çok defa görüldüğü gibi, sokağın üstünü
de kaplıyor; sokak bunun altındaki bir sıra büyük kapılardan ge-
çiyor. Ev sahibim her ne kadar evini bura usulünce gayet iyi dü-
zenlemişse de, bütün evde tek bir soba bile yok, olsa olsa odalara
mangal konuyor. Ev halkı sırtlarında üç dört kürk, mangalın et-
rafına sıralanıp bağdaş kuruyor ve kapılarla pencerelerin açık
olup olmadığına aldırış bile etmiyor. Zavallı alafranga elbisemle
ben bu işte zararlı çıkıyorum, ama toplantı salonundaki tandırlar-
la teselli buluyorum.

Tandır, üzerine kocaman bir yorgan örtülü bir masadır. Yor-
gan her yandan yere sarkar. Masanın altına bir mangal konur, et-
rafında da alçak bir sedir vardır. Bacaklarını masanın altına so-
kup yorganı burnuna kadar çektin mi, artık değme keyfine! Bü-
tün aile burada birbirine sokulur; çene çalınır, ekarte, domino ve-
ya tavla oynanır; bazıları çubuk içer, bazıları uyur, çoğu da hiçbir
şey yapmaz, herkes canının istediği gibi davranır. Biz bazen saba-
hın saat 2'sine kadar böyle bir arada oturuyoruz. Bu tam teklifsiz-
lik içinde bile Ermeni ailesi arasında büyük bir resmilik hüküm
sürer. Baba içeri girince, kendileri de ellisine varmış olan oğulları
ayağa kalkıyor. Aynı şeyi annelerine de yapıyorlar. Küçük kar-
deş, büyüğü kendisine teklif etmeden çubuk içmiyor, kadınlar da
her erkeğe ayağa kalkıyor.

Her yeni misafirin gelişinde kahve içiliyor, bu da muhakkak
günde yirmi defayı buluyor. Ara sıra reçel ikram ediliyor. Herkes
bundan bir kaşık alıyor ve arkasından bir bardak su içiyor. Bu sı-
rada her su içene *"Afiyet olsun!"* demek ve elini önce göğsüne,
sonra alnına götürmek âdet. Günde iki yemek yeniyor, bunlar-
dan biri, yazın havanın henüz serin olduğu saat 9 yahut 10'da,
ikincisi de gün batarken ki bu sırada hava yine serinliyor. Yemek-
ler tamamıyla Türk tarzında; koyun eti ve pilav yemeğin temelini
teşkil ediyor, gelen birçok yemeklerin ikisinden biri mutlaka tatlı.
Şarap içmek Ermeniler için tabii yasak değil. Benim en çok öve-
ceklerim, yemek arasında herkesin istediği gibi el sunduğu, kü-
çük tabaklar içindeki soğuk yemekler: İstiridye, midye, ıstakoz,
havyar, peynir, zeytin, kaymak, soğan, kırmızı biber, zencefil, sa-
latalar, sardalye, karides, balık yumurtası, pavurya, taze sarmı-
sak ve her çeşit yemiş.

Arnavutköy, Boğaziçi'nin en dar yerlerinden birindedir. Çok
güzel bir mevkii var. Köyün, burada iskele (scala, echelle) denen,

kayık yanaşma yeri penceremin tam altında. Burada büyük bir canlılık ve gürültülü bir kaynaşma hüküm sürer, çünkü köy halkının çoğunluğunu teşkil eden Rumlar günümüzde de geveze bir millettir. Bir sürü kayık burada müşteri bekler. Türkler İstanbul'a, Rumlarsa İstanpoli (şehre) diye bağırırlar. Muazzam gemiler burada kıyıya o kadar yakın geçerler ki fırtınalı havalarda sık sık yelken serenlerinin pencere camlarını kırdığı olur. Ara sıra bir buharlı gemi gürüldeyerek geçer, koyu renkli, sıçraşan dalgaları Arnavutköy burnunu dolaşan akıntıyla uzun zaman savaşır. Küçük mavnalar burada aşağı yukarı 200 adımlık yeri yedek çektirerek geçerler. Birçok yoksul insanlar gelen kayıklara ip atmak için rıhtımda bekler durur.

Buradan kıyı boyunca yürüyerek sevimli Bebek koyunu dolaşmak pek zevkli bir gezinti oluyor. Orada muazzam çınarların altında zarif bir cami ile padişahın bir köşkü vardır. Birçok ileri gelen Türkler Bebek'te oturur. Bunların arasında dostum hekimbaşı yani "protomedico" da vardır. Bu zat her ne kadar imparatorluğun bütün tıp teşkilatının başında bulunmaktaysa da ömründe tıp tahsili görmemiştir. Buna karşılık, içinde nadide güller bulunan muhteşem bir bahçesi vardır. Bahçe setler halinde yüksek yamaca tırmanır. Buradan sonra yol güzel servili bir mezarlık boyunca giderek eski bir hisara varır. Burası çoğu zaman gezintimin son noktasıdır. Çünkü burada yol artık, bütün manzarayı kapayan yüksek evlerin arasına girer.

Rumeli hisarı (Avrupa şatosu) daha İstanbul'un zaptından önce Türkler tarafından yapılmıştır. Mazgalları ve burçlarıyla beyaz surlar dik yamaçta yukarı aşağı öyle garip bir tarzda uzanır ki, insan bu kaleyi yaptıranın kendi tuğrasını, yani imzasını yapı planı olarak verdiği hakkındaki hikâyenin sebebini anlar. Sayısız sütun parçalarıyla mezar taşları da, tuğlalar ve kaya bloklarıyla birlikte, üç muazzam kulenin duvarlarına örülmüştür. İslamlığın Asya'dan karşıya geçtiği zaman Avrupa yakasına bastığı bu ayak izinden, aradaki üç yüzyıl hemen hemen hiçbir şey silememiştir.

Karşıda Anadolu hisarı (Asya şatosu), yükselir. Boğaziçi'nin iki mil kadar daha yukarı tarafında da tıpkı bunlar gibi iki eski Ceneviz kalesi vardır. Bunlar ihtiyar Bizans imparatorluğunun boğazına takılan ilmiklerdi.

İstanbul'da kışlar genellikle çok serttir. Karadenizi yalayıp gelen kuzey rüzgârı (*poyraz*) Trakya Khersohes'ini kalın bir kar tabakasıyla örter. Limanın iç tarafı, hemen hemen her yıl, Cydaris'in[27] tatlı sularının vardığı yere kadar donar. Fakat kışla yaz bu memlekette, bizde olduğundan fazla, birbirine benzer. Fıstık çamları, serviler, defneler ve zakkumlar yapraklarını dökmez, sarmaşıklar kayalıkları sarar, güller bütün yıl boyunca açar. Güney rüzgârının ılık nefesinin karları yok ettiği yerlerde dağları şimdiden taze yeşillikler örtüyor. Boğaziçi'nin şakırdayan dalgaları, koyu mavi renkleriyle gözü okşuyor ve sıcak güneş bulutsuz gökte parlıyor.

Burada hiç kimse sokağın ortasında ya da en hoşuna giden neresiyse orada oturup bir çubuk tüttürmekten yahut bir kahve içmekten çekinmez. Bunun için Boğaziçi'nde pek şirin köşecikler vardır. Dev gibi çınarların altları bir setle çevrilir. Bunun yanında da muhakkak bir çeşmeyle çok defa damındn muazzam bir ağaç gövdesi çıkan küçük bir kahve bulunur. Eğer uzanacaksan senin için hemen bir hasırla bir kilim sererler, eğer oturmak istiyorsan alçak, arkalıksz bir iskemle getirirler. Çubuk ya da nargile hemen hazırdır, kahveyi söylemeye bile lüzum yoktur. Asya yakası o kadar yakındır ki orada dolaşan insanlar tanınabilir. Yunusbalığı sürüleri aşağı yukarı giden gemilerin etrafında oynaşır. Senin tam önünden de hanımlar, kibar efendiler, mollalar yahut ecnebilerle dolu kayıklar geçer.

Dün böyle bir yerde otururken padişahın büyük kayığı hızla yaklaştı. Üzerinde alâmet olarak bir martı bulunan uzun, gayet zengin bir tarzda süslenmiş burnu bir ok gibi dalgaları yarıyor, on dört çift kürek, koyu mavi sular üzerine kar gibi beyaz bir şeritle, saltanat kayığının geçtiği yolu izliyordu. Kayığın arka tarafında bir sayeban bulunuyor, bunun altında da müminlerin hükümdarı kırmızı kadifeden minderler üstünde oturuyordu. Önünde hassa hademeleri diz üstü duruyor, arkasında reis dümen tutuyordu. Gene böyle bir kayık, boş olarak az uzaktan onun arkasından geliyordu; çünkü gelenek, padişahın geldiği taşıtı dönüşte asla kullanmamasını emrediyor.

Hünkârın (kelime anlamı boğucu, cellât, padişahın şeref unvanlarından biri)[28] kayığını gören herkes yerinden fırladı; çeş-

---

(27) Aslı Kydaras, Kâğıthane deresi.
(28) Yanlış, efendi, padişah manasına.

menin ve ağaçların arkasına saklandılar, bana da öyle yapmamı işaret ettiler. Sultan Mahmut bu şekilde saygı göstermeyi yasak etmiştir. Fakat yüzyıllarca süren korku hâlâ reayanın iliklerine kadar işlemiş olarak duruyor.

Osmanlı İmparatorluğunun 1836 Yılında Siyasi ve Askeri Durumu

Beyoğlu, 7 Nisan 1836

Uzun zaman, Osmanlı egemenliğine set çekmek Avrupa ordularının ödevi olmuştu: Bugün ise Avrupa politikasının tasası bu devletin varlığını sürdürmesidir.

İslamlığın Doğuda olduğu gibi Batının büyük bir kısmına hâkim olacağından haklı olarak korkulduğu devir geçeli pek çok olmamıştır. Peygambere inananlar, Hıristiyanlığın yüzyıllardan beri kök salmış olduğu memleketleri zaptetmişlerdi. Havarilerin klasik toprağı, Korinth ve Efes, Nikomedya, İskenderiye, Sinod'lar ve kiliseler şehri İznik, hep onların buyruğu altına girmişti. Hatta Hıristiyanlığın beşiği ve kurtarıcının mezarı, Filistin ve Kudüs Müslümanların eline geçmiş ve onlar Avrupa'nın bütün şövalyelerine karşı burayı savunmuşlardı. Roma İmparatorluğu'nun uzun ömrüne son vermek ve 1000 yıldan fazla zamandan beri İsa ve azizlerin kutlandığı Ayasofya kilisesini Allah'a ve Peygambere adamak da onlara nasip olmuştur. Konstanz'da dinî meseleler üzerinde çekilişir, Ortodoks Kilisesi ile Katolik Kilisesi arasında uzlaşma imkânsız hale gelir ve 40 milyon Hıristiyan papaların egemenliğinden çıkmaya hazırlanırken Müslümanlar Steiermark ve Salzburg'a kadar muzafferane ilerlemişlerdi. O zamanki Avrupa'nın en başta gelen hükümdarı, Roma kralı[29], başşehrinden kaçmıştı, nerede ise Viyana'daki Stephan kilisesi de Bizans'taki Ayasofya gibi bir cami olacaktı.

O zamanlar Afrika çöllerinden Hazer denizine ve Hind Okyanusu'ndan Atlantik kıyılarına kadar bütün memleketler padişa-

---

(29) Cermen-Roma (Alman) imparatorlarının unvanlarından biri.

hın emrinde idi. Venedik ile Alman imparatorları Babiâli'nin ha-
raç defterinde kayıtlı idiler. Akdeniz kıyılarının dörtte üçü, ona
boyun eğmişti; Nil, Fırat ve hemen hemen Tuna Türk nehirleri,
Ege ve Karadeniz Türk iç denizleri olmuştu. Bundan daha iki yüz
yıl geçmemişti ki aynı muazzam imparatorluk gözlerimizin
önünde bir dağılma ve çözülme tablosu olarak duruyor ve bu hal
onun yakında sona ereceğini anlatıyor gibi.

Dünyanın her iki eski başşehri olan Roma ve İstanbul'da aynı
vasıtalarla aynı gaye için çalışılmıştır: Egemenliği kayıtsız şartsız
bir hale getirebilmek için mezhep birliği... St. Pierre'in vekili de,
halifelerin varisi de sonunda aynı kudretsizliğe düşmüşlerdir.

Yunanistan bağımsızlık kazandı, Boğdan, Eflak ve Sırbistan
Babıâli'nin egemenliğini ancak görünüşte tanımaktadır ve Türk-
ler kendilerinin bu vilâyetlerinden sürüldüklerini görmektedir-
ler. Suriye ve Adana (Kilikya eyaleti) ile, fethedilişi 55 hücuma ve
70.000 Müslümanın hayatına mal olan Girit, kılıç bile çekilmeden
elden çıkmış ve bir asi paşanın kazancı olmuştur. Trablus'ta ege-
menlik henüz şöyle böyle yeniden kurulmuşken burası şimdi ye-
niden elden gitmek tehlikesinde. Akdeniz kıyılarındaki öteki Af-
rika devletlerinin Babıâli ile hemen hemen hiç bağlantıları yok.
Eğer Fransa henüz bu memleketlerin en güzelini kendisi için alı-
koymakta tereddüt ediyorsa bu, İstanbul'daki divandan daha
fazla St. James'deki kabineden[30] çekinmekte oluşundandır. Ni-
hayet Arabistan'da, hatta Mübarek Şehirlerde çok eskiden beri
padişahın hiçbir gerçek egemenliği yok.

Fakat hükümete bağlı olan memleketlerde de padişahın hü-
kümranlık hakkı çoğu zaman sınırlıdır. Fırat ve Dicle kıyıların-
daki milletler pek az bağlılık gösteriyor; Karadeniz ve Bosna'daki
âyan, padişahın iradesinden ziyade kendi çıkarlarını düşünüyor,
İstanbul'dan uzaktaki şehirlerin oligarşik bir idare şekilleri var ve
bu onları hemen hemen bağımsız bir hale koyuyor.

Böylece Osmanlı saltanatı hakikatte bugün bir krallıklar,
prenslikler ve cumhuriyetler yığını haline gelmiştir ve bunları
uzun bir alışkanlıkla Kur'an birliğinden başka bir arada tutan şey
yoktur. Eğer despot dendiği zaman iradesi biricik kanun olan bir
hükümdar anlaşılıyorsa İstanbul'daki sultan despot olmaktan
çok uzaktır.

---

(30) İngiltere hükümetinden.

Çok eskiden beri Avrupa politikası Babıâli'yi menfaatlerine aykırı harplere sürüklemiş, ya da vilayetlere mal olan barışlara zorlamıştır. Fakat devletin kendi toprağında, Batının bütün ordu ve donanmalarından daha korkunç görünen bir düşman vardı. III. Selim yeniçerilerle mücadelenin taht ve hayatına mal olduğu ilk hükümdar değildi, buna rağmen onun yerine geçen hükümdar o asker sınıfının himayesine güvenmektense bir reformun tehlikesini göze almayı yeğ gördü. Dereler gibi kan akıtarak hedefine vardı. Türk sultanı Türk ordusunu mahvettiği için kendini talihli sayıyordu, fakat Yunan yarımadasındaki isyanı bastırmak için emrindeki beylerin en kudretlisini yardıma çağırmaya mecbur oldu. O zaman üç Hıristiyan devleti, aralarındaki geçimsizliği unuttu; Fransa ve İngiltere padişahın donanmasını yok etmek için gemilerini ve gemicilerini feda ettiler. Rusya'ya Türkiye'nin kalbinin yolunu açtılar ve böylece, en ziyade kaçınacakları şeye kendileri sebep oldular.

Bu memleket aldığı bu kadar çok yarayı henüz iyileştiremeden Mısır paşası Suriye'den ilerledi ve Sultan Osman'ın son torunu memleketinin batması tehdidi altında kaldı.

Yeni kurulmuş olan ordu asilere karşı gönderildi, fakat haremden yetişme generaller bu orduyu kısa zamanda harcadılar. Hükümet, kendilerini en eski ve en tabii müttefikler olarak gösteren İngiltere ve Fransa'ya başvurdu, fakat vaitlerden başka bir şey elde edemedi. O zaman Sultan Mahmut, Rusya'yı yardıma çağırdı ve düşmanı ona gemiler, para ve ordu gönderdi.

O sırada dünya, 15.000 Rusun padişahı ve sarayını Mısırlılara karşı müdafaa etmek üzere, İstanbul'un Anadolu yakasındaki tepelerde ordugâh kuruşu gibi garip bir manzara ile karşılaştı. O günlerde Türkler arasında büyük bir hoşnutsuzluk hüküm sürüyordu. Ulema, nüfuzlarının azaldığını görmekteydi, yenilikler birçok menfaatleri zedelemişti ve yeni vergiler bütün sınıflara zarar veriyordu. Artık adlarını bile söylemeleri yasak olan[31] binlerce yeniçeri ile boğulan, denize atılan ya da topla öldürülen öteki binlercesinin dostları ve akrabaları memlekete ve başşehire dağılmışlardı. Ermeniler, yakınlarda başlarına gelen zulümleri unutmamışlardı ve Rum Hıristiyanlar, yani asıl Türkiye nüfusunun yarısını teşkil edenler, başta olanları düşman, Rusları ise kendi

_____

(31) Çünkü padişah onların yok olmasını emretmişti.

dindaşları sayıyorlardı. O sırada Türkiye bir ordu çıkaracak halde değildi.

Tam bu sırada Fransa büyük çapta tefecilikleriyle, İngiltere de borç yüküyle meşguldü, Prusya ve Avusturya ise Batı Avrupa'daki durum yüzünden Rusya'ya, o zamana kadar hiçbir vakit olmadık derecede bağlanmışlardı.

Yabancı ordular imparatorluğu çöküş uçurumuna kadar getirmiş, gene yabancı ordular onu kurtarmıştı. Bu sebeple Türkler her şeyden önce kendilerinin bir ordularının olmasını istiyorlardı. Büyük gayretlerle 70.000 kişilik muntazam bir ordu kurulabildi. Bu kuvvetin, Osmanlı İmparatorluğu'na tabi memleketleri korumak için ne kadar yetersiz olduğunu haritaya bir bakış anlatır. Böyle birçok yerlere dağılmış bir kuvveti tehlikeye uğrayan bir noktada toplamaya sadece uzaklıklar bile engel olur. Bağdat'taki kıtalar Arnavutluk'taki Skroda'da (İşkodra'da) bulunanlardan 350 mil[32] uzaktadırlar. Bundan Osmanlı İmparatorluğunda iyi düzenlenmiş bir milis teşkilatı kurmanın ne kadar büyük önemi olacağı anlaşılır. Fakat tabii bunun birinci şartı idare edenlerle edilenlerin çıkarlarının birbirine zıt olmamasıdır.

Şimdiki Türk ordusu eski ve tamamıyla sarsılmış bir temelin üzerindeki yeni bir yapıdır. Osmanlı hükümeti şimdiki halde güvenliğini ordusundan ziyade yapacağı anlaşmalarla sağlayabilir ve bu devletin var ya da yok oluşu sonucunu verecek savaşlar Balkanlar'da olabileceği kadar Ardenn'lerde yahut Valdai dağlarında da cereyan edebilir.

Osmanlı İmparatorluğu her şeyden önce düzenli bir idareye muhtaçtır. Şimdiki idare ile hatta bu 70.000 kişilik zayıf orduyu bile daimî olarak zor besleyebilir.

Memleketin fakirleşmesi devlet gelirlerinin azalışı ile kendini açıkça göstermektedir. Boş yere birçok vasıtasız vergiler ihdas edilmiştir. Bir çeşit hayvan kesimi ve un öğütme vergisi, gerçekten pek keyfi bir şekilde, Başşehrin köşe başlarında toplanmaktadır. Balıkçılar tuttuklarının yüzde 20'sini vergi olarak vermekteydiler. Ölçüler ve ağırlıkların her sene yeniden damgalattırılması lazımdır, el sanatları mamullerinin, gümüş işlerinden ve şallardan ta kundura ve gömleğe kadar, hepsine pdişahın damgası vurulmaktadır. Fakat, bu vergilerden gelen para sadece bunları top-

---

(32) 1 Alman mili 7500 metredir.

layanları zengin etmektedir. Servetler doymak bilmeyen bir idarenin gözünden saklanmakta ve üç kıtanın en güzel kısımlarına sahip olan hükümdar Danaid'lerin[33] fıçısı ile su çekmektedir.

İhtiyaçları karşılamak için hükümetin yapabileceği son şeyler, mirasların zaptı, servetlerin müsaderesi, memuriyetlerin satılması, hediyeler, nihayet paranın ayarının bozulması gibi acı birtakım tedbirlerdir.

Devlet memurlarının miraslarının zaptına gelince şimdiki hükümdar bundan vazgeçmek istediğini bildirmiştir. Fakat bunun denmesiyle işin kendisi uygulanmış olmayıp sadece prensibi kabul edilmiş bulunuyordu. Müsadereler eskiden, serveti elinden alınanların idam hükümleriyle birlikte uygulanırdı. Şimdi ise, çok fazla serveti olanlardan bunun bir kısmını sızdırmak gibi daha yumuşak bir şekil kullanılmaktadır.

Memuriyet satışı devlet gelirinin en büyük kaynağını teşkil etmektedir. Aday, satış parasını bir Ermeni ticarethanesinden yüksek faizle ödünç alır; devlet de, bu genel mültezimlerin verdiklerinin karşılığını almaları için, onları vilâyetleri istedikleri gibi sömürmekte serbest bırakır. Fakat bunlar bir yandan daha fazla pey sürerek kendilerine, zengin olmak için, vakit bırakmayacak rakiplerden, öte yanda da zengin oldukları takdirde müsadereden korkmak zorundadırlar. Vilâyetler kendilerini soymak için yeni bir paşanın geldiğini önceden haber alır ve ona karşı silahlanır. Müzakerelere girişilir, anlaşmaya varılamazsa savaş olur, anlaşma bozulursa isyan çıkar. Paşa âyanla anlaşınca bu sefer onların yerine Babıâli'den korkmaya başlar. Bu sebeple başka paşalarla karşılıklı yardım anlaşmaları yapar, padişah da bir yeni paşa tayin etmeden önce komşu paşalara danışmak zorundadır. Birkaç – fakat henüz pek az – paşalıkta daha iyi bir yönetimin sağlanmasına başlanmıştır. İdarî kuvvet, askeri kuvvetten ayrılmıştı. Mükellefler de vergilerini doğrudan doğruya devlet kasasına ödemek imkânını bulduktan sonra daha ağır vergilere razıdırlar.

Hediye, bütün Doğuda olduğu gibi burada da âdettir. Aşağı tabakadan biri yukarıdakine hediyesiz yaklaşamaz, kadıdan hak-

---

(33) Yunan mitolojisinde, kocalarını öldürdükleri için öteki dünyada ebedi olarak, dipsiz bir fıçıya su doldurmaya mahkûm olan 50 kız kardeş. Boşuna harcanan yorucu emekler için bu deyim kullanılır.

kını arayan, bir hediye getirmelidir. Memurlar ve subaylar bahşiş alırlar; fakat en çok hediye alan bizzat padişahtır.

Paranın ayarının bozulması artık son haddine gelmiştir. Daha on iki sene önce bir İspanyol taler'i 7 kuruştu, şimdi 21 kuruşa alınıyor. O zamanlar 100.000 taler serveti olan bugün ancak 33.000 taleri olduğunu görmektedir. Bu bela her memleketten ziyade Türkiye'de büyüktür, çünkü burada toprağa pek az sermaye yatırılmaktadır ve servet çok defa paradan ibarettir. Avrupa'nın medeni memleketlerinde servet, kıymetli metaların herhangi gerçek bir üretiminden doğar, servetini bu yolda elde eden adam aynı zamanda devletin servetini de artırır, para ise sadece onun sahip olduğu mallar için bir ifade vasıtasından ibarettir. Türkiye'de ise para, malın kendisidir, servet de esasen mevcut olan para miktarının tesadüfî olarak şu ya da bu fertte toplanmasından ibarettir. Çok yüksek olan yüzde 20 nizamî faiz, sermayelerin büyük faaliyeti için bir delil olmaktan çok uzaktır. Bu, sadece parayı elden çıkarmanın bağlı olduğu tehlikeyi ispat eder. Burada bütün zenginliklerin esas şartı onu kurtarabilmektir. Reaya, bir fabrika, bir değirmen ya da bir çiftlik kurmaktansa 100.000 kuruşa bir mücevher satın almayı tercih eder. Hiçbir yerde buradakinden fazla süs eşyası merakı yoktur ve zengin ailelerde çocukların bile taşıdıkları mücevherler memleketin fakirliği için parlak bir delildir.

Eğer her hükümetin ilk şartlarından biri güven uyandırmak ise, Türk idaresi bu ödevini asla yerine getirmemektedir. Rumlara karşı olan muamele, Ermenilerin, Osmanlı hükümetinin bu sadık ve zengin uyruklarının haksız yere ve zalimce ezilmesi, birçok şiddet hareketleri, herhangi birinin sermayesini ancak zamanla kâr getirecek bir işe yatırmasına müsaade etmeyecek kadar taze bir şekilde hatırlardadır. İşin ve sanatın gelişmesi için gerekli unsurların bulunmadığı bir memlekette ticaretin de en büyük kısmı, sadece yabancı mamullerin yerli hammaddelerle mübadelesinden ibaret kalır. Türk de hammaddesini gene kendi vatanının yetiştirdiği bir okka ipekli kumaşa karşılık, on okka ham ipeğini vermektedir.

Ziraatin durumu bundan da kötüdür. İstanbul'da çok defa, yeniçerilerin ortadan kaldırılmasından beri, sanki Allah islamlığın bu savaşçılarını yok edenlerden intikam alıyormuş gibi, zorunlu ihtiyaç maddelerinin fiyatlarının dört misli arttığından şikâyet edilmektedir. Fiyat artması doğrudur. Fakat bunun sebebi eskiden mahsullerin yarısını Boğaziçi'ne getirmek zorunda olan Boğdan, Eflak ve Mısır'ın, başşehrin bu büyük zahire ambarlarının o zamandan beri kapanmış olmasıdır. Memleketin içinde kimse büyük ölçüde tahıl ziraatıyla uğraşmak istemiyor, çünkü hükümet, satın almalarını, kendi kendine tayin ettiği fiyatlarla yapmaktadır. Hükümetin cebrî satın alışları bu memleket için yangın ve vebanın ikisi birden olduğundan daha büyük bir beladır. Bu sadece refahı yok etmekle kalmıyor, aynı zamanda refahın kaynaklarını da kurutuyor. Böylelikle hükümet, 800.000 nüfuslu bir şehrin kapılarından bir saatlik yerde uçsuz bucaksız verimli topraklar ekilmeden dururken, buğdayı Odessa'dan satın almak zorunda kalıyor.

Bir zamanlar o kadar kuvvetli olan devlet bünyesinin dış uzuvları kurumuş, bütün hayat kalbine çekilmiştir. Başşehrin sokaklarındaki bir ayaklanma Osmanlı hükümdarlığının ölüm alayı olabilir. Bu devlet düşüşü sırasında durabilir ve kendini organik bir tarzda yenileyebilir mi, yoksa Müslüman – Bizans İmparatorluğu'na da Hıristiyan – Bizans İmparatorluğu gibi kendi malî idaresi yüzünden mahvolmak mukadder midir, bunu istikbal gösterecektir. Fakat Avrupa'nın huzurunu tehdit eden şey, yabancı bir devlet tarafından Türkiye'nin zaptı olmaktan ziyade bu imparatorluğun son derece büyük zaafı ve kendi içinden çökmesidir.

Çanakkale – Aleksandria Troas

Beyoğlu, 13 Nisan 1836

2 Nisan akşamı bir Avusturya vapuru ile İstanbul'dan ayrıldım ve ertesi sabah Marmara adasının yüksek, güzel dağlarını gördüm. Sağda bağları ve köyleri ile Tekirdağ'ın dağları göründü. Çok geçmeden Avrupa ve Asya kıyıları birbirine sokuldu ve yarık yarık dik kayalıklar üstünde Gelibolu, kıyıdaki eski bir kale ve sayısız yeldeğirmenleri ile göründü. Türklerin ilk defa Avrupa

yakasına geçtikleri yer burasıydı (1357). Öğleye doğru Nağra kalesi, beyaz bedenleri ile Hellespontos'un açık mavi, berrak sularından yükseldi. Bu boğaz güzellik bakımından Boğaziçi'yle kıyaslanamaz. Kıyıları çıplaktır ve Boğaziçi'ne nazaran birbirinden hayli uzaktır, fakat tarihî hatıralar onu cazibeli bir hale koymaktadır. Şu garip görünüşlü tepeden (belki de insan eliyle yığılmış bir tepedir bu) Kserkses, Yunanistan'a götürdüğü sayısız askerlerini seyretmişti; şu alçacık dili örten taş yığınları bir vakitler abydos idi; Leander Hero'yu görmek için burada Avrupa'dan Asya'ya yüzmüştü. Şekilsiz tek bir duvar kalıntısı bir zamanlar şehrin kapladığı yerde henüz ayakta durmaktadır ama, bu harabenin vaktiyle ne olduğunu söylemek güçtür. Buna karşılık, çok muhtemeldir ki, etrafı denizle çevrili basık berzahta yeraltındaki bir mahzende bugün de fışkıran tatlı su pınarından, o şehrin insanları, belki güzel Hero da içmiş olsun.

Kuvvetli akıntı bizi çarçabuk, boğazın en dar yerine "eskilikten kararmış hisarların birbirine baktıkları yere" götürdü. Avrupa kıyısının arkasında dimdik, beyaz bir kaya yamacı yükseliyor. Bunun böğründe, Hekuba'nın mezarı olduğu söylenen küçük bir mağara[34] bulunmaktadır. Buna karşılık Asya kıyısı basıktır ve bir vakitler Cenevizlilerin kurmuş oldukları hisarın arkasında, muazzam çınarların gölgesinde, etrafı bağlar ve bahçelerle çevrili bir kasaba vardır, Türkler bu kasabaya, burada çalışan birçok çömlekçiler yüzünden "Çanakkalesi" derler. Orada gösterişsiz bir evde Boğaz Paşası oturmaktadır. Kendisine serasker'in bir mektubunu vermeye, ayrıca ağızdan da bazı şeyleri bildirmeye memur edilmiştim. Benim için kıyıdaki küçük, şirin bir evi boşalttırdı. Kaleyi ve bataryaları inceledikten sonra Çanakkale boğazının ve kıyılarının planını çıkardım.

Memur edildiğim ve benim için çok enteresan olan iş hakkında sana söyleyecekleri ise sadece umumî ve çoğu esasen bilinen şeylerdir.

Çanakkale boğazının giriş yerinde, Türklerin eskilerin örneğinde yapmış oldukları yeni kaleler vardır. Avrupa yakasında olanı Seddülbahir "denizi kapayan hisar" Asya yakasındaki de

---

(34) Üzerinde Kilidülbahir kalesinin bulunduğu dile eskiler Kynossema, yani köpek mezarı derlerdi. Çünkü Truva Kralı Priamos'un eşi Hekuba'nın bir köpek kılığına sokulduktan sonra buraya gömüldüğüne inanılırdı.

Çanakkale

Kumkale adını taşır. Boğazın ağzındaki açıklık hemen hemen bir buçuk coğrafî mili bulur. Bu hisarlara sadece düşman donanmalarının yaklaştığını haber verecek, aynı zamanda boğazın iç kısmında demir atmalarını önleyecek ön karakollar gözüyle bakılabilir. Asıl savunma iki mil daha yukarıda başlar ve Çanakkale ile Nağra arasındaki takriben bir millik alana yerleştirilen bataryalara dayanır. Sultani Hisar'la Kilidülbahir yani deniz kilidi arasında boğaz darlaşır, açıklığı 1986 ayağa iner. Bu gayet sağlam yapılmış kalelerin ve yan yana yerleştirilmiş büyük bataryaların gülleleri bir kıyıdan ötekine erişir. Daha Nağra'da boğazın genişliği 2833 adıma çıkar.

Çanakkale'nin savunması için 580 top vardır. Bunlar 8'den 1600 Pfund'luğa kadar[35] derece derece her çaptadır. Boyu çapının 5 katı olanlar bulunduğu gibi 32 katı olanlar da vardır. Bun-

---

(35) Takriben yarım kilodan 800 kiloya kadar.

lar arasında Türk, İngiliz, Fransız, Avusturya malı olanlar, hatta
üzerinde Kurfürst arması bulunanlar vardır. Fakat topların en
çoğu maksada elverişli orta çaplarda ve hemen hepsi tunçtandır.
Seddülbahir'de çok büyük çapta, dövme demirden garip birkaç
top vardır. Kalın demir çubukları boylu boyuna yan yana getir-
miş ve üzerlerini başka çubuklarla sarmışlar, fakat bunda pek de
muvaffak olamamışlar. Bu silahlara muazzam bir para yatırıl-
mış.

Granit ya da mermerden taş gülleler atan büyük *kemerlikler*
pek garip. Bunlar, kundaksız olarak, kale duvarlarındaki üstleri
tonozlu kapı dehlizlerinin altında ve bağlantısız kütükler üzerin-
de, yerde duruyor. Bunların büyükleri 300 kental kadar ağırlıkta-
dır ve 148 pfund barutla doldurulur. Mermi kanalının çapı 2
ayak, 9 pustur; insan, ta barut hazinesine kadar sürüne sürüne gi-
debiliyor. Geri tepmesini önlemek için bunların kuyruklarının ar-
kasına büyük taşlardan duvarlar yapmışlar, fakat bu duvarlar

daha birkaç atışta darma dağınık oluyor. Ama taş gülleler suyun yüzünden sekerek gidiyor ve karşı yakada da bir hayli içerlere kadar varıyor. Böyle bir gülle geminin su kesimine rastlarsa üç buçuk ayak çapında bir deliğin nasıl tıkanacağını Allah bilir. İngilizlerin denizden birkaç cesurca ve başarılı teşebbüsü, kara bataryalarının top sayısı bakımından kendilerinden çok üstün olan donanmalara karşı savunmada bulunamayacağı hakkında oldukça yaygın bir kanaatin yerleşmesine sebep olmuştur. Böyle bir teşebbüs 1807 yılında Lord Duckworth'un yapmış olduğudur. O zamanlar Çanakkale Boğazı'nın savunma tesisleri gayet perişan bir halde idi, İngiliz filosu hemen hemen mukavemet görmeden boğazı geçti ve 20 Şubatta, ilk defa olarak bir düşman filosu Osmanlı başşehrinin surları önünde göründü.

Türkler böyle bir şeyin mümkün olabileceğini akıllarına ne kadar az getirmişlerse, başlangıçtaki şaşkınlıkları da o nispette fazla olmuştu. O zaman Divanı İngilizlerin her türlü isteklerine razı olmaktan alıkoyanın Fransız sefirinin nüfuzu ve faaliyeti olduğu bilinmektedir. Tophane ve Sarayın kıyılarında bataryalar yerden biter gibi meydana çıktı, öte yandan İngilizlerin arkasından Çanakkale çarçabuk savaşabilecek hale getirildi. Çok geçmeden İngiliz sefiri Amiralin askeri başarısının neye yarayacağını bilmez hale geldi. Sekiz gün içinde Lord Duckworth, iki korvetin kaybı ve hemen hemen öteki bütün gemilerinin hasara uğraması pahasına da olsa, yeniden Tenedos (Bozcaada) iskelesine can atabildiği için kendini bahtiyar saydı.

Bir gemiden bir kara bataryasına atılan gülle olsa olsa birkaç kişiyi öldürür ve bir topu susturur. Bir kara bataryasından atılan ise bir gemiyi savaş dışı edebilir. Mürettebat, top ve mühimmat kara bataryasında, bir geminin bordaları arkasında olmakla kıyaslanmayacak kadar emin bir şekilde muhafaza altındadır. Özellikle, geminin yalpası yüzünden, tam nişan almanın hemen hemen imkânsız oluşu da önemlidir. Kara bataryası aşağı yukarı dört buçuk ayak yüksekliğinde bir hedef teşkil eder, küçük bir yalpa top açılarını o kadar büyütür veya küçültür ki bütün bir borda ateşi çok yüksek ya da çok alçaktan gidebilir. Buna karşılık kara bataryalarının namluları sabittir, topçu hatasız bir şekilde nişan alır, hedefi 20-30 ayak yüksekliğinde 100 ayak uzunluğundadır ve her yanı, yaralanabilir satıhtadır. Çok alçaktan giden gülleler su üstünden sekerek gemiye çarpabilir, yüksekten gidenler ise direkleri, serenleri ve yelkenleri tahrip eder. Top sayısının üstünlüğü filodadır, fakat daha uygun şartlar kara bataryaları tarafındadır.

Gemilerin Çanakkale boğazından Marmara'ya geçmelerine hiç de uygun düşmeyen bir durumu da bu arada söylemem lazım; bütün yaz boyunca, hemen hemen ardı arası kesilmeden kuzey rüzgârı eser, ticaret gemileri çoğu zaman boğazdan yukarı çıkabilmek için dörtten altı haftaya kadar beklemek zorunda kalır. Nihayet bir Güney rüzgârı esse de, Çanakkale boğazındaki daima güneye doğru olan kuvvetli akıntıyı yenebilmek için, bunun adamakıllı şiddetli olması lazımdır. Halbuki çok defa Kumkale'de güney rüzgârı eser de Nağra açığında tamamıyla kesilir. Eğer Çanakkale boğazındaki topçu araç ve gereçleri düzenlenecek olursa sanmam ki dünyada hiçbir düşman donanması bu boğazdan yukarı yelken açmayı göze alabilsin. Daima karaya asker çıkarmak ve bataryalara hücum edip onları ele geçirmek lüzumu elverecektir. Fakat, bu, hiç de söylendiği gibi kolay olmasa gerek. Belki yeni ve eski hisarlar gibi 40 ayak yüksekliğinde duvarlı kalelere hâkim noktalar ele geçirilebilir; fakat yine de bunların içinde bir hayli zaman savunma mümkündür; yeter ki insanın canı istesin. Üstelik Kumkale ve Sultani Hisar'a hâkim hiçbir tepe yoktur.

Bundan sonra Aleksandria Troas'a, Büyük İskender'in kumandanlarından biri olan Antigonos'un efendisine saygı göstermek için kurmuş olduğu ve Tenedos ile basık Asya kıyısı arasındaki iskelesi bugün de hâlâ en büyük filolara iyi bir demir atma yeri sağlayan, bu şehir harabesine bir gezinti yaptım. Patroklus'un mezarının önünden geçtik, buradan bir zeytin dalı koparıp aldım, sonra Pelide'nin güzel Briseis'in yasını tuttuğu ıssız kumsal kıyıdan Sigeum burnuna doğru ilerledik. Bu burun muhteşem denizle adalarına, haşin görünüşlü İmroz, Trakya Samos'u[36] ve arkasında Akhaia'lıların filosunun gizlenmiş olduğu Tenedos'a bakar. İnsan eliyle yığılmış gibi görünen bir tepenin üstünde bir Rum köyü olan Aya Dimitri vardır. Bu köyün sıkı sıkı birbirine sokulmuş olan evleri buraya bir şato manzarası verir. Her ne kadar Pergamos'un[37] burada değil, memleketin iç taraf-

---

(36) Semadirek.
(37) Troya kalesinin adı.

larına doğru kurulmuş olduğunu bilmekte isem de bu köyün, birçok insanların gelip geçmiş oldukları o kale olduğunu, tanrılar soyundan gelme kahramanların da belki bu kerpiç kulübelerden daha iyi evlerde oturmamış olduklarını tasarımlamak beni eğlendiriyor. Bu bölge hemen hemen hiç ekilmiyor, yavru develer yüksek kuru çayırlarda otluyor ve kırları sadece tek tük palamut meşeleri süslüyor.

Geceleyeceğimiz yer olan büyük bir Türk köyüne vardığımız sırada güneş bir sıradağın arkasında battı. Köyün muhtarının yanına gittik, o da bizi mutad olan konukseverlikle karşıladı: *"Akşam şerifler hayrolsun. Hoş bulduk*[38] *safa geldin!"* dedi. Odasını, yatağını, evini bize bıraktı, kendi çubuğunu da bana ikram etti. O gün bir deprem oldu. İlk sarsıntı öğleden sonra duyulmuştu, fakat ben at üstünde olduğum için duymamıştım, geceleyin olan ikinci sarsıntıyı da derin bir uykuda olduğum için gene duymadım. Fakat sabaha karşı yatağımda sarsıldığımı hissettim ve bütün pencere ve kapıların tıkırdamasından uyandım. Çanakkale'de üç sarsıntı da pek şiddetli duyulmuş.

Ertesi sabah kavak, kestane ve ceviz ağaçlı güzel bir vadiden geçtikten sonra Aleksandria Troas'ın eski surlarını karşımızda gördük. Bunlar 6-10 ayak uzunluk ve 3, çok defa 6 ayak kalınlığında muazzam taş bloklardan yapılmıştı ve fundalıklar arasından gözün erişebildiği kadar uzayıp gidiyorlardı. Bu duvar boyunca en aşağı bin adım ilerledik ve muazzam taş yıkıntıları, granit direkler, vaktiyle altı yüzlü taşlarla zarif bir şekilde kaplanmış olan tonozlar, arşitrav ve güzel sütun başlıkları kırıklarını ovaya serpilmiş bulduk. Ansızın karşımıza dev gibi taşlardan meydana gelme bir harabe çıktı. Güzel kapısının büyük kemerleri bütün depremlere ve yüzyıllara meydan okuyor. Böyle tamamıyla ıssız bir beyabanda böyle dev gibi bir binayı görmek insanda hüzün uyandırıyor.[39]

Türkler buraya eski İstanbul adını veriyorlar. Lahitleri su teknesi, kapaklarını derelerin üstüne köprü, direkleri de taş atan topları için gülle yapmakta kullanıyorlar.

***

(38) Hoş geldin olacak.
(39) Hakikaten muazzam olan bu yapı bir hamamdır. Bu da şehrin diğer binalarının çoğu gibi Roma imparatorluk devrinden kalmadır.

Padişahın Kızının Düğünü – Meddah Yahut
Halk Masalcısı

İstanbul, 5 Mayıs 1836

Evveki gün sultan, ikinci kızı Mihrimah'ın – yani Güneş-ayın – düğünü şerefine sefirlere muhteşem bir akşam yemeği verdi. Her yanı pencereli ve İstanbul, Beyoğlu ve denize geniş bir nezareti olan bir köşkte toplanıldı. Pencerelerin altında ip canbazları, at canbazları, İranlı pandomimacılar ve sayısız seyirciler vardı. Kadınlar bol feraceleri ve beyaz yaşmaklarıyla yüksek bir yamacın ta yukarısına kadar sıralanmış oturuyorlardı. Gün batmasından bir saat önce bizi gayet büyük bir eski Türk çadırına götürdüler, burada yüz kişilik bir sofra kurulmuştu. Bronz tepsiler, gümüş takımlar ve porselenler gerçekten muhteşemdi. 200'den fazla mum, kordiplomatikle padişahın damadı, vezirler ve imparatorluğun üstün rütbelilerinden mürekkep heyeti aydınlatıyordu. Yemekten sonra tekrar köşke gidildi ve oradan donanma fişeklerinin atılışı seyredildi.

Eve döndüğümüz sırada donanmış olan Boğaziçi'nin görünüşü pek güzeldi. İşin en güzel tarafını burada daima tabiatın yapması lazım. Eğer bu şenlikler başka bir tarafa götürülmüş olsa bütün parlaklığını kaybederdi.

Dün Hanım Sultanın çeyizi yeni ikametgâhına götürüldü. Süvarilerin himayesi altında ve önden birkaç paşa giderek, büyük, kıymetli kumaş denkleri yüklü 40 katır, bunun arkasından şallar, halılar, ipekli elbiseler ve bunun gibi şeyler dolu 20 kadar araba, nihayet başlarının üstünde büyük gümüş tepsilerle 160 hamal geçti. Bu tepsilerin en öndekinde cildi altın ve inci ile süslü muhteşem bir Kur'an vardı, sonra büyük gümüş sandalyalar, mangallar, mücevher dolu çekmeceler ve kutular, altın kuş kafesleri ve Allah bilir daha ne takımlar geliyordu. Bu eşyadan bir kısmı herhalde gizlice yeniden hazineye dönecekti ve gene bir prenses evlendiği zaman tekrar halkın önünden geçirilecekti.

Bugün prenses, şimdiye kadar yüzünü görmemiş olduğu kocasına teslim edilecekti. Önden süvariler, sonra sarayın bütün memurları, bütün paşalar, sonra müftü ile benim hâmim Serasker gidiyordu, bunların arkasından da açık arabalarla padişahın iki oğlu, sonra kızlarağası ve 30 harem ağası; nihayet muhteşem, tamamıyla kapalı bir arabada gelin geliyordu. Araba ile altı al aygırı Rus Çarının hediyesi idi. Bunu, içlerinde cariyelerin bulunduğu 40 kadar araba takip ediyordu. Alay kalabalık bir halk arasından herhalde bir mil yürüdü. Birçok güzel atlar göze çarpıyordu.

· Fakat en güzel şenliği şimdi ilkbahar yapıyor. Altı haftadan beri hava ardı arası kesilmeden pek güzel gidiyor. Bütün ağaçlar çiçek açmış. Burada bulunan dev gibi çınarlar artık yeşillenmiş, badem ağaçları kırmızı çiçeklerini çepeçevre yerlere serpmiş, ben de bana kalan zamanımı atla ve yayan, cıvarı dolaşmakla geçiriyorum. Evvelki gün bir Türk kahvesine rastladım; duvarlarının üstünden Boğaz ve Asya kıyısının muhteşem bir şekilde göründüğü küçük bir bahçede yüzden fazla erkek, alçak, arkalıksız kamış iskemlelerde oturuyor ve nargile içiyordu. Hepsi manzaraya sırtını çevirmiş, bahçenin ortasında ayakta durup pek ifadeli jestlerle bir şeyler anlatan kelli feli bir adamı dinliyordu. Bu, "Binbir Gece" masalları anlatan, fakat çoğu zaman o andaki siyasî durumu masalların içine karıştıran, bazen de halk kitlesi üzerinde büyük etkileri olan meşhur meddahlardan, yani halk masalcılarından biri idi. Tek bir kelime bile anlamadığım halde bu adamı bir müddet zevkle dinledim ve seyrettim. Bazen kibar bir efendi gibi, derken hamam tellâkları gibi konuşuyor, arkasından bir kocakarının cırlak sesini, bir Ermeninin, bir Frengin, bir Yahudinin lehçesini taklit ediyordu. Kolay memnun kalışta eşi az bulunur dinleyicileri de onu, nargilelerini tüttürerek, gülerek, büyük bir dikkatle dinliyordu. Meddah hikâyesinin en meraklı yerine gelince kesti ve elinde kalaylı bir tasla dolaştı, buna herkes hikâyenin geri kalan kısmını dinleyebilmek için para attı.

Boğaziçi'nde Bahar – Türk Diplomatik
Öğlen Yemeği

Beyoğlu, 20 Mayıs 1836

Birkaç günden beri hava o kadar soğudu ki evi ısıtmak zorunda kaldık. Nihayet, 15 Mayıstaki güneş tutulmasından sonra bahar yeniden başladı. Karadeniz'in yakın oluşu ta Hazirana kadar her poyrazın soğuğu da birlikte getirmesine sebep oluyor. Beyoğlu ile Büyükdere arasındaki ısı farkı gayet bariz. Sefirlerin bu yazlık oturma yerleri her ne kadar Beyoğlu'ndan ancak üç mil uzakta ise de, arada daima birkaç derece fark oluyor ve çoğu zaman, burada lodos eserken orada poyraz esiyor. Yaz sıcaklarında Büyükdere'de oturmak da o nispette zevkli oluyor. Burada bitkilerin yavaş yavaş gelişmeleri de tuhafıma gidiyor; sanki bitkiler, enselerinden hemen kışın bastırdığı bizim taraflarda olduğu gibi aceleye lüzum olmadığını biliyorlar. Burada, bugünlerde ta Noele kadar güzel havanın süreceğinde şüphe yok. Yemiş ağaçları iki ay çiçek açtı, şimdi bütün bahçeleri dolduran yaseminler ve sayısız güllere sıra geldi; artık çilek ve kiraz da satılmaya başladı. Ama işin doğrusunu itiraf edeyim ki ben buranın baharını bizim memleketinki kadar güzel bulamıyorum; o insanı büyüleyen çabucak kıştan yaza geçiş değil bu! Üstelik en büyük süs, yapraklı ormanlar eksik. Rum isparatorlarının vaktinde Boğazın her iki yakası ormanlarla kaplı idi, şimdi bunlar çıplak ve kıraç tepelerden ibaret. Vadilerde henüz tek tük ağaçların bulunduğu yerlerde bu ağaçlar pek muhteşem dal ve yapraklardan meydana gelme hakiki dağlar. İnsan, İstanbul nedir ve eğer burada iyi bir hükümet ve çalışkan bir halk bulunsa ne olabilirdi diye düşünmekten kendini alamıyor.

Boğazdan yukarı kâh yayan, kâh kayıkla, kâh Avrupa, kâh Asya kıyısında gezinti yapmak pek hoşuma gidiyor. Dönüşü düşünmeye ihtiyaç yok, burada bütün suları kaplayan narin, hafif kayıklardan birine biniyor, oturuyor ya da yatıyorsun. Büyük bir hızla daima İstanbul tarafına doğru akan Boğaz suları, kürek çeken bile bulunmasa, seni kısa zamanda tekrar yerine götürüyor.

Birkaç gün önce yine sultanın, daha doğrusu defterdarının[40] misafiri idik. Tatlı Sular denen yerdeki büyük bir çayırlıkta, genç prenslerin sünneti vesilesiyle şenlik yapılıyordu. Kordiplomatik de davetli idi. Bu tam bir Türk şenliği olduğu için bize de hakiki bir Türk ziyafeti verildi. Tabii çatal, bıçak ve şarap yoktu. İlk yemek içi pirinç ve üzümle doldurulmuş bir kuzu kızartması idi. Herkes bir parça koparıyor ve parmaklarıyla pilava dalıyordu. Arkasından un ve balla yapılmış bir tatlı olan helva geldi, sonra gene kızartma, gene tatlı, kimi sıcak, kimi soğuk, kimi ekşi, kimi tatlı, her yemek ayrı ayrı mükemmeldi; fakat bunların bir araya getirilişi bir Avrupalı midesi için anlaşılması zor bir tarzda idi ve şarap da yoktu. Dondurma yemeğin ortasında verildi. Nihayet, daima yemeğin sonunu anlatan pilavı ısrarla istedik. Bunun arkasından da, üzerinde yemek yediğimiz büyük yuvarlak sininin üstüne bir çanak hoşaf, yani haşlanmış meyva kondu ve kaşıklanarak boşaltıldı.

Yemekten önce ve sonra el yıkanıyor. Sırma işlemeli Avrupalı üniformalarıyla diplomatları böyle bir sofrada görmek pek eğlenceli! Herkesin boynuna sanki tıraş olacakmış gibi, uzun, işlemeli bir peşkir bağlıyorlar, sonra adamı mukadderatına terk ediyorlar. Çadırların önünde ip canbazları, Arap hokkabazlar, Ermeni hanendeler, Rum köçekler ve Ulah çalgıcılar vardı. Geceleyin, Berlin'de Kreuzberg'de bu kadarı pekâlâ bulunabilecek havai fişekleri atıldı. Uçması gereken iki balon daha dolmadan yırtıldı. Eve döndüğümüz zaman oturup bir şişe şarap içtik. Bu arada Muhammed'e ve onun ümmetine candan acımaktan kendimizi alamadık.

Sekiz gün önce, yurda dönmek üzere bu ayın 10'unda yola çıkacağımızı yazmıştım, fakat bugün sana her şeyin gene değiştiğini haber vermek zorundayım. Padişah seraskere, bir müddet daha kalmaya beni razı etmesi emrini vermiş. Halil Paşa ile (padişahın damadı ve umum topçu kumandanı) tahkim edilmekte olan Varna'ya gideceğim. Öbür gün yola çıkıyoruz; daha sonra da yeniden Çanakkale'yi ziyaret edeceğim. Prusyalı subayların gelmesi işi ise ileriye bırakıldı, belki de yakın zamanda olamayacak. Bu sebeple bu kış Berlin'de olacağımı kesin olarak umuyorum.

---

(40) Paranın devlet kesesinden çıkması dolayısıyla.

Bursa'ya Yolculuk

Beyoğlu, 16 Haziran 1836

Dün, Asya'ya yapmış olduğum kısa bir yolculuktan döndüm. Aslında sana bunu manzum olarak anlatmam lazımdı, çünkü bu sırada Olymp'e çıkmıştım. Ama çok yukarı varmadığım, sadece devin ayağına, daha doğrusu küçük parmağına tırmandığım için nesirle yakanı kurtarıyorsun. Ayın 11'nci günü öğleden sonra küçük bir Türk gemisine bindim. Serin bir poyraz bizi dört saatte, sekiz mil uzakta bulunan kayalık Poseidonium'a (Bozburun) eriştirdi. Burada deniz o kadar kabarıyordu ki geminin yüksek, zarif oymalarla süslü kıç tarafında çömelmiş oturan reis artık "Allahüekber" diye bağırmaya başlamıştı. Derken gecenin basmasıyla birlikte, rüzgâr birdenbire düşüverdi ve biz yakındaki Mudanya'ya ancak ertesi sabah saat 8'de varabildik. Atlar hemen hazırlandı, ben de Bursa'ya kadar, aylardan beri Rumeli'nin bozkırlarından başka bir şey görmediğim için bana iki katlı cazip görünen bir alandan geçtim. Burada her yer işlenmiş, buğday tarlalarından çok bağ ve dutluk var. Dut ağaçları ipek böceklerine yemlik olmak için, bizdeki söğütler gibi, alçak boyda tutulmuş ve tepeleri kesilmişti. Büyük, açık yeşil yaprakları göz alabildiğine her yanı kaplıyordu. Zeytin ağaçları burada adamakıllı ormanlar meydana getiriyor. Bunların hepsi insan eliyle yetiştirilmiş. Bütün bu işlenmiş bereketli topraklar Lombardiya'yı, özellikle arızalı Verona dolaylarını pek andırıyor. Tablonun ön tarafı ne kadar cana yakınsa, uzaklarının görünüşü de o kadar muhteşem. Bir yanda Prens adalarıyla Marmara denizi, öbür yanda da, karla örtülü başı geniş bir bulut halkasından çıkan ihtişamlı Olymp görülüyor. Çiçekteki üzümler havayı kuvvetli bir muhabbet çiçeği kokusuyla dolduruyor, buna alabildiğine yetişip azmış hanımelleriyle, adını bilmediğim sarı bir çiçek de yardım ediyor. Alçak bir sıra tepeleri aştıktan sonra Olymp'in eteğindeki büyük yeşil bir ovada yayılan Bursa'yı gördük. Osmanlı hükümdarlarının her iki payitahtlarından hangisinin, eskisinin mi, yoksa yenisinin mi, Bursa'nın mı, İstanbul'un mu yerinin daha güzel olduğunu kestirmek sahiden güçtür. İnsanı büyüleyen şey orada deniz, burada karadır. Birinde tablo mavilerle, ötekinde yeşillerle işlenmiştir. Olymp'in karanlık ormanlarla kaplı dik yamaçlarından meydana gelen zemin üzerinde yüzden fazla beyaz minare ve yuvarlak kubbe göze çarpar. Hemen hemen daimi karlar bölgesine kadar yükselen dağ Bursa ahalisine kışın ısınmak için odun, yazın da şerbetleri için buz sağlar. Nilüfer[41] adını taşıyan bir ırmak, içlerinden koyu renk yapraklı dev gibi ceviz ağaçları, açık yeşil çınarlar, beyaz camiler ve siyah servilerin yükseldiği zengin çayırlıklar ve dutlukların arasından kıvrıla kıvrıla akar. Asmalar muazzam ağaç gövdelerine sarılır ve dallara asılır, oradan da tekrar yere sarkar. Beri yandan hanımelleri ve çiçekli sarmaşıklar da asmaların üzerine atılır. Spreewald'e bakan Lübbenau kulesinden başka hiçbir yerde bu kadar geniş, bu kadar baştan aşağı yeşil manzara seyretmedim. Üstelik burada daha zengin bir bitki âlemi ile, ovayı sınırlandıran muhteşem dağlar da var. İnsanı şaşırtan şey su bolluğu. Her yanda bir dere çağıldıyor, kayalardan gür pınarlar dökülüyor, buğuları tütenlerinin yanında buz gibi soğukları var. Bütün şehirde, camilerde bile, sayısız fıskiyelerden sular fışkırıyor.

Bütün Türk şehirlerinde olduğu gibi burada da bu muhteşem görünüş, şehre girer girmez ortadan kayboluyor. En küçük Alman kasabası, evlerinin zarifliği ve bundan da daha fazla, rahatlığı bakımından İstanbul, Edirne ve Bursa'dan üstündür. Buralarda sadece camiler, hanlar ya da kervansaraylar, çeşmeler ve umumî hamamlar fevkalâdedir. Osmanlı saltanatının eski devirlerinde hiçbir padişah, kâfirlere karşı bir harp kazanmadan bir cami yaptırmak hakkına sahip değildi. Bursa'daki camiler, daha sonra yapılanlardan büyüklük ve güzellik bakımından geride kalır, fakat tarihi hatıraları ve Orhan, Süleyman, Murat, hulasa İslamın zafer devresinin bütün kahramanlarının adlarıyla ilgi çekerler. Bunların arasında yapı tarzı bakımından bana en mükemmel gibi görünen, Türklerin Yıldırım dedikleri Bayazıt'ın camiidir. Nihayet mağlup olup masala göre bir kafes içinde ölen bu ulu fatihin anıtı muazzam servilerin altında yalnız başına durmaktadır. Camilerin en büyüğü bir Hıristiyan katedralidir[42]. Işığını üstten,

---

(41) Moltke bu adı Almanca Lotus olarak yazar.
(42) Ulucami. I. Murat'ın başladığı ve I. Mehmet'in tamamladığı bu binayı Moltke bir Hıristiyan katedrali sanıyor.

tamamıyla açık olan orta kubbeden alır. Güzel yıldızlı Asya göğü bu mabedin üzerinde kubbelik eder. Bir tel kafesle örtülü olan bu açıklığın altında yağmur sularını toplayan ve ortasındaki bir fıskiyeden sular fışkıran bir havuz vardır.

En büyük camilerin, mesela Edirne'deki Sultan Selim veya İstanbul'daki Süleymaniye camilerinin bile Viyana'daki Stepha kilisesi, Freiburg veya Strassburg katedralleri gibi, saygı uyandırıcı bir etki yaptıklarını iddia edemem, fakat hepsi, hatta en küçükleri bile güzel. Yarım küre şeklinde, kurşunla kaplı kubbelerle, muazzam çınarlarla serviler üzerinden yükselen beyaz minarelerden daha göz alıcı bir şey bulunmaz. Osmanlılar Doğu Roma'nın eyaletlerini zaptettikleri zaman kiliselerin Yunan üslubunu benimsediler, fakat bunlara Arap tarzındaki minareleri ilave ettiler.

Hanlar, rastlanan biricik taş meskenlerdir. Bunlar birer dörtgen meydana getirirler, avlularında, hiç değilse büyüklerinde, bir cami, bir çeşme, kibar yolcular için bir köşk, birkaç dut veya çınar ağacı bulunur. İç tarafta çepeçevre, sivri kemerli bir revak dolaşır. Dış cephede bir sıra, her biri ayrı bir kubbe ile örtülü, birbirinin tamamıyla eşi bir sıra hücre vardır. Buralarda yolcunun bulacağı tek eşya bir hasırdan ibarettir; ne hizmet eden bir kimse, ne de yiyecek bulunur. Herkes kendisine lazım olan şeyleri yanında getirir.

Öğlen yemeğimizi tam Türk tarzında, kebapçıda yedik; ellerimizi yıkadıktan sonra, masa başına değil, masanın üstüne oturduk, bu sırada bacaklarımı nereye koyacağımı bilemiyordum. Derken tahta bir tepsi üstünde kebap, yani şişte pişirilmiş ve ekmek hamuruna[43] sarılmış küçük koyun eti parçaları geldi. Çok lezzetli bir yemek bu. Bunun üstüne de bir tabak mükemmel tuzlu zeytin, bir helva yani Türklerin çok sevdiği tatlı ve bir çanak şerbet (içine bir parça buz atılmış, suda haşlama üzüm). İştahı açık iki yiyici için topu topu 120 para, yani 5 şilin tutan bir yemek bu.

Türk hamamlarının keyfini sana evvelce yazmıştım. Bursa'dakiler, sunî olarak değil, tabiattan öyle sıcaktır ki insanın büyük, dupduru havuza girince haşlanmadan dışarı çıkabileceğine önceden inanmayacağı gelir. Girdiğimiz hamamın terasasının ha-

_____

(43) Pide olacak.

rikulâde güzel bir nezareti vardı ve öyle de rahattı ki insan bir türlü ayrılmak istemiyordu.

Ayın 13'üncü günü akşamı, Mudanya körfezinin sonundaki bir gemi tezgâhının bulunduğu Gemlik'e hareket ettik. Bu nokta gördüğüm yerlerin en güzellerinden biridir. Denizin berrak sathı burada yüksek ve dik dağların arasında son buluyor ve bu dağlar sadece kasaba ile zeytin ormanlarına yer veriyor. Bu memlekette akşam alaca karanlığı son derece kısa sürüyor. Biz daha kasabanın kapısına varmadan gece bastı, ama nasıl bir gece!: Her ne kadar henüz yeni ay zamanı ise de ta uzaklardan eşya seçiliyor ve akşam yıldızı burada o kadar parıldıyor ki ışığında cisimlerin gölgeleri vuruyor. Daha sabahın üçünde yeniden atlara bindik ve bir zamanlar Walther Von Habenichts'in 12.000 kişilik haçlı ordusu ile geçtiği aynı yoldan, yüksek dağlar arasında doğuya uzanan vadiden ilerledik. Bu vadi zeytin ağaçlarıyla bezenmişti ve çiçekli çalılıklar bülbüllerle dolu idi. Gün batarken büyük, geniş bir göle[44] vardık. Gölün karşı taraftaki ucunda bulunan muazzam surlar ve burçlar bir vakitler, haçlı ordularının da almaya uğraştıkları, muazzam bir şehri korurlardı. Bugün bunlar, yüzyıllarca önce Nikaia olan birkaç sefil kulübe ve yıkıntıyı kuşatıyor. Yüzlerce bilgin piskoposun toplanarak Ekanimi Selâsenin sırlarını izah ettikleri ve kendi düşüncelerinde olmayanları yakmaya karar verdikleri yer burasıydı[45]. Kendilerine zengin, kudretli şehirlerinin bir harabe yığını, katedrallerinin bir Türk camii harabesi olacağı, Rum İmparatorunun saltanatının söneceği, sade kendi tefsir tarzlarının değil hatta dinlerinin bile bu memleketlerden silineceği, yüzlerce mil çevrede ve yüzlerce yıl boyunca sadece Medineli Deve Çobanının adının anılacağı kehanetinde bulunulsaydı acaba bu mağrur başpapazlar ne derlerdi?

Bütün tasvirlerden nefret eden Müslümanlar her yerde Rum kiliselerindeki resimleri beyaz badana ile örtmüşlerdir. Meşhur konsilin toplanmış olduğu İznik katedralinde, baş mihrabın yerinde, bugün de beyaz badananın altında İ. H. S. (inhoc signo)[46] mağrur vaadi seçiliyor, fakat onun üstünde boylu boyuna, İsla-

---

(44) İznik gölü.
(45) İznik Konsili.
(46) (Sen bu işaretle galip geleceksin!). Büyük Konstantin'e rüyasında İsa'nın haç için söylediği söz.

mın ilkesi yazılı: (Allah'tan başka Tanrı yoktur). Bu silinmiş çizgilerde bir hoşgörü dersi saklı ve insana gök, Credo'yu da Lâ ilâle ilallahı da dinlemek istermiş gibi geliyor.

Derli toplu Türklerin en önemli işlerinden biri de (*keyif etmek*), yani asude ve rahat bir yerde kahve, tütün içmektir. Böyle bir yeri mola verdiğimiz köyde buldum. Bir çınar düşün ki dev gibi kollarını hemen hemen yüz ayak uzaklığa kadar dümdüz uzatmış olsun ve yakınındaki evler bunların karanlık gölgeleri altına gömülmüş bulunsun. Ağacın kökünü taştan küçük bir setle çevirmişler, bunun altındaki 27 lüleden kol kalınlığında su fışkırıyor ve kuvvetli bir dere meydana getiriyor. Türkler işte orada bağdaş kurmuş oturuyor ve... susuyorlar.

Çanakkale'ye İkinci Yolculuk – Taş Gülle ve İonya Balıkçı Kayığı

Beyoğlu, 19 Haziran 1836

Ayın 11'inde bir Avusturya vapuru ile Çanakkale'ye doğru yola çıktım. Halil Paşa daha önce karadan, Edirne üzerinden oraya gitmişti. Orada *Sultanî Hisarın* büyük taş gülle atan toplarıyla birkaç deneme atışı yapıldı. Öte tarafta, Avrupa yakasında, farkına varılmamış olan küçük bir kayık duruyormuş. Topa doldurulmuş olan bir kentalden fazla barut ateşlenince, baruttan kararmış dev gibi gülle boğazın aşağı yukarı ortasında suya çarptı, güllenin her sekmesinde yüksek, beyaz köpüklü bir su sütunu yükseliyordu; muazzam mermer kitlesi seke seke doğruca küçük kayığa gitti, onu bin parça etti. Sonra ağır ağır kıyıdan yukarıya yuvarlandı. Kayığın tam kenarında sahibi uyuyormuş. Korkunç gürültüden uyandı ve kayığının bir yongasını bile bulamadı. Paşa kayığın bedelini ödemek için karşıya hemen adam gönderdi; bu iş kayık sahibinin pek hoşuna gitti, ondan sonra, içinde 50.000 kuruş bulunan bir kesenin de kayıkta bulunduğunu ve bunun da kayıkla birlikte savrulmuş olduğunu hatırladı. Bu uydurma pek beceriksizce idi, fakat uyduran İonyalıydı ve İngiliz uyruklu olması yüzünden ona, istediği para değilse bile yine de gerçek zararından daha yüksek bir tazminat verildi.

Bu pazarlıktan haberi olmayan Türk askerleri paşalarının gâvurun kayığını hedef seçmesini pek basit ve yolunda bir iş saydılar. Boğazın karşı yakasından bile en küçük bir kayığın, gülle yemeden geçemeyeceğine pek sevindiler, biz de onların buna inanmalarına seve seve müsaade ettik.

Halil Paşa ile birlikte, evvelce Clyde'de[47] işlemiş, sonra İstanbul'a satılmış, mürettebatı Türk askerleri, kaptanı ise bir İngiliz olan bir vapurla geri döndük. Rüzgâr vapurun yol almasına yardım etti, akıntılardan kurtulmak için Avrupa kıyısı takip ediliyordu. Akşama doğru St. Stephano[48] önünden geçtik ve İstanbul'un güzel manzarasını karşımızda gördük. Eski surun eteklerini burada dalgalar yalar ve bazen, duvar içinde taş direklerin ağaç hatıllar gibi sıra sıra örülmüş olduğu temellere şiddetle çarpıp kırılır. Buralarda sayısız kitabeler bulunur. Kubbelerle minareler, Konstantin sütunu, Valens su kemerleri, akşam göğünün altın zemini üzerinde siluetler halinde görülür. Tam biz eski Kyklobion'un[49] önünden geçerken şiddetli bir sarsıntı karaya oturduğumuzu haber verdi.

Ben, paşayla karaya çıktım. Türk gemisi ancak ertesi gün öğle vakti, iki şalupenin ve bir Avusturya vapurunun gayretiyle yeniden yüzdürülebildi.

İzmir ve Civarı – Türk Vapuru

İzmir limanında gemide, 4 Ağustos 1836

Son mektubumu postaya verdikten sonra İstanbul'da hükümetin vapurunun İzmir'e gitmek üzere demir almaya hazırlandığını gördüm. Kaptanla iyi tanıştığım için, Doğunun bu meraka değer köşesini görmek arzusuyla hiç hazırlıksız, olduğum gibi gemiye

---

(47) İskoçya'da bir nehir.
(48) Yeşilköy.
(49) Yedikule.

bindim. Rüzgâr, akıntı ve buhar gücü bizi çabucak Marmara denizinden ve Çanakkale boğazından geçirerek Türklerin Akdeniz (Arapça *Bahrisefit*) dedikleri Adalar denizine eriştirmek için el ele verdiler. Daha sekiz gün önce ayrılmış olduğum Çanakkale boğazının eski hisarları önünden çarçabuk geçtik, muazzam toplarıyla yeni hisarları da geçtikten sonra Ege denizi, güzel kayalık İmroz, Limni adaları ve Semadirek adasının yüksek tepeleriyle önümüzde yayıldı. Su gök mavisi ve o kadar duruydu ki, içinde geminin yanı sıra ok gibi hızla uzun mesafeler alan kocaman yunusbalıkları açıkça görülüyordu. Bunlar ara sıra soluyarak tabii çevrelerinden havaya fırlıyorlardı. Şimdi Sigeum burnundan sola dönüyoruz ve Troade ile Tenedos arasından Midilli'ye doğru yöneliyoruz. Aleksandria muazzam harabeleri, zeytin ve ceviz ağaçlarının arasından ışıldıyor. Duvarlar ve kulelerle çevrili acayip Ceneviz[50] şatoları, adalar ve burunlar üzerinde yükseliyor. Sabahleyin erkenden, etrafı yüksek sıradağ gruplarıyla çevrili geniş İzmir körfezine girdik. Tanyeri sanki Asya toprağı dünkü sıcaktan hâlâ kızgınmış gibi koyu kırmızı bir renk alırken öte de mehtap da ışıldıyordu. Dağlar tamamıyla çıplak, güneşten kavrulmuş, fakat şekilleri son derece güzel. Eteklerinde deniz boyunca bağları, zeytinlikleri, dut ağaçlıkları ve koyu renkli servillerle, işlenmiş topraklardan yeşil bir şerit uzanıyor. Köyler ve evler taştan, düz damlı olarak yapılmış. Körfezin sonunda, arkasındaki dağa amfi şeklinde tırmanan İzmir şehri görülüyor. En altta, deniz kenarında, gemilerin arkasında, önce büyük bir kışla, bir top bataryası, çok kubbeli bir kervansaray, birçok camiler ve solda taş binalarıyla Frenk şehri var. İkinci tabakada asıl Türk şehri bulunuyor. Eğer bir avuç dolusu küçücük kırmızı damlı ev, birkaç cami ve çeşme gökten düşse yapı planı bu şehirdekinden daha karmakarışık olmazdı. İnsan bu ev yığınları arasında sokaklar ve patikaların bulunabildiğine şaşıyor. Bütün bunların hepsinin üzerinde eski hisar ya da İzmir kalesi yükseliyor. Bu kale en eski çağlarda yapılmış, Cenevizliler buna kuleler ilave etmişler, şimdi de Türkler yıkılmaya bırakıyorlar. Aynı tepedeki birkaç duvar yıkıntısına Homer'in okulu adı verilmekte. Bu tepenin arkasında Küçük Asya'nın mavi dağları yükseliyor.

---

(50) Moltke'nin bu hisarları kimin yaptırmış olduğunu sorduğu kimseler, her eski bina için olduğu gibi, Cenevizlilerden kalma demiş olacaklar.

Burada sıcak pek fazla olduğu için hemen İzmirliler gibi beyaz bir hasır şapka, beyaz ketenden ceket, pantolon, çorap ve kundura giydim. Bura halkı yazın bu kıyafetlerini toplantılarda bile değiştirmeyecek kadar akıllı. Fakat beni hafif elbisemle, rahvan bir eşeğin üstünde, bir elimde ipten yular, ötekinde şemsiyeyle görecek olsan herhalde tanıyamazdın.

3 Ağustosta, kralımızın doğum gününde, iyi huylu atlarla memleketin içine doğru enteresan bir gezinti yaptım. Önce, henüz sabah serinliğinde Kokluca köyüne vardık. Bu köy bir dağ yamacında bulunuyor ve buradan tarif edilemeycek kadar güzel bir manzara görülüyor. Solda İzmir şehir ve kalesi, liman ve ta Karaburun kayalıklarına kadar deniz, sağda dünyada görülebilecek en güzel ve en iyi işlenmiş vadilerden biri bulunuyor. Vadinin geniş tabanı yüksek ve sarp dağların arasında tamamıyla dümdüz yayıldığı için, açık yeşil tarlalar ve bağlar arasındaki koyu yeşil ceviz ve gümüşî zeytin ağaçları sıralarından meydana gelme birçok yatay çizgilerin, kahverengi dağların diş diş konturlarıyla karşılıklı son derece güzel görünüşleri var.

Burada bitki hayatı gayet zengin. Portakal ve limon ağaçlarının gövdeleri çok kalın, ama son çetin kış bunlara çok zarar vermiş. Burada çiçekte bir sarısabır gördüm. Çiçek sapı en aşağı 20 ayak yüksekliğinde ve kol kalınlığındaydı. Burada özellikle nar ağaçları çok gelişiyor. Adını bunlardan alan küçük Narlıköy âdeta nar ağaçlarından bir orman içinde. Taptaze yeşili, kıpkırmızı büyük çiçekleri ve dalları aşağı eğen sayısız narları beni hayrete düşürdü. Büyük kavunlar, yenebilir kabaklar ve son derece boylu kamışlar derelerin kenarlarını çevreliyor; fevkalade lezzetli dut ve üzümler o kadar bol ki, herkes, kimseye sormadan canının istediğini toplayabiliyor. Serviler şaşılacak bir boy ve azamete varıyor. Bizim söğütleri andıran zeytin ağaçları garip bir şekilde örülmüşe benzeyen budaklı gövdeleri ve uçuk yeşil yaprakları, çiçekleri ve meyveleriyle buralara asıl özel karakterini veriyorlar. Özsuyu ile çatlayacak gibi dolu karpuzlar âdeta yabanî ot gibi alabildiğine yetişiyor ve bu sıcak, susamış memlekette çok defa bir yudum su bulunmazken, insanı kandırıyor ve serinletiyor. Fakat köyler son derece seyrek, onun için de bu manzarada hayat eksik; tek tük taşlık patikalar ovayı geçiyor ve dağlara tırmanıyor. Derin ıssızlık içinde sadece, uzun diziler halinde birbiri ardı sıra salına salına ağır adımlarla, küçük bir eşeğin üstünde en önde giden kılavuzun peşinden giden, ağır yüklü develerin çan sesleri duyuluyor.

Pınarbaşı köyünde muazzam bir çınarın altında küçük bir su yalağının başında böyle bir kervanı mola vermiş buldum. Develer dizlerinin üstüne çökmüş uyuyor, beyaz sarıklı ve siyah sakallı İranlılar serin pınardan susuzluklarını gideriyor ve hıyar, zeytin, peynir yiyorlardı. Vadinin daha ilerisinde bir Türkmen göçebe oymağı bizi büyük bir konukseverlikle kabul etti. Bize peynir ve yumurta ikram ettiler, kalmak istemediğimiz için de çok üzüldüler. Bundan sonra Burnabat'a[51], Frenklerin yazlık yerlerine gittik, orada konsolosumuz bize mükellef bir ziyafet verdi. Akşama doğru atla şehre döndük. Buralarda güneşin batışı harikulade güzel, fakat alaca karanlık çok kısa; güneşin parlak yuvarlağı, sarı, ışıklı gökten Karaburun'un kayalık dağlarının arkasına âdeta dimdik iniyor, sonra insanın gözleri garip bir şekilde kamaşıyor, öyle ki hemen hemen hiçbir şey göremiyorsunuz. Bir saat sonra imbat, yahut kara rüzgârı çıkıyor ve gece sırasında çok defa pek şiddetli esiyor. Gündüzün deniz taze, serin hava gönderiyor. Yakamoz burada her zaman görülen bir olay; gemiye döndüğüm sırada parlak kıvılcımlar küreklere yapışıyor ve dümenin etrafında anaforlar yapıyordu. Yakamoz varken denize girmek pek garip oluyor. İnsan sanki ışık ve ateşe bürünmüş gibi bir hal alıyor.

Sekiz gün İzmir'de kaldıktan sonra, geri dönmek için demir aldık. Dönüşte başımızdan geçen bir macera sana Türk denizciliği hakkında bir fikir verebilir: Limandan ayrıldıktan bir saat sonra, akşamın yedisinde bir kere daha karaya oturduk. Geminin arkasından demir attık ve kurtulmak için çalıştık, fakat boşuna. Kazanın suyunun boşaltılması gerekti; bu sayede gemi çok hafifledi, gece yarısını az geçe tekrar yüzdü. Bu sefer demir almak, kazanı doldurmak ve ocağı yakmak lazım geldi. Sabaha karşı bütün bunlar tamamlanmıştı ve artık makinenin işletilmesine sıra gelmişti. Burada şunu da söylemeliyim ki, deniz suyuyla doldurulan bir buhar kazanının ömrü – her seferde biriken tuz yüzünden – ancak dört beş yıl olarak hesaplanır. Bizim kazan ise dokuz yaşındaydı. Babıâli, kaptanını bütün müracaatlarına karşılık, kemali hikmetinden, kazanın birkaç yıl daha dayanmak zorunda olduğuna karar vermişti. Ama kazanın niyeti başkaydı; daha İzmir'e

_____
(51) Bornova.

gelirken iki yerinden delinmişti; herkes pek hayırlı şeyler umuyor ve tetikte duruyordu. Bu sefer tam hareket etmek istediğimiz sırada kazan patladı; kendisine, ihtiyarlığına hürmeten, ilk yapıldığı vakit hesaplanan basıncın yarısından fazla basınç yükletilmiyordu. Bu sebeple patlama hiç de beklediğim kadar büyük olmadı. Fakat yarılan yer kazanın alt tarafındaydı, bu yüzden ateş hemen söndü ve makinelerin çalıştığı yer bir anda buhar ve kaynar suyla doldu. Adamlar hemen makinelerin altlıklarına sıçradılar ve büyük bir talih eseri olarak kimseye bir zarar gelmedi. Sadece kaptanın ayakları haşlandı.

İzmir'e döndük, ben bir Avusturya vapuruna bindim. Vapur akşamüstü kalktı. Çanakkale boğazından geçerken Çanakkale kasabası yerine geniş, dumanları tüten bir yangın yeri gördük. Bir gün önce yangın yüzlerce evi, konsolosun ikametgâhını, hatta kışlaları ve Paşatabyası bataryalarını yok etmişti. Bereket versin ki içerisine barut depo edilmiş olan Sultanîhisar'ın kalın duvarları yangına dayanmış.

Trakya Khersones'i

Büyükdere, 5 Eylül 1836

Sana son mektubumu yazdıktan sonra üçüncü defa olarak Çanakkale'ye gittim. Büyük yangın Sultanîhisar'ın etrafında geniş bir top altı alanı meydana getirmişti. Burası kalenin savunması için o kadar faydalı olabilirdi ki, halk paşaya bu yangını çıkarmak şerefini yüklüyor ve bu işte benim de hissem olduğuna tamamıyla emin bulunuyordu.

Burada şimdi yerleşmiş olduğum Büyükdere'de oturmak pek hoş. Daima esen kuzey rüzgârı havayı hep serin tutuyor ve burada Berlin'den ancak biraz fazla sıcak oluyor; öbür yandan da daima hava açık, gök mavi. Üç ya da dört aydan beri yağmur yağmadı, Beyoğlu'nda su kıtlığı adamakıllı hissedilmeye başladı. İyi içme suyu orada, kötü cins şarabın yarısı kadar pahalı. İstanbul'un etrafında her şey kurumuş, sade burada, Boğaziçi'nde, Karadeniz'in nemli havası yamaçları süsleyen ağaçların ve bodur defne fidanlarının hâlâ taze yeşillikleriyle görünmelerine imkân veriyor.

Bir şalupe ile, kâh Marmara'da, kâh Karadeniz'de gezintiler yapıyoruz. Fakat atla gezintiler de pek eğlenceli oluyor. Beyoğlu'ndan buraya gelen kestirme yol tepelerin üzerinden aşıyor ve iki mil kadar hep ıssız yerlerden geçiyor. Buna karşılık Boğaz kıyısındaki yol daha uzun ve taş kaldırımlar yüzünden pek zorluklu, fakat pek de eğlenceli. Bütün bu üç mil uzunluğundaki güzergâh boylu boyuna evlerden, villalardan, köşklerden, camilerden, fıskıyelerden, hamamlardan ve kahvelerden meydana gelme tek bir şehir teşkil ediyor.

Bahçeler setler halinde yükseliyor ve mezarlıkların azametli servi koruları tepeleri taçlandırıyor. Eğer kıyı boyunca bir rıhtım yapılmış olsaydı burası muhakkak dünyanın en güzel gezi yolu olurdu. Fakat zenginler ve büyükler bahçelerinin ve evlerinin tam deniz kenarında ya da üzerinde olmasını istemişlerdir. Kötü kaldırımlı yollar çok defa sefil kulübeler arasından, araba kapılarından yahut yüksek duvarlar arasından geçer. Bununla birlikte, küçük, dolambaçlı yollar iklime çok uygundur; geniş ve dümdüz caddelerde güneşe tahammül edilemezdi. Bu dar sokaklarda evlerin geniş saçakları hemen hemen birbirine değer ve aralarında kalan açıklık birkaç sırıkla birbirine bağlanır, bunların üzerine de asmalar yeşil, şeffaf bir dam kurar ve aralarından sayısız salkımlar sarkar. Yol sık sık bir dönemeç yapar. O zaman karşına, Boğazın şakırdayan berrak sularının kenarında, fıskıyeli bir havuzun yanında ve muazzam bir çınarın altında bir cami çıkar. Beyaz veya mavi elbiseli, renkli sarıklı çocuklar atını tutmak için koşuşurlar. Kahveci uzun çubuğu hazırlamıştır ve hiç eksik olmayan kahveyi küçük fincanlara doldurur, kahvehanesinin teraçasına arkalıksız, alçak bir hasır iskemle koyar. Bir sürü kayıkçı, seni birkaç paraya iki kıtanın cennet gibi kıyıları arasında taşımak uğrunda birbirleriyle kavga eder.

Bu hayat ve bereket sahnesinden on dakikada geniş, ıssız bir çöle varabilirsin. Tam önündeki tepeye tırmandın mı, alçak, arızalı bir memleket olan Trakya Khersones'i karşına çıkar. Burada ne bir köy, ne bir ağaç, hemen hemen ne de bir bağ görebilirsin. Sadece taşlık bir patika görürsün. Kötü, tamahkâr bir idarenin uğursuzluğu bu topraklara çökmüştür. Karadeniz'e yaklaştıkça tepeler gitgide çalılarla örtülür. Çok geçmeden bir akçaağaç ve

Galata Köprüsü (yüzerköprü)

kestane ormanına rastlarsın. Burada derin bir sessizlik hüküm sürer; fırtınanın devirdiği muazzam ağaç gövdeleri yerde yatar. Bunlardan bazıları sarmaşıklarla kaplanmış, sanki yeniden yeşermiştir. Yaban asması, ağaçların ta tepelerine kadar tırmanır. Bu ağaçlar asla balta yüzü görmez, çünkü İstanbul'un içme suyunu bulutlar bu ormana yağdırırlar. Gül ve böğürtlen çalılıkları yolcuyu vadilerdeki dar patikadan dışarı çıkmamaya mecbur eder; ancak şurada burada çalılar arasında bir çakal süzülür, bir kartal ya da Muhammed'in kuşu ürker ve konduğu yerden bağırarak havalanır. Ansızın dallar aralanır ve sen muazzam bir duvarı, penceresiz ve kapısız, fakat garip kuleleri, mazgalları ve külâhlarıyla, baştan aşağı mermer kaplı bir sarayı karşısında görürsün. Bu orman sarayının kanatları vadinin her iki yamacına dayanır. Eğer geniş mermer merdivenlerden duvarın üstüne çıkarsan öbür tarafta, ormanlık yamaçların arasında, muazzam bir taş siperle yolu kesilmiş sunî bir gölün duru yüzünü görürsün. Dört

beş mil uzaktaki yarım milyon insana taze su sağlayan büyük bentlerden biri budur. Yollarındaki vadileri Valens, Justinianus, Severus ve Büyük Süleyman zamanlarından bugüne kadar yerinden kıpırdamadan duran muazzam su kemerleriyle aşan suyolları buradan başlar.

İstanbul'da en yeni olan şey, şimdiye kadar hassa müşiri olan Kaptan Paşa Ahmed'in liman üzerinde bir köprü yaptırmasıdır. Bu, Theodosius zamanında Galata ile İstanbul arasında geçiş imkânı sağlayan şiddetli kıştan beri ilk köprüdür. 637 adım uzunluğunda, 25 adım genişliğindedir ve bunu kurmak için dibe en güzel direklik ağaçlardan bir orman çakılmıştır. Artık padişahın Beşiktaş'taki sarayından araba ile yola çıkıp doğruca köprünün öteki başına gitmesi mümkündür, fakat buradan öteye gidilemez. Husrev Paşa bana, köprüden Serasker kapısına, oradan da araba işleyebilen Divanyolu'na kadar gidecek bir caddeye en uygun güzergâhı çizmemi emretti. Bu iş kolaydı, çünkü yol üstündeki dükkânlar, bahçe duvarları, evler ve kahveler şuna buna bakmadan yıktırılıverdi ve evvelki gün bir araba ile Galata'dan Bayazıt camiine ilk giden Sultan Mahmut oldu. Köprü önce dinî bir törenle açıldı, padişah, köprünün eşiğinde boğazlanacak on üç koçu kesecek bıçağa eli ile dokunmak suretiyle kurban merasimini yaptı. Kaptan Paşa'ya elmaslı muhteşem bir kılıç hediye etti.

İstanbul ve Beyoğlu halkı için (kayıkçılar müstesna) bu köprü tam bir hediye olmuştur.

Padişah yapıya meraklıdır. Boğaz kenarında Çırağan'da, ne Avrupa ne de Asya üslûbunda olmamakla birlikte bulunduğu şirin çevrede sahiden güzel bir etki yapan yeni bir saray inşa ettirdi. Bu sarayda bir sıra güzel direk üst katı taşımaktadır ve geniş mermer merdivenler ta boğazın duru sularına kadar iner; binanın geri kalan kısımları ise ahşaptır, sadece, üzerinden son derece güzel bir manzara görülen düz damı yine mermer levhalarla döşelidir ki bu, herhalde binaya muazzam bir yük olmaktadır. Hele harem dairesindeki büyük salon pek güzeldir. Burası iki katı işgal etmektedir ve ışığını yukarıdan almaktadır. Her iki yanda kadınların odaları bulunuyor. Oval divan, yani müzakere salonu da pek muhteşemdir.

Padişah benim sarayı görmemi emretmişti ve benden bu binanın neresine bir kule yaptırabileceğini öğrenmek istiyordu. Ben gayet ciddî olarak önce bu işten anlamadığımı, ikincisi de bence kule yaptırmamanın daha münasip göründüğünü, çünkü bir kulenin, binanın öteki taraflarına uymayacağını söyledim. Yeni Bahriye okulunu da, padişahın emri üzerine gezmek zorunda kaldım.

Boğaz, Yahut Bosfor'un Kuzey Kısmı

Büyükdere, 20 Eylül 1836

Sana daha önce Bosfor'un Güney kısmının güzelliğini yazmıştım. Bosfor burada, yarısı Avrupa'da, yarısı Asya'da bulunan, üç mil uzunluğundaki bu şehrin tam ortasından geçen geniş, muhteşem bir cadde meydana getirir. Kuzey kısmı da güzeldir, fakat bambaşka bir tarzdadır. Burada zengin bir şekilde işlenmiş topraklar ve canlı kalabalık yerine vahşi, ıssız bir tabiat vardır ve başşehrin görüntüsü boğazı çevreleyen çıplak ve boş dağlarda sönüp gider. Köyler, Anadolu ve Rumeli kavaklarından öteye varmaz, sadece kaya kovuklarına yapışmış tek tük balıkçı kulübeleri görülür. Muazzam top mevzileri ve tabyalar 400 top ağzıyla İstanbul'un bu kuzey kapısını korur.

Tarabya ile Büyükdere arasındaki küçük bir derbentte bir küme pek güzel ağaç vardır. Onların gölgesinde gümüş gibi bir pınar ve damından muazzam gövdelerin çıktığı bir kahvede de o bulunması zorunlu çubuklar, küçük fincanlar, alçak arkalıksız kamış iskemleler ve insanın rahatça uzanıp yatabileceği hasırlar vardır. Buradan, dik kaya yamaçları arasından, karşıda ancak bir buçukmil uzakta bulunan Pontus İnhospitalis[52] görünür. Fakat bu denizin yine de yüze gülen, davet edici bir görünüşü vardır. Bütün yaz boyunca her gün öğleye doğru deniz rüzgârı çıkar ve dışarda güneşin sıcağı ne kadar fazla ise, rüzgâr burada dallar arasında o kadar serin uğuldar, pınar o kadar cana yakın fıkırdar. Buranın adı Kireçburnu'dur. Burası benim her yerden fazla sevdiğim bir köşedir. Denizden rahat bir kayıkla ya da tepeler üzerinden atla, yahut yamacın eteğinde dalgaların yaladığı dar patikadan yayan olarak burayı ziyarete gelirim. Burada nice saatlerimi hülya içinde geçirmişimdir.

Gözlerini nereye çevirirsen klasik varlıklara rastlarsın. Şu sahillerde Medea büyü otlarını toplamıştı; beride, ta üst başında bir Türk suyolunun belli belirsiz göründüğü geniş vadide birinci haçlı seferinin şövalyeleri ordugâh kurmuşlardı ve dokuz[53] muazzam ağaç gövdesinden bir küme bugün de Godefroy de Bouillon'un çınarları adını taşır. Bunlar belki şimdi yok olmuş bir ana kökün sürgünleridir ve dar bir çevre içinde sımsıkı bir arada, eşibulunmaz bir güzellik ve büyüklükte dururlar, Asya yakasındaki tepelerde, hâlâ birkaç ağaç grubunun bulunduğu yerler ise Amykos'un[54] ormanı idi; solda Avrupa kıyısının dik kaya yamacında

---

(52) Konuk sevmez deniz (Karadeniz'in eski adı olan Konuksever Deniz'le alay).

(53) Bu ağaçlar yedi gövdeden ibaretti ve yedi kardeşler adını taşırdı. Yakınlarda kesildi.

(54) Argonot'ları memleketinin pınarına yaklaştırmak istemeyen efsanevi kral. Eskiler bu memleketin şimdiki Beykoz olduğunu söylerlerdi.

Harpy'lerin işkencesine uğrayan Phineus otururdu. Şimdi orada Mavromolo denen, tek ve yalnız bir balıkçı kulübesi vardır. Kara tepelerin eteğinde, bataryanın beyaz duvarları koyu mavi suların içerisine doğru uzanır. Burada, eski adı bugün de Türkçe Yoros Kalesi ismi içinde saklı bulunan, meşhur Jupiter Urinus sunağı vardı. Her iki yakadaki tepelerde iki Ceneviz kulesinin harabeleri vardır. Bunlar uzun duvarlarla boğaz kıyılarına ve oradaki bataryalara bağlıydılar, çünkü bu kudretli tüccar millet, Bizans'la birlikte Türkler tarafından yutuluncaya kadar, Bizans İmparatorluğu'nu kıskıvrak bağlamıştı. Avrupa yakasındaki şato artık hemen hemen ortadan kalkmıştır, fakat Asya tarafındaki hâlâ, aralarında incir ve defne ağaçlarından muhteşem bir bitki canlılığı fışkıran yüksek kuleleri, duvarları ve mazgallarıyla boy göstermektedir. Dev gibi sarmaşıklar tırmanır ve sanki bin kolla bu eski duvarları dağılmaktan korumak ister. Türklerin Toptaşı dedikleri garip bir yeri, masalın henüz ele geçirmemiş oluşu şaşılacak şeydir. Garipçe Kalesi'nin kuzeyinde ve hemen hemen yanı başında siyah kayalar bir yarık meydana getirir. Bunun arka kısmı boru halini alır. Borunun ağzı da yukarı doğru açılır. Deniz kabardığı zaman dalgalar bu yarıktan içeri yuvarlanır, gittikçe darlaşan boşlukta hızla ilerler ve 20 ayak kadar yükseklikte bir buhar sütunu halinde ve büyük bir gürültü ile bu dar delikten yukarı fırlar. Argonot'lar böyle bir yer üzerine neler anlatabilirlerdi! Onların yüzen kayaları, Kyaneai'leri (Türkçe Öreketaşı) boğazın ağzında, Avrupa yakasındaki deniz fenerinin yanı başındadır ve üzerinde Pomepius'un şerefine dikilmiş olduğu söylenen küçük bir mermer sütun vardır.[55] Ben birçok defa, sadece şiddetli kuzey-doğu fırtınalarından sonra muazzam dalgaların bu siyah kayalara çarpıp parçalandığını seyretmek için atla Rumeli Feneri'ne gittim. Karşıda Asya yakasındaki Anadolu Feneri'nin yanıbaşında muhteşem bir bazalt duvar dimdik denize iner ve dalgaların içerisini yaladığı güzel bir mağara meydana getirir. Bu iki Pilon'un[56] öbür tarafında Euksinus, sanki koyu mavi bir duvar gibi yükselir. Göz bu güzel manzaranın ayrıntılarını seyretmek, pırıl pırıl beyaz yelkenli muazzam gemileri izlemek, ya da rüzgârla akıntıya aldırış bile etmeden gururla, çarklarının suyu dövmesin-

---

(55) Delilsiz bir iddia.
(56) Eski Mısır tapınaklarının kapılarının iki yanındaki kısımlar.

den çıkan seslerin yankılandığı yüksek kayalık kıyılar arasından hızla geçip giden buharlı gemilere hayran hayran bakmak için geri döner. Bütün bunları geniş, gölgeli çınarın altındaki küçük hasır iskemlenin üstünden görür ve işitirsin.

Boğazların İstanbul için büyük bir askeri önemi vardır. Bütün yaz boyunca esen kuzey rüzgârı ve daimi olarak Karadeniz'den Marmara'ya akan akıntı bir düşman filosunun başşehir sularına girebilmesini, Çanakkale'ye göre çok kolaylaştırır. Fakat buna karşılık İstanbul boğazının kıvrımlılığı ve darlığını da gözden uzak tutmamalıdır. Kıyılar en dar yerde de birbirinden ancak, Çanakkale boğazının en dar yerinin yarısı kadar uzaklıktadır. Her iki deniz feneri ve bataryaları arasında 4166 adım açıklık vardır. Telli Tabya'da boğaz 1497 adım, hisarlar arasında ise ancak 958 adım genişliğindedir. Rumelikavağı ile Macar Kalesi arasındaki havza her iki yanda 250'den fazla top bulunan dört batarya ile korunmaktadır. Bunların menzilleri bir kıyıdan ötekine varır ve her gemiyi aynı zamanda hem boylu boyunca hem de yandan ateş altına alır. Rüzgâr ve suyun kuvveti hiç şüphesiz bir filoyu boğazdan geçirebilir, fakat bu filonun İstanbul önüne ne halde varabileceği yukarıda söylediklerimden tahmin olunabilir.

Çanakkale Boğazı'nda olduğu gibi burada da saldırganın en tehlikeli bataryaları kara tarafından bir baskınla zapta kalkışması onu büyük zorluklarla karşı karşıya getirecektir. Bu hareketin hem Avrupa, hem de Asya yakasında aynı zamanda yapılması lazımdır. Çünkü her iki kıyıdaki bataryalardan her biri tek başına bir filonun boğazdan geçmesini son derece tehlikeli hale koyabilir. Riva ve Kilya, boğaza en yakın olan ve bu işe en uygun düşen bu iki koy istihkâmlarla emniyet altına alınmıştır. Kayalık sahilin daha uzaklardaki noktalarına çıkmak esasen çok müşkül olduğu gibi, yolsuz, ormanlık dağlardan ilerlemek bundan daha da zordur. Bunlardan başka İstanbul gibi daima büyük bir askeri kuvvetin bulunacağı bir şehrin yakınlığının da göz önünde bulundurulması lazımdır. En son olarak, her ne kadar bataryalara, daha yüksek mevkileri ele geçirerek, hâkim olmak mümkünse de bu bataryaların en önemlileri kara tarafına karşı da savunulabilecek hale konabilir.

Rumeli ve Anadolu Hisarları şimdiden böyle bir vazife görebilecek haldedir. Gerçi zamanımızda bunlar silâhlı değilse de, bir düşmanın boğazdan zorla geçmeye kalkışacağı tahmin edilirse, savunma için pekâlâ kullanılabilirler. Bunlar boğazın en dar yerindedir ve Rumelihisarı'nın duvarları içine, yeni tecrübelere göre sahil savunması için lazım olan, yüksek bataryaların yerleştirilmesi kabildir. Kulelerin ve duvarların muazzam kalınlığı hatta muhasara toplarına uzun zaman karşı koyacaktır ve yükseklikleri merdivenle tırmanmaya, ya da baskınlara karşı güvenliği sağlayacaktır.

Hisarlar eskiden Rum imparatorları tarafından inşa edilmiş, fakat sonra tahrip olunmuştu. Sonraları Cenevizliler İstanbul Boğazı'nın savunmasını daha yukarı taraftan ele aldılar; fakat Türkler başşehri tazyik ettikleri zaman bu Rum kalelerinin harabelerine yerleştiler ve bunu o sıralarda sahip oldukları haşin bir çalışkanlıkla yaptılar. Kiliseler ve mihrapları bu işte kullandılar, direkleri ve anıtları duvar için ördüler. 3000 işçinin bizzat II. Mehmet'in emri altında kısa zamanda (üç ayda) meydana getirdikleri bu eser, bugün hâlâ hiçbir şey olmadan, fakat kullanılmadan, olduğu gibi durmaktadır. Bir müddet Rumeli Hisarı, esir alınmış Rodos şövalyeleri için zindan vazifesini gördü. II. Mahmut zamanında binlerce yeniçerinin burada başı kesildi, şimdi bu muazzam duvarlar sadece birkaç Türk ailesinin ahşap evlerinin etrafını çevrelemektedir.

Değnek Cezası

Büyükdere, 27 Eylül 1836

Bu sıralarda, benim de pek hoşuma giden bir işle uğraşıyorum: Boğaziçi'nin her iki yakasının haritasını almak. Bu sırada birçok dağlara tırmanmak lazım geliyor, ama harikulâde güzel manzara yorgunluğa değiyor; bir Frengin plançetesini sarayın avlularında kurduğu ilk defa oluyor. Muhteşem bir sonbahar geçiriyoruz ve nemli deniz rügzârı, dört aydan beri yağmur yağmadığı halde, bütün ağaçları ve bitkileri yemyeşil tutuyor. Sabahleyin erkenden kalkıyor ve hemen denize atlıyorum; bu nefis banyodan sonra kahvemi içiyor, ya bir yelkenli şalupe ile ya da süratli bir kürekli taşıtla, yahut kara tarafından atla olmak üzere işimin başına gidiyorum. Bir günlük iş 9-10 saat sürüyor, akşamları yemeğimi pek nefis buluyorum. Elimde Türkçe yazılmış açık bir emir var, bu bana bütün istihkâmlara ve bataryalara gitmek ve istediğim kadar askeri yanıma almak yetkisini veriyor.

Bugün ilk defa olarak Serasker kapısında değnek cezasının uygulandığını gördüm. Beş Rum, her biri 500, toplam olarak 2500 sopa yemeye mahkûm edilmişti; bir kavas, yani polis zabiti mahkûmun göğsü üzerine diz çözüyor ve onun ellerini tutuyordu, iki kavas mahkûmun ayaklarının bağlı olduğu bir sırığı omuzlarına almışlardı, iki tanesi de değnekleri vuruyordu. Bana karşı hususî bir iltifat eseri olarak paşa, adam başına, daha doğrusu adam ayağına 200 değneği affetti. Ben geri kalanı da hayli çok buldum ve 25 değnek teklif ettim, bunun üzerine paşayla pazarlıkta 50 değnek üzerinde uyuştuk. Sopa yiyenlere, bu lûtfun Prusya *beyzadesinin* (yani prens oğlunun) hatırı için olduğu bilhassa ihtar edildi.

İstanbul'un Suyolları

Büyükdere, 20 Ekim 1836

Bizim taraflardaki şarap eksperleri nasıl tadarak şarabın bağını ve yılını keşfederlerse, bir Türk de bir içim suyu tadınca şu ya da bu, çok beğenilen pınardan geldiğini, Çamlıca'dan mı, Asya tarafındaki Bulgurlu'dan mı, Büyükdere yakınındaki Kestane suyundan mı, yoksa Beykoz'daki Sultansuyundan mı alındığını söyler. Bizim en başta saydığımız şart yani suyun duru ve şeffaf olması Türkler için hiç de önemli değildir. Fırat'ın meşhur suyu, mübarek Nil'in suyu kadar bulanıktır, halbuki Peygamber bunların – Mekke'de susuz kalan oğluna içirmesi için Hacer'in ayakları altından kaynamış olan mukaddes Zemzem kuyusundan sonra – dünyanın en iyi suları olduğunu söylemiştir. Fakat Türklerin en kötü, hatta sağlığa zararlı, ve hemen hemen içilmez saydıkları su kuyu sularıdır.

İstanbul kayalık, etrafı denizle çevrili yüksek arazi üzerine kurulmuştur. Orada kazılan kuyular pek az ve acı su verir. Bu sebeple başka bir şey içmeyen yarım milyondan fazla insanın içme suyu ile birçok hamamlara, camilere, dinin emrettiği beş vakit abdest almak için Müslümanlara lazım olan muazzam miktarda suyun hep dışarıdan getirilmesi lazımdı. Bu iş için, üç mil kuzeyde bulunan Belgrat ormanlık tepelerinden faydalanılır. Buraya bulutlar kışın ve ilkbaharda muazzam miktarda suyu yağmur ve kar şeklinde döker. Bu sular bir vadiyi enlemesine kalın bir duvarla kapamak suretiyle meydana getirilen büyük havuzlarda toplanır. Böyle bir depoya *"bent"* denir. Bu Farisi bir kelimedir ve aslında bu duvarı, yahut seti anlatır ve Almanca band *"bağ"* kelimesiyle aynı manadadır.

Bir bent kurmak için şart vadinin yamaçlarının, suyun derin ve buharlaşma sathının az olabilmesini sağlayacak kadar yüksek, oldukça dik, bentin çok uzun olup pahalıya çıkmaması için de birbirine yakın olmalarıdır. Bundan başka biriken suyun gereği kadar yükselebilmesi için bendin arkasındaki vadi tabanının az meyilli olması, nihayet vadinin yukarı kısmında birçok geniş kolları bulunması ve böylelikle de bol su alabilmesi lazımdır. Genel olarak bendin bulunduğu yerin de yüksek olması lazımdır ki, su kuvveti bir meyille akabilsin.

Böyle mühim miktarda su biriktirmesi lazım olan duvarlar 80, hatta 120 adım uzunluğunda, 30-40 ayak yüksekliğinde ve 25-30 ayak kalınlığındadır. Yontma taştan yapılmışlardır ve içleri yontulmamış taş ve kireçle doldurulmuştur. Dış tarafları çok defa mermer kaplıdır, kitabeler ve köşklerle süslenmişlerdir.

İlkbaharda bent dolunca, gelen fazla su setin üst tarafındaki bir delikten akar ve taştan örme oluklarla tabii vadisine verilir. Altta, duvarın ortasında ise bir kapı yahut kemer vardır, buna *"taksim"* yani dağıtma derler. Buradan belirli sayıda 1 1/2 parmak genişliğindeki borular (*lüle*, yani ölçü) vasıtasıyla, suyoluna daimi surette verilecek miktarda su akar. Lülelerin sayısı tabii, 8-9 ay idare edecek olan mevcut su miktarına bağlıdır. Şu noktayı da unutmamalıdır ki ilkbaharda bendin dolu olduğu sırada belirli bir zaman zarfında akana göre sonbaharda, yüksekliği azalmış olan suyun az basıncı yüzünden, bir lüleden daha az su akar.

Su, taksimden çıktıktan sonra taştan örme ve üzeri kemerli suyolları içinden vadi kenarları boyunca akar, bu suyollarının içi dövülmüş tuğla tozu ve kireçten yapılma bir harçla sıvalıdır.

Suyun hızlı akabilmesi için suyolunun kâfi derecede meyilli olması gereklidir, aynı zamanda bu meylin de sabit olması lâzımdır, aksi halde yer yer suyun birikmesine ve taşmasına sebep olur.

Kesiti aşağı yukarı 10 pus kare olarak akan suyun, şehrin bütün alçak taraflarında dağıtılacağı yerlere varabilmesi için meylin lüzumundan fazla olmaması da gereklidir.

Bir suyolu, geçtiği yerde, kendi yönünü kesen bir vadiye rastlarsa eskiler suyu bu vadiyi aşan bir köprüden karşı tarafa geçirmekten başka çare bilmezlerdi. Bu usul çok defa dev gibi su kemerlerinin yapılmasına sebep olmuştur ki bunlara hâlâ İtalya, İspanya, Yunanistan ve Asya'da rastlanmaktadır. Fakat Araplar bileşik kaplarda su yüzlerinin aynı hizada bulunduğunu bilirlerdi ve buna dayanarak daha basit, daha az masraflı bir usul, su sütununu kurşundan bir boru içinde bir taraftaki vadi kenarından aşağıya indirmek ve öteki tarafta tekrar yukarı çıkarmak yolunu bulmuşlardı. Böylelikle su öteki tarafa çıkıyordu, fakat sürtünme yüzünden son derece ağır akıyor ve bu sebeple de aynı zaman süresi içinde çok daha az miktarda su veriyordu. Fakat deneme, eğer borulara yer yer delikler açılırsa sürtünmenin son derece azaldığını gösterdi. Suyun dağ kenarlarından hemen hemen yatay olarak aktığı yerlerde iş kolaydı. Suyun alçak arazi kabartıları altından geçtiği sırada bu hava delikleri kuyu şeklinde ağızlar olarak yapılıyordu. Fakat suyun kapalı borular içinde vadinin dibinde, çok defa esas seviyesinin çok altında binlerce adım mesafede gittiği yerlerde tabii böyle delikler açılamıyordu, çünkü bu takdirde su dışarı fışkıracaktı. Bunun üzerine kuyunun aksi yapıldı ve tepeleri esas seviyeye kadar varan taştan piramitler inşa edildi; bunlara *"su terazisi"* denir. Boru bu piramitlerde yukarı kadar çıkarılır, su piramitin tepesindeki küçük bir tekneye dolarak denge haline gelir ve bir boru vasıtasıyla, piramidin öteki tarafından, yeniden aşağı akar. Suyun böyle aşağı akmakla, bundan sonra tekrar yukarı çıkmak suretiyle kaybedeceğinden fazla kuvvet kazanamayacağı aşikârdır, bu sebeple de akışının hızlanması beklenemez. Suterazisi, suyolunun esas seviyesine kadar yükseltilmiş olan, bir sürtünmeyi azaltma deliğinden başka bir şey değildir. Suterazilerinin tepelerinin suyolunun genel meyline, hatta hidrolik sebepler yüzünden biraz daha büyük mikyasta olmak üzere, uyması gerektiği de açıklamaya muhtaç değildir.

İstanbul'un kuzey tarafında olduğu gibi bu kadar çok vadilerle kesilmiş bir alanda ilk suyolunun geçirilişinde bunun nivelmanı muhakkak ki kolay bir mesele değildi. Bu iş, her biri ayrı seviyede bulunan birkaç bentten su toplamak zorunluluğu elverince büsbütün zorlaşmıştır. Bunun başarılması o çoktan geçmiş devirlere gerçekten büyük bir şeref verir.

Türkler Romalıların su kemerlerini de Arapların suterazilerini de hazır buldular, fakat kendilerinin yaptıkları suyollarında hem birini, hem de ötekini kullandılar. Birincisini uygulayışları muhakkak gösteriş merakındandı.

İstanbul'un suyollarının en önemlisi ve en eskisi daha İmparator Konstantin zamanında başlanan ve sonraları imparatorların ve sultanların genişlettikleri suyollarıdır. Bu tesisat, sularını, hepsi de Belgrat köyünün çevresinde toplanan, beş büyük bentten alır. Bunların en büyüğü olan "Büyük Bent" Bulgarların oturduğu Belgrat köyünün alt tarafında ve yakınındadır. Bu köylülerin dedeleri bir zamanlar harp esiri olarak Tuna kenarındaki Belgrat'tan buraya getirilmiş ve şehirlerinin adını yeni yurtlarına vermişlerdir. Bu bent, dolu olduğu zaman 1000 adımdan fazla uzunluktadır, tek başına 8-10 milyon ayak küp su alır ve suları azaldıkça yerini Belgrat köyünün tam üst tarafındaki ikinci bir bentten gelen su doldurur. Suyolu önce sol taraftan, yakında bulunan eski Sultan Mahmut bendinden su alır. Bu bent, duvarlarının yüksekliği ve güzel ormanlık kıyıları ile ötekilere üstündür. Sonra yarım saat ötede ve batıda bulunan "Paşa Bendi" kendi payını, su kemerleri üzerinden buna katar. İki bentten gelerek birleşen su bu sefer geniş "Tatlı Sular" vadisini (eski Barbyses) Burgaz'ın (Yunanca Pyrgos=kale) bir çeyrek saat aşağı tarafından, muazzam su kemerleri üstünden aşar; bu kemerler dosdoğru gitmez, bir açı teşkil eder. Mimari güzellik bakımından da, bana kalırsa bütün öteki su kemerlerinden üstündür. Vadinin öteki yakasında suyolu bu sefer "Baş havuz"da, ıssız bir orman derbendinde kurulmuş, romantik bir manzarası olan "Ayvat Bendi"nin suyunu alır. Sonra sularına Burgaz'ın yarım saat yukarısında bir yerdeki, 1000 adım uzunluğunda, fakat pek intizamsız yapılmış "Süleyman" su kemerleri üzerinden Barbyses vadisini aşırtır. Bu ana kollardan başka, suyolu artık basık tepeler üzerinden Alibey suyu (eskilerin Kydaris'i) vadisine doğru ilerlerken yolda kendisine birçok küçük pınarlar da katılır. Alibey suyu vadisini, Justinaus'un adını taşıyan sukemerlerinin üzerinden aşar. Bu sukemeri en uzun değil fakat en yüksek alandır ve o kadar sağlam yapılmıştır ki bin yıl onun, vadi tabanından 90-100 ayak yukarıdan suyu karşıya geçiren iki katlı geniş kemerlerini sarsmamıştır. Başı dönmeyenler, üstü tonozlu suyolunun yanından rahat rahat yürüyebilirler.

Bu ıssız, işlenmemiş beyabanda, çoktan geçip gitmiş bir devrin böyle bir kudret ve insan sevgisi anıtını seyretmek insanın içine dokunan bir etki yapar. Suyolu Cebeci köyünün yanındaki pek önemli bir sukemerini geçtikten sonra birçok küçük vadileri aşarak, artık düzleşmiş olan arazide kıvrımlar çizer, "Fil köprüsünün" ve Eyüp semtinin tam arkasından yoluna devam eder ve "Eğrikapı"dan şehre girer.

Rum imparatorları, İstanbul'un surları içinde daima önemli bir miktarda su ihtiyatı bulunmasına çalışmışlardır. Bu maksatla pek büyük sarnıçlar yaptırmışlardır. Bu sarnıçlardan bazısının üstü açıktı, bazısı da yeraltında idi ve üzerleri, yüzlerce güzel granit ve mermer sütuna dayanan tonozlarla örtülü idi. Bu çeşit sarnıçlar şimdi ipek bükücülere yaz için serin bir çalışma yeri oluyor. Açık sarnıçlar (Çukur bostan) bahçeler ve evlerle doludur ve halen şehirde, su gibi zorunlu bir ihtiyaç karşısında Allah kerim diye yaşanmaktadır. İstanbul, suyolunun beş millik mecrasını herhangi bir yerinden kesen bir düşmana bir hafta bile karşı koyamaz. Muhakkak ki Fatih Mehmet ve Muhteşem Süleyman'ın aklına başşehirlerinin günün birinde kuşatılabileceği gelemezdi. Bugün ise iş böyle değildir ve sarnıçların, başka işlerde kullanılmalarına rağmen, hiç değilse hâlâ mevcut oluşları sevinilecek bir şeydir. Bu muazzam insan kalabalığından bir kısmı su ihtiyacını kısa ve daha az gösterişli suyolları vasıtasıyla İstanbul'un batısındaki suyu bol tepelerden sağlar. Bunların en önemlisi "Kalfa köyü"nden gelir, şehrin içindeki muazzam sukemerlerinden geçer ve yüksekteki kısımlara, Ayasofya'nın ve padişahın sarayının çeşmelerine su verir. Bu akvadükü (Bozdoğan Kemeri) İmparator Valens'in yaptırdığı söylenir. Tuğla ve yontulmuş taşlardan yapılmıştır, üst üste iki kat kemerleri vardır fakat çok haraptır. Üst kemerlerden bir kısmını, Muhteşem Süleyman'ın yaptırdığı "Şehzade camiini" kapatıyor gibi manasız bir bahane ile yıktırmışlar. Valens sukemerleri şehrin ortasında evlerin ve camilerin, sokaklar ve çeşmelerin üzerinde 1000 adımdan uzun, nefis bir gezinti yolu teşkil eder. Bu kemer İstanbul'da bulunduğum sırada çok işime yaradı ve bunun iki nihayet noktasını tamamıyla tayin ettikten sonra buradan, hiçbir engele uğramadan, yüzlerce cami ve kulenin yerlerini tam olarak tespit edebildim. Şehir bir harita gibi gözönüne serilmiş duruyordu ve zorluk sadece objelerin sonsuz çokluğunda idi.

Bundan sonra, Beyoğlu ve Galata, Tophane, Kasımpaşa, hulasa Haliç'in kuzeyindeki bütün semtlere su veren en büyük su tesisatını da anlatmam lazım. Bu tesisatın depoları olan "Valde" ve "Yeni Mahmut" bentleri de yukarıda söylemiş olduğum ormanlık tepelerde, "Bahçeköy"ün yakınındadır. Mahmut bendi şimdiki padişah tarafından yaptırılmıştır[57]. Suyu uzun fakat alçak bir su kemeriyle, Bahçeköy ve Büyükdere vadileri arasındaki bir sırtı aşar, sonra Büyükdere vadisinin yamaçlarını takip ederek "Kulluk", yani nöbetyeri'ne kadar gelir, orada "yalnız su terazisi" vasıtasıyla dar bir vadiye geçer. Uzun bir sıra suterazisi Maslak (büyük şose üzerinde bir kahve) önündeki geniş inişten geçirir ve üç mil uzunluğundaki suyolu nihayet Beyoğlu'ndaki güzel "Taksim"e varır, buradan da şehrin birçok çeşmelerine akar.

Fakat Haliç'in kuzey tarafındaki semtler öylesine genişlemiştir ki bu çok önemli tesisatın verdiği su artık ihtiyaca kâfi gelmemektedir. Bu yıl olan (1836) büyük kuraklık su kıtlığını büsbütün acıklı bir hale koydu ve padişah da buna karşı alınacak tedbirleri tavsiye etmemi ve gerekiyorsa yeni bir bent için yer aramamı bana seraskerin aracılığıyla emretti. Böyle bir yer bulundu; fakat esasen var olan kıymetli bentlerin verimini artırmak bana yenisini yaptırmaktan daha makul geldi. Bana refakat eden Bina Emini bu vesileyle, imparatora ait bütün binaların baş nazırı için oldukça yaman bir teklifte bulundu: "Valde Bendinin duvarını takriben dört arşın yükseltmeli, bu bir hayli fazla su sağlayabilir" dedi. Ben efendiye, bu yüzden duvarların şimdikinden takriben üç misli fazla bir basınca dayanması gereeceğini hesap etmek cüretinde bulundum. Önce İstanbul'da mevcut sarnıçların asıl yapılış

---

(57) Bu bent ve Taksim'deki depoyu yaptıran Birinci Mahmut'tur.

maksatlarına tahsis edilmesini, ikinci olarak bütün suyollarının tamir edilmesini, nihayet bentlerin arkasındaki göllerin kazılarak daha derinleştirilmesi ve genişletilmesini tavsiye ettim. Böylelikle duvarları takviyeye hiç lüzum kalmaksızın, çıkarılacak her 1000 kulaç küp toprağa karşı 1000 kulaç küp su kazanılacaktı. Fakat böyle gösterişsiz bir şey Türklerin zevkine uygun değildir. Onların padişaha *bir şeyler göstermeleri lazımdır*; açılış töreni için bir köşk yaptırılması ve bir şenlik gerektir. Çok muhtemeldir ki yeni bir bent yaptırmayı tercih edecekler, bu da yarım milyon talere mal olacak.

Kayıklar

Büyükdere, 30 Ekim 1836

Şimdi siz herhalde karakış içindesiniz, halbuki biz burada hâlâ en güzel bir sonbaharın keyfini sürüyoruz. Gerçi, kuzey rüzgârı *poyrazı* estiği zaman, bazen ortalık sevimsiz ve can sıkıcı bir hal alıyor ama, güney rüzgârı *lodos* hâkim oldu mu, insan benim ferah odamdan boğaz, Tarabya ve Asya kıyısının harikulâde bir manzarasını görüyor. Gün boyunca güneş küçük dalgacıklar üzerinde titreşiyor ve tam pencerem altında demir atmış olan birkaç düzine büyük gemideki hayat, eğer başka bir işi yoksa, insanı oyalıyor. Sonra balıkçılar büyük kayıklarla geliyorlar, kürek vuruşları altında deniz inliyor. Avaz avaz bağırarak geçtikleri berrak su içinde açıkça görülebilen balık sürülerini kovalıyorlar, kayıklarla yollarını kesiyor ve onları böyle gürültülerle ağlara sokuyorlar. O zaman alacalı pullu bir kalabalık ortaya çıkıyor: lezzetli torikler, gümüş palamutlar, garip şekilli kalkanlar, tekirler, dokunanlarda öldürücü yaralar açan drakonyalar, bunlar arasında arşın boyunda burunlu kılıç balıkları, uskumrular, orkinozlar ve birçok başka çeşitler var. Sade yunusbalığı rahatsız edilmemek hakkına sahip, çünkü onu bizim taraflarda kırlangıç ve leylekleri olduğu gibi batıl bir inanç koruyor; akıntılarda oynaşıyor, gemileri kovalıyor, soluyarak havaya sıçrıyor ve ok gibi hızla dalıyorlar.

Pencerem önünden ardı arası kesilmeden kayıklar geçiyor, bunları boğazın kira arabaları (pazar kayıkları da omnibüsleri).

Sahiden bir kayıktan daha zarif ve daha maksada uygun bir şey tasavvur edilemez. Bunların hafif iskeletlerinin üstü ince tahtalarla kaplanmış, içleri dışları ziftle kalafat edilmiştir. Kayığın iç kısmına ince beyaz tahta kaplanır, daima tertemiz tutulur ve yıkanır. Küreklerin baş tarafında, alt uçla denge sağlamak, böylece işi kolaylaştırmak için kalın bir topaç vardır. Kürekler ağaç çivilere geçen yağlı meşin sırımlara takılı olarak işler, bu ağaç çiviler sürtünmeyi mümkün olduğu kadar azaltmak için en sert şimşir ağacından yapılmıştır ve ancak parmak kalınlığındadır. Kayığın arka kısmı geniştir, ön tarafa doğru gittikçe daralır ve keskin bir demir uçla son bulur. Eğer yolcu doğrudan doğruya zemine oturursa (çünkü ancak bilgisiz Frenkler arkadaki tahtaya otururlar), kayık tam denge halindedir. Kayıkçı makinenin ağırlık merkezindedir ve kayık elin en ufak bir basıncıyla hareket eder. Hatta en kötü havalarda bile, coşkun dalgaları bu hafif taşıtla yarıp geçmekten korkulmaz. Dalgalar kayıkla tıpkı bir tüyle oynar gibi oynarlar ve onu önlerinden sürüp götürürler. Kayık kâh bir dalganın tepesinde asılı durur, kâh su dağları arasında gözden kaybolur, keskin ucu dalgaları yararken her iki yandan havaya kar gibi beyaz köpükler saçar.

Buradan İstanbul'a olan yol (üç Alman milinden fazla) bir buçuk saatte alınır. Kıyıdan giden bir atlı, kayıktan geri kalmamak için atını alabildiğine sürmelidir. Ama buna akıntı da yardım eder, çünkü tersine, İstanbul'dan Büyükdere'ye gitmek için en aşağı üç buçuk saat sarf etmek lazım gelir. Bundan Boğaz akıntısının saatta üç çeyrek Alman mili hızla aktığı hesap edilebilir. Daha battal bir taşıtla akıntının en coşkun olduğu yerlerde hiç ilerlenemez.

Zengin efendi üç çifte kayıkla yolculuk eder. İki üç kürke bürünmüş, karnına bir Acem şalı sarmış olarak bir halının üstüne oturur, önünde çubukçusu yere çökmüştür, kahvecisi de arkasındadır. Daha aşağı dereceden bir iki uşak da efendilerinin başının üstüne, güneşe karşı bir şemsiye tutarlar. Fakat şemsiye kırmızı olamaz (çünkü bu ancak padişaha mahsustur) ve eğer yanlarından bir paşa geçerse ya da padişahın saraylarından birinin önünden geçiliyorsa kapatılır.

İri, yaman adamlar olan kayıkçılar hep aynı tarzda giyinirler: Pamukludan geniş bir şalvar, yarım ipekli bir gömlek ve tıraşlı başlarında küçük, kırmızı bir takke kışın bile bunların bütün giyimlerini teşkil eder. Bu adamlar kürekle hiç durmamacasına 7-8 millik yol alırlar.

Sakin havalarda, suyun son derece saydam oluşu yüzünden, denizin dibi şaşılacak kadar apaçık görülür ve kayık sanki bir uçurumun üstünde asılı duruyor gibidir. Boğazda su yüzünün dümdüz oluşu nadirdir, ara sıra düzmüş gibi görünür, fakat Karadeniz'den gelen gayet büyük, geniş dalgalar Boğaz'dan geçip gider. Su yüzünde bunun farkına hemen hemen varılmaz, fakat sular kıyılara kuvvetle çarpar ve köpürür; o zaman insan hiç rüzgârsız havada ve mavi su yüzünün ayna gibi dümdüz olduğu bir sırada kıyılarda kar gibi beyaz köpükleri görüp, kıyının koyu renkli kayalıklarında köpürerek kırılan denizin iniltisini işitince şaşırır.

Bu sabah erkenden bir sürü Rum balıkçı ağlarını bağıra bağıra kıyıya çekiyordu (çünkü lüle lüle saçlı Akhalar günümüzde de Odysseus zamanında olduğu kadar gevezedirler). Ağda muhakkak ki yarım milyon uskumru vardı, bu da takriben bin gulden değerindeydi. Ömrümde böyle bir şey tasavvur edemezdim. Ağ kıyıya kâfi derecede yaklaştırılınca büyük kaşıklara benzeyen saplı küçük ağları daldırdılar ve binlerce, gümüş gibi parıldayan hayvancığı güneş ışığına döktüler. Bazen bu kalabalık topluluğa bir yunusbalığının da katıldığı olur, fakat bu hayvan çok kötü bir konuktur; etrafını sarılmış görünce olanca kuvvetiyle oraya buraya atılır ve ağ ipliklerini koparır, böylece yalnız kendisini kurtarmakla kalmaz, öteki esirlerin hepsini azat eder.

Yangınlar, Evlerin Yapı Tarzı

Büyükdere, 23 Kasım 1836

Kış hazırlıklarımızı yaptık, bu memlekette kolay şey değil bu. İstanbul evleri hep tahtadan; hatta padişahın büyük sarayları bile aslında geniş tahta barakalardan başka şeyler değil. Taş bir temel üzerine ince kalaslardan zayıf, çoğu zaman pek yüksek bir iskelet kuruyorlar, bunu tahtayla kaplıyor, içini sıvıyor, damı kiremitle örtüyorlar. Böylece kısa zamanda kocaman bir ev meydana çıkıyor.

İnsanın âdeta kibritten yapılmış diyeceği binlerce evin sık ve intizamsız bir şekilde birbirine sokularak bir mil karelik alan kapladığı bir yerde yangının kudurganlığı kolayca tasavvur edilebilir. Beyoğlu'nda taştan ve bütün pencereleri demir kepenkli büyük evler yapılmaya başlamıştır. Fakat bunlar da sık sık yangına kurban giderler, çünkü sadece böyle bir ateş denizinin sebep olduğu sıcaklık bu evleri içinden tutuşturmaya kâfi gelir. İngiliz ve Fransız sefaretlerinin güzel muhkem saraylarının, tek başlarına ve bahçe içlerinde bulunmalarına rağmen, tutuşması âdeta akıl almayacak bir şeydir. Burada yangını söndürmek hemen hemen düşünülemez, sadece çabucak, ta uzaklara kadar olan evleri yıkmak, bu tahrip edici tabiat unsuruna karşı, onun yiyeceğini elinden almak suretiyle zayıf bir siper meydana getirir. Fakat kuvvetli bir rüzgâr bütün bu uğraşmaları da boşa çıkarır, nadiren halk, mallarının ancak bir kısmıyla, en yakındaki camiye kaçabilir; çoğu zaman canını kurtarmak bile zor olur. Evler ensiz ve yüksektir, merdivenler dar ve çürüktür. Gece yarısı *"yangın var"* bağırtısı halkı korkuyla yataklarından fırlatır. Henüz en zorunlu olan şeyleri toplamış toplamamışlardır ki sokağı ateş sarar. Başka bir kapıya koşarlar; kalabalık dar sokakları tıkar, birkaç dakika içinde etraflarını korkunç ateşin sardığını görürler. Burada yangın ne kadar korkunç ise, özellikle kışın, o kadar da kolay çıkabilir. Soba ancak birkaç Frenk evinde vardır. Türkler, Ermeniler ve Rumlar mangal kullanırlar ve mangallar yer halısının üstüne, çoğu zaman da üstü yorganla örtülü bir masanın (tandır) altına konur. Bundan, en ufak bir dikkatsizliğin bir yangın çıkarabileceği kolayca anlaşılır. Bu haller yüzünden kiralar haddinden fazla yüksektir, çünkü bir ev yaptıran büyük bir ihtimalle on on beş sene içinde sermayesinin kül olacağını düşünmek zorundadır; tabii kiralar da buna göre hesaplanır. Öte yandan şurası da inkâr edilemez ki burada ahşap evlerde oturmak, daima rutubetli olan ve hiçbir zaman bunlar kadar güneşli, aydınlık ve ferah olmayan kârgir evlerde oturmaktan çok daha rahattır. Burada güzel bir evin baş şartı dörtte üçünün pencereden ibaret olmasıdır ki bu da ancak ahşap bir evde sağlanabilir. Mümkün olduğu kadar çok odanın her üç tarafında pencere bulunması için ev birçok girintili çıkıntılı köşeler meydana getirecek tarzda yapılır, bizde ayna duvarları denen pencere araları burada dar bir tahta direkten ibarettir. Pencerelerin altında boylu boyunca geniş ve alçak sedirler uzanır; dördüncü duvarlarda ise bir girinti vardır, bunun ortasında kapı, iki yanında da büyük yerli dolaplar bulunur; içlerinde gündüzleri şilte ve yorganlar saklanır. Geceleyin yerdeki zarif hasırların üzerine bunlar serilerek yatak yapılır. Pencerelerin alt kısımları kamıştan kalın kafeslerle örtülüdür. Kadınlar dairesinin pencereleri aşağıdan yukarıya kadar tamamıyla ya da hemen hemen tamamıyla, kafesle kapanmıştır. Odada ne masa, ne sandalye, ne ayna, ne de avize vardır. Geceleri bizim kilise mumları gibi üç dört iri mum, doğrudan doğruya yere konur. Zenginlerin ve medeniyete kur yapanların evlerinde adi masa saatları, hem de çoğu zaman üçü dördü bir arada bulunur, ama içlerinden bir tanesi bile işlemez. Yemekte yere küçük, alçak, arkalıksız bir iskemle konur, üzerine büyük, yuvarlak bir tahta tepsi yerleştirilir (zenginlerde daima tertemiz parlatılmış olan bir nevi pirinç kalkan), bunun üstünde bütün yemekler birden bulunur. Önce *leğen ibrik* ve zarif işlemeli peşkirler gezdirildikten sonra herkes eliyle yemeğe girişir; bıçak, çatal ve tabak lüzumsuzdur, buna karşılık tahta yahut boynuzdan, çoğu zaman mercan saplı, fakat asla gümüşten olmayan, kaşıklar kullanılır, çünkü Kur'an: "Kim bu dünyada gümüş takım kullanırsa, cennette ona nail olamayacaktır" demiştir.

Kibarların evleri böyle olduğu gibi, daha aşağıların ve en fakirlerin evleri de böyledir. Memleketin en imtiyazlı sınıfı olan Türklerin evlerinin dış görünüşü reayanınkilerden ayrılır. Müslüman, evini geniş cephesi Boğaz'a doğru olarak yapar, kırmızı, mavi ya da sarı renge, fakat daha çok kırmızıya boyar; halbuki Rumlar ve Ermeniler evlerinin dar tarafını, başşehrin ana caddesi olan Boğaz'a çevirirler ve kurşunî renkle badana ederler. Bu evlerin çoğu pek büyük olduğu için sokağın üstünden aşar ve ta arkadaki tepelere ve setlere kadar tırmanır. Eğer buna rağmen ev yine de tamah uyandırıcı bir zenginlik manzarası gösteriyorsa bunu, sanki iki ayrı ayrı mülkmüş gibi görünsün diye, kurşunînin iki ayrı tonuyla boyarlar. Devletin malî usulleri bütün göze çarpacak gibi güzel yerlerde bulunan büyük köşklerin padişahın, hiç değilse onun damatlarının olmasını sağlar. Zevke uygun bir evin baş şartı onun tam deniz kenarında olmasıdır; bu sebeple kara yolları böyle sık sık kapılardan ya da çetin yokuşlardan geçer. Fakat halk iktidar sahibi kişilere karşı hakkını asla arayamaz.

Mehmet Husrev Paşanın Düşkünlüğü

Büyükdere, 28 Aralık 1836

Burada çayırlar hâlâ taze bir yeşillikle örtülü, bahçelerde sayısız güller açıyor; Boğaz ayna gibi durgun, lekesiz bir gök üstümüzde kubbeleniyor, güneş de öylesine parlak ve sıcak ki, birkaç gün sonra yılbaşı olduğunu insan bir türlü kavrayamıyor.

Bilmem sana, ihtiyar koruyucum Husrev Paşanın seraskerlik makamından azledildiğini yazmış mıydım? İstanbul'da bu haberi işitenler kulaklarına inanamıyor. Onu düşüren partinin başında *"damat paşa"* yani padişaha damat ettiği eski kölesi Halil ile, padişahın küçük kızıyla düğününü az önce sağladığı ve bunun için yarım milyon taler harcadığı Sait Paşa bulunuyor. Padişahın, Husrev Paşa gibi, otuz iki kölesini vilâyetlere paşa ve vali yapmış olan bir adamı, aynı zamanda "kellesini koltuğunun altına verdirmeden" azle cesaret etmesi Türkiye'de ileri bir duruma delâlet ediyor; çünkü eskiden bu imkânsızdı. Dört haftadan beri serasker Emirgân'da, Boğaz kenarındaki gayet güzel bir malikâneye kapanmış bulunuyor. Biraz şüphe uyandırmamak, biraz da gelen olmadığı için kimseyle görüşmüyor. Çünkü burada kim bir makamdan ayrılırsa gözden düşmüştür, kim gözden düşmüşse onun dostu yoktur. Yeni âmirin hoş görmesi ya da görmemesi benim umurumda değildi, bu sebeple Husrev Paşanın düşüşünden sonra birçok defa onu ziyaret ettim.

İlk defa Emirgân'a gittiğim zaman uşaklar bu ziyaretten pek şaşakalmış gibi göründüler, fakat yine de geldiğimi hemen haber verdiler. İhtiyar efendi beni, gizlemediği bir sevinçle kabul etti. Sanki eski seraskerin artık ıslahat bakımından yükümlü olduğu hiçbir şey yokmuş gibi, Mehmet Husrev bütün yaşayışında eski Türk âdetlerine dönmüştü. Onu en zarif Lahur şalından bir kaftan giymiş buldum. Geniş şalvarı beyaz atlastandı ve paçaları, pek küçük olan ayaklarını tamamıyla örten, dantellerle süslüydü. Boynunda altın bir zincire asılı bir muska vardı, ikinci bir muska da koluna takılmıştı. Gök mavisi bir ipekliyle kaplanmış, geniş sırma kaytanlı muhteşem bir samur kürk kılığını tamamlıyordu.

Mazûl seraskerle karşılaştığım oda tam Şark tarzındaydı ve padişahın sarayında eşini görmediğim kadar güzeldi. Pek geniş olan bu odanın bir cephesi, koyu mavi dalgaları tam pencerelerin altındaki güzel bir rıhtıma çarparak uğuldayan boğaza bakıyordu; onun karşısındaki taraf ise tamamıyla açıktı ve gül tarhları, portakal fidanları ve muazzam gövdeli defnelerle bezeli guzel bir bahçeyi görüyordu. Çiçekteki zakkum ağacı billûr gibi su dolu mermer yalağa aksediyor ve daha geride, havuzunda erguvan renkli balıklar yüzen bir fıskiye şakırdıyordu. Geniş bir ipekli tente, zengin arabesklerle süslü tavanın devamını teşkil ediyor ve muhteşem yer halısı, çiçek tarhlarının sanatlı motifleri ve deniz kabukları dökülmüş ya da renkli çakıllarla mozaik gibi kaplanmış olan bahçe yollarının desenleriyle birleşiyordu. Nerede oda bitiyor, bahçe nerede başlıyor; acaba fıskiye odada mı şakırdıyor, yoksa geniş sedir üstünde bahçede mi oturuyorsun, fark etmek güçtü. Boğazdan gelen nefis bir serinlik açık pencerelerin kamış kafeslerinden içeri doluyor ve güneşin pırıl pırıl aydınlattığı bahçeciğin iç açıcı kokusuna karışıyordu. Yan tarafta bulunan haremden halayıkların çaldığı bir romaika[58] ve bir flütün ahengi duyuluyordu.

Fakat hiç kimse bu çevrenin büyüsüne karşı Mehmet Husrev Paşa kadar, kendisini bütün faaliyetlerden mahrum edilmiş gören, çukurdan çıkardığı insanların hücumuna uğrayan ve karşısında titreyenlerin acıyacağı hale düşen, bu durmak dinlenmek bilmez faal ihtiyar kadar kayıtsız kalamazdı.

Şimdiki yalnız ve terk edilmiş halinden bahsederken, her zaman âdeti olan şakacı konuşma tarzı, içindeki üzüntüyü tamamıyla gizleyemiyordu; ben bu yalnızlık sözünden hâlâ yüzden fazla insandan mürekkep olan hizmetçilerini anlamış gibi davrandım ve "efendim" dedim "hepsi burada: Ali Ağa, Sait Efendi, Kavas Mehmet...". Heyecanla ve imalı bir tarzda "yıllarca bana sadakatle hizmet etmiş olan ihtiyar bir hizmetçimi kovacak adam mıyım ben?" dedi.

Düşmanlarına henüz öyle tamamıyla iktidardan düşmediğini

---

(58) Romaika çalgı değil, bir Rum dansının adıdır, fakat burada tambur yerine kullanılmış.

göstermek için Mehmet Husrev şimdiki konağının yanına bir okulla bir cami yaptırmıştır. Sanırım ki ihtiyar paşa böylelikle efendisinin affına ve eski iktidarını elde etmeye götüren yolu bulmakta yanılmamıştır.

Beyazıt Camiinin Güvercinleri
– İstanbul'un Köpekleri – Mezarlıklar

Büyükdere, 18 Ocak 1837

Türkler hayırseverliklerini hayvanlara karşı bile gösterirler. Üsküdar'da bir kedi hastanesi bulursun, Beyazıt camiinin avlusunda da güvercinler için bir bakım yeri vardır.

Bunlar, herhangi bir olayda, bilmem hangi haberi Peygamberin kulağına fısıldamış olan belli bir güvercinin torunlarıdır, fakat bu siyah mavi hayvancıklardan birçokları için şecerelerini ispat etmek herhalde zor olacaktır. Bunları da, tıpkı Peygamberin kalabalık soyu sopu için olduğu gibi, pek öyle ince eleyip sık dokumuyorlar. Güzel avlunun mermerleri üstüne bu kanatlı konuklar için yem serpildiği zaman bunu seyretmek hoş oluyor. Yem atılır atılmaz binlerce güvercin camiin damlarından, direklerinden, revakın ve şadırvanın kubbelerinden, avludaki büyük servilerle çınarların bütün dallarından uçup geliyor. Kanatlarını çırpmaları, keyifli keyifli gurultuları ve alacalı kargaşalıkları dille anlatılamaz. Şahsi emniyetlerine güvenleri yüzünden bu beleşçiler insanın yolundan bile çekilmiyorlar. Bunlar gibi limandaki martılar da insanın kürekle vurup öldürebileceği kadar tasasız ve yüzsüz.

Evlerde asla köpek bulunmaz, fakat sokaklarda bu sahipsiz hayvanlardan binlercesi, fırıncıların, kasapların sadakalarıyla ve aynı zamanda kendi emekleriyle yaşarlar; çünkü köpekler burada temizlik memurlarının görevini hemen hemen tamamıyla üzerlerine almışlardır. Bir at ya da eşek ölürse onu olsa olsa en yakındaki köşeye yahut sayısız yangın yerlerinden (bunlar her zaman şehrin en aşağı beşte biri kadar yer kaplar) birine sürüklerler, orada da köpekler onu yer. Benim çok dikkatimi çeken bir şey de İstanbul sokaklarından atla geçtiğim zaman köpekleri daima sokağın ortasında uyur görmem olmuştur. Bir köpek bir insanın yahut atın yolundan asla çekilmez, bunu bilen insanlar ve atlar, mümkün olabildiği kadar köpeğin önünden çekilirler; çünkü köpekten kaçınmak, onun üstüne basmaktan elbette daha rahat. Bununla birlikte, her gün korkunç yaralanmalar oluyor ve her tarafta zavallı hayvanların acı ile bağırdıkları duyuluyor; ama yine de her yerde, en sık kalabalık içinde bile onların taş kaldırımlar üzerinde kıpırdamadan uyudukları görülüyor. Şüphesiz bu dört ayaklı belediye memurları için, isteseler de, bir yere kaçmak imkânsızdır; bütün evler onlara kapalıdır, sokağın ortası onlar için yine de en emin yerdir, çünkü İstanbul'da atlıdan çok yaya vardır. Üstelik Türklerin kader hakkındaki düşüncelerini köpekler de paylaşıyor gibidir. Şurası da inkâr edilemez ki bu inanç her saat sopa altında ölmesi ya da vebaya tutulması mümkün olanlara pek uygun gelmektedir. Şunu da söyleyim ki burada ne pudel, mops; spitz, daks, pinşer, ne de tazı vardır, sadece tek bir iğrenç cins mevcuttur. Bunlar, civardaki kurtlar ve çakallarla pek yakın akrabaya benzemektedir. Psikolojileri bakımından şunu da ilave edeyim ki, bunlar yeniçerilerin ortadan kaldırılışından beri Frenklere karşı daha az düşmanlık göstermektedirler.

Genel olarak, buradaki hayvanlar çok iyi cinstendir: köpekler havlamasına havlarlar ama nadiren ısırırlar ve hiçbir zaman kudurmazlar, yılanlar ve akrepler zehirsizdir. Atlar da tarif edilemeycek kadar uysaldır. En yiğit Arap atına binilebilir; hayvan canlı ve oynak olabilir, fakat bizim atların kötü huylarını bilmez, belki gemi azıya alır, fakat ne ısırır, ne de çifteler.

Fakat sen, güzellikleri haklı olarak övülen Türk mezarlıkları hakkında da bir şeyler duymak istemiştin. Bunlar İstanbul'un etrafında, en güzel manzaraların göründüğü burunları taçlandırırlar ve eğer vücuttan ayrılan ruhların bazen mezarların etrafında dolaştıkları doğru ise, burada bu ruhlar mehtapta Avrupa ve Asya tepelerini, boğazın ve Marmara'nın parlak aynasını ve yüz seneye kalmadan hepsi bu servilerin altında uyuyacak olan yarım milyon nüfuslu muazzam şehri seyrediyorlardır.

Siyaha bakan yeşil renkleriyle hareketsiz duran servilerin ölü ağacı olarak seçilişi pek uygun olmuştur. Gövde, dal ve yaprakları hep yukarı doğru uzamaya çalışır, sadece narin tepeleri yere doğru eğilir; rüzgâr dalları arasından geçer fakat onları kımıldatmaz. Tek olarak alınırsa servi kaba, sık bir yaprak piramididir. Sanki taşçı onu da mezar taşı ile birlikte yontmuştur. Fakat manzara içinde pek güzel bir tesir bırakır. Burada servilikler çok defa geniş alanları kaplar ve Üsküdar mezarlığında çevresi üç çeyrek millik bir orman meydana getirir. Türkler Avrupa'nın kendi yurtları olmadığını hissetmişlerdir, kehanetler onlara Roma İmparatorluğunun daima kendilerine ait olmayacağını bildirmiştir kimin gücü yeterse ölüsünü boğazın Asya tarafında, Üsküdar'a taşıtır. Ölü Müslümanın yüzü kutsal Mekke şehrine dönüktür, başucunda zarif şekilli ve üzerine Kur'an'dan âyetlerle ölenin adı kazılı bir mermer direk dikilidir, yazılar çok defa yaldızlıdır. Direğin tepesinde bir de kavuk vardır.

Kavuk şimdiye kadar müslümanların alâmeti farikasıydı ve paşayı, hekimi, *ulemayı*, tüccarı hulasa toplumun her sınıfını ayırt ettirirdi. Yeniçerilerin yok edilişi sırasında sadece dirilerin başlarını kesmekle yetinilmedi, ölülerin kavukları da koparıldı, bugün hâlâ bu kafası koparılmış mezar taşlarından birçoğu görülebilir. Zamanımızda serpuş herkes için aynıdır ve bu mavi püsküllü çirkin kırmızı fes ise ne mezarlarda, ne dirilerin başlarında kavuktan daha güzel durmaktadır.

Kadınların mezar taşları çiçeklerle süslenmiştir. Evlenmemiş olanların taşları da bir gül koncası ile belli edilmiştir. Bir Müslüman mezarına asla dokunulmaz. Burada, bir mezarlığı senelerden sonra da olsa, bizde olduğu gibi bozup yeniden kazmaya kalkışmak şeni' bir hareket olarak görülür. Buradaki ortalama ömür uzunluğunu en çok 25 yıl, İstanbul'daki Müslümanların sayısını da 300.000 olarak kabul edersek Türklerin burayı aldığından beri geçen 400 sene içinde İstanbul'da beş milyona yakın Türk ölmüş demektir. Buna göre mezar taşlarının miktarını tasavvur edebilirsiniz. Bu taşlarla büyük bir şehir kurulabilirdi; sahiden de Ermeniler şimdi baştan aşağı, çoğu mermer mezar taşlarından güzel bir kilise yapıyorlar. Reayanın mezar taşları yere yatmış vaziyettedir. Türklerinki ise ayakta durur. Büyüklerin türbelerinin çoğu pek muhteşemdir, en güzel mermer ve balgami taştan yapılmadır ve üzerleri kubbe ile örtülüdür. Yüksek defne ya da çınarların gölgesi altındadırlar ve etrafları gül tarhlarıyla çevrilidir. Binanın ortasındaki sanduka değerli Keşmir şalları ile örtülüdür. Türbelerin yanında çok defa bir imaret, yani fukara mutfağı, bir hastahane, hiç değilse bir çeşme bulunur. Yoksul Müslümanlar bile ölenlerin mezarını, canlılar için hayra vasıta etmeye çalışırlar: birçok mezar taşlarının altı bir yalak şeklinde oyulmuştur, buraya yağmur suları toplanır ve sıcak yaz günlerinde köpekler ve kuşların susuzluklarını giderebilecekleri, küçük mikyasta bir fukara mutfağı vazifesini görür. Müslümanlar hayvanların şükranının da insanlara hayır getirebileceğine inanırlar.

Burada anlattığım mezarlıklar Türklerin biricik gezinti yerleri, daha doğrusu oturup seyran ettikleri yerdir, çünkü bir Türke gezmeyi teklif edişle bunu bir posta müvezziine teklif etmek arasında fark yoktur. Kadınlar araba ile, yani Silezya'daki tenteli arabalara pek benzeyen bir taşıtla gezmeye çıkarlar, fakat bu arabalar yaysızdır ve alaca boyalıdır. Arabanın ağır okunun ucu bir ejder başı şeklindedir, dingiller ve yatakları demirden yapılmaz, çünkü Peygamber der ki: "Yalnız Tanrısızlar karanlıkta sessiz sessiz dolaşırlar, ama iyi bir Müslüman bağıran tekerleklerle yol alır".[59] Böyle bir arabaya iki öküz yahut manda koşulur, bu hayvanların boz renkli derileri üzerine sarı aşı boyasıyla muhteşem güneşler çizilmiştir. Kuyrukları yukarı kaldırılarak renk renk kurdelalar ve püsküllerle süslü, yay şeklinde değneklere bağlanır; böylece aheste aheste dolaşırlar. Kibar hanımlar bir çeşit kapalı arabada, perdeler ve kafesler arkasında otururlar; mevki sahibi erkekler ata biner, fakat atı hızlı sürmek terbiyeye aykırıdır. En kelli felli hayvan ağır bir *beygir*, yani saman yemekten sarkmış karınlı bir Macar atıdır. Seyis, yani at uşağı, eli atın sağrısında olarak efendisinin yanı sıra gider ve yolun yokuş yukarı ya da yokuş aşağı olmasına göre, elini efendisinin sırtına dayayarak ona destek olur. Kibar Türklerin önlerinde yahut arkalarında bu adamlardan yarım düzinesi bulunur ve böyle ağır ağır ilerlenir. Açıklık yerlerde Türkler eşkin ile giderler ve "rahvan" yani eşkin yürüyüşlü atlar en makbul sayılanlardır. Bazen dört nala da kalkılır. Fakat tırısla ancak gâvurlar gider. Kibar görünmek için muhakkak bir kötürüm gibi güdülmek lazımdır; padişahı hiçbir zaman her iki kolundan bir paşa tutmadan bir camiin merdivenlerinden inerken göremezsin.

---

(59) Moltke'ye bunu biri şaka olsun diye söylemiş olsa gerek. Bu arabalar da kağnı gibi tamamıyla ağaçtan yapılmaktaydı.

Padişahın Huzuruna Kabul

Beyoğlu, 21 Ocak 1837

Evvelki gün padişahın beni gayrıresmî olarak kabul edeceğini bildirdiler. Eskiden kudretli hükümdarların mümessillerinin saray avlusunda nasıl saatlerce bekletildiklerini herkes bilir. Orada arka arkaya iki kapısı bulunan bir giriş yeri vardır. İçeri girenin önünde iç kapı açılmadan önce dış kapı kapandığı için burası vezirlerin ve genellikle büyüklerin lüzumunda kellelerinin kesildiği yerdir. Bu sevimli yer, huzura kabul edilecek ecnebilerin sabırlılık meziyetlerini denemek için de kullanılırdı. Önce davalar halledilir, hükümler verilirdi, sonra yeniçerilere yemek yedirilir ve büyük torbalar içindeki ücretleri, şangırdatarak taş kaldırımlar üzerine atılırdı; nihayet bizzat elçilere de ikram edilir, kürkler hediye olunur ve giydirilirdi. Ancak böylelikle padişahın adaleti ve lûtfu, serveti ve kudreti, hele gururu hakkında fikir edindikten sonra, onların mutluluk kapısından *"Babı saadet"*ten geçmelerine ve yarı karanlık bir köşkte padişahın yüzünü görmelerine müsaade edilirdi. Bu saadete erişen elçiyi iki *kapıcıbaşı* kollarından sımsıkı tutarak götürür ve iyice eğilerek reveranslar yapmaya mecbur ederlerdi. Elçiler padişaha nutuklarını söylerlerdi, fakat bunlar ancak birkaç kelime ile tercüme olunurdu, bundan sonra da hediyelerini sunabilirlerdi. Haşmetli padişah vezirine, bir şeyler söylemesi için işaret ederdi, böylece de iş bitmiş olurdu. Ta on sene önceye gelinceye kadar huzura kabul böyle, yahut pek az farklı olagelmişti. Yeniçerilerin yok edilmesinden sonra, yahut daha doğrusu Rusların Türklere, artık yenilmez olmadıklarını biraz öğrettiklerinden beri bu usul ortadan kalkmıştır, fakat padişahla temas bütün Avrupa hükümdarlarıyla olduğundan daha güçtür. Onun için sana benim huzura kabul edilişimi anlatacağım.

Sabahleyin saat 10'da, bütün gezintilerimde yanımda bulunan sefaret tercümanı ile birlikte mabeyine, yani imparatorluk ümerasının toplantı yerine gittim. Bu bina padişahın Dolmabah-

Sultan Mahmut II.

çe'deki (Kabak bahçesi)[60] kışlık sarayının yanıbaşındadır. Fakat ondan yüksek bir duvarla ayrılmıştır. Padişahın sır kâtibi ve çok güvendiği nüfuzlu bir zat olan Vassaf Efendi yabancıları burada kabul eder ve onlar padişaha ne söylemek istediklerini kendisine inceden inceye anlatmak için çok defa saatler sarfederler. Sonra

---

(60) Moltke dolmayı, herhalde yediği kabak dolmasıyla karıştırıyordu ve dolma kelimesini kabak olarak Almancaya çeviriyor.

bu efendi hükümdarın yanına gider, onunla verilecek cevaplar hakkında konuşur ve onu gerektiği gibi hazırlar. Benim için bunlara lüzum yoktu, çünkü siyasetle ilgili bir şey söyleyecek değildim. Son derece samimî bir zat olan Kaptan Paşa da çok geçmeden yanımıza geldi; birçok çubuklar, kahveler içildi. Nihayet saat 11'de haşmetpenahın huzuruna çıkmak emrini aldık.

Küçük bir yan kapıdan, etrafı yüksek duvarlarla çevrili avluya girdik; bu avlunun boğaz tarafı sık bir tel kafesle kapanmıştı; buradan Üsküdar ve Marmara görünüyordu. Etrafı şimşir fidanlarıyla çevrili birkaç çiçek tarhı ve fıskiyeli iki havuz bu avluyu dolduruyordu. Avlunun sonunda üç katlı, ahşap bir ikametgâh vardı. Sultan kışları burada geçiriyordu. Bu binanın arkasını geniş harem dairesi işgal ediyordu.

Beni güzel, çok geniş bir köşke götürdüler. Deniz üzerine kurulmuş olan bu köşkün muhteşem bir nezareti vardı. Burada bir alay mabeyinci, hademe, kâtip, asker ve sarayın başka memurları bulunuyordu. Yaşlıca bir centilmen bana hususi iltifatlarda bulundu; memlekete büyük bir hizmette bulunmaya talip olduğumu öğrenmiş. Sonradan ekselanslarının padişahın soytarısı olduğunu öğrendim. Çok geçmeden ikametgâha girdik; fakat biraz antichambre[61] yapmak zorunlu olduğu için, güzel halılarla örtülü alçak basamaklı merdivene bizim için sandalyeler koydular. Birkaç dakika sonra çağırıldık, bunun üzerine Vassaf Efendi hemen kılıcını çözdü; ben sivil elbise ile idim. Geçtiğimiz odalar ne büyük, ne de pek ihtişamlı idi; Avrupa tarzında döşenmişlerdi. Buralarda sandalyeler, masalar, aynalar, avizeler, hatta sobalar görülüyordu. Hepsi de bizim şehirlerimizde hali vakti yerinde herhangi bir insanın evinde bulunanlar gibiydi.

Bir yan kapıyı örten perde çekilince bir koltukta oturan padişahı gördük. Âdet olduğu gibi üç defa yerlere kadar eğilerek selam verdim, sonra kapıya kadar geri geri gittim. Haşmetli padişahın başında kırmızı bir külâh (fes) arkasında da mor çuhadan bir manto, yahut daha doğrusu, bütün vücudunu örten ve bir elmas toka ile tutturulmuş olan bir pelerin vardı. Sultan yasemin dalından, kehribar ağızlığı güzel mücevherlerle süslü uzun bir çubuk içiyordu. Koltuğu, burada daima pencerelerin önünde bulunması âdet olan uzun sedirin yanında idi. Sola doğru bir bakışla haş-

---

(61) Büyük bir zatın yanına çıkmadan önce bekleme salonunda bekleyiş.

metpenah ülkesinin en güzel kısmını, başşehri, filoyu, denizi ve Asya yakasının dağlarını görebiliyordu. Padişahın sağ tarafında, girmiş olduğum kapıya kadar, saray memurlarından altı yedisi derin bir sessizlik içinde ve saygılı bir tavırla, ellerini karınlarının üstünde kavuşturmuş olarak duruyordu. Güzel bir Fransız halısı döşemeyi kaplıyor ve odanın ortasında muhteşem bir tunç mangalın içinde kömür ateşi pırıldıyordu.

Padişah önce kralımızdan gördüğü birçok dostluk nişanelerinden takdir ve şükranla bahsetti ve genel olarak Prusya askeri hakkında çok iltifatlı bir dil kullandı. Haşmetpenah sözünü bitirince orada bulunanlar hayranlık ve tasdik ifade eden bir tavırla birbirlerine bakıştılar. Bu sözleri tercümanım bana anlattı. Bunlara karşı söylenecek bir şeyim olmadığı için sadece eğilmekle iktifa ettim. Haşmetpenah bundan sonra yapmakta olduğum işler hakkında benimle konuşmak lütfunda bulundu ve birçok ayrıntılara girdi. "İnşallah" kendisine bundan sonra da hizmette bulunmamı sözlerine ilave etti. Memnunluğunu açıkladıktan sonra Vassaf Efendi aracılığıyla bana kendi nişanını verdi. Ben bunu, âdet olduğu üzere, kutusunu açmadan göğsüme ve alnıma götürünce padişah "ona göster ve sor bakalım hoşuna gitti mi?" dedi, bunun üzerine nişan resmî bir şekilde boynuma takıldı. Bundan sonra tercüman da "bana çalışmalarımda yardımcı olduğu için" kaydıyla daha aşağı rütbeden bir nişan aldı, bize izin verildi.

Bütün bu sahneden sonra üzerimde kalan en derin ve en büyük etki, padişahın bütün sözlerinde duyulan hayırhahlık ve iyilik ifadesiydi.

Veba

İstanbul, 22 Şubat 1837

İstanbul'un planını bitirdim. Muhakkak ki başka hiçbir başşehrin sokaklarında, burada olduğu gibi hiç rahatsız edilmeden çalışamazdım. Türkler "harita" diyorlar ve sanki: "zaten bundan bir şey anlamıyoruz" der gibi sükûnetle yollarına devam ediyorlardı. Bazen beni pilançetamla, *"mahallebici"* yani sokaklarda beyaz bir tabla üstünde tatlılar dolaştırıp satan bir adam sanıyorlardı. Bunun için de çocuklar benimle ahbap olmaya çalışıyorlardı. En meraklılar kadınlardı (hem de burada, Türkiye'de!) Bunlar kâğıdın üstünde neler olduğunu, zaten bunları görmüş olan padişahın bunu ne yapacağını, benim Türkçe, hiç değilse Rumca bilip bilmediğimi muhakkak öğrenmek istiyorlardı. Muhafızlarım buna hayır deyince bana, kendisiyle ancak işaretle konuşulabilen bir çeşit yabani gözüyle bakıyorlardı. Onların en hoşuna giden – belki de yasak olduğu için – resimlerinin yapılmasıydı; bundan kolay bir şey yoktur; büyük, beyaz bir peçe, bunun altından çıkan iki kara göz, bir parçacık burun ve enli, çatık kaşlar. Eğer bunu taş basmasıyla çoğaltmış olsaydım, her birine kendi portresi diye verebilirdim ve hepsi de bunu kendilerine pek benzer bulurlardı. Türklere nazaran rahatsızlık verenler Rumlar ve Yahudilerdi, fakat çavuşumun sadece bir *"yasaktır"*ı onları serçe sürüsü gibi ürkütmek için kâfiydi.

Gerçi son zamanlarda araziyi kar altında incelemek zorunda kalmıştım, fakat yine de ocak ayı başlangıcına kadar böyle pilançeta ile açıkta çalışabilecek, ardı arası kesilmeyen güzel, sıcak günlerin geçmesi harikulâde bir şeydi. Şimdi ilkbahar fırtınaları üzerimize çöktü, akdiken çalıları, kirazlar ve bademler çiçek açtı. Çiğdemler ve çuha çiçekleri topraktan fışkırıyor. Eğer Avusturya-Macaristan sağlık makamları tarafından veba bulaşığı madde olarak hudutta tutuklanmayacak olsa sana bir İstanbul menekşesi göndermeyi çok isterdim. Şimdiki halde, veba hemen hemen sönmüş olduğuna, yahut tehlikesi, her insanın başında her gün dolaşanlardan daha büyük olmadığına göre, artık sana bu konuda tamamıyla açık bir tarzda birkaç şey yazmam lazım, ta ki lüzumsuz yere üzüntü çekme! İnsan en çok, tanımadığı tehlikelerden korkar, zira onları gözünde büyütür.

Veba Mısır'dan mı yoksa Trabzon'dan mı geliyor, yahut nasıl ve nerede hasıl oluyor, bunun hakkında sana bir şey söyleyecek değilim, çünkü ne ben, ne de başka kimse bunu biliyor. Veba henüz aydınlanmamış bir sırdır. Bu, İsfenks'in, çözmeye kalkışanın daha buna muvaffak olamadan hayatına mal olan muammasıdır. Napolyon ordusundaki Fransız doktorlarının Mısır'da başına gelen bu idi. Daha yakınlarda, kendini burada otuz gün akla gelebilecek her denemeye tabi tutan, nihayet bir Türk hamamına gidip bir vebalının yanına yatan ve yirmi dört saat içinde ölen genç bir Alman doktorunun başına da bu geldi.

Çok muhtemel ki Doğunun belli enlem dereceleri arasındaki büyük ve sık evli şehirleri vebanın gerçek odakları olsun. Fakat, bu hastalık ne pek fazla sıcak,ne de keskin soğukla uyuşabiliyor. İran'da hemen hemen hiç olmamıştır ve Nil ağzında ne kadar büyük bir şiddetle hüküm sürerse sürsün hiçbir zaman bu nehrin çağlayanlarından yukarıya varamamıştır.

Yine böylece veba gerçi Avrupa'ya taşınabilir, fakat, karantinanın kuruluşundan beri geçen yüzyıllık denemenin gösterdiği gibi, orada hasıl olamaz. Bundan başka şunda da şüphe yoktur ki bu illet temasla geçmektedir. Bunu inkâr eden birçokları bile hiç şüphesiz bir vebalıya dokunmaktan pek çekinirler, fakat hastalık ancak belirli, pek sınırlı bir derecede bulaşıcıdır. Yukarıda verdiğim acıklı örnek de bunu ispat eder. Beyoğlu'ndaki Frenk hastanesinde yıllardan beri bir Katolik papazı yaşamaktadır ki, yalnız vebaya tutulanlara dinî yardımda bulunmakla kalmıyor, onları tutuyor, elbiselerini değiştiriyor, onlara bakıyor ve ölüleri gömüyor. Bu adamcağız şişman ve yağlı. İtiraf edeyim ki onun bu yiğitçe, gerçekten dini tevekkülü, alkışlanan birçok savaş kahramanlıklarından çok daha üstün geliyor bana... Papaz gençliğinde veba geçirmiş olduğunu sanıyor, fakat bunun da yeniden hastalanmayı önlemediği ispat edilmiştir. Veba hastalığına yakalanmak için ateşli deriye oldukça davamlı bir değme, aynı zamanda da bütün vücudun bir istidadı lazım; bu sebeple eşya insanlardan daha tehlikeli. Vakaların çoğu satın alınan eşya, Yahudilerin dolaştırıp sattıkları eski elbise ve pamuklular yüzünden çıkıyor. Bir hastaya sadece rastlamakla bu hastalığa tutulmak için, muhakkak birçok uğursuz şartların bir araya gelmiş olması lazım. Yirmi beş yıldan beri görülen en şiddetli salgın olan bu yılki veba oldukça dehşetle hüküm sürerken ben bütün gün şehrin ve çevredeki semtlerin en dar köşelerinde bile dolaştım, hatta hastahanelere de girdim; çoğu zaman etrafıma meraklılar toplanıyordu. Ölülere, can çekişenlere rastladım ve kendimi pek küçük bir tehlikeye arzettiğim inancıyla yaşadım. En büyük iksir temizliktir; eve döner dönmez tepeden tırnağa çamaşırlarımı ve elbiselerimi değiştiriyordum, elbiseler bütün gece pencereleri açık bir yerde asılı duruyordu. En ufak bir ihtiyatın bile ne kadar koruduğunun delili, Türkler ve reayanın binlercesi vebadan ölürken Frenk ahali arasındaki kurbanların sayısının pek az oluşudur. Bu seneki vebanın 1812'den beri eşi görülmemiş derecedeki yaygınlığına ve çok habîs şekline rağmen ancak aşağı yukarı sekiz ilâ on iki Frenk ailesinde veba çıkmıştı; tutulanlar da hemen hemen hep hizmetçiler ya da çocuklardı. Tercümanların Türklerle her gün temasta bulundukları yüzyıldan beri bunlardan vebaya tutulan sadece bir kişi gösterilebiliyor. Fakat eğer bir Frenk vebaya tutulursa, yüz Türkün bu akibete uğramış olmasından daha çok patırtı ediliyor. Bununla birlikte hastalığın bir defa kendini gösterdiği yerde en ciddi tedbirlere başvurulması, bütün elbiseler, yataklar ve halıların yıkanması, bütün kâğıtların tütsülenmesi, duvarların badana edilmesi ve döşeme tahtalarının ovulması lazım. Bunun büyük bir evde ne demek olduğunu göz önüne getirebilirsin. Kim "bulaşmışsa" onun hali, evi yanmış olan kadar berbat.

Türklerde iş bambaşka görünüyor, onlar arasında, acaba birine dokunursam vebaya tutulur muyum? Ya da, insanların ihtiyatı dünyadaki herhangi bir belayı önleyebilir mi? diye soran yok.

Buradan pek uzak olmayan bir bataryada vebalılar için bir hastahane kuruldu; bataryadaki bir tabur askerin hemen hemen üçte ikisi öldü. Birkaç defa, az önce bir arkadaşlarını gömmüş olanların tabut örtüsünü sırtlarına almış, tasasızca şarkı söyleyerek, salına salına yerlerine döndüklerini gördüm. Orada ölenin mirasını aralarında paylaştılar ve büyük bir ihtimalle kendilerine üç defa yirmi dört saat içinde ölümü getirecek olan bir ceket ya da pantolonu aldık diye çok sevindiler. Korkunç ölü sayısı, her gün görülen örnekler, bulaşmanın açıkça görülen delilleri bu adamları itikatlarından vazgeçirmiyor: "*Allah Kerim*", kaderden kaçılamaz! Bataryanın gâvurlarla temas yüzünden itikadı bozulmuş olan binbaşısı türlü tedbirler almıştı. Askerler son derece isteksizlikle bunlara boyun eğdiler, fakat çok geçmeden kışlanın kapısına bir âyet asmakla yetinildi.

Muhammed, hemşehrilerini korkunç salgına karşı korumaktan ümitsizliğe düşünce onlara vebaya karşı böyle bir küçümsemeyi telkinde şüphesiz haksız değildi. Müslüman için veba bir bela değildir, aksine, Tanrı'nın inayetidir ve bundan ölenlerin şehit sayılacağı Kur'an'da açıkça bildirilmiştir. Bu sebeple vebadan korkmak ve ona karşı alınan bütün tedbirler sadece lüzumsuz değil, aynı zamanda günahtır.

Büyükdere'deki kahvede geçen gün Molla, sakallı dinleyicilerine "niçin" diyordu, "niçin bu kadar çok asker öldü? Çünkü çeşit çeşit budalaca tedbirlere girişildi; fakat siz, vebadan korkmayanlar ve hiç, ama hiçbir tedbire başvurmayanlar, vebadan öldünüz mü?" Burada ulema var oldukça veba da kalacaktır. Sağlık zabıtasının düşünülebilmesinden önce de muhakkak kanlı bir irtica olacak.

Bütün bu kadere inanışlarıyla birlikte Türkler bize karşı, ancak sarsılmaz bir imanın sağladığı ruhî üstünlükle mümkün olabilecek bir hoşgörü besliyorlar. Türk büyük bir iyi yüreklilikle ve alay etmeden, olsa olsa birazcık acıyarak: "Yanına yaklaşma, korkuyor!" der. Hamal hastaları sırtında hastaneye ve ölüleri hastaneden tabutsuz olarak gömüldükleri çukurlara taşır, sonra ölünün üstüne olsa olsa iki ayak kalınlığında toprak örtülür ve müezzin üç defa ölünün adını çağırır, eğer bu bilinmiyorsa, Âdem'in oğlu diye seslenir ve ona doğruca cennete gitmesini ihtar eder. Bazen geceleyin köpekler ölüyü çıkarırlar. Mezarlıklar yeni sürülmüş tarlalara benzemektedir.

Böylelikle, bir kere tuuşmuş olan alevin uzun zaman yanmakta devam edeceği ve ancak besleneceği şey kalmayınca söneceği anlaşılır. Gazete haberlerini, mesela bir haftada 9000 kişinin öldüğünü kendi mübalağaları tekzip etmektedir. Serasker kapısında görebildiğim hastahane raporlarına göre bana İstanbul ve civarında son vebada ölenlerin sayısı yirmi binden aşağı, otuz binden yukarı görünmüyor. Vebanın en büyük şiddeti dört beş ay sürmüştür; şehrin nüfusu 500.000 olarak kabul edilirse bunun yirmide biri vebadan ölmüş demektir. Eğer salgın bir sene böyle devam etseydi, ortalama ömür sekiz on yıla düşerdi, yani bütün nüfus mahvolurdu. Fakat bundan korkmaya lüzum yok, çünkü şiddetli bir veba nadir olarak bu seferki kadar uzun sürer ve böyle şiddetli salgınlardan sonra birkaç senenin sükûnetle geçmesi mutattır.

Garip bir hal de Frenklere oranla daha fazla Türkün vebaya tutulmasına karşılık, hastalanan Türklerden on defa daha az Frengin ölümden kurtulabilmesidir. Bunun sebebi ancak ruhî olabilir; Türk vebaya tutulursa buna sabırla katlanır, tutulmadığı müddetçe de onu tamamıyla bilmezlikten gelir; *"yumurcak"* adını söylemez, olsa olsa *"hastalık"* der. Çünkü belanın adını söylemek onu çağırmak demektir. Eğer sen bugün bir Türke, son üç ay içinde İstanbul'da veba olup olmadığını soracak olsan kalın kaşlarını kaldırır ve dilini şaklatır; bu da Almanca: "yok canım, Allah saklasın" demektir. Muhakkak olan şey, Türklerin vebadan öldüğü, fakat Frenklerin vebadan ıstırap çektikleridir.

Beyoğlu, bu manzaraya alışmamış olanlara gamlı bir tablo arzetmektedir. Daha buraya girer girmez sağ ve soldaki tepelerde sefil tahta barakalar ve çadırlar, paçavralar içinde insanlar, kadidi çıkmış hasta yüzler ve bağırışan çocuklar görülür. Bunlar vebanın aile babasını, anayı ya da evin besleyicisini ellerinden aldığı ve evleri temizlenirken burada karantinaya girmiş olan ailelerdir. Rumlar çoğu zaman evlerin temizlenmesini tamamıyla bırakırlar ve eğer kırk gün bütün bu sefalete ve soğuk mevsime çadır içinde göğüs gererlerse Panayia'nın yani koruyucu Meryem'in kendilerine herhalde merhamet edeceğini umarlar. Sonra evlerine dönerler ve hemen hemen istisnasız olarak yeni vakalar çıkar. Frenkler sokaklarda bile siyah canfes muşambaları içinde, korkunç hayaletler gibi dolaşırlar; herkes korkudan birbirinden kaçmaya çalışır, fakat bu da dar yollarda imkânsızdır. Ansızın bir cenaze alayı köşeyi döner; eğer ölen bir Frenkse dostları ve akrabaları onu bırakmışlardır; sadece papaz, rastlayanları ikaz için, elinde uzun siyah bir asa ile önden yürür.

Eğer ölü bir Müslümansa, hatta yabancılar bile, bir müddet taşımak için tabuta sokulur, çünkü mümin, bir cenaze yanında kaç adım atarsa cennete de o kadar adım yaklaşmış olur. Bir ahbaba rastgelirseniz en büyük konuşma konusu: "Vebadan ne haber, son hafta kaç kişi hastalanmış?"dır. Aileler içinde, her yerde büyük bir telaş hüküm sürer, en kötüsü de zavallı kadınların halidir. Bunlar hastalığa en az maruz olanlardır, ama çok defa korkulacak şey ne kadar az olursa tasası da o nisbette artar. Eve kapanıp kalmak imkânsızdır ve insan kuruntuya düşünce her yerde ve her zaman bir bulaşma imkânı görür. Bütün evler kaleler gibi kapalıdır ve yapılan bir ziyaret bütün aileyi korkuya düşürür. Seni önce bir tütsü sandığına kaparlar, sonra kanepesiz, halısız ve perdesiz, sadece kamış iskemleler, üstü muşamba örtülü tahta masalarla (veba tutmaz sayılan maddeler) döşeli bir salona alırlar. Belki bir tavsiye mektubu getirmişsindir; bunu elinden bir ocak maşasıyla alırlar; itina ile tütsülerler ve ürke çekine açarlar. Şimdi evin efendisinin, hoşgeldin diye sana elini uzatacağını sanırsın, fakat o sana dokunamaz; bir konuşmaya girişirsen, o hemen lafı vebaya getirir. Bir parti vist oynamayı umarsın, ama beyhude; iskambiller elden ele geçer ya! Evin hanımı mendilini düşürür, sen yerden aldın mı yapabileceğin en kötü şey budur. Çünkü hanımın eline alabilmesi için mendilini önce yıkaması lazımdır. Tiyatro, balo, toplantı, kulüp, okuma mahfeli, posta arabası, hulasa bir araya gelmenin herhangi bir şekli akla bile getirilemez. İşte Beyoğlu'nun veba sırasındaki muaşeret, daha doğrusu muaşeretsizlik hayatı! Sanırım ki sen de benim gibi, her ne kadar tehlike pek azsa da rahatsızlığın bu felaketi tanımayan memleketlerde zannedildiğinden çok daha fazla olduğu düşüncesini kabul edersin.

Bu mektupta vebadan o kadar çok bahsedildi ki, zannedersem bunu sınırda özel bir şekilde tütsülemek zorunda kalacaklar.

Türkiye'de Karantina Hakkında

İstanbul, 27 Şubat 1837

Bu anda İstanbul'u kasıp kavuran veba, hükümette bu büyük belaya çare bulmak arzusunu uyandırdı.

Şehri, tıpkı Avrupa'yı bu salgından koruyanlar gibi, karantina hatlarıyla çevirmek teklif edildi. Fakat bu konu üzerinde düşündükçe insanda sadece, karantinanın asla uygulanamayacağı ve çarenin derdin kendinden daha kötü olacağı kanaati artıyor.

Avrupa'da karantina, vebanın mevcut olmadığı, sadece taşınabileceği memleketlerle, hiçbir zaman ortadan kalkmadığı ya da meydana geldiği memleketlerin arasını keser. Yüzyıldan fazla zamanlık bir deneme göstermiştir ki Avrupa, Doğuyla ilişkisini bir dereceye kadar kesmek sayesinde bu afetten kendini koruyabilmektedir. Halbuki Türkiye'de veba ayrı ayrı bin yerde kendini göstermektedir. Havanın çok soğuk ve çok sıcak oluşu, hatta ayın küçülmesi ve muhtemel ki henüz anlaşılamayan sebepler bazen bu alevi boğar. Fakat o, külün altında sine sine yanmakta devam eder ve Trabzon'da olsun, Kahire'de olsun, Edirne'de ya da İskenderiye'de, Selânik'te, Bursa'da, Rusçuk'ta, İzmir'de yahut İstanbul'da olsun, daima yeniden alevlenir, çünkü büyük şehirler bu afetin yuvalarıdır.

Bir an için diyelim ki İstanbul, Çanakkale ve İstanbul boğazlarında ve Küçükçekmece ile Nikomedia'da deniz ve karadan karantina hatları içine alınsın. Şunu da kabul edelim ki bu hizmet gayet dürüst bir şekilde yapılsın, memurlar rüşvete, hatıra gönüle bakmasınlar ve yine diyelim ki başşehir, Mısır'a ve Karadeniz'e, Rumeli ve Anadolu'ya karşı emniyet altına alınsın. Ya bütün bunlardan sonra İstanbul'u kendi içinde meydana gelen vebadan korumak nasıl kabil olacaktır? Fener'i, Eyüp'ün vebasından, Tophane'yi, Tersane'nin, Beyoğlu'nu Üsküdar'ınkinden nasıl korumalıdır? İstanbul'da veba hüküm sürüp de Bursa ve Edirne sâlimse o zaman karantinayı çevirmek ve başşehri muhasara altına almak gerekmeyecek midir?

İki kişiden birinde bulaşıcı hastalık varsa öteki: "Güvenliğim için seninle teması kesiyorum!" diyebilir. Fakat hasta olan: "Başımın bundan sonra organlarımla asla temas etmemesini istiyorum!" diyebilir mi? İşte tıpkı bunun gibi, devletin başşehrinin devletin kendisiyle ilişkisini kesmesi de imkânsızdır.

Karantina vebayı söndürmeyecek, fakat başka ve çok daha büyük bir belayı davet edecektir. Yarım milyondan fazla nüfusu içerisine alan şehir tabii muazzam ithalâta muhtaçtır; bu şehri istediğiniz kadar kısa zaman için karantina altına alın, fiyatlar o anda yükselecektir. Bu sadece pamuk, ipek ya da mamul eşyada değil, yakacak odun, buğday, zeytinyağı ve tuz fiyatlarında da olacaktır; çünkü bu eşya her ne kadar bizzat sirayete sebep olmuyorsa da onları getiren gemiler, arabalar ve insanlar veba taşıyıcıdır. Eğer tüccarı yolda bir iki hafta daha fazla zaman sarfına mecbur ederseniz o da malını size aynı fiyatla bırakamaz ve aynı suretle sizin mallarınızı da aynı fiyatla alamaz. Size lazım olan her şey pahalılaşacaktır; sizin satabileceğinizin fiyatı da düşecektir. Karantina sadece binalar yaptırmak, memurlar ve nöbetçilere ücret vermek yüzünden değil, zarurî ihtiyaçlar üzerine konan ve daha ziyade en aşağı halk sınıfı tarafından katlanılacak olan bir vergiden farksız olacağı için, pahalıya gelecektir.

Karantina çaresi yetersizdir, zararlıdır ve uygulanması mümkün değildir. Memleketin menfaati, şiddetli hoşnutsuzluklar uyandırmadan, bir şehrin menfaati uğruna feda edilemez ve hiçbir devlette de başşehri taşradan ayırmak Türkiye'dekinden zor değildir. Karantina bir ilaç değil sadece vebaya karşı bir tedbirdir ve bu tedbirlerin uygulanması Türkiye'de imkânsızdır. Burada belanın kaynağını tıkamak için ta onun menşeine kadar gitmek lazımdır.

Benim inanışıma göre bu hedefe ancak iyi düzenlenmiş ve sıkı disiplin altında tutulan bir sağlık zabıtasıyla varmak mümkündür. Bu tedbiri teklif ederken bunun uygulanmasına karşı, din ve âdetin her türlü yeniliğe ve ev hayatına edilecek her türlü müdahaleye karşı o kadar direndiği bir yerde çıkacak büyük zorlukları asla gözden uzak tutmuyorum. Bunda sadece büyük bir ihtiyatla ve adım adım ilerlenebilir. İlk deneme İstanbul'da, hükümetin gözü önünde veba için artık geçti denildiği fakat aslında gizli olarak devam ettiği bir devrede yapılmalıdır.

Önce hastalar için hastahaneler ve bazı fertleri hastalanan, bu sebeple de daha başka vakaların çıkması mümkün olan aileler için meskenler hazırlanmalıdır. Boş duran muazzam Davutpaşa ve Rami çiftliği kışlaları, şimdi çadırlar ve barakalarda soğukla ve yiyecek derdiyle boğuşan bu bedbahtlardan binlercesini alabilir. Bunların sefaleti bir yandan hastalığın tohumunu üretir ve tahribatını artırırken, bir yandan da aileleri, bu kadar büyük bir sefalete düşmektense veba vakalarını saklamayı tercih etmek gibi kötü bir yola sevketmektedir.

Yeni kurumların yaptıkları iyilikleri halka göstermek çok önemlidir. Başlangıçta hükümetin teklif ettiği yardımdan faydalanmak herkesin arzusuna bağlı olmalıdır. Fakat hükümete bir veba vakasını haber veren her aile hemen kabul edilmeli, bakılmalı, yedirilip içirilmeli, evleri ve elbiseleri temizlenmeli ve bunlar için onlardan hiçbir karşılık istenmemelidir. Böyle faydalar çok geçmeden, hiç değilse halkın bir kısmının gözünü açacaktır. Daha sonra her aile babasının ailesi içinde ya da komşularındaki veba vakalarını hükümete haber vermesi yükümlülüğü, karşılığında cezalar konarak, emredilebilir. Bundan sonra da söz dinlemeyenlere zor kullanılabilir.

Her mahallede en hatırı sayılan ve en çok nüfuzu olanlardan, yani şu halde *ulemadan*, bir komisyon kurulmalıdır. Bunların emri altında hekimler ve bir miktar iyi maaş alan memur (kadın ve erkek) bulunur. Bir veba vakası haber alınır alınmaz bu komisyon hastanın hastaneye taşınmasına, çoluk çocuğunun hasta ile ve başka insanlarla temasının menedilmesine, elbise, eşya ve evin temizlenmesine karar verir. Bunlar komisyonun muhafazası altında kalır ve iyileşenlere ya da ölenlerin varislerine iade edilir.

Böyle bir sağlık zabıtası İstanbul'da tam faaliyete geçerse ihtimal ki vebanın ana kaynaklarından biri tıkanmış olacaktır. Eğer bu tedbirlerin öteki büyük şehirlere teşmiline imkân bulunamadan, mesela Edirne, Trabzon veya Mısır'da şiddetli bir salgın çıkarsa hiç şüphesiz bu yerlere karşı geçici bir karantina koymak makul bir hareket olacaktır. Bununla birlikte sadece karantinanın kendisinden derdin kökünden tedavisi beklenemez; bu, tekrar edeyim ki, sadece ve sadece devletin bütün büyük şehirlerindeki kuvvetli bir sağlık zabıtasının uyanıklığı, faaliyeti ve dürüstlüğünün semeresi olabilir.

Bu tedbirlerin uygulanmasının devletçe önemli masraflara girilmesine bağlı olduğu şüphesizdir. Fakat karantina daha mı aza mal olacaktır? Ya bu masraflar kendilerini ne kadar bol bol ödeyeceklerdir? Osmanlı İmparatorluğunda veba yok olursa Avrupa'daki karantina da ortadan kalkacaktır. Bu sayede Doğunun limanları Avrupa, Amerika ve Hindistan'a 14 ila 40 gün yakınlaşacaktır. Bütün yolculuklar kısalacak, gemide çıkan bir veba vakası yüzünden uğranılan şahsi tehlikeler ve büyük masraflar ortadan kalkacak ve sigortalar bu kadar yüksek olmayacaktır. Bunun doğrudan doğruya sonucu olarak Türkiye'nin bütün ihraç malları: zeytinyağı, ipek, pamuk, meyvalar, şarap, boya maddeleri, bakır, halılar, sahtiyanlar hararetle aranacak ve Türkiye'nin mamul eşya ihtiyaçları daha ucuza sağlanacaktır.

Hindistan, İran ve Çin ile olan ticaret eskiden, şimdi Osmanlı İmparatorluğunun bulunduğu memleketler üzerinden yapılırdı. Güvensizlik bunun kendisine, yarı dünya küresini dolaşan, hesapsız derecede sapa bir yol aramasına sebep oldu. Bugün Sultan Mahmut'un, memleketinde mal emniyetini yeniden sağlamasından sonra, bu önemli ticaret, karantina ve veba engeli ortadan kalkar kalkmaz eski kısa yoldan bağlantıyı yeniden elde etmeyi beklemektedir. Bu sayede bu memlekette çok daha esaslı menfaatler de sağlanmış olacaktır. O zaman zengin memleketlerin sermayeleri, bu kadar çok iş yapma imkânı bulunan Türkiye'ye akacaktır. Fabrikalar ve imalathaneler memleketin hammaddelerini yine memleket içinde işleyecek, ziraatın kalkınmasına ve şehirlerin yeniden gelişmesine sebep olacaktır. Vebanın ortadan kalkması nüfusun da çok önemli miktarda artması sonucunu verecek, ziraat ve sanayi o kadar muhtaç bulundukları kollara kavuşacak ve ordu, halen vebanın askeri kıtalar arasında yaptığı korkunç tahribata karşılık, o zaman kolayca ihtiyatlar sağlayabilecektir.

Bu memleketin hükümdarları savaşlar kazanmış ve ülkeler zaptetmiştir, adlarını gelecek kuşaklara nakledecek suyolları ve camiler yapmış, okullar ve hastahaneler kurmuşlardır. Fakat milletini veba belasından kurtaracak olan padişah bütün insanlığın minnetini kazanacaktır ve onun hatırasının nuru yanında dedelerinin şeref ve şanları sönük kalacaktır.

Padişahın Gezisi

Varna, 12 Mayıs 1837[62]

Sana geçen ay padişahtan, Bulgaristan ve Rumeli'de yapacağı bir gezide kendisine refakat etmem emrini aldığımı yazmıştım. Bugün sana bu gezi hakkında bazı haberler vermek için ilk serbest saatimden faydalanıyorum. Gerçi mektubumu şimdilik gönderemeyeceksem de, hiç olmasın, bunu yapabileceğim ilk fırsatı kullanmak üzere hazırlamak istiyorum.

21 Nisan günü öğleden önce 10.15'te, haşmetli padişahın seyahate çıkması için *eşref saat*, yani uğurlu saat çaldı. Bilginler bu saati gereği kadar doğru tayin etmişlerdi. Çünkü son günlerin yağmurlu havasının yerini en açık bir gök aldı ve bizim fırkateyn için lazım olan güney rüzgârı Asya dağlarından aşağı esmeye başlayıverdi. Ben bir akşam önceden, boğazdan yukarı Büyükdere'ye çıkmış olan "Nusretiye"ye binmiştim. Padişahın maiyetinde bir Frenk olarak dikkati çekip kötü görünmemekliğim için, padişahın bana göndermiş olduğu kırmızı külahlı bir Türk elbisesini giymiştim.

Öğleye doğru sultanın on dört çifte kürekli yeşil kayığının bir yunus balığı gibi hızla uçup geldiğini gördük. Bahriye askerleri selam durdular; mızıka çalmaya başladı. Demir hemen hemen alınmış, yelkenler yarı açılmıştı. Haşmetpenahın arkasında altın kordonlu kırmızı bir husar üniforması ve ayaklarında siyah kadife çizmeler vardı. Maiyeti mavi husar üniformaları giymişlerdi. Bana selam saffında paşalarla albaylar arasında yer göstermişler-

---

(62) Bu tarih imkânsızdır, çünkü yazar 2 Mayısta Varna'dan ayrılmıştır, tarih 1-2 Mayıs olacak.

di, ben de orada herkesle birlikte (*temenna*) ettim, yani elimi yere, göğsüme ve alnıma götürerek selam verdim. Haşmetli bana Kaptan Paşayı göndererek "havanın iyi olduğunu" söyletti. O da zor bela "Parfaitement bon le temps" diyebildi. Bu özel bir lütuf ve iltifattı ve imparatorun sonradan, kırmızı fesimin bana pek yakıştığını bildirmeleriyle daha da arttı, fakat bu iddiayı şimdiye kadar hiç de doğru bulamadım.

Şimdi boğazın dik yamaçlarında fırkateynimizin toplarının ve kıyıdaki bataryaların gürlemeleri yansıyordu. Muazzam yelkenler açıldı ve gittikçe artan bir hızla, korkulu Euksinus'a doğru yollandık. Nusretiye 68 top taşıyor, belki de mevcut fırkateynlerin en büyüğü ve en güzeli. Çok geçmeden sadece Boğazın tehlikeli ağzındaki deniz fenerlerini değil, bize refakat edecek olan iki mükemmel Avusturya vapurunu da arkamızda bıraktık. Akşama doğru ancak ta uzaktan bu gemilerin dumanlarının yükseldiği görülebiliyordu. Büyük bir harp gemisinde yolculuk esasen oyalanacak birçok şeyler sağlar; bir Türk gemisinde yolculukta buna Doğu'nun özelliğinin cazibesi de ekleniyordu.

İkinci saate doğru imam çanaklıktan müminleri ibadete çağırdı. Vazifesi olmayan herkes birinci top ambarına gitti. Lafı düşmüşken söyleyeyim burası 40 ayak genişlik ve 100 ayak boyunda, görülebilecek en güzel salonlardan biri, yalnız çok alçak ve 34 tane kırk pfuntluk toptan ve hayli miktarda tüfek, tabanca, balta ve boynuzlu kargılardan, alışılmadık eşyaları var.

Bir Türkü ibadet ederken görmek daima hoşuma gider. Adamın kendini tamamıyla ibadete verişi, hiç değilse görünüşte, o kadar derindir ki acaba dönüp bakar mı diye arkasından insanın top patlatacağı gelir. Mümin, ellerini ve ayaklarını yıkadıktan sonra, Mekke'ye yönelir. Bunun için de bazıları hançerlerinin başında küçük bir pusula taşırlar. Sonra bir an elleriyle kulaklarını kapar ve dudaklarını kımıldatarak, fakat sessizce Kur'an'dan bir sure okur, derken eğilir, iki diz üstüne çöker ve birkaç defa alnını yere değdirir. Sonra yerden kalkar, ellerini sanki bir kitap okuyormuş gibi açar, gene yere kapanır, doğrulur ve nihayet, sanki eski çizgilerini tekrar yerine getirmek ve bu dindarca gösterinin bütün izlerini silmek istiyormuş gibi iki elini yüzüne sürer. Her iki tarafa, her ibadet edenin yanlarında duran iki meleğe karşı hafif bir baş keser, ibadet de biter.

Daha akşama doğru yolu yarılamıştık, derken kuzeyden doğru küçük bir buraska[63] geldi. Denizcilikten anlamadığım için, bağrışan insanların ve uçuşan yelkenlerin kargaşalığı hakkında hüküm vermeye kalkışacak değilim; buna rağmen yine de manevralarımızın tamamıyla yerinde olmadığı hususunda kuvvetli bir şüphem var. Bütün tayfalar gençti ve bir kısmı da hiç yolculuk etmemişti. Hatta mükemmel ve babacan bir adam olan başamiral de ancak, paşa olmadan önce İstanbul limanında kayıkçılık etmesi sayesinde bahriye mesleğinde ilerlemişti.

Ama, çok geçmeden vapurlar yaklaştı; her iki taraftan kolumuza girdiler ve sağlık selametle Varna limanına eriştirdiler. Gemiden iniş çok güzel bir manzara teşkil ediyordu. Padişah kayığa biner binmez kalenin ve fırkateynin topları ateşe başladı. Bütün direklerde rengârenk flamalar uçuyor, gemi mürettebatı kırmızı üniformaları içinde geminin serenlerinde, ta direğin baş döndürücü tepesine kadar, selam duruyorlardı.

Ben piskoposun sarayına yerleştirildim, fakat bu sarayı pek mütevazı bir tahta baraka olarak düşünmelisin. Ev sahibim azıcık garip bir Rumca unvan taşıyor: Despot. Onun iki büklüm eğilmesi ve bir Türk paşasının eteğini öpmesine bu unvanı hiç uymuyor.

Fakat Despot'un, in conspectu Tenedos[64] yetişmiş üzümlerden mükemmel şarabı var, yemek lezzetli ve her şey temiz, iyi.

Varna'ya varışımızın ertesi günü padişah kaleyi teftiş için, kalabalık bir maiyetle, atla dolaştı. Ben daha akşamdan ve sabahleyin erkenden, padişahın soracaklarına cevap verebilmek için, her tarafı gezmiştim. Sultan bana karşı çok hayırhah ve lütufkâr davrandı, fakat o kadar çok, küçük küçük işler verdi ki nasıl başa çıkacağım bilmem. Birçok şeyler arasında şehre girişinin bir (planını) da istedi, ama bundan maksadı bir perspektif resimdi. Ben alelacele kurşun kalemle etrafın bir resmini çizdim ve mümkünse bundan bir resim meydana getirmesi için İstanbul'a, iyi bir ressama gönderdim.

Şumnu, 5 Mayıs 1837

Padişah ayın 3'ünde Varna'dan ayrıldı. Kendisi için on iki günde bir köşk kurulmuş ve tamamıyla döşenmiş olan bir köyde geceyi

---

(63) Bora.
(64) Moltke Bozcaada şarabını ima ediyor. Vergilius, Aeneis II. 21.

geçirdi. Ayın 4'ünde, kendisine bir çeyrek saatlik uğrayış için de bir ev yapıp döşemiş oldukları, başka bir köyde kahvaltı etti ve öğle üstü buraya vardı. Ben daha 2 Mayıs gecesinde, daha önce araziyi görmek için, yola çıkmıştım.

Anlaşılan karşılama töreni her yerde birbirinin aynı. Haşmetli imparator mavi setresinin yerine malum kırmızı üniformasını giymek için, şehre bir çeyrek saatlik yerde kurulan bir çadıra iniyor. Fakat bu tuvaleti kim için yapıyor bilmem; bizim taraflarda hükümdarın debdebesinin, etrafındaki büyükler ve kudretlilerin şaşaasıyla daha da parlaklık kazanmasına alışılmıştır. Burada ise yalnız bir efendi var, geri kalanların hepsi kul, ben de onun gecelik hırkasından başka bir şey giymek zahmetine neden katlandığını anlamıyorum. Padişah atına biner binmez çevrenin dağlarındaki taş ocaklarında bir alay lağım atıyorlar. Yolun iki tarafında şehrin ileri gelenleri selama duruyor: sağda Müslümanlar, solda reaya. En başta, güzel beyaz sarıklarını hâlâ muhafaza eden mollalar, yani ruhaniler bulunuyor. Onları da dünyevî büyükler takip ediyor. Solda, önce defne dallarıyla Rumlar, sonra balmumlarıyla Ermeniler, nihayet zavallı, alaya, ezilmeye maruz Yahudiler geliyor, bunlar burada köpekten biraz üstün fakat attan aşağı sayılıyorlar. Müslümanlar kollarını karınları üzerinde kavuşturmuş olarak dik duruyorlar. Fakat reaya, hatta piskopos ve papazlar, ellerinde mukaddes kilise takımları olduğu halde yere kapanıyor ve padişah önlerinden geçinceye kadar alınlarını yerden kaldırmıyorlar; padişahın yüzüne bakmalarına izin yok. Böyle bir hal gerçi Türklerin gururunu besler ama artık daha uzun zaman devam etmez ve etmeyecektir. Birçok yerlerde padişah geçerken yedişer koyun kurban edildi; bunları boğazladılar.

Bugün cuma, (Türklerin pazarı) padişah kalabalık bir maiyetle camiye gitti; ben ise plan yapmakla adamakıllı meşgulüm. Şumnu manzara bakımından ne kadar güzelse askeri bakımdan da o kadar dikkate değer bir yer. Ancak meşhur istihkâmlar geçildikten sonra, sarp dağlar arasında, çıkışı olmayan bir vadideki şehir görülüyor; camiler ve hamamların kubbeleri, narin beyaz minareler, basık damlar arasındaki yığın yığın ağaçlar, etrafın zengin tarla ve bahçeleri muhteşem bir tablo meydana getiriyor; her tarafta çeşmeler akıyor, bereketli buğday tarlaları geniş ovayı süslüyor, hatta sarp dağlar bile ta yarı yerlerine kadar bahçeler ve bağlarla kaplı.

Sanırım ki şehrin en iyi evlerinin birinde padişah, birinde de ben oturuyoruz. Yiyeceklerimiz mükemmel. Her ne kadar tam Türk tarzında parmaklarımızla yiyorsak da yanı sıra, (bari Allah görmese!) mükemmel bir Kıbrıs Kommandarya şarabı içiyoruz. Biz dediğim, bana refakat edenler, yani bir sefaret tercümanı, mühendishane öğrencilerinden üç genç Türkle birlikte yanıma verilmiş olan mühendis miralay ve ben. Üç de uşağımız olduğu için yalnız ben yolculuk için dört atlı 2 araba, 7 yedek at, 2 katır, dört arabacı ve birkaç at uşağı kullanıyorum. Bak ne idare bu, artık düşün! Varna'da 600 binek ve 200 araba atı toplanmıştı. Benim arabalar Rusçuk'tan, atlar ve arabacılar Eflak'tan getirtilmişti. Yollar sırf bu seyahat için düzeltilmişti, bu da, hiç değilse memlekette kalacağı için, bir kazanç. Tabii padişahın maiyeti çok kalabalık. Padişaha bulunduğumuz yerlerin valilerinden başka paşalardan kimse refakat etmiyor. Fakat padişahın kâtip ve hademelerinden başka çubuğunu taşıyan hususi bir memurla şemsiyesini taşıyan başka bir adamı var. Devekuşu tüyünden yelpaze, kır iskemlesi, altın leğen, yazı takımı hep ayrı bir atlı tarafından taşınıyor, bu atlara da birer seyis lazım geliyor. Gerçi biz tamamıyla en petit comité[65] seyahat ediyoruz ama yine de 800 atla.

Ayın 7'sinde padişah istihkâmları atla dolaştı ve aynı zamanda bir redif taburunun talimlerinde hazır bulundu. Her memleketin âdetleri kendine göredir; Şumnu'da bir manevranın Potsdam'da olduğundan başka türlü bir görünüşü var. Harp gösterisini aşağı yukarı bin adımlık, uygun bir uzaklıktan seyrediyoruz. Padişah çadırda oturup çubuk içiyor. Bizler de etrafta yerde oturuyoruz. Bundan sonra Şumnu'nun ileri gelenlerinden altmışına merasimle kaftan giydirildi. Padişah muhteşem bir sayebanın altında bir sedire oturdu, bizler imparatorluğun büyükleri, onun iki yanında ayakta duruyorduk. Bundan sonra, önce mollalar, civardan birkaç âyan, sonra şehrin ileri gelen Müslüman ve Reayası. Birinciler, adlarından önce "duacınız" denerek birer birer çağırıldı. Merasim memuru onların arkasına çeşitli renklerde geniş kaftanlar giydirdi, bu mükâfata nail olan, kaftanı öpüyor, sonra elini yere, göğsüne ve alnına değdiriyor, daha sonra yüzü daima padişaha dönük olarak geri geri gidiyordu; bu gerileyiş birkaç

_____

(65) Küçük bir heyet halinde.

defa tökezlemeden olamıyordu. Bu iş bitince padişah, başkâtibi Vassaf Efendi aracılığıyla bir nutuk verdi. Bunda, hazır bulunanlara, hallerini görüp kanaat getirmek için gelmiş olduğunu, şehirlerini ve kalelerini yeniden inşa ettirmek, memlekette nizam ve refahı bizzat sağlamak arzusunda olduğunu, kanun ve adaletin sadece başşehirde değil, memleketin her yerinde uygulanması gerektiğini söyledi. "Siz Rumlar" dedi. "Siz Ermeniler, siz Yahudiler, hepiniz Müslümanlar gibi Allah'ın kulu ve benim tebaamsınız; dinleriniz başka başkadır, fakat hepiniz kanunun ve iradei şahanemin himayesindesiniz. Size tarh edilen vergileri ödeyin; bunların kullanılacakları maksatlar sizin emniyetiniz ve sizin refahınızdır." Sonunda sultan reaya arasında kimsenin bir şikâyeti olup olmadığını ve kiliselerin tamire ihtiyacı bulunup bulunmadığını sordu.

Her ne kadar tatbikatta böyle bir adaletin her yerde sağlanmasına henüz çok zaman isterse de hiç değilse prensip kabul edilmiş bulunmaktadır. Bu, ne de olsa büyük bir şeydir; üst tarafını olayların zorlaması tamamlar.

Halk tabakasından olan insanların her şeyi büyükler için angarya olarak bedava yapmaya alışık oldukları bu memlekette padişah yolculuk masraflarını para olarak ödüyor. Duyduğuma göre yanında iki buçuk milyon gulden para, bundan başka da birçok kıymetli eşya götürmektedir. Hiçbir fakirin ya da sakatın yanından geçmedik ki padişah, adamları aracılığıyla bir altın göndermiş olmasın. Yola çıkış sırasında Şumnu fakirleri için 10.000 gulden bıraktı ve bu paranın sahiden, kendisine özellikle adları bildirilmiş olanların ellerine geçmesi, dağıtanların parmakları arasına pek fazlasının yapışıp kalmaması için kesin emirler verdi. İmamlar bu hususta bilgi vereceklerdi. Ne zaman geriye baksam dilekçelerini başlarının üstüne kaldıran kadın grupları görüyordum. O zaman bir subay atını onlara doğru yürütüyor, kâğıtları topluyor, bütün bu postayı hünkâr imamına vermek üzere eyer ceplerine sokuyordu.

Geçen gün padişah, pek ustalıkla kendi sürdüğü dört atlı faytonunda gidiyordu; fakir bir kadın, bir değneğin ucuna taktığı kâğıdını elinden gelebildiği kadar uzatmıştı, fakat pek hızlı gidildiği için kimse onu fark etmedi, sade padişah gördü, atları durdurdu, subaylarından birini gönderip kâğıdı aldırdı, sonra yeniden arabasını sürdü.

Silistre, 11 Mayıs 1837

Ancak bugün haberlerime devam için boş vakit bulabildim. Ayın 9'unda, gün doğmadan önce dağların öbür tarafındaki bir köye doğru yola çıktım; öğle vakti geri döndüm; yedek atlar buldum ve padişaha saat beşe kadar refakat ettim. Sonra mükemmel bir yemek yendi. Arabalara bindik ve bütün gece yol aldık, öğleden sonra saat 1'de buraya vardım; akşamüstü ve ertesi sabah padişahın gelmesinden önce kalenin planını çıkarmaya ancak vakit bulabildim. Padişah etrafındakilere karşı o kadar tekellüfsüz bir açık yüreklilik ve hayırhahlıkla davranıyor ki bütün o sıkı resmiyete rağmen herkes á son aise. Padişahı böyle gördüğü zaman insan 20.000 yeniçerinin başını kestirenin aynı adam olduğunu düşünmemeli.

Prens Ghika ile Prens Sturdza Boğdan ve Eflak'tan, efendilerine saygılarını sunmak için geldiler. Ben onların kabul merasimini görmeyi çok merak ediyordum. Merasim onların pek hoşuna gidecek gibi olmadı; bu yarı hükümdarlar, padişah gelip çadırına ininceye ve tuvaletini yapıncaya kadar herhalde iki saat güneş altında beklediler. Sultan bu iki uyruğunu bir sayebanın altında, kadife minderlere oturmuş olarak kabul etti; arkalarından boyarlar'ı gelen prensler, kollarını karınları üzerine kavuşturmuş olarak yürüdüler, iki diz üstüne çöktüler ve Haşmetpenahın eteğini öptüler. O da kendisine on bin duka takdim etmelerine müsaade lütfunda bulundu. Buna karşılık prensler şeref kürklerini, enfiye kutularını ve şallarını aldılar; üstelik döndükleri zaman memleketlerinin sınırında on gün karantina beklemek gibi bir zevke de kavuşacaklar.

Prens Ghika bu akşam için beni davet etti, ben de Türk saati 12'yi çaldığı, güneş batıp yemek saati geldiği için, mümkün olursa Rusçuk'ta devam etmek üzere mektubumu burada kesiyorum.

Rusçuk, 14 Mayıs 1837

Anlaşılan Türkler bu memlekette evliyalara kılıçlarıyla boyun eğdirdikleri sırada Mamertus ile Pankratius'u[66] unutmuş olacaktır.

---

(66) Günleri 11 ve 12 Mayıs olan iki Katolik azizi. Bugünlerde havaların çok soğuk gitmesi yüzünden bunlara Buz Evliyaları denir.

Sahiden bunlar Tuna kıyılarında da, Spree ya da Sider'de olduğu kadar sertlikle hüküm sürüyorlar. Hayatımda hiçbir zaman dün gece buraya gelirken üşüdüğüm kadar üşümüş değilim; Türk yol arkadaşlarım soğuktan kaskatı kesilmişlerdi, yedek atları götüren Arap da boyuna "*Aman*" çağırıyor ve Sennar'ın[67] daha mülâyim göğüne hasret çekiyordu.

Padişah vapurla Silitre'den Rusçuk'a gelirken, tam da pek şiddetli fırtına sırasında Tuna üzerinde bulunuyordu. Fırtına bayrak sapını geminin direğinden koparmış ve bir halat da makinelerin arasına girmiş. Bunun üzerine makineleri durdurmak lazım gelmiş. Bu sırada gemi kıyıya doğru sürükleniyor ve dalgalar kamara pencerelerine çarpıyormuş. Herkeste büyük bir telaş başlamış. Fakat padişah bu sırada sükûnetini tamamıyla muhafaza etmiş. Doğrusu artık cefakeşliğe ve buharlı gemilerin çeşit çeşit belalarına alışmıştı. Bu gemilerin hepsi de Allaha şükür şimdi ya bozulmuş ya da patlamıştır.

Bu sırada biz emin kıyıda, padişahın gelmesini bekliyorduk; hava akşama doğru açılmıştı ve önümüzde geniş, sarımtırak nehir, kıyılardaki uçsuz bucaksız çayırlıklarıyla uzanıyordu. Uzun zamandan beri ilk defa olarak, öte yakadaki Yerköy'de yeniden bir kilise kulesi gördüm ve çanın dost sesi berrak akşam havası içinde bize doğru aksetti.

Rusçuk, Tuna'ya 50-60 ayak yüksekliğinde, dik olarak inen bir tepenin üstündedir. Bu yamacın kenarını sayısız kadınlar doldurmuştu, hepsinin de başlarını ve omuzlarını beyaz peçeler örttüğü için sanki tepelere kar yağmış gibi görünüyordu. Aşağıda kıyıda her zamanki gibi redifler selam duruyor, bunlardan sonra da çeşitli milletlerin din adamları, memleketin ileri gelenleri ve nihayet halk bulunuyordu. Yerimi almak için iskeleye doğru yürüdüğüm sırada halılar ve minderler üstünde yere uzanmış yatan ihtiyor bir adam dikkatimi çekti; yanında gümüş bir nargile duruyor ve ihtiyar ara sıra, herhalde 20 ayak uzunluğundaki ince bir marpuçtan duman çekiyordu. Kırmızı külâhındaki mücevherli bir plak onun vezir olduğunu anlatıyordu. Sırma apuletli mavi setresi de ihtiyarın ne duruşuna ne de kır sakalına ve manalı, tam Türk simasına yakışıyordu. Bu adam muhakkak Avrupa'nın elle-

---

(67) Mavi Nil kenarında bir kasaba. Tevrat'ta bu isim Dicle ile Fırat arasında bir yere verilir.

ri en çok kana bulanmış adamı idi; bu Ağa Hüseyin Paşa, yeniçe-
rilerin son ağası ve ilk paşası idi. Bu sıfatla Ağa Paşanın emri al-
tında birçok kavas ve başka asker vardı. Bunlar yeniçeri değiller-
di ve onlara karşı kullanılabilirlerdi. Anlaşılan bu mağrur Pretori-
en'ler[68] ancak bizzat kendi kumandanlarının ihanetiyle yenile-
bilmişlerdi. Hüseyin o korkunç buhran günlerinde ne kadar çok
enerji gösterdiyse, General en Chef[69] olarak o nisbette az iş göre-
bildi. Yeniçerileri yok eden bu zat şimdi Vidin paşasıdır.

Tırnova, 19 Mayıs 1837

Bu Bulgaristan ne harikulade güzel memleket! Her şey yeşil; de-
rin vadinin yamaçları ıhlamurlar ve ahlat ağaçları ile kaplı, geniş
çimenlikler dereleri çevreliyor, bereketli buğday tarlaları ovaları
kaplıyor ve ekilmeyen geniş alanlar bile zengin çayırlarla örtülü.
Teker teker dağılmış birçok ağaçlar buralara ayrı bir cazibe veri-
yor ve koyu gölgelerini açık yeşil zemin üzerine seriyorlar. Tuna
vadisi Dessau mıntıkasına pek benziyor; köyler çok seyrek ama
büyük, çünkü tek başına çiftliklerde oturmak hâlâ delice bir cesa-
ret işi.

Tuna yakınlarında hemen yalnız Türk köylerine rastladım; ih-
timal ki Hıristiyan ahali nehrin öte yakasındaki, çan sesleri gelen
ve kilise kulelerinin başlarını mavi göğe kaldırmaya cesaret ede-
bildikleri, prensliklere göçmüşlerdir. Bir Bulgar kilisesini herhal-
de tasavvur edemezsin. Bir buçuk sene önce Balkan'dan geçerken
sefil bir kulübede gecelemiştim. Manda ahırının yanındaki avlu-
da on ayak kadar uzunluk ve genişliğinde bir çeşit baraka vardı.
Saman örtülü damı o kadar alçaktı ki altında ayakta zor durulabi-
liyordu. Bütün ışığını da kapıdan alıyordu. Arka duvarında, üze-
rinde sayısız aziz resmi bulunan büyük bir muşamba asılı idi.
İçerideki bütün eşya bu muşamba ile birkaç şamdan ve bir halı
parçasından ibaretti. Burası hiç de önemsiz olmayan, Gassabeilen
(Hassanbeyli) köyünün kilisesi idi. Burada, Balkan'ın ön sıradağ-
larındaki köylerde ahalinin çoğu Hıristiyandır. Bulgarlar acaba
uzak Çarigrad yani İstanbul'dan "Naşe çorbacı'nın" (ekmek, da-

---

(68) Pretorienler, Roma İmparatorlarının şahsi muhafızlarıydı.
(69) Baş, general, serasker.

ha doğrusu çorba veren efendimiz) geldiği doğru mu diye görmek için köylerinden geliyorlar. Yüzyıllardan beri, ta birkaç ay önceye gelinceye kadar bu, bir istiridyenin kayasını bırakması ya da bir kaplumbağanın kabuğundan çıkıp dolaşması kadar imkânsızdı.

Dün öğle vakti buraya, Tırnova'ya geldik. Artık başka işim kalmadığı için öteki adamlarla birlikte atla padişahı takip ediyorum. Aslında padişahın maiyeti arasında tamamıyla bir anormallik teşkil ettiğim için, yerimi bulmam çok zor, iş hep ters oluyor, bazen pâyemden çok aşağı, bazen çok yukarı yerde bulunuyorum. Önde, evvelki gün vezir olan Rusçuk paşası gidiyor, onun arkasından *"efendimiz"* altı atlı bir araba ile geliyor, sonra şahsi maiyet yani benim ne hademei hassa, ne mabeyinci, ne de sır kâtipleri diyebileceğim, fakat bütün bu sıfatların hepsini kendilerinde toplayan, aynı zamanda da pek büyük nüfuza sahip bir sınıf insan geliyor. Bunların en başında Vassaf Efendi var; vezir bile, o oturması için işaret edinceye kadar karşısında ayakta bekliyor. Bu işareti ben kendi kendime veriyorum. Ama zannedersem pek de hoş görülmüyorum. Daha arkadan karışık bir cemaat geliyor, paşalar ve yaverler bunların arasında. Sonra Ekselans saray soytarısı, baş imam, ben ve başka birkaç gözde şahsiyet! Bunları daha aşağı rütbeden subaylar ve küçük memurlar ve bir sürü uşak takip ediyor. Günde ancak on saatlik kadar yol alıyoruz. Yarı yolda hafif bir yemek yeniyor. Benim payıma düşen hep, alabildiğine kocaman bir sahan pilav, pek mükemmel kızartılmış bütün bir kuzu, sonra bir tatlı, bunun üstüne sebze, sonra yine bir tatlı, hepsi birden on türlü yemek. Böylece açlıktan ölmeye karşı kendimizi koruduktan sonra yeniden yola çıkıyoruz.

Daha Tırnova'nın çok açığından itibaren halk iki sıralı dizilmiş, redifler selam duruyor, Rum kadınları Basilius'un[70] gelişini seyretmek için düz damlara ve teraslara çıkmışlar. Ben bu şehir kadar romantik mevkili hiçbir yer görmedim. Dar bir dağ geçidi düşün: Jantra ırmağı kum taşından düşey yamaçlar arasındaki derin kaya yatağını buraya uymuş, bir yılan gibi, en garip ve hesaba gelmez kıvrımlarla akıp gidiyor. Vadinin bir yakasını tamamıyla orman, ötekini de tamamıyla şehir kaplıyor. Vadinin tam ortasında koni şeklinde bir dağ yükseliyor, dimdik yamaçları bu-

---

(70) İmparator.

nu tabii bir kale yapıyor. Nehir onun etrafını çevirerek bir ada haline getiriyor ve bu ada şehrin geri kalan kısmına ancak 200 ayak uzunluk ve 40 ayak yüksekliğinde tabii bir kaya seddiyle bağlanıyor, fakat bu set, üzerinden ancak bir yolla bir suyolu geçebilecek genişlikte. Ömrümde bu kadar acayip kaya oluşumu görmedim. *Efendimiz* bugün camiye gittiğinden, planını almak yoluyla bu arazinin esrarını çözmek için istirahat günümden faydalandım.

Burada kaldığım Rum evinden daha zarifi olamaz; ben esasen planını ihtiyacın çizdiği bu gayrı muntazam yapıları seviyorum. Ortada küçük bir avlu, güller ve meyve ağaçlarıyla bir bahçe bulursun. Bunun çepeçevre etrafında bir merdivenle çıkılan ve bir sürü zikzaklarla birbirlerine bitişen koridorlar ve geniş odalar vardır. Bunlar avluya tamamıyla açıktırlar, böylece insan Allah'ın güzel, serbest tabiatı içinde yaşar. Koridorların uçları sekiler halinde yükseltilmiştir. Bunlara halılar döşelidir, üzerlerinde de ancak bir karış yüksekliğinde, geniş yumuşak birer sedir vardır. Çok geniş olan dam, galerinin dış tarafına sıralanmış olan karanfil ve şebboy saksılarına gölge verir. Odalar aydınlığını koridorlardan alır ve buralarda gözleri bu güzel göğün fazla ışığından sonra dinlendiren tatlı bir loşluk hüküm sürer. Tamamıyla tembelleşmek için benim sekiden daha asude bir köşecik olamaz. Karşıda vadinin ormanlık yamacı dikiliyor, ormanın gölgelerinde öten bülbüllerin sesleri bu yana kadar geliyor ve ağaçların üzerinden Balkan dağlarının karla örtülü tepeleri yükseliyor.

Kızanlık, 21 Mayıs 1837

Bugün Balkanlar'ı aştık. Yolun dağı aştığı gedik, sanırım ki, eteğinde bulunan ve bizim gecelediğimiz Gabrova'dan 3000 ayak bile yüksekte değil. Mesela Thüringer Wald üzerindeki geçitler bana daha yüksek geliyor. Yalnız orada yollar o kadar rahattır ki insan bunu fark etmez. Doğu tarafına doğru tepeler hayli yükseliyor ve henüz karla örtülü; keskin dağ sırtının üzerinden Bulgaristan'ın arazisi gözalabildiğine görülüyor. Rumeli tarafında da önümüze sevimli Kızanlık vadisi daha güzel bir manzara seriyor. Tıpkı bir harita üzerindeymiş gibi tarlalar, çayırlar ve köyler, beyaz yollar ve geçtikleri yerler muhteşem ağaçlarla belli olan, dereler önümüzde duruyor; beri tarafta başka, fakat daha alçak bir dağ sırası yükseliyor, bunların hepsi bana Hirschberg vadisinin Kynast'tan görünüşünü çok hatırlatıyor.

Balkanların güney yamacı ovaya dimdik iniyor. Bir saat geçmeden, dağın eteğinde padişah için yeni yapılmış olan Şıpka şosesine vardık. Balkan, dağ olarak, genellikle, zannettiğimiz gibi öyle sarp bir yer değil, fakat bu az nüfuslu memlekette verimli ovalardan bile hemen hemen faydalanılmıyor, nerede kaldı ki dağlardan faydalanılsın. Buralarda, bizim taraflarda olduğu gibi suyla işleyen şahmerdanlar, maden izabehaneleri, değirmenler ve fabrikalar yok. Köyler ve kasabalar bulunmadığı için yol da yok, bu sebeple işler durumdaki az sayıda yollar büyük bir önem kazanıyor.

Ta uzaktan, dev gibi ceviz ağaçlarından bir ormancık gözümüze ilişti, daha sonra bu ormancığın içinde Kızancık kasabasını gördük. Burada minareler bile gömülü oldukları yaprak ve daldan tepeler altından meydana çıkamıyorlardı. Muhakkak ki ceviz ağacı dünyanın en güzel ağaçlarından biri; bunlar arasında dalları yatay olarak 100 ayaktan daha geniş çapta bir alana yayılanlarını gördüm. Geniş yapraklarının son derece taze yeşili, kubbesinin altındaki loşluk, gövdenin etrafında yetişen bitkiler, nihayet bu ağaçların yakınlarında yetiştikleri dereler ve pınarların şırıltıları. Bütün bunlar harikulade güzel. Aynı zamanda bu ağaçlar bülbüllerle yaban güvercinlerinin oturdukları büyük saraylardır. Bu bölgenin su bolluğunu kolay kolay tasavvur edemezsiniz. Yolda bir pınara rastladım, çakıllı zeminden 9 pus kalınlığında olarak dik yukarı fışkırıyor, sonra küçük bir dere halinde akıp gidiyor. Lombardiya'da olduğu gibi bütün bahçeler ve tarlalar hendekler ve arklardan şarıl şarıl akan sularla her gün sulanıyor. Bütün vadi mutlu bir refah ve zengin bir bereketin timsali, gerçek bir Vaadedilmiş Toprak. Adam boyunda dalgalanan başaklarıyla geniş tarlalar, sayısı koyun ve manda sürüleriyle örtülü çayırlar. Bir yandan da gökten kocaman yağmur bulutları sarkıyor, bunlar dağların karlı dorukları etrafına yığılıyor ve ara sıra tarlaları suluyor, ara sıra da kızgın güneş buraları yeniden ısıtmak için ışıldıyor; hava güzel kokularla dolu, bunu genel olarak seyahat tasvirlerinde olduğu gibi mecaz olarak değil harfi harfine doğru söylüyorum. Kızanlık Avrupa'nın Keşmir'i, Türkiye'nin *Gülistan*'ı, güller diyarıdır. Bu çiçek burada, bizim taraflarda olduğu gibi saksılara ve bahçelere değil, tarlalarda, tıpkı patates gibi çizilere dikilmiş. Böyle bir gül tarlasından daha iç açıcı bir şey tasavvur edilemez. Eğer bir tiyatro dekaratörü böyle bir dekor yapacak olsa muhakkak ki mübalağa ediyor denirdi. Milyonlarca, birçok milyonlarca gül, gül tarlalarının açık yeşil halısı üzerine serpilmiş. Halbuki şimdi goncaların belki de ancak dörtte biri açık halde. Kur'an'a göre güller ilk defa Peygamber'in Miracı gecesinde meydana gelmiş, beyazlar Peygamber'in ter damlalarından, sarılar hayvanının, kırmızılar da Cebrail'in terinden hasıl olmuş. Kızanlık'ta insana o yolculuk, hiç değilse bu büyük Melek için, pek yorucu olmuş gibi geliyor. Eğer kendimi şiire kaptırmaktan korkmasam gül şimdi beni bülbüle götürürdü: "Un vayageur doit se garder de l'enthousiasmes'il en a, et surtout s'il n'en a pas". Bu sebeple sadece, burada gülleri seyretmek ve koklamakla kalmadıklarını, onları yediklerini de söylemekle yetineceğim; gül reçeli Türkiye'de pek makbul bir reçeldir ve sabahları bir bardak su ile, kahveden önce yenir; bunu yapmayı tavsiye edebilirim.

Kızanlık'ta o kadar değerli olan gülyağı da elde edilir. İstanbul'da bile bu yağın hilesiz olanını tedarik son derece güçtür. Sadece orada dirheminin 8, burada, çıktığı yerde ise 15 kuruş oluşundan bile bunu anlayabilirsin. Yanıma bir miktar gülyağı almıştım, bir gün cebimde şişe ile at yolculuğu yapmak zorunda kalınca tam bir hafta bir gül fidanı gibi koktum.

Padişah daima bana herhangi bir tatlı söz söylemek için vesileler buluyor, bu da buralarda hiç de küçük bir taltif değil. Görünüşteki bütün kölece davranışlara rağmen, bizdeki teşrifatın asık suratlı ciddiliği ve ölçülülüğü burada hüküm sürmüyor. Arkada kucaklarında birer Bolonya köpeği tutan iki uşağın oturduğu faytonunda padişahın çubuğunu içişinde bile bir çeşit hoşgörürlük var. Kocaman gül demetleri ellerimizde olarak biz de onun yanı sıra at sürüyoruz. Padişahın maiyetine hitapları da tekellüfsüz tarzda. Bugün şeref mantolarının *"Harvani"* büyük ölçüde dağılışı vardı. Padişah pencerede otururken başkâtibi onun adına avluda söz söylüyordu. Ama hükümdarın aklına sık sık bir şeyler geldiği için padişahla konuşma organı arasında bir çeşit diyalog oluyordu. Vassaf Efendi: "Hükümdarımız" diyordu "emirlerinin tamamı tamamına yerine getirilmesini arzu buyurmaktadırlar; ileride, her şeyin emir buyurdukları gibi yapılıp yapılmadığından emin olmak için, daima sizlerin yanınıza geleceklerdir" Hükümdar *"Hey! Hey! Efendi!"* diye söze karıştı "ama her sene olmaz

bu!" Sözcü "şüphesiz!" diye sözüne devam etti. "Fakat padişahı-
mız ne zaman lüzum görürlerse!" Vassaf bundan sonra efendimi-
zin, hangi dinden olursa olsun bütün uyruklarına himaye ve ada-
let vaadettiğini tekrarladı, tam sözünü bitireceği sırada padişah
"Bana bak!" diye bağırdı ve ona rediflerden bahsetmeyi unuttu-
ğunu hatırlattı. "Bu teşkilatın yurdun korunması ve savunması
maksadıyla kurulduğunu ve (bize doğru yan gözle bakarak) baş-
ka memleketlerde de böyle olduğunu" söyledi.

Padişah her yerde çok önemli miktarda para bırakıyor ve bun-
lardan, önce ikâmet ücretleriyle yolculuğun sebep olduğu mas-
raflar ödeniyor, geri kalanından padişaha isim üzerine listeleri
sunulmuş olan fakirler paylarını alıyor.

Yalnız camilerden değil, kiliselerden de tamire muhtaç olanla-
ra para veriliyor. Ne olurdu bu paralar asıl ellere geçmiş olsaydı!
Çünkü memurların çok yaygın ve derinlere kök salmış olan ah-
laksızlığı, hükümetin savaşmak zorunda olduğu en çetin engel!

Yakın köylerin halkı hükümdarlarını selamlamak için yolda sı-
ralanıp duruyorlar. Alayın gerisinde padişahın darphane emini ve
hazinedar Ermeni Duhsoğlu, ağır yüklü bir araba ile geliyor, her
yeni halk topluluğunun önünde duruyor ve bir hayli ağırlıkta gü-
müş paraları köylülere dağıtıyor. Şahsi verginin indirileceği, bil-
hassa angaryanın azaltılacağı söyleniyor. Genellikle, şimdiye ka-
dar hükümdarlarını kendilerine eziyet eden, vergiler alan ve an-
garya isteyen biri olarak görmüş olan bu memleket halkına padi-
şahın bu gezisi pek iyi tesir yapmakta. Padişah geçerken çınlayan
ve küçük tombul çocukların avazları çıktığı kadar bağırdıkları
"Hoş geldin!" ve *"Amin"* nidalarının arasına çok defa ne emredil-
miş olan, ne de farkına varılan, fakat düşüncelerin gerçek ifadesini
teşkil eden *Maşallah*–Allah seni korusun"lar da karışıyor. Padişah
özellikle kadınlardan iyi not almışa benziyor. Bu da çocukların bü-
tün terbiyesi annelerin elinde olan bu memlekette çok iyi bir şey.

Edirne, 1 Haziran 1837

Şimdi imparator Hadrianus'un, adını Tuna, Tiber, Fırat ve Meriç
kıyılarında ebedileştirmiş olan bu Romalının şehrine gelmiş bulu-
nuyoruz. Tam altı günden beri dinlenmekteyiz. Öbür gün İstan-
bul'a döneceğiz, padişah oradan resmi bir alayla geçmek istiyor.

Edirne'nin yeri, dört önemli ırmağın, Meriç, Arda, Tunca, Uzunca'nın birleşmesiyle, kendine has bir karakter alıyor. Bu nehirler yüzünden, şehri saran, geniş dutluklarla örtülü ova meydana gelmiş. Edirne bir tepe üzerinde kurulmuş. Bu tepenin en yüksek noktası muhteşem Sultan Selim camiiyle taçlanmış. Gayet güzel yapılmış çok sayıda büyük taş köprüler birçok nehir kollarını her yana doğru aşmakta. Bu şehrin dıştan görünüşü son derece muhteşem.

Edirne, Osmanlı hükümdarlarının Avrupa toprağına ayak bastıklarından itibaren payitahtları olmuştu. Nasıl ki ondan daha önce Bursa, sonra da İstanbul devlet merkezi olmuştu. Eski saray hâlâ duruyor. Ben bugün bu sarayı büyük bir ilgi ile ziyaret ettim. Bulunduğu yer Tunca kenarında muazzam çınarlar ve karaağaçlarla gölgelenmiş muhteşem bir çayırlıktır. Burası insanı bir çadır kurmaya davet eder, fakat asla bir ev yapmaya değil, çünkü kışın çepeçevre her yanı su basar. Oldukça geniş olan bu alanın etrafını yüksek duvarlar çevirir. İçerisinde rasgele yerleştirilmiş, karmakarışık bir sürü bina, tekbaşına evler, hamamlar, mutfaklar, ayrı ayrı avlular içinde köşkler vardır. Bu sonunculardan bazıları harap olmamıştır. Bunlarda gayet güzel işlenmiş ve zengin bir tarzda altın yaldızla süslenmiş tavanlar, mermer havuzlar, sanatlı bir şekilde yapılmış parmaklıklar ve güzel oymalar görülür. Bütün bu binaların tam ortasında taştan, kalın duvarlı bir bina yükselir. Bunun tepesinde de garip şekilli bir kule vardır. Bu kulenin duvarlarının büyük bir kısmı hâlâ en güzel mermerler ve somakilerle kaplıdır, fakat binanın tavanları çökmüş, duvarlarını süsleyen altın arabeskli güzel çini levhalar hemen hemen tamamıyla sökülmüştür. Bu bina, o kadar sağlam ve dayanıklıdır ki daha binlerce yıl dayanabilir; fakat çok büyük değildir ve burada da, tıpkı İstanbul sarayında olduğu gibi, insan bir sürü köşk arasında esas binayı boş yere arar. Edirne sarayının öyle hapishane gibi bir görünüşü yoktur. Burada oturan sultanlar herhalde henüz Müslümanlar için görünmez hale gelmemiş olsalar gerek.

Haremdeki binaların hımış duvarları yıkılmış, bu yüzden taş damları ve kubbeleri havada duruyor gibi. Sarayın bu kısmında şimdi bir geyikten başka barınan yok, o da ziyaretçileri pek ters karşılıyor.

Saraya pek uzak olmayan bir yerde, ağaçlar arasında Türklerin "Yıldırım" dedikleri Bayazıt'ın güzel camii yükseliyor. Caminin kapısının yanındaki köşede, köşe taşı olarak yerleştirilmiş, en güzel beyaz benekli koyu kırmızı porfirden muazzam bir heykelin gövde kısmını gördüm. Bu, romalı togası giymiş bir erkeğin göğüs ve karın kısmı idi. Belki de imparator Hadrianus'tu da "Yıldırım" vurup onu bu köşeye atmıştı.

Fakat dört narin minareli Sultan Selim camiinin kubbesi Edirne'nin bütün öteki camilerinin tepesinden bakar. Kubbesinin çapını yüz ayak olarak ölçtüm, şu halde hemen hemen, Ayasofya dahil herhangi bir İstanbul camiininki kadar büyük. Minarelerden her birini çevreleyen taç şeklindeki üç balkonundan en üsttekine iki yüz kırk beş basamakla çıkılıyor. Her basamak 7 buçuk desimal pus yüksekliğinde, minarelerin tepesi de üst tacdan, uzaktan pek güzel tahmin edildiğine göre, bütün yüksekliğin aşağı yukarı beşte biri kadar yüksek olduğuna göre bütün boy 200 ayaktan daha fazla, çapı ise gölgesinden ölçtüğüme nazaran aşağıda 11, yukarıda sadece 8 ayak. Bu sebeple minareler kuleden ziyade direklere benziyor. Fakat öyle sanatla yapılmışlar ki içlerinde üç ayrı ayrı ve gayet rahat merdiven dolanıyor ve üç insan aynı zamanda yukarı çıkabiliyor. Baş dönmesi nedir bilmediğim halde yukarıdan aşağı ilk bakış bana korkunç geldi. Geniş kubbe, ortasındaki güzel şadırvanla taş avlu, geniş *imaret* yani fakirler aşhanesi, *medreseler* yani okullar ve camiye ait başka birçok kurşunlu kubbelerle örtülü bina, hep ta aşağıda, seyredenlerin ayakları altında bulunuyor. İnsan eğer şerefenin kenarına yaklaşacak olursa bu ürküntü verecek kadar narin taş sütunun devrileceğinden korkuyor. Kubbe minarenin yarı yüksekliğinden bir hayli yukarıya kadar varıyor. Herhalde içten yüksekliği 120 ayak kadar olacak.

İstanbul, 6 Haziran 1837

Bu sabah saat 9'da İstanbul önüne vardık ve Topkapı'dan, eski aziz Romanus kapısından, başşehre girdik. Bu II. Mehmed'in Rum imparatorlarının şehrine girdiği ve son Kostantin'in de yakınındaki bir servinin altında can verdiği kapıdır. Fatihlerin torunlarından binlercesi (yalnız şu arada söyleyeyim ki bütün bu geçmiş olaylar hakkında pek fazla bir şey bilmiyorlar) Peygamber'in hırkasının saklandığı odada ibadet etmek için eski saraya giden padişahı karşılamak üzere yollara dökülmüştü.

Büyükdere'deki Sakin Hayat – Çubuk

Büyükdere, 13 Haziran 1837

İşte yine sakin Büyükdere limanına yanaştım. Birkaç hafta için Boğaz kıyısında bir köşkte oturuyorum; kayıklar penceremin altından sessiz sessiz kayıp geçiyor. İstanbul etrafında her şeyi şimdiden güneş kavurmuşken burada çepeçevre dağlar yeşilliklerle örtülü. Bir sürü penceremin hangisinden dışarı baksam, geniş bir deniz tablosunun, bir dağ manzarasını ya da çiçekte güller ve zakkumlar dolu, etrafı duvarlarla çevrili daracık bir bahçenin ihtişamını seyrediyorum. Küçük çim tarhının etrafı çiçek saksılarıyla çevrilmiş, aralarındaki yollara sanatlı süsler meydan getirecek şekilde deniz kabukları serpilmiş. Mis gibi kokan yaseminler pencere kafeslerinden içeri sokuluyor, hanımelleriyle yaban asmaları duvarlara sarılıp örtüyor. Denizde ise gün başlıyor, güneş artık Asya tarafındaki dağların üzerinden yükselmiştir.

Bütün yaz boyunca esen ve burada serinlik içinde, zevkle yaşamayı sağlayan poyraz, suyun parlak aynasını okşuyor ve geceleyin bütün tabiatla birlikte uykuya dalmış olan dalgaları uyandırıyor. Ta kıyıda yatan büyük gemiler demir alıyor, birbiri ardı sıra yelkenler şişer ve gemi boğazın geniş akıntısından aşağı ağır ağır kayarken makaraların takırtısı ve gemicilerin monoton şarkıları çınlıyor. Rahat divanın üstünde yatan benimle aralarında ancak tahta duvardaki pencere camları bulunan dalgaların şakırtısını duyduğum zaman sanki büyük bir geminin kamarasındaymışım gibi geliyor bana. Döndüğüm zaman da sanki bir manastır bahçesine baktığımı sanıyorum. Sadece kapı ağzında bir Fransisken keşişi yerine bir Türk oturmuş, nargilesini içiyor. Bu büyük icattan, yani tütün çubuğunun bulunmasından önce Türkler nasıl yaşarlardı acaba? İnsan bunu bir türlü düşünemiyor. Sahiden Osman, Bayezıt ve Mehmet'in arkadaşları ele avuca sığmaz bir milletmiş, at sırtından inmez, diyarlar ve şehirler zaptederlermiş. Süleyman'ın gününden sonra yine de ara sıra komşularına musallat olmuşlar ama çoğu zaman oturan insanlarmış; bugün ise çoğu zaman tütün içen bir millet haline gelmişler, çünkü kadınları bile çubuk içiyor.

Bugünlerde atla Kâğıthane'ye, yani Tatlı Sular Vadisine gittim ve orada bir çınarın arkasında bir hasır iskemleye, bir kadın grubunun Türk adabının müsaade edebildiği kadar yakınına, yani bir hayli açığına oturdum. Bu hanımlar, kendileri gibi kayıkla İstanbul'dan gelmiş olan ve çayırların yazlık yeşil halısının üstünde oturan bir grup Yahudi kadınına atıp tutuyorlardı. Bir kere bunların yüzleri fena halde açıktı, öyle ki kaşlarından ta üst dudaklarına kadar (ama bu sonuncusu hariç) görülebiliyordu. Üstelik bu kâfirler rakı, hatta belki de şarap bile içiyorlardı. Şişman bir "*kokona*" "yakışır mı bu?" diyordu. "Şerefli bir kadına yaraşan nedir? Bir fincan kahve, bir lüle tütün, "et voilá tou" bunu bizim hanımlara ibret olsun diye yazıyorum.

İstanbul'da iki şey en mütekâmil şeklini bulmuş, bunlardan biri sana evvelce tarif etmiş olduğum kayık, öteki de çubuk. Mükemmelliğin belirli bir derecesi monotonluğa götürüyor. Bir kayık tıpkı öteki gibidir, çubuklar da böyledir. Sana sadece bir tanesini tarif etmem kâfi, böylece bütün bu 28 milyonluk (çünkü bu memlekette herkesin çubuğu var) kategoriyi tanımış olursun.

Kiraz dalından boru 2'den 6 ayağa kadar, hatta bazen daha da fazla uzunluktadır. Ne kadar uzun ve kalın olursa o kadar kıymetlidir. Bilgisiz Frenk (Türkler bunlara *yabancı* yani "yaban adamı" derler) bir çubuk satın alırsa bu, genellikle akçaağaçtan tornada çekilmiş ve üzerine kiraz kabuğu kaplanmış bir çubuk olur. Türkler Avrupalıları bir bakışta tanırlar, hele başına fes giyer, yüzünün çilleri, kırmızı sakalı ve mavi gözleriyle, elinde eldiven, gözünde gözlük, gerçek bir Müslüman gibi görünmek sevdasına düşerse!

Çubuğun ikinci parçası başıdır. "Lüle"; kırmızı kil kurşun kalıplara basılır, kurutulur ve pişirilir. Burada yalnız böyle kırmızı çubuk başları satılan dükkânların bulunduğu sokaklar görürsün; başka sokaklarda yalnız çubukların boru kısımları satılır; bu durum sayesinde insan asla malın gerçek değerinden fazla ödemez.

Çubuğun sonuncu ve en kıymetli parçası kehribar ağızlık (*takım*)dır. En makbul sayılanı damarsız ve lekesiz süt beyaz kehribardan olanlarıdır. Eğer böyle bir ağızlık büyük bir parçadansa kırk, elli, hatta yüz taler eder. Sanırım ki yüzyıllardan beri elde edilen kehribarların çoğu Türkiye'ye yollanmış. Çünkü en fakir Türk bile çubuğu için bundan bir parça edinmeye uğraşır. Sahiden de başka tabii ya da sunî hiçbir madde dudaklara kehribar kadar hoş gelmez. Üstelik kehribarın hastalık bulaştıran hiçbir maddeyi almadığına da inanırlar. Bu da veba zamanında insanın yüreğine rahatlık verir, çünkü saydığı bir misafir gelince Türk ona hemen kendi çubuğunu ikram eder. Tütün mükemmeldir ve özellikle Suriye'nin Ladik[71] tütünü makbuldür. Pek ince kıyılır, kolay yanar ve yanarken güherçile gibi çıtırdar. Ayrı bir uşağın, kendisinin de hiçbir işi olmayan efendisinin çubuğunu temizlemek, zarif bir şekilde doldurmak, yanar bir kömür parçasını tütünün üstüne, tam ortalama olarak, koymak, bir iki nefes çekerek yakmak ve merasimle ikram etmekten başka hiçbir işi yoktur. Bu sırada çubuğu yukarı tarafından sağ eliyle tutar, sol elini hürmetle karnına koyar, sana doğru hızlı hızlı ilerler ve lüleyi öylesine yere koyar ki çubuğu şöyle bir çevirince ağızlık tam dudaklarına gelir. Sonra kıymetli halıyı ateş düşmesinden korumak için lülenin altına küçük bir pirinç tas koyar, geri geri kapıya kadar çekilir ve orada yeniden bir çubuk doldurma hareketini bekleyerek, ayakta durur. Türkler (*çubuk içmek*) derler, sahiden de tıpkı bir bardak Ren şarabı gibi höpürdetirler onu. Bütün dumanı ciğerlerine çekerler, başlarını geriye atar, gözlerini yumarlar, sonra bu sarhoş edici dumanı ağır ağır ve keyifle burunlarından ve ağızlarından çıkarırlar.

Ben eskiden hiç tütün içmezdim, seraskerin yanında ilk çubuğu reddedemeyince arkasından gelmesi çok muhtemel olan deniz tutmasını bekledim. Fakat buranın tütün içme usulüne kolayca alıştım, hatta gölgeli bir çınarın altında, bakışlarımı deniz ve dağlarda dolaştırmaktan ve yarı rüyada, yarı uyanık, çubuktan bu uçucu içkiyi çekmekten hoşlanmaya başladım.

Tütün içme bâbını tamamlamak için sana nargileden de bahsetmem lazım. Çok sert, nemlendirilmiş tütünün (*tömbeki*) dumanı sudan geçirilir. Duman böyle soğuk olarak arşınlarca uzunlukta ince bir marpuçtan, nargile içenin ağzına gelir. Su camdan bir vazonun içindedir (Bohemya malı), Türk bunun içine bir gül ya da kiraz atar ve bunların her nefeste suyun kaynaşan yüzünde oynamasından masum bir neşe duyar. Böyle bir nargile, gölgeli bir ağaç, şakırdayan bir fıskıye ve bir fincan kahve Türke, günün 10-12 saatinde zevkle vakit geçirmek için yetişir.

---

(71) Lazkiye. Burası eskiden çok tütün ihraç eden bir limandı.

Doğulunun "*keyf*"i, yani neşe hali, bütün heyecanlardan tamamıyla âri tasasız bir ruh halidir. Canlı bir konuşma, hatta sadece geniş bir manzara bile ona rahatsızlık verir, buna karşılık Ermeni çalgıcı romaika yani kitara eşliğinde o monoton, bütün bu geniş ülkenin her yerinde aynı, nakaratları daima *aman, aman* (merhamet) olan şarkıları söylerse ya da Rum oğlanları bizim anlayışımıza göre çok müstehcen ve zerafetten yoksun danslarını yaparlarsa keyif son derece artar. Ama kendisi şarkı söylemek ya da dans etmek hiçbir Müslümanın aklına bile gelmez; bu ondan kendi kendini kırbaçlamak yahut yayan gezmeye gitmek kadar istenemeyecek bir şeydir.

Fakat bence bir Frenk için, en iç açıcı manzaralı yerler, hatta çubuk, topluluk hayatının ve fikir mübadelesinin yerini tutamaz. Güzel Boğaziçi kıyıları buna uygun değildir. Diplomatlar başka başka köylerde otururlar. Hem mesafeler, hem de birbirinden çekinmeleriyle ayrılmışlardır. Beyoğluluların düşünceleri de kayıklarının gidebildiğinden yani en yakın çevrelerden daha öteye pek nadir olarak varabilir. Onun için, padişahın kraldan istemiş olduğu subayların yakında geleceklerine sonsuz sevindim. Başka devletler subaylarını Türk hizmetine sokabilmek için boşu boşuna uğraşıp dururlarken hükümetimizin bu hususta sadece Babıâli'nin tekrarlayıp durduğu arzu ve tekliflere uyması kâfi geldi. Bu sayede bizim durumumuz Fransız "*talimci*"lerinin pek de gıpta edilemeyecek halinden tamamıyla başka bir şekil aldı.

Padişahın Huzuruna İkinci Defa
Kabul Olunuş

Büyükdere, 26 Haziran 1837

Sana son mektubumu yazdığımın ertesi günü "*mabeyn*"e çağırıldım. Bu bina yüksek bir duvarla asıl saraydan ayrılmıştır. Sarayda da harem kısmı yine ayrı bir bölük halindedir ve burada yalnız kadınlar, hadımlar ve padişah oturur. Sana daha önce anlatmış olduğum, padişahın şimdiye kadarki baş kâtibi ve gözdesi Vassaf Efendi azledilmiş, onun yerine de, gezi sırasında yakından

tanımış olduğum Sait Bey almıştı. Konuşma önemsiz şeyler ve il-
tifatlardan dışarı çıkmıyordu. Birbiri üstüne çubuklar içildi, bana
artık vakit uzun gelmeye başlamıştı ki Sait Efendi beni padişahın
huzuruna götüreceğini söyledi. Huzura kabulün bu şekli burada
nadir ve alışılmamış bir şey olduğu için, teklif beni şaşırttı. Ceket
ve hasır şapka ile idim, yani hiç de güvey kılığında değildim. Sul-
tanın yazları oturduğu Beylerbeyi sarayı boğazın Asya kıyısında
ve pek güzel bir yerdedir. Sağda hisarların beyaz kuleleri ve he-
men hemen Büyükdere'ye kadar boğaz, solda Üsküdar, Beyoğlu,
Galata; beyaz minareleri ve siyah servileriyle İstanbul ve Saray-
burnu görülür. Beylerbeyi sarayı çok yaygın bir bina, açık sarı bo-
yalı, bütün öteki meskenler gibi ahşap ve birbiri üzerine sayısız
pencereli. Yaldızlı bir kapıdan küçük, etrafları şimşir fidanlarıyla
çevrili çiçek tarhları, deniz kabukları serpilmiş yolları ile tam bir
Türk bahçesine girdim. İçlerinde kırmızı balıklar yüzen fıskıyeli
havuzların etrafını servilerden ve portakal ağaçlarından piramit-
ler çevreliyordu. Arkada üstlerinde yine böyle yerlerde güzel li-
monluklar ve köşkler bulunan teraslar yükseliyordu; fakat bunla-
rın hepsi yüksek duvarlarla çevrili idi. Bu duvar yeşile boyanmış-
tı ama yine de insanın içine darlık veren bir hali vardı. Boğaz ta-
rafında duvardaki pencerelere, büyük parmaklıklardan başka, ol-
dukça sık örgülü kamıştan birer kafes de konmuştu; bunlardan
dışarısını görmek mümkündü fakat dışarıdan içerisini görmek
imkânsızdı. Harem tarafında bu kamış kafesler çift katlıydı ve sa-
rayın üçüncü katında bile pencereleri, ta üst kenarlarına kadar ör-
tüyordu. Bütün bu güzellikleri seyrettiğim sırada padişah harem-
den bir çeşit galeriye çıktı ve pencereden seslenerek bizi çağırdı.
Aşağıda, güzel mermer levhalarla döşeli avluda siyah bir kölenin
kucağında haşmetpenahın üçüncü prensine rastladık. İki yaşın-
da, pek güzel, neşeli ve sıhhatli görünen bir çocuktu bu. Sait Bey
çocuğun eteğini öpmek şerefine nail oldu. Pek güzel geniş bir
merdivenden yukarı çıktık, birkaç salondan geçtik, bunlarda bi-
zim taraflarda her iyi döşeli evde bulunamayacak hemen hemen
hiçbir şey yoktu, (ceviz ve sedir ağacından gayet güzel parkeler
müstesna) nihayet, bir küçük odada kapının yakınında bir koltu-
ğa oturup çubuğunu içen hükümdarın karşısına vardık. Önünde
Mehmet Ali Bey, onun yanında da Rıza Bey, maiyetindeki bu iki
hademesi, yani güvendiği kişi, kollarını kavuşturmuş, saygılı bir
sükût içinde duruyorlardı. Oda tatlı bir loşluk içindeydi; burada

kimsenin korkmadığı ve onsuz yaşanamayan kuvvetli bir hava akımı, günün sıcağına rağmen tatlı bir serinlik veriyordu; pencereler, akıntısı burada rıhtıma çarparak kırılan boğaza bakıyordu. Sait Bey eliyle yere dokunduktan sonra bazı resmi işlerden bahsetti, sonra benim kılığımdan dolayı özür diledi. Padişah bunun hiç ehemmiyeti olmadığını söyledi, mültefit ve hayırhah bir tarzda, beni gördüğüne memnun olduğunu ifade etti. Haşmetpenah yapılan geziye de temas etti. Çeşitli konular hakkında memnunluğunu belirtti ve arkadaşlarımın yola çıkmış olup olmadıklarını sordu, ayrılırken de bana Rıza Bey aracılığıyla çok güzel bir enfiye kutusunu, yadigâr olarak ailemin muhafaza etmesi arzusunu belirterek, hediye etti.

Galata Kulesi

Büyükdere, 14 Eylül 1837

Üç arkadaşımın Kurmay yüzbaşı Baron von Binke ile Fischer'in ve istihkâm sınıfından von Müllbach'ın İstanbul'a gelişleri beni son derece sevindirdi. Buharlı geminin Tiryeste'den gelmesi bekleniyordu. Ben de boyuna Galata'nın muazzam yuvarlak kulesine çıkıyor, oradan limanın kalabalığını, İstanbul'un ve Valens sukemerlerinin üzerinden parıldayan Propontis'i gözden geçiriyordum. Prinkipo adaları[72] ve Proti'nin haşin kayalıkları mavi siluetler halinde, kenarını Mudanya'nın kayalık dağlarının çizdiği, aydınlık satıhtan yükseliyor; bunların arkasında, Olymp'in diş diş karlı başı beyaz bir bulut gibi, sıcak deniz manzarası üzerinden yükseliyor ve ufkun ta uzaklarında Katolymnia ile Kyzikos'un dağları belirsiz bir sis halinde ancak seçilebiliyor. Aslında bekleyiş çok kötü bir şey, fakat Galata Kulesi buna, başlangıçta olsun, bir süre dayanılabilen noktadır. Kulenin üstündeki korkulukların çevresini kırk adımda dolaşabilirsin, fakat göz bu kırk adımda ne kadar çeşitli şeyler görür! Galerinin Doğu tarafından, muazzam Üsküdar semti, eski Khrysopolis görülür. Burası sayı-

---

(72) Prinkipo Büyükada'nın ismidir, Moltke yanlış olarak, Kınalı (Proti) müstesna, adalara toptan bu adı veriyor.

sız evleri, muhteşem camileri, hamamları ve çeşmeleriyle, anfi şeklinde bir sırtta yükselir; sırtın tepesi de siyah bir servi ormanıyla taçlanmıştır. Marmara denizinin kayalık sahilinde, en cazip bir yerde, on bin kişilik dev gibi Selimiye kışlası ile zarif camii görülür. Daha sağa doğru Kadıköy'ün, eski Khalkedon'un evleri seçilir, Kadıköy'ün bahçeleri Moda burnunun sarp kayalıklarını bir çelenk gibi süsler. Bunların arkasında da dev gibi çınarlar ve servilerle kaplı, harikulade güzel, basık bir yarımada denizin ta ilerilerine kadar sokulur. Bu burnun en ucundaki küçük bir deniz feneri buraya Fenerbahçesi adını verdirmiştir. Daha yakınlarda, Propontis'le birleştiği yerde Boğaziçi'nin dalgaları arasından garip şekilli Kız Kulesi yükselir. Buna Avrupalılar, neden bilmem, Leander kulesi adını verirler. Burası hayatın en büyük kaynaşması ortasında, çepeçevre etrafında yarım milyon insan bulunduğu halde en derin yalnızlık içinde yaşamak isteyen bir târiki dünya için nefis bir köşecik olabilirdi. Üç muazzam şehir bu kuleye bakar, en büyük gemiler, onun ta önünden geçip giderler ve sayısız mavnalar ona dokunmadan etrafında dolaşırlar. Herkes korku ile bu duvarlardan uzaklaşır, çünkü burada bir veba hastanesi vardır. Fakat seyircinin bakışlarını her şeyden fazla, şeklinin güzelliği ve renklerinin apayrı ihtişamı ile Sarayburnu çeker. Boğazın suları, Haliç ve Marmara'nın meydana getirdiği bu buruna olanca kuvvetiyle çarpar, dalgaları burada her zaman sıçraşır dururlar ve bu koyu mavi zemin üzerinde, siyah serviler ve gölgeli çınarların, altın parmaklıkları mermer köşklerin, beyaz minareler ve gümüşî renkli kurşun kubbelerin yanında pek hoş bir görünüşleri vardır.

Şimdi, seni, hayran bakışların Boğaziçi kıyılarını ta "Dev dağına" (Yuşa dağına) kadar takip edebildiği, kulenin kuzey kenarına götüreyim. Boğaz birbirini kovalayan bir alay köyün, sarayların, camilerin, köşklerin ve hisarların arasından muazzam bir nehir gibi kıvrıla kıvrıla geçer. İki denizi birleştirir ve iki kıtayı birbirinden ayırır. Eğer İstanbul deyince 800.000 kişinin sımsıkı bir arada yaşadıkları bu şehirler, kenar semtler ve köyler topluluğu anlaşılıyorsa, bu İstanbul'un ana caddesini de boğaz teşkil eder. Türklerin yazlık evlerinin (*yalılar*) esas cepheleri boğaza dönüktür. Reaya da tam boğazın suları kenarında evi veya bahçesi için birkaç adımlık olsun yer edinmeye uğraşır. Şurada Asya yakasında, zarif Beylerbeyi camiinin yanında Istavroz'daki yazlık saray pırıldar. Avrupa yakasında da sultanın kışın oturduğu Beşiktaş sarayı ile henüz inşa halinde bulunan ve genişliği bakımından hepsinden üstün olan Çırağan vardır. Muazzam gemiler, kuvvetli akıntıya karşı faydalandıkları güney rüzgârının en hafif soluğunu bile kullanmak için, beyaz pamuklu yelkenlerini birbiri üzerine çekmiş, filo halinde yukarı doğru süzülürler. Buharlı gemiler, rüzgâra bağlı olmadan geçip gider, uzun duman çizgileri bulutsuz gökte yükselir ve çarklarının hızlı hızlı vuruşları yüksek kıyılarda çınlar; muazzam harp gemileri hareketsiz, uzun sıralar halinde ve üç sıra top ağızları ile tehdit ederek burada yatar; mağrur direkleri, aylı al bayraklarını mavi göğe yükseltir. Fakat binler, hatta birçok binlerce hafif kayık bu şahane ana caddede hızlı hızlı ve hamarat hamarat dört yana gidip gelirler.

Şimdi sadece on adım daha sola gitmek yeter: o zaman en hummalı hayat ve faaliyet sahnesi yerine ıssız bir çöle bakarsın. Göz alabildiğine kadar boş alanlardan, ağaçsız tepelerden başka bir şey göremezsin, yüksek fundalık ve çalılıklar arasındaki kumluk bir patikayı zor seçebilirsin. Bu alan Yeni Roma'nın Campagna'sıdır[73]. İstanbul'un deniz ve kara tarafları arasında işte bu kadar karşıtlık görülür. Ama tam altında, Haliç'te (Khrysokeras), silah depolarında, Tersanede, Yeni Köprü üzerinde ve Galata'daki insan kalabalığı vardır. Bu manzaranın çeşitliliği o kadar fazladır ki, insan başka bir yerde durup hayretle seyredeceği birçok şeylere burada dikkat bile etmeden geçer.

Beni bu sefer hiçbir şey Propontis'in göz kamaştırıcı ufkunda gittikçe yaklaşan ve çok geçmeden, enli bir buharlı gemi haline gelen siyah bir duman bulutu kadar ilgilendirmiyordu. Dalgalar, köpürerek geminin siyah gövdesinden yükseliyor ve her iki yana, kar gibi bembeyaz dökülüyor, mavi yüzey üstünde ta uzaklara kadar gümüş bir çizgi bırakıyordu. Şimdi buharlı gemi Sarayburnu'ndaki kuvvetli akıntı ile savaşıyor, fakat az sonra eski surların arkasından muzafferce meydana atılıyor, limana dönüyor ve uzun bir gırıltı ile çapa derin dibe iniyor.

Arkadaşlarımı hemen Büyükdere'ye götürdüm. Orada onlar için ferah evler hazırdı. Harita almak sayesinde her köşesini bucağını öğrendiğim bu güzel bölgede, atla ve kayıkla gezmeler sırasında onlara kılavuzluk edebilmek benim için büyük bir zevk oldu.

---

(73) Roma'nın çevresindeki ova. İlkçağda çok mamur iken sonra boşalıp yoz ve sıtmalık yerler olmuştu. Şimdi yeniden eski mamur halini aldı.

Rumeli, Bulgaristan ve Dobruca'da Yolculuk
Trajan İstihkâmı

Varna, 2 Kasım 1837

Büyükdere'de birkaç gün kaldıktan sonra arkadaşlarımla ben, Beylerbeyi sarayında bizi büyük bir iltifatla kabul eden padişahın huzuruna çıkarıldık. Bunun hemen arkasından da Tuna'ya yolculuk emrini aldık. Bizim taraflarda olsa posta arabasına yerleşir ve iki üç günde oraya varırdık. Burada iş biraz daha külfetli oluyor. Alayımız kırk elli attan küçük bir kervan teşkil ediyor. İstanbul köprüsü üzerinden geçtiğimiz sırada (21 Eylül) kafilemiz pek kelli felli görünüyordu. Önde kırmızı elbisesi, tabanca ve yatağanlarıyla bir tatar, atını sürüyordu, bu adam konak yeri hazırlar ve bir ileriki menzilhanede etraftan at toplar, başka iki tatar da her şeyi göz önünde bulundurmak ve arkada kalanları ileri sürmek için alayın sonunda gelirler. Askeri muhafaza üç kavas yani jandarma ile sağlanmaktadır. Bunlardan başka iki Ermeni tercüman, iki Rum uşak, bir aşçı, üç Türk subayı, on üç yük beygiri, dört beş sürücü ve birkaç yedek at arkadan gelmektedir.

Edirne'ye giden büyük yolda bu kafile gereği kadar hızla ilerledi; fakat çok geçmeden uşaklar sızıldanmaya başladılar; birinin başı ağrıyordu, ötekinin ateşi vardı, hepsinde de eyer yaraları açılmıştı. Çatal Burgaz'dan Kırkilise'ye[74] doğru yöneldik. Dağlar gittikçe yükseldi, yollar kötüleşti, yağmur da bol bol yağıyordu. Köylerde kaldığımız yerler tarif edilemeyecek kadar yoksuldu; dördüncü gün Umur Fakih'e vardık, burası haritada büyük harflerle yazılıydı ama aslında gayet sefil bir köyden başka bir şey değildi. Evlerin üçte ikisi boştu, çünkü sakinleri ya vebadan ölmüş ya da vebadan kaçmışlardı; çorbacının evine yerleşmemiz için ailenin evden kovulması lazım geldi. Muazzam bir ateş yaktık ve keçi kılından battaniyelerimizi yaydık; tam o sırada geçen bir kaz, şuna buna bakmadan boğazlandı ve daha yolunur yolunmaz tencereye girdi, orada birkaç tavuk ve bol bir porsiyon arpa kırmasıyla buluştu, böylece, biz açlar için dört başı mamur bir ye-

---

(74) Kırklareli.

mek meydana getirdi. Bütün bu işlerde sadece bizim ertesi sabah adamlara bunu ödeyişimiz ve bahşiş verişimizden başka alışık olunmadık hiçbir şey yoktu.

Kafilemiz bundan sonra birkaç kola ayrıldı; Baron von Binke ile ben Karadeniz kıyısındaki Burgaz'a yöneldik, gemi ile Sizepolis'e, oradan da Ahyolu'ya gittik, hiç durmadan yağmur altında Balkanlar'ı aştık, şimdi paşanın bizi büyük bir konukseverlikle kabul ettiği, şartların müsaadesi nispetinde ağırlandığımız Varna'dayız ve dinleniyoruz. Az önce ekselansları bizi ziyaret etti ve bizimle çubuk içti.

Ovidius'un Tuna'nın buzlu kıyıları hakkındaki şikâyetlerine ben de tamamıyla katılabilirim. Bu sene soğuk mevsim her zamankinden çok erken başladı, ekimin başında sabahları küçük sular donuyordu. Fakat en kötüsü yağmur, ondan daha kötüsü de, bu sonbaharda bütün Rumeli'yi ve Bulgaristan'ın doğu kıyısını kasıp kavuran korkunç vebaya karşı riayet etmemiz gereken ihtiyat tedbirlerinin bizi zorladığı mahrumiyetlerdi. Atla uzun bir yolculuktan sonra akşamları, iliklerine kadar ıslanmış olarak, geceleyerek bir yere varınca insana, imkân dahilinde olan bir veba ile, muhakkak olan bir soğuk almadan birini seçmekten başka yol yoktu; ilk soru şu oluyordu: Burada hastalık nasıl? Türkler sadece omuzlarını silkiyorlar, reaya ise sızlanıyordu. Bütün evler şüpheliydi ve sakinlerinin boşaltmış olduğu konaklardan birinin kapısını zorlamaktan, içerideki bütün eşyayı çıkarmaktan, cam olmadığı için pencere kapaklarını örtmekten, muazzam bir ateş yakarak yemek pişirmek ve elbiseleri kurutmaktan başka çare kalmıyordu. Her birimiz yanımızda, hastalık tutmadığı söylenen, büyük bir parça kıl kumaş taşıyorduk. Bu kumaş yere seriliyor, kendi yataklarımız onların üstüne yayılıyordu. Her gün için de hal böyle oluyordu. Fakat Rum uşaklarımız buna uzun zaman dayanamadılar ve birbiri ardı sıra hastalandılar. Benimkileri daha Varna'da gemide bırakmak zorunda kalmıştım. Arkadaşlardan biri ateşlendi ve bütün yolculuğa hasta hasta devam etmek zorunda kaldı. Halleri en iyi olanlar bizim Türklerdi; bütün bu ihtiyatlarımıza gülüyorlar; yumuşak şilteler üzerinde yatıp uyuyorlar ve yine de sapasağlam kalıyorlardı. Memleket korkunç bir şekilde ıstırap çekmişti. Evlerin muhakkak üçte biri boştu. Türkler nasıl vebanın varlığını tamamıyla inkâr ediyorlarsa Bulgarlar da onu bir şahıs olarak kabul ediyorlardı. Fakih'te gördüğüm bir kadın o kadar perişan bir haldeydi ki kendisine bir sadaka verdim, daha doğrusu ihtiyat olsun diye uzaktan attım. Ona nesi olduğunu sorduk, o da vebanın Türkçe adını bilmediği için "geceleri dolaşıp insanları işaretleyen kadın kocamı ve çocuklarımı aldı, geride yalnız ben kaldım!" dedi. Kendisi de uzun zaman geride kalamayacağa benziyordu. Birçok köy ve şehirlerde, özellikle Bulgaristan'da bütün halk dağlara kaçmıştı. İlkbaharda o kadar şen bulduğum güzel Tırnova'nın son derece gamlı bir görünüşü vardı; Kızanlık hemen tamamıyla boşaltılmıştı. Bazı köylerde tek bir insana zor rastlanıyordu. Balkan'ın kuzeyi daha iyi halde idi, buralarda hastalık sönmüş gibiydi. Fakat burada da harp hemen hemen veba kadar korkunç izler bırakmıştı. Veba ile harp gibi iki belanın bir memleketi zalimce tahrip edeceği tabiidir. Fakat sekiz barış yılından sonra böyle izlerin kalışı memleket idaresini bütün acılığı ile suçlamaktadır. İnsana sanki Ruslar dün çekilmiş gibi geliyor; şehirler kelimenin tam anlamıyla taş yığınlarıdır; sadece döküntülerden yapılma tek tük kulübelerde bura halkı yaşamaktadır. Her tarafta, yerle bir edilmiş binaların yerlerinde hâlâ birbiri yanı sıra lağım çukurları, sanki daha dün patlamış gibi duruyor. Köstence liman şehrinde kırk kişi yaşıyor. Misviri'de halkın üçte ikisi Ruslarla birlikte çekilmiş, geri kalanlarını da veba kırıp geçirmiş. Bu şehrin denizin ta açıklarına kadar uzanan kayalıklar üzerinde çok güzel ve savunması kolay bir mevkii var. Zarif kubbeli beş Bizans kilisesinin harabeleri buranın bir zamanlar ne olduğunu ve şehrin giriş yerindeki cami de, şimdiki haline kimin yüzünden geldiğini söylemekte.

Varna'dan sonra, çoğu yerlerini daha önce görmüş olduğum bir memleketten geçtim. Şumnu'da evvelce Prens Miloş'un oturmuş olduğu bir evde kaldım. Burada bizi Silistre müşiri, üç tuğlu Vezir Sait Paşa, fevkalade iltifatla kabul etti. Onunla birlikte, arabasıyla Rusçuk'a gittik (16 Ekim); orada daha pek az önce günde 60-70 kişi vebadan öldüğü için, paşa bizi konağında, Türklerin düşüncesine göre pek sıkı bir muhafaza altına aldı. Şumnu'dan paşamızla birlikte süratle Tuna'dan aşağı indik, Silistre'de biraz kaldık ve vezirle beraber, Rossova yakınında kendisine ait olan bir çiftliğe gittik. Yolda paşa bize çok ikram etti. Her akşam yemeğinde onun davetlisiydik, "Alla franca" yani bıçak ve çatalla (ve sadece confidentiellement[75] ara sıra elle) yemek yeniyordu. Şam-

---

(75) Aradaki yakınlık dolayısıyla.

panya eksik olmuyordu; yemekler korkunç bir bolluktaydı, çeşitleri sayılamayacak kadar çoktu ve herhalde yarısı tatlı idi. Yemek sırasında bir Arnavut bir köşeye bağdaş kurup oturuyor ve romaika, yani çok uzun ve ince saplı bir çeşit kitara çalıyor, bir yandan da bir aşk hikâyesi ırlıyor, daha doğrusu ciğerlerinin olanca kuvvetiyle bağırıyordu. Bu şarkılar Sultan Orhan gününde, İstanbul'un fethinden önce çok cazip gelmiş olsa gerek. Adam alnının damarları şişerek şarkı söylerken çingene oğlanları parmaklarında çalparalar, arkalarında garip, dilenci kılığına benzer urbalarla, vücutlarını en acayip şekillerde eğip bükerek dans ediyorlar. Bütün bu sahne, içinde adamakıllı uzun zaman oturulmuş bir kışla odasına pek benzeyen, yarı aydınlanmış bir odada geçiyor. Beyaz kireç badanalı duvarlarda zengin bir tarzda işlenmiş birkaç Türk tüfeği ile içlerinde paşanın yazışmaları bulunan bez torbalar asılı; odaya geniş sedirde başka ipek saçaklı, mahun sandalye ve kanepeler de konmuş ve hiç şüphesiz tamamıyla Avrupa tarzında döşemiş olmak için, bir masanın üstüne yan yana üç tane masa saati yerleştirilmişti.

Silistre'de paşa ile birlikte hamama gitmeye davet edildik. Türk hamamlarının teşkilatını sana daha önce yazmıştım. Soyunup havlulara sarınılan ön sofada vezirin hizmetçilerinden otuz kırk kişi bulduk. Kahve ve bir çubuk içildikten sonra ikinci, 18 dereceye kadar ısıtılmış odaya geçtik, orada insan yumuşak bir yatak üstüne uzanıp çubuk içiyor ve kendisini tam yolunca uğdurup keselettiriyor. Bir müddet sonra yemekteki şarkının tıpkısı ile eğlendiriliyoruz. Aynı zamanda bir çeşit komik temsil de yapılıyor: Daha önce danslar sırasında da rol alan ve ara sıra sopa yiyen, para ile tutulmuş bir soytarı burada hanende olarak ortaya çıkıyor; eğlence, bu Yahudi şarkı söylerken birinin ona sezdirmeden yaklaşıp ağzını sabunla doldurması, yüzünü külle sıvaması ya da başından aşağı bir kova su boşaltılması yahut bunun gibi şakalar yapmasından ibaret; nihayet Yahudinin sakalı da tutuşturuldu. Bu şakalar tekrarlandıkça son ekselans katıla katıla gülüyordu.

Sait Mirza Paşa Besarabya'lı bir Tatardır. At uşağı olarak başlamış, sonra Arabistan, Suriye, Mora, Arnavutluk'ta ve Ruslara karşı askerlik etmiştir; ilmî hiçbir tahsili yoktur, şaşılacak kadar batıl inançları vardı. Fakat Allah vergisi bir aklı ve dirayeti vardır. Şüphe yok ki Silistre paşasının konukseverliği bizim memlekette bir kumandan generalden bekleyeceğimizden çok ayrı bir tarzda. Fakat kendi tarihimizde de, hükümdarlarımız ve efendilerimizi kötü odalarda dolu sahanlar ve bol içkiler başında, kaba şakalarla neşelenir görmemiz için çok eskiye gitmeye ihtiyaç yoktur.[76]

Benim için yeni ve enteresan bir alan da Dobruca, yani Karadeniz'le Tuna ağzı arasındaki memleketti. Haritada Tuna'nın doğuya doğru o kadar uzun yol aldıktan sonra, denize döküleceği yerden azıcık önce ansızın bir doğru açı meydana getirerek yolunu çevirdiğini ve 20 mil kuzeyde denize döküldüğünü görünce insana Tuna'nın, Rossova'dan denize kadar yedi millik kısa mesafeden doğruca denize gitmesini önleyen dağları bizzat getirip yığdığını sanacağı gelir. Fakat durum böyle değildir. Dobruca'nın iskeletini bir kum ve kireç taşı dağları kitlesi teşkil eder ve bunların üstü belirli bir yüksekliğe kadar Tuna'nın getirdiği topraklarla örtülüdür. Her yerde, ta bütün Macaristan boyunca bu nehrin kıyılarını teşkil eden, kum ve kilden meydana gelme kurşuni topraklar görülür, millerce mesafede mercimek kadar olsun bir taş parçasına rastlanmaz. Buna karşılık vadilerin her tarafında kayalar meydana çıkar ve kuzeye doğru ne kadar gidilirse kayalar da tepelerin doruklarından o kadar yüksek ve sarp bir şekilde fırlarlar. Maçin taraflarında bunlar, küçük ölçüde hakiki Alp yapısında bir sıra dağları meydana getirir.

Denizle gemi seferlerine elverişli nehir arasındaki bütün bu, 200 mil karelik kadar memleket insanın tasavvur edebileceği kadar ıssız bir alandır ve sanmam ki burada 20.000 insan yaşamakta olsun. Göz alabildiğine hiçbir yerde ne bir ağaç, ne de bir fidan görürsün; çok kabarık tepelerin sırtları güneşten sararmış yüksek otlarla kaplıdır, bunlar rüzgârdan dalgalanır. Atla bütün gün bu hep biteviye çölden gidersin de ancak susuz bir vadi içinde ağaçsız sefil bir köy bulabilirsin. Sanki bu hayat verici unsur, su, gevşek toprağın içine sızıp gitmiştir; çünkü vadilerde bir derenin kurumuş yatağından eser görülmez, sadece kuyularda, uzun saz iplerle su yerin dibinden çekilir.

Daha Romalılar bile Dobruca'ya, kuzeyli barbarlara bırakmak zorunda bulunan bir memleket gözüyle bakarlardı ve Karasu'nun (Çernavoda) sıra gölleri boyunca bir surla burasını Mösia'dan ayırmışlardı. Son zamanlarda harp buraları korkunç şekil-

---

(76) Büyük Friedrich'in babası Wilhelm I. kastedilmektedir.

de tahrip etmiştir. Haritada gösterilen köylerin muhakkak üçte biri artık yoktur; Hirsova'da 30 ev vardır, Isakçı ve Tulca eski yerlerini 1000-5000 adım değiştirmişlerdir. Vaktiyle bu topraklarda oturan kazaklar Rusların tarafına geçmişler ve geride Tatarlar, Ulahlar, Moldvanlar, Bulgarlar ve az sayıda Türklerden mürekkep seyrek ve karışık bir nüfus kalmıştır.

Bu bölgede insanlar insanları ürkütüp kaçırdıktan sonra egemenlik hayvanların eline geçmişe benziyor. Ömrümde hiç bu kadar çok ve kocaman kartallar görmedim. O kadar cüretlidirler ki bunlara kamçılarımızla vurmak mümkündü ve eski höyükler üzerine tünedikleri yerlerinden ancak bir an için, istemeye istemeye havalanıyorlardı. Sayısız keklik sürüleri büyük bir kanat gürültüsüyle, âdeta atlarımızın ayaklarının altından, kuru otlar içinde havalanıyor ve bulundukları yerlerin üzerinde çoğu zaman bir aladoğan dolanıp onları gözetliyordu. Biz yaklaşınca büyük toy sürüleri kendilerini zor bela kaldırarak havalanıyorlar, öte yandan uzun turna ve yabankazı katarları havayı yarıp gidiyordu. Binlerce koyun ve keçi, otlatılmak için her yıl Siebenbürgen'den, askeri sınırdan[77] geçerek buraya gelir; bu müsaadeye karşılık davar başına 4 para, yani 2 buçuk pfennig ve elli hayvanda bir hayvan verilir. Tuna kenarındaki su birikintilerinde mandalar yatar, sudan dışarıda sadece burunları görünür. Üzerinde yavrulu kısrakların otladığı bir Tuna adasının önünden geçtik. Kısraklar bizim kafilenin geldiğini görünce kişnemeye başladılar. Taylardan birkaçı bize doğru yüzmek için suya atıldı. Sazlıklardaki ördekler ürküp havalandılar ve bir yabani kuğu sürüsü zorlukla havalanırken suyun durgun aynasına çarptıkça sıra sıra halkalar çizdi. Bütün bunlar, Everding'in yahut Ruisdael'in peyzajlarına benziyordu.

Aşağıda, Tuna kenarlarında arazi cazip bir hale geliyor, adalar sık fundalıklarla örtülü; nehrin tâli kolları göllere benziyor ve sonunda nehrin yatağı yayılarak on mil genişliğinde bir saz denizi haline geliyor. Bunun içinden büyük deniz gemilerinin geçtiği görülüyor. Karşı tarafta Bessarabya'nın dik beyaz sahili güç seçilebiliyor.

---

(77) Askeri sınır Türkiye ile Avusturya-Macaristan arasındaki dar bir bölgeye verilen addı. Burada kaçak Sırp ve Boşnaklar otururdu. Silahlandırılmışlardı ve askeri idare altındaydılar.

Bu ıssız bugünün içinden, hemen hemen iki bin yıllık bir geçmişin harabeleri yükseliyor. Adlarını yer yüzüne silinmez çizgilerle kazanlar burada da yine Romalılar. İmparator Trajan'ın Tuna kenarındaki Çernavoda yahut Boğazköy'den başlayarak Karasu'nun göller sırasının arkasından ta Karadeniz kenarındaki Köstence, eski Konstantia'ya kadar çektirdiği çift, bazı yerlerde üç sıra istihkâmlar, her yerinde 8-10 ayak yükseklikte kalmış; dış tarafa doğru hendekler kazılmış, iç taraflarında da eskiden muazzam bir duvar meydana getirmiş oldukları anlaşılan büyük yontulmuş taşlar duruyor. Bu istihkâmın batı tarafının hemen önünde Karasu'nun bataklık vadisi ve gölleri, âdeta bir kale hendeği teşkil ediyor. Fakat doğuda Vurlak köyünden itibaren dış sur vadiyi aşıyor ve araziye uyması hemen hemen hiç düşünülmeden inşa edilmiş içteki güney suru, 100'den 2000 adıma kadar muhtelif açıklıklarla birincisinin arkasında uzanıyor. Geride yer yer, kenarları ortalama 300 ayak olan kare şeklinde Castrum'ların[78] izleri görülüyor, bunlar şekilleri ve giriş yerleri tamamıyla belli olacak gibi kalmış. Roma şehri Konstantina'nın etrafındaki istihkâm kuşağı hâlâ duruyor, her iki kanadıyla dik deniz kıyısına dayanıyor ve böylece şehrin bulunduğu dili karadan ayırıyor. Eskiden eteğinde denize doğru bir mendireğin uzandığı tahmin edilen yuvarlak bir kulenin temelleri de dikkate değer. Direk parçaları ve bir kısım güzel yontulmuş taşlar her yanda yerlerde yatıyor. Hulasa, hemen hemen Türk şehri kadar Roma şehrinden de kalan şeyler var.

Fakat bence en dikkate değen, Castrum'un yanıbaşındaki bir boğazın yamaçlarına âdeta asılmış bir Roma evinin zarif kalıntıları. Tuna'ya doğru da, Rassova'dan üç buçuk saat ötede, garip bir harebeye rastladık; Türkler buraya *Adam-kilisse* diyorlar. Bu, üstü kubbe tarzında, sağlam bir taş kitlesi. Evvelce dışında kabartmalar ve direkler varmış, bunların enkazı şimdi etrafa serpilmiş yatıyor. Bu katı cevizin içerisine girebilmek için iki defa uğraşılmış, fakat ikisi de boşa çıkmış; bin zorlukla kazılan bir çeşit tünelle temellerin altına kadar inebilmişler, fakat bir şey bulunamamış; harabenin dışında sadece yontulmamış taşlarla hiç değilse onlar kadar çok, esası şimdi taş gibi sert kireç olan, o bildiğimiz karışımdan başka bir şey görülmüyor. İhtimal ki burası bir Roma ku-

---

(78) Eski Roma müstahkem ordugâhları.

mandanının mezarıdır. Rassova'dan Köstence'ye kadar olan alan başka bakımdan da dikkate değer: Karasu'nun denize dört millik mesafeye kadar yaklaşan uzun bir sıra halinde ve birbirine bağlı gölleri, acaba vaktiyle Tuna buradan akıyordu da daha sonra herhangi bir tabiat olayı yüzünden bu kısa yoldan ayrıldı mı sorusunu akla getirmiştir. Gerçekten de arazi göllerden itibaren sadece hafif kabartılı bir sırt teşkil ediyor ve Köstence'nin kuzeyinde deniz kıyısındaki bir boğazda da kayalık değil sadece kil ve çakıl görülüyor.

Birkaç sene önce Ruslar Sulina ağzında karantina kurdukları zaman bunun Tuna'daki ulaştırma ve ticarete hâkim olmak için bir teşebbüs olduğu tahmin edildi ve bunun üzerine şu soru ortaya atıldı: Acaba Tuna yahut ondan ayrılacak bir kanal Trajan suru boyunca yeniden denize akıtılabilir mi? Bu sebeple Tuna'nın Rassova önündeki seviyesiyle Köstence'deki deniz seviyesi arasındaki farkın, bundan başka da bu noktalar arasındaki en alçak sırtın deniz seviyesinden yüksekliğinin tayini çok enteresan olacaktı. Tuna'nın eski mecrası rivayetine gelince arazide bundan hiçbir iz yok. Tersine, tepe sırasının hiçbir yerinde bir açıklık ya da önemli bir açılış görülmüyor. Esasen Tuna daha Çernavoda'nın iki saat yukarısında normal yönünden hemen hemen bir doğru açı meydana getirerek ayrılıyor. Bir kanal açılmasına gelince, bu mümkün, fakat milyonlarca talerlik bir sermaye yatırımına mal olacaktır. Yüzbaşı von Binke ölçerek arazinin denizle Tuna'ya açılan göller arasındaki en alçak kısmının 166 Prusya ayağı yüksekliğinde olduğunu tayin etti. Sırtlarda bir kanalı besleyecek su bulunmadığına göre kanalın suyunu Tuna'dan ya da hiç değilse ondan sadece 17 ayak kadar yüksek olan göllerden alması lazım gelecektir. Bu sebeple, her ne kadar pek az tesviye havuzuna ihtiyaç olacaksa da, buna karşılık kanalı en aşağı iki üç millik yerde 136 ayak derinliğinde kazmaya mecbur kalınacaktır; bu sırada da kayaya raslanması çok muhtemeldir. Buna çok pahalı bir mendirek inşasını da katmak lazımdır; çünkü esasen rüzgâra çok açık olan Köstence limanı, yüzlerce yıldan beri gemilerin safralarını buraya boşaltmaları yüzünden o kadar dolmuştu ki hemen hemen kullanılamaz hale gelmiştir. Bu sebeple, böyle bir planın hakikat haline gelmesinden önce Tuna'daki ticari ulaştırmanın çok daha faal bir hale gelmesi ve bunu Sulina ağzında şimdikinden daha esaslı engellerin kösteklenmesi gerekir.

Bütün gezi sırasında bize, özellikle Silistre Müşiri Sait Paşa'nın emirlerinin erişebildiği her yerde, mümkün olan her türlü yardım yapıldı. Şehirlerden daha bir saat uzaktan atlı seymenler bizi karşılıyor, önümüzden ve yanımızdan atlarını sürüyor ve değneklerini *"cirit"* gibi savuruyorlardı. Daha sonra Çorbacı, yani reayanın başı görünüyordu. Evlerde bizi kabul için her şey en mükemmel tarzda hazırlanmış oluyordu ve âyan yani memleketin Müslüman ileri gelenleri de bizi hemen ziyarette kusur etmiyorlardı. Yemek, şarap ve hele iltifat boldu. Köylüler geçeceğimiz yollarda çalıştırılıyordu. Hamamlar biz orada oldukça müşteri almıyorlardı. Fakat hepsi cemaatlerin hesabına olan bütün bu külfetler ve masraflara rağmen yine de bize, bizim memlekette bir yolcunun alelâde menzil arabalarından ve çok daha az para ile sağlayabileceği rahatlığı temin etmek mümkün olamıyordu.

Troya

Beyoğlu, 21 Kasım 1837

İlk defa Çanakkale boğazında bulunduğum sırada, büyük İskender'in bir kumandanının o sahilde kurmuş ve efendisinin ünlü adıyla Troya'yı birleştirerek ad vermiş olduğu şehrin kalıntılarını ziyaret etmiştim. O şehrin harabelerinden İstanbul camilerinin en büyüğü inşa edilmiştir ve halen etrafındaki bütün köylerin mezarlıklarını granit direkler kaplamaktadır. Yüksek kemerler, dev gibi direkler ve muazzam alanları kaplayan temeller, palamut meşesi ormanları içinden yahut denizden Aleksandria Troas'ın önünden geçen yolcuların gözlerini kendilerine çeker. Bu sefer adımlarımı, en eski tarihi hatıraların bağlandığı, fakat anlaşılan zamanın insan elinden çıkma bütün eserlerin izini tozunu sildiği bir yere, İlium'a yöneltiyorum. Buna karşı, kör bir ihtiyarın binlerce sene önce anlatmış olduğu, kendi zamanından da yüzlerce yıl önce geçmiş bir olayın yerini insanın büyük bir ihtimalle tayin edebilmesi sahiden garip bir şey. Fakat tabiat değişmemiştir; hâlâ Troya kadınlarının "parlak urbalarını" yıkadıkları biri sıcak, öteki soğuk iki pınar fışkırıyor; hâlâ İda'dan aşağı Simois "yabanî hayvanların yerden kaynayan besleyicisi" akıp geliyor ve burgaçlı suları, daha yumuşak huylu üvey kardeşinin, Skamander'in sularına karışıyor. Dalgalar bugün de Sigeum burnu ile "sert sert etrafa bakan" İmbros kıyılarında çağlıyor. Üzerinden Zeus'un, tanrılar ve insanların neler yapıp ettiklerini seyrettiği İda'nın beyaz tepesi ovanın her tarafından görülüyor. Yerleri sarsan Poseidon da oturmak için buradan daha muhteşem bir yer bulamaz.

Çünkü:
Yeri titreten güçlü tanrı
Gözleri kapalı durmuyordu nöbette;
Oturmuş gözlüyordu savaşı, dövüşü,
Ta yukarlarda, ormanlık Semendireğin en sivri doruğunda
Priamos'un şehri, Akha'ların gemileri görünürdü.
Denizden çıkmış, gidip oturmuştu oraya...[79].

İlyada'da gerçeği şiirden ayırmak lazımdır. Acaba Pergam duvarları önünde Homeros'un saydığı bütün hükümdarlar savaşmış mı idi? Bu onun yarı tanrılarının şecereleri kadar şüpheli olabilir, fakat muhakkak olan şey Homeros'un şiirinin tam da bu mevkiye uymakta oluşu ve onun burasını gayet iyi tanımış olmasıdır. Ülkeleri saran Poseiodon'a baktırdığı yer de sahiden, muhteşem, yüksek kayalık Semendirek adasının orta tepesi olarak görülmektedir. Yine her taraftaki mahalli özellikler de böyle gerçektir. Bu sebeple insan bütün İlium'u hayalinde, belki olduğu gibi değil, fakat Homeros'un düşündüğü gibi yeniden kurabilir. Bu kadar gelip geçilmiş olan şehrin yerine gelince bu, özellikle eteğinden Skamander'in fışkırması ve Simois'in onun surlarını yalaması ile belirtilebilir. Şehrin yerinin daha kesin olarak kestirilmesinde bilginler birbirlerinden azıcık ayrılmaktadırlar. Biz ise, bilgin olmadığımız için, sadece zaptedilemez bir kale yapmak bahis konusu olduğu zaman (eskiden de şimdi de) neresinin seçilebileceğini, kendimizi askerlik içgüdüsüne bırakarak düşünüyoruz. Çanakkale boğazının güney ağzındaki Kumkale Türk istihkâmından Simois ırmağı boyunca üç saat içeri doğru ilerleyince, bu ırmağın geniş vadisi bir sıra tepelere dayanır. Bunların eteğinde Pınarbaşı köyü vardır. Köyün bu adı almasına

---

(79) İliada XIII. 10 17

sebep, burada kalker kayaları arasından fışkıran Skamander'in pınarıdır. Buradan doğu yönünde yürüyerek yatık bir tepeye çıkılırsa, seyyahların çoğunun İlium'un bulunduğunu kabul ettikleri noktaya varılmış olur. Bundan aşağı yukarı 1000 adım ötede meyilli bir boğaz gelir, bunun öte tarafında daha yüksek, 500 adım uzunluğunda bir düzlük yükselir. İşte Pergamos burada imiş. Küçük, yuvarlak bir tepe Hektor'un, bu "savaş naracısının" mezarı olarak gösterilir, fakat Hektor'un aslında kalenin dışarısında yatmakta olması lazımdır. Şimdi ben, tarafsız gözlemci, sizi bu Hektor'un mezarından aynı yönde 800 adım daha, yüksek bir taş yığınına doğru yürümeye ve bunu bir an için Priamos'un savaşçıları seyrettiği ve çocuk Andromakhos'un babasının miğferinin tuğundan ürktüğü, Skaiai kapısının üstündeki surun yıkıntısı olduğunu kabule çağırıyorum. O zaman insan önünde şehir için 500 adım genişliğinde düz bir alan ile arkasında 600 odasıyla Priamos'un kalesi için bir tepe görür. Bütün bu tepe (Bali dağ) üç tarafından çıkılması hemen hemen imkânsız kayalık yamaçlarla ve Simois'in 300-400 ayak derinliğindeki vadisiyle çevrilidir; sadece dördüncü tarafından yolu vardır. Fakat orada Skaiai yahut Dardanos kapısı vardı ve ad bırakmış olan biricik kapı da budur.

Buradan göz alabildiğine Skamander'in pınarları, savaşın olduğu düzlük, Simois deresinin yatağı, Akhilleus ve Aiaks'ın mezarları, kumluk sahilde filonun yeri, İda ve Samotrakis görülür. Fakat daha da ötesi var; ipoteze göre üzerinde kalenin de şehrin de bulunduğu bütün o yüksek kısımda birbirlerini doğru açı meydana getirerek kesen, harçsız olarak örülmüş, çeşitli taşlardan temeller keşfettik. Bunların gerçekten o eski devirden kalma ve Troya evlerinin temelleri olduklarını, yerlilerin sattıkları bakır paraların Troya paraları olduğunu nasıl iddia etmiyorsam öylece asla iddia edecek değilim, fakat Troas'ın hatırası için tapınaklar kurulduğunu ve şehirlere onun adı verildiğini biliyoruz. Böyle bir şehrin İlium'un eski yerinde kurulmuş ve eski Pergamos'un enkazı ile inşa edilmiş olması pek mümkündür ve böyle tapınakların, fakir Pınarbaşı köyünün mezarlığını kaplayan birçok frizler ve sütun başlıklarını vermiş olmaları da pekâlâ kabildir.

Bu enteresan alanın en dikkate değen şeylerinden biri de mezar tepeleridir; Akhilleus'unki, Homeros'u yerini tarif edişine göre, en şüphelisidir; "geniş Hellespontos'un ileri çıkan kıyısında yaşayanların ve ileride gelecek olanların ta uzaktan görebilecekleri yerde".[80]

Pelide nasıl sağ kanada kumanda ediyorsa Aiaks da ordugâhın ya da filonun sol kanadına kumanda ediyordu, çünkü parlak zırhlı Akhaia'lılar – belki bugün de Hellespontos'u yarıp geçenlere benzeyen – kıvrık gagalı gemilerini kumsala çekmişler ve onların önünde mevzi almışlardı. Fakat bunun Akhilleus'un mezarından başlayıp Sigeum burnunu geçerek Roiteion burnuna kadar varan Kumkale'nin alçak sahilinden başka hiçbir yerde olması mümkün değildir. Burada, doğruluğu daha çok muhtemel olarak Aiaks'ın mezarı denen ikinci bir höyük vardır.

Bu tepe de kazılıp açılmıştır.[81] Yarı kısmı devrilip gitmiş ve kesik yerinde, duvar örülerek yapılmış dört köşeli bir oda meydanda kalmıştır. Bu odanın kenarları on adım kadardır. Bir köşesinin altında 4 ayak kadar yüksekte bir tonoz vardır. Bunun içinde sürünerek 10-12 adım kadar ilerlenebilir. Bu duvarların yeşilimsi çakıllarla karışık olan harcı son derece dayanıklıdır ve çok eskiye benzemektedir. Fakat işte asıl bu harç bu tonozun ta Homeros zamanından kalma olmadığına tanıklık etmektedir, çünkü o zamanlar ölüleri "aşağıya, Kovuk mahzene" indiriyorlar, "üzerine sık sıralar halinde muazzam taşlar" koyuyorlardı. Fakat pek mümkündür ki, daha sonraki ululardan biri, İskender ve Caracalla gibi, kendi hatırasını Troya'nın hatıralardan silinmez adına bağlamak istemiş ve mezarını Telamonid'lerin hakiki mezar tepesine yerleştirmiş olsun. Fakat onun kendisine ölümsüzlüğü sağlayacak bir Homeros'u yoktur, adı sanı sönüp gitmiştir ve tecessüs, bu saygı değer mezar tepesinde, sadece kendini beğenmişliğin içerisine yerleştirmiş olduğu şeyi bulabilmektedir.

Ötekilerden daha dikkate değer olanı da Aesyetes'in muazzam mezarıdır. Bu mezar, daha başları kâhküllerle bezeli[82] Danae'lerin Troya'yı sıkıştırdıkları sırada onlar için esrarlı bir şey, o karanlık eski çağda bile uzak bir geçmiş olan anıttı.

---

(80) Odisse XXIV. 82.
(81) 1787'de, o zamanki Fransa Sefiri Choiseul-Gouffier tarafından açılmıştır.
(82) Homeros bu sıfatı Akhalar için kullanır.

İstanbul'un Eski Eserleri – Ayasofya – Hipodrom –
Forum Constantinum –
Direkler ve Kiliseler, Şehrin Surları

İstanbul, 28 Aralık 1837

İstanbul'un üzerinden öylesine tahrip dalgaları geçmiştir ki eski
çağlara ait bütün izler hemen hemen silinip gitmiştir. Byzans'ın
şehri Konstantin'in şehrinin altında yok olmuştur. Roma imparatorlarının eserlerini de İstanbul, bir Tatar kabilesinin daimi ordugâhı, örtmüştür. Gerçi İstanbul, yıkıntılarla doludur, fakat bunlar
dünün yıkıntılarıdır ve Doğu Roma'nın payitahtı işte bununla
Avrupa payitahtlarından ayrılır. Tiber kıyısındaki yedi tepenin
taçlandırdığı şehir hemen hemen tamamıyla eski Roma'nın harabeleri içine yerleşmiştir, fakat beri yanda, Bosfor kenarındaki yedi tepeyi her yangının şeklini değiştirdiği tahtadan bir şehir örtmektedir. Bununla birlikte eski çağlardan birkaç anıt kalmıştır,
ben de sana bunları gezdirmek istiyorum.

Hatıraların en çoğu Konstantin'in[83] İlâhi Hikmet adına inşa
ettiği ve dev gibi dört dayanak duvarına oturan kurşun kubbeleriyle badanalı duvarları bugün de Propontis ile altınboynuz arasındaki son tepe üzerinde yükselen tapınağa bağlıdır. Orada hâlâ
ihtiyar Sophia, beyaz elbiseler içinde, kır saçlı başı muazzam koltuk değneklerine dayanmış bir nine gibi durur ve bugünün birbirine sokulmuş bina kalabalığının üzerinden dışarıya, karalar ve
denizler üzerinden ta uzaklara bakar. Bin yıllık Hıristiyan kadının koruyucuları ve evlatları Müslüman edilmiştir. Fakat o yine
de Peygamberin mezarından yüzünü çevirmiş, doğuya, doğan
güneşin yüzüne; güneye, Ephesos'a, Antakya'ya, İskenderiye'ye,
Korint'e, Kurtarıcının mezarına; batıya, kendisini terk edene, ve
kurtuluş umduğu kuzeye bakmaktadır. Yangınların, kuşatmaların, ihtilallerin, iç harplerin, taassuptan doğma tahrip hırsının,
depremlerin, fırtınaların ve boraların kudreti onun Hıristiyan,

_____

(83) Ayasofya'nın şimdiki binası Konstantin değil Justinianus tarafından yaptırılmıştır.

Putperest ve Müslüman imparatorları içerisine kabul eden duvarlarına çarparak kırılmıştır.

Fakat bunca yüzyıllar yine de bir insan yapısının üzerinden iz bırakmadan geçmez. Ayasofya kilisesinin kubbesi birkaç defa çökmüştür. Binanın içini yangın harap etmiştir. Kubbeyi dışından sağlamlaştırmak için muazzam payandalara ihtiyaç hasıl olmuştur. Türkler üç ayrı devrede kiliseye birbirlerine benzemeyen dört minare ilave etmişlerdir. Bunlar hiç de, daha sonra yapılan camilerinkiler kadar narin ve zarif değillerdir. Her ne kadar hemen hemen bütün seyahatname yazanlar Ayasofya'nın manzarası karşısında hayranlıktan coşmayı usul edinmişlerse de itiraf edeyim ki bana ta içerisine girinceye kadar, ne büyük, ne de güzel bir bina tesiri yapmıştır.

Bu bakımdan Ayasofya Türk camilerinin tamamıyla tersidir. Bunlar, dışarıdan bakılınca zevkli inşa tarzları ile insanı hayran ederler, fakat içerileri hiç de saygı uyandıran bir etki yapmaz. Ayasofya o camilerin en büyük süsünden, dış avludan (*Haram*) yoksundur ve hiçbir yerde bu camii incelemek için uygun bir nokta bulmak mümkün değildir. Fakat Narteks'ten yani tövbekârların kaldıkları kemerli salondan, büyük kapıdan geçerek içeri girince, üzerindeki 180 ayak yüksekliğinde, havada yüzüyormuş gibi duran taştan kubbesiyle 115 ayak genişliğinde, tamamıyla serbest, direksiz desteksiz boşluğu görünce insan bu düşünce cüretine ve bu binanın meydana getirilişindeki azamete hayran kalır.

Ayasofya bir zamanların Süleyman mabedinden üç defa yüksektir; uzunluk ve genişliği (yarım kubbeler dahil) 250 ayaktır. Üç tarafı, yani içeri girenin solu, sağı ve karşısı daha alçak, fakat yine de 100 ayak yüksekliğinde üç tane, 50 ayak çapında yarım kubbe ile genişletilmiştir. Bunların alt taraflarında da daha küçük yarım daireler çıkıntılar meydana getirir. Asıl şaşılacak taraf binanın iç boşluğunun büyük genişliğidir, 800 ayak karenin üstü tek bir kubbe ile örtülmüştür. Bizim Hıristiyan kiliseleri narin gövde ve geniş yaprak taçlardan bir ormana benzer, bu kubbe ise doğrudan doğruya göğe benzetilerek yapılmıştır.

Yanlardaki geniş yarım kubbelerin altında, sekiz dev gibi direğin taşıdığı iki geniş maksure vardır. Bu direkleri Kostantin Efes, Atina ve Roma'dan taşıttırarak bir araya getirmiştir. Bu Hıristiyan kilisesini süslemek için Avrupa, Asya ve Afrika'daki tapınaklar soyulmuştur ve sen ikinci maksurenin üstünde porfir, giallo antico, granit, donuk akik ve mermerden bir direk ormanı ile karşılaşırsın. Bunlardan doğu tarafındakiler ürkülecek kadar şakulden şaşmıştır ve burada ana duvarların hayli basmış olduğunu göstermektedir. Yan kubbelerdeki bir akustik garibesi beni hayrete düşürdü. Bunlar parabolik inşa edilmiş oldukları için, karşı taraftaki en hafif ses bile işitilmektedir. Bir dostun tanıdığınız sesinin yanıbaşınızda fısıldadığını duymak, fakat onu gözlerinizle boş yere aramak tüyler ürperten bir etki yapar. Işık, esas bakımından, kubbenin kaidesine çepeçevre açılmış olan pencerelerden gelir. Bunların boyunca kubbenin altında açık bir galeri vardır, buradan kilisenin içine, 150 ayak aşağıdaki zemini kaplayan dua edenler grubuna bakış hem güzel, hem de ürkütücüdür. Yukarıda Ayasofya'nın kıbleye, yani Peygamberin mezarına yönelmiş olmadığını kaydetmiştim. Bina, cephelerini değil köşelerini dört yöne çevirmiştir ve tamamıyla değilse de hemen hemen, daha sonra inşa edilen camiler gibi cihetlendirilmişe benzer. Müslümanların dualarının doğru yönden şaşmaması için zemindeki hasırlar ve halılar kutsal Mekke şehri yönünde yayılmıştır. Bu çarpıklık binaya uymamakta ve kötü bir tesir bırakmaktadır.

Fakat burada insan kubbenin nasıl yer yer birkaç ayak derinliğinde çöküntüler gösterdiğini ve büyük yumrularla küre şeklinin bozulmuş olduğunu görerek ürker.

Kubbe eskiden, taş ya da daha çok yontulmuş, yaldızlanmış yahut boyanmış dökme camlardan mozaiklerle kaplı idi. Fakat Türkler bu resimleri ve ana direkler üzerindeki dört meleği ya badana ile kapamış ya da tanınmayacak hale getirmişlerdir. Binanın içinde resim, tablo, heykel yahut anıt namına bir şey yoktur. Duvarların tek süsü Kur'an'dan alınma muhteşem yazılardır. Bunlar son derece zevkli arabeskler meydana getirir. Harfler altın yaldızlı ve 6-8 ayak boyundadır, uzun şeritler halinde, kubbenin etrafındaki koyu mavi zemine yahut levhalar üzerine yazılmışlardır.

Bir sürü dar merdivenlerden ve kurşun örtülü damların üzerinden geçerek dışarıdan büyük kubbenin kenarına kadar varılır. Oradan pencerelerin üstündeki kısma tırmanılır. Burada kubbenin tepesindeki altın yaldızlı hilâlden aşağı sarkan bir zincir bulursun. Başı dönmeyenler buna tutunarak kubbenin üst sathına kolayca tırmanabilirler. Bu sunî dağın tepesinden görülen manzara tırmanmanın zahmetini bol bol öder. Bir yanda, tam altında, sarayın iç avlusu, öte tarafta At Meydanı vardır. Liman, içindeki sayısız gemiler ve mavnalarla, doğruca Ayasofya'ya akan geniş bir nehre benzer. Hayran kalan göz çepeçevre etrafta şehirler ve denizler, karalar ve dağlardan öylesine bir çeşitlilik görür ki bunu hayal tasarlayamaz, sanat kopyasını meydana getiremez. Aşağı iniş pek o kadar hoş değildir.

Şimdi seni yakındaki açıklık bir meydana götüreceğim. Bu İstanbul'da bulacağın en büyük ve hemen hemen biricik meydandır. Burası eski Hipodrom'dur. Bugün de aynı anlamda olan At Meydanı adını taşır. Hipodrom 400 adım uzunluk ve 100 adım genişlikte bir sirk idi. At Meydanı ise 500 adım uzunluk ve ortalama 200 adım genişliğinde gayrı muntazam dört köşe bir meydandır. Eski alanının bir kısmını güzel Sultanahmet camiinin avluları ile bu camiye bağlı binalar, *imaret* yani fakirler aşevi, *medreseler* yani okullar kaplamaktadır. Ben imparator tribününün yerini şimdiki *tımarhane*, yani deliler yurdunun bulunduğu mevki olarak kabul ediyorum. Bu tımarhane de camiye aittir, çünkü Türkler delileri ermiş olarak kabul eder ve onlara saygı gösterirler.

Eski tasvirlerinden öğrendiğimize göre, imparator sarayından doğrudan doğruya tribünlere giden dönemeçli bir rampa vardı. Bu ise buradan başka bir tarafta mümkün değildir, çünkü tımarhanenin arkasında bir kaya yamacı, hemen hemen dik olarak aşağı iner; üstünde At Meydanı'nın bulunduğu tepe ise liman tarafına olsun, Marmara tarafına olsun, başka her yanında tatlı bir meyille yayılıp gider.

Hipodrom'un son ucu tımarhane olarak kabul edilirse, şimdi At Meydanı'nın sonunda yükselen üç eski direk yani sirkin metaeleri[84] tribünlerin tam önüne rastlar. Bu anıtlardan birincisi takriben 80 ayak yüksekliğinde, üst üste konmuş birçok taşlardan yapılma bir Obelisktir. Bu taşlar anıtın bahtsızlığı eseri olarak, yaldızlık bakır levhalarla kaplı imiş, bunları hırs ve tamah söküp almış; Obelisk de şimdi öyle çarpık, öyle harap duruyor ki fırtınalara ve zelzelelere hâlâ karşı koyabilmesine insanın aklı ermiyor. İkinci anıt 10 ayak yüksekliğinde tunçtan bir direktir, birbirine dolanmış üç yılanı tasvir eder, fakat yılanların başları yok olmuş-

---

(84) Metae'ler araba yarışlarında dönüş yerlerini işaret eden direklerdi.

tur; Fatih Mehmet ya da Muhammed bu başlardan birinin alt çenesini bir balta vuruşta koparmış atmış. Bu yılanlı direğin Kserkses'in on binlerine galebe çalışlarının hatırası olarak Yunanlılar tarafından Tanrı Apollo'ya adanmış olduğu, büyük bir kesinlikle ispat edilebilmektedir. Herodot ve Pausanias bu direğin Delphi'deki altın sehpayı taşıdığını yazarlar, kilise yazarları da onun Byzans'a İmparator Konstantin tarafından getirildiğini kaydederler. Bu anıtlar arasında en eskisi, fakat yine de en iyi halde kalmış olanı Mısır Obeliskidir. Bu anıt Theb'ın kadim bir monolitler[85] ailesindendir. Bu muazzam Mısırlılardan biri Pempeius'un emriyle İskenderiye'ye yolculuk etmiştir ve orada kum üstüne uzanmış yatmaktadır.[86] İkincisi kendini Paris'te bularak şaşırıp kalmıştır; üçüncüsü Roma'ya hacca gitmiştir; fakat 1200 kental ağırlığına rağmen[87] orada da rahat kalamamış, yolculuğunu dünya imparatorluğunun yeni başşehrine kadar devam ettirmek zorunda kalmıştır.

Türklerin bu taşı dikili olarak bırakışları şaşılacak şeydir, çünkü bu taş sadece böcekler ve kuşlar, eller ve gözlerle değil insan resimleriyle de kaplıdır. Bütün bunlar o kadar keskin bir tarzda resmedilmiş ve o kadar iyi bir halde kalmıştır ki, dört bin yıl önce değil de sanki dört gün önce kazınmış sanılır. Bu monolitin tepesi eğik olarak kesilmiş yahut sivriltilmiştir. Bazı yazarlar bunun kırılmış olduğunu iddia ederler, fakat herhalde iş böyle olmasa gerek; çünkü tepedeki fasetalar üzerinde de hiyeroglifler vardır. Direğin yatay kesiti tam bir dörtgen teşkil etmez, bir yüzü dışarı doğru hafif bir çıkıntı meydana getirir, onun karşısındaki yüz de ona paralel olarak içeri doğru kavislidir, geri kalan iki yüz ise düz ve birbirine paraleldir. Taşın yüksekliği 80 ayak kadardır; dört köşe bir mermer kaidenin üstünde durur. Bu kaidenin yüzlerinde yarış meydanındaki müsabakalar kabartma olarak tasvir edilmiştir. Obelisk mermer kaidenin üstündeki, takriben bir ayak boy, en ve yüksekliğinde zar şeklinde maden parçalar üzerine, alt dört köşesinden oturur.

Bu Mısırlı neler görüp geçirmemiştir ki!.. Firavunlar imparatorluğunu ve onun yıkılışını, Roma'nın gelişmesini ve çöküşünü,

---

(85) Yekpare büyük taşlardan anıtlar.
(86) Şimdi Londra'dadır.
(87) Takriben 60 ton.

yeni metropolün kuruluşunu, yeni bir dinin zaferini ve batışını, İslamın hâkimiyetini ve onun zayıflayışını görmüştür. Byzans'ın Hipodrom'unda Roma sirkinin parti mücadelelerinin yenilendiğini ve zayıf bir devletin temellerini sarsacak bir şiddetle devam ettiğini seyretmiştir. Bilindiği gibi, yarış meydanında dört parti vardı ve bunlar özel renklerle birbirinden ayırt edilirdi: kırmızılar ve yeşiller yahut kara partileri, mavi ve beyazlar, yahut deniz partilerine karşı ittifak halinde idiler.[88] Gariptir ki, bu çoktan unutulmuş oyunlarla hiç münasebeti olmadan, Türklerin renkleri kırmızı ve yeşil, yeni Yunanlıların da mavi ve beyazdır. Jüstinianus mavilerin tarafını tutardı. Yeşiller sirkte şikâyet edince, imparatorla halk arasında bir münadinin sesi aracılığıyla gayet garip bir konuşma oldu. "Biz fakiriz, biz masumuz, bırak bizi ölelim. İmparator! Ama senin emrinle, senin hizmetinde!" "Sabırlı ve dikkatli olun! Susun ey Yahudiler, ey Sameriler ve Mani'ciler". Bu karşılık üzerine fena halde öfkelenen halk imparatora katil ve eşek diye bağırmış, silaha sarılmıştı, Justinianus da sarayın halk tarafından kuşatıldığını görmüştü. Halk imparatora karşı ikinci bir imparator seçmiş, Kostantinapolis'in önemli bir kısmı kül olmuştu. Binlerce insan ölmüş, mübarek Ayasofya kilisesi yanmıştı. Bu ihtilal "Nika" (Zafer) adını taşır.[89] Fatih Mehmet Hipodrom'da Obeliskin dibinde korkunç bir mahkeme kurmuştu. Şimdiki sultan da tam burada payitaht halkını, sahip olduğu paye sayesinde ve Halifelerin vârisi sıfatıyla lanetlediği ve din namına kökünü kazıdığı yeniçerilere karşı, Peygamberin sancağı etrafına toplanmaya çağırmıştı.

At Meydanı hâlâ güzel bir meydandır; kuzey doğu tarafında, az mesafede Ayasofya yükselir; güneyde ise Sultanahmet camiinin avlusuyla sınırlanmıştır. Camiin iç avlusu (Haram) muhteşem revaklarla çevrelenmiş bir dörtgen meydana getirir. Sivri kemerleri taşıyan direklerin çoğu Aleksandria Troas'dan buraya taşınmıştır. Bu harabeyi Türkler, taşları hazır bir halde yerlerde yattığı için yontmaya ihtiyaç olmayan bir taş ocağı saymaktadırlar. İç avlunun zemini mermer, granit ve porfir levhalarla döşelidir, or-

---

(88)   Moltke bunda yanılmaktadır. Aslında yalnız Kırmızılar ve Maviler vardı. Bunlardan Kırmızılar Hipodromun yeşil basamaklarında, Maviler de beyaz basamaklarında otururlardı.

(89)   Ocak 532.

tasında da bir şadırvan vardır. Camiin ve iç avlunun dört köşesinden narin minareler yükselir, Ahmediye dünyada, altı minarenin göğe yükseldiği tek camidir. Öndekilerin iki, arkadaki dördünün üst üste üçer balkonu (Şerefesi) vardır. Mağribî üslûbundaki kapıları ayrı bir güzelliktedir ve gayet zengin bir tarzda oymalarla süslüdür. Dış avlu dev gibi çınarlar ve servilerle gölgelenmiştir, etrafı da sanatlı bir şekilde ajurlanmış taş parmaklıklarla çevrilidir. Ahmediye dıştan görünüşü bakımından dünyanın en güzel camilerinden biridir, fakat içerisi insanda büyük bir etki uyandırmaz.

Daha Konstantin'in inşa ettirdiği meşhur Bizans imparator sarayı Bukoleon'dan (kapılarından dolayı buna Khalke, yani tunçtan adı da verilir), hiçbir iz bulamadım, fakat yerini üç tarihi not sayesinde gayet kesin bir tarzda belirtmek mümkündür. Kokhlea'dan yukarıda bahsettimdi. Dendiğine göre bir sıra mermer basamaklar Bahçe Sarayından imparatorluk kadırgalarının bulunduğu sunî limana inerdi. Bu limanı şimdi de, Kadırga limanının en alçak kısmında ayırt etmek mümkündür. Nihayet Augusteum'un, sarayın cephesiyle Ayasofya kilisesi arasındaki açıklık kısımda bulunduğu da kaydolunmaktadır ki burada şimdi güzel çeşme durmaktadır, bir zamanlar burada Helene'nin heykeli dikili idi. Buna göre Saray Propontis (Marmara) kıyısında, Ahmediye'nin arkasında şimdiki sarayın duvarlarından itibaren Küçükayasofya'ya kadar, büyük bir alanı kaplamakta idi. Vakanüvislerin tanıklıklarına göre, Konstantin'den itibaren Sezar'ların bin yıl oturdukları bu saray Roma'nınkini, Kapitol'ü, Pergamos'un sarayını, Rufinus'un korusunu, Kyzikos'taki Hadrianus tapınağını, Piramitleri ve Pharos'u (İskenderiye Feneri) büyüklük, ihtişam ve sağlamlık bakımlarından kat kat aşmakta idi. Üç kubbe ile taçlanmıştı; altın yaldızlı tunç damı İtalya mermerinden direklere dayanırdı; içerisinde teraslar halinde Marmara'ya inen büyük bahçeler ve beş kilise vardı, hele bunlardan bir tanesi, Phrygia mermerinden on beş direğe dayanan sigma şeklinde[90] ve yarım yuvarlak bir kapı revakı ile süslenmiş olanı apayrı bir güzellikte idi. Sıra sıra odaların mozaiklerinin, heykellerin ve resimlerin ihtişamı, Latinleri hayrette bırakan bütün bu güzellikler bir iz bile bırakmadan yok olup gitmiştir.

---

(90) Yunancanın sekizinci harfi olan Σ.

Konstantin Bizans'ı kuşattığı zaman çadırını şehrin surları karşısındaki, şimdi üzerinde Nuruosmaniye camii bulunan bir tepeye kurdurmuştu. Zaferinin hatırası olarak burada Forum'u inşa ettirdi. Buna göre eski Bizans her ne kadar şimdiki sarayın kapladığı yerden daha geniş bir alanı içerisine almakta idiyse de ikinci tepeden daha öteye taşmıyordu.

Forum Konstantini geniş bir oval şeklinde idi. Etrafında birçok heykellerle süslü muhteşem revaklar vardı. İki zafer takı karşı karşıya iki kapısını teşkil ediyordu. Forum'un ortasındaki 110 ayak yüksekliğinde Dorik tarzda bir direğin üzerinde, Phidias'ın usta elinden çıkma tunç bir heykel vardı. Bu heykel başında güneş, elinde hükümdarlık asası ve dünya küresi ile Apollo'yu temsil ediyordu, o günlerin tanrısı olan Konstantin de, Güneş tanrısının bu timsalini benimsemişti. Bütün bu ihtişam bugün ortadan kalkmıştır. Forum'dan ise sadece küçük, dar bir meydan kalmıştır ve burada "Yanık Direk" yükselir. Bu direk şimdi, sekiz değil, sadece her biri 10 ayak boyunda, beş Porfir parçasından meydana gelmedir. Üzerinde de beyaz mermerden bir başlığı vardır. Zaman ve yangınlar bu direği o kadar harap etmiştir ki taşların etrafına demir çemberler sarmak lazım olmuştur. Eskiden Konstantin Direği şehrin en yüksek noktasını teşkil ederdi, şimdi minareler onun tepesinden bakmaktadır. Yanık Direğin temelleri altında şehrin eski Palladium'unun, Pelops'un[91] kemiklerinin gömülü olduğu söylenir.

Bir vakitler mübarek insanların, kudretli imparatorların ve imparatoriçelerin heykellerini taşıyan birçok direkten bugün Konstantin'in bu direğinden başka iki tanesi daha kalmıştır. Bunlar şimdi *Kıztaşı* adı verilen ve sefil kulübeler arasında, Fatih camii yakınında bulunan Marsias direği ile saray bahçesindeki Goth'lar direğidir.

Avrat Pazarı, yani kadın pazarında bulunan, bir zamanlar 120 ayak yüksekliğindeki Arkadius sütunundan bugün ancak kaidesi kalmıştır. Şimdi bunun içerisine bir Türk ailesi yuva kurmuştur. Bu sütun beyaz mermerdendi. 140 ayak boyunda idi ve içten, döner bir merdiven tepesine kadar çıkardı. Latinlerin İstanbul'u zaptından sonra, saltanat iddiasında bulunan Murzuflus'u buraya çıkarmışlar, kalabalık bir halkın gözünün önünde aşağıya at-

---

(91) Şehrin koruyucusu. Zeus'un torunu ve Lydia Kralı Tantalus'un oğlu.

mışlardı; halk da bu idamı bir kehanetin yerine gelmesi olarak saymıştı; çünkü şair Tzetzes elli sene önce bir kocakarının rüyasını anlatmıştı. Kadın, bir adamın bu direğin tepesinde oturmuş, ellerini birbirine çarpmakta ve avaz avaz bağırmakta olduğunu görmüş.

Eski Grek kiliselerinden birçoğu bugün de durmaktadır. Fakat bunlar cami yapılmışlardır. Türkler bunlara kilise camii derler. Bunlar da, kule şeklinde ve genellikle birkaç tanesi bir arada bulunan kubbeleriyle ötekilerden kolayca ayrılırlar; fakat hiçbiri güzellik ve büyüklük bakımından öyle göze çarpacak şeyler değildir. Bunların en dikkate değenleri, sarayın avulusunda, şimdi silah deposu olan Aya İrene, Küçükayasofya ve Latin imparatorların içinde gömülü olduğu kilisedir. Bunun yakınında çok güzel, büyük bir lahit vardır, belki Balduin'in lahdidir bu.

Suyollarını ve şehrin içindeki su sarnıçlarını sana daha önce anlatmıştım; Marmara kenarındaki, kürekli taşıtlar için olan küçük liman şimdi meydanlıktır; buraya kadırga limanı adı verilir. Büyüğünün adı Langa Bostanı'dır ve şimdi şehir surlarının dışında kalan, fakat onlarla üç tarafından çevrilmiş, çok bereketli bir bahçe halindedir. Rami-Çiftliğinden gelerek şehri boylu boyuna geçen küçük dere (eski Lykos) burada, sebze bahçelerini sulayarak toprakta kaybolur. Bu derenin şehir surlarından içeri girdiği yerin her iki tarafında çayırlık bir alan, Yenibahçe uzanır. Burada ev yoktur ve etrafını çoğu yerlerde mezarlar çevreler. Buranın güney tarafında garip bir binanın harabesi yükselir. Bunun menşei hakkında hiçbir yerde bilgiye rastlayamadım.

Şimdi artık benim için, en eski ve en önemli anıtlardan, muazzam eski surlardan bahsetmekten başka bir şey kalmıyor. O surlar ki yalnız başlarına Doğu Roma İmparatorluğu'nun yıkılmasını yüz sene geciktirmeye kâfi gelebilmişlerdir.

Bilindiği gibi İstanbul, tepesi (saray) doğuya dönük ve tabanı güneyde Marmara kenarında Yedikule'den kuzeyde Haliç kıyısındaki Blakherna mahallesine kadar uzanan bir üçgen meydana getirir. Bu üçgenin kara cephesi 8600, liman ve Marmara taraflarındaki kenarları ise 17500 adım uzunluğundadır. Bol bol üç buçuk coğrafi mil uzunluğundaki çevresi, 3000'den fazla burcu olan bir surla çevrilmiştir. Theodosius'un (413) inşa ettirdiği sur 447'deki büyük bir zelzelede yıkılmıştır. Vali Cyrus surların yeniden inşasını o kadar büyük bir çalışkanlıkla idare etti ki bu iş üç ayda sona erdi. Maviler partisi liman, Yeşiller partisi de Marmara tarafından çalışmakta ve birbirlerine doğru ilerlemekte idiler. Bunlar Edirnekapı'da karşılaştılar. Onun için bu kapının adı Polyandros, yani çok adamlar kapısı oldu. Blakherna mahallesi ancak imparator Heraklius zamanında şehre eklendi. Surların kara cephesinin kuzey ve güney taraflarında yapı tarzlarının ayrı oluşu herhalde bu yüzden olsa gerektir. Yedikule'den Tekfur Sarayına kadar surlar çift sıradır. Esas sur 30-40 ayak yüksekliğinde ve üst taraflarında 5-8 ayak kalınlığındadır. Her altmış adımda bir burç surdan ileri çıkar. Bunların yapı tarzları başka başkadır. Kimi yuvarlak, kimi sekiz köşelidir, çok defa zariftirler, yüksek ve dardırlar, az çok harap olmuşlardır. Bazılarının büyük parçaları dağılmadan yerde yatmaktadır ve sık sarmaşıklar eski duvarların üzerini örüp kaplamıştır. Fakat hiçbir tarafta, hatta Rami Çiftliğinden gelen küçük derenin vadisine rastlayan ve Türklerin hücum sahası olduğu için surların en çok tahrip edilmiş bulunduğu kısımda bile gedik denecek bir yere rastlamadım. Zamanın uzunluğu harçlarla taşları öylesine yekpare, sağlam bir kitle haline getirmiştir ki bunda bir gedik açmak herhalde çok zordur. Sur çok uzaklardan görülür, fakat atış menziline gelindiği zaman mezarlıkları gölgeleyen geniş bir servi ormanı onu örter. Esas surun önünde küçük burçlarıyla daha alçak bir sur, bunun önünde de taştan örme astar ve karşı astarlı kuru bir hendek vardır. Buna karşılık kalenin ileri doğru bir çıkıntı meydana getirerek limana bağlanan kısmında sadece hendeksiz bir tek sur vardır. Burada burçlar büyük ve geniştir, duvarlar son derece güzel inşa edilmiştir ve olduğu gibi de kalmıştır. Kara tarafındaki surun içinde iki eski imparator sarayı yükselir, fakat bunlar pek küçük birer alan kaplarlar. Bunlardan birincisi Yedikule kalesinin (Kyklobion) bir kısmını teşkil eder; mermerden ve harçsız olarak inşa edilmiştir, 80 ayak yüksekliğinde ve pek az sayıda dar pencereli iki kule ile dışarıya açılan ve eskiden altın kapı denen zarif, şimdi örülerek kapatılmış büyük bir kapıdan meydana gelmiştir. İkincisi, eski Hebdomon, şimdiki Tekfur sarayı ise eski ve yeni surların birleştiği yerdeki içerlek köşededir. Bu hükümdar sarayı şimdi dört katlı cephesinde sadece beş büyük, çok süslü penceresi bulunan güzel bir harabe halindedir, tarif edilemeyecek kadar pislik ve sefalet içinde yaşayan birçok Yahudi ailesi burada oturur, vebanın esas odaklarından birini de burası teşkil eder. Justinianus zamanında, resmi bir alay sırasında Rum İmparatorluğu tacının en büyük mücevherlerinden biri burada kaybolmuş, bin yıl toz toprak altında gömülü kalmış ve II. Mehmet zamanında burada oynayan çocuklardan biri tarafından tekrar bulunmuştur.[92]

İhtişamı ve şaşaası Frank Haçlılarını o kadar hayrete düşürmüş olan ve kara surlarıyla limanın yanındaki yeri büyük bir kesinlikle tahmin edilebilen Blakherna sarayından ise en ufak bir iz bile bulamadım.

Marmara kıyısındaki surlar, güney rüzgârlarının kabartığı muazzam dalgalarla sık sık tahrip edilmiştir. Bunların temellerini sağlamlaştırmak için yüzlerle taş direk sur içine örülmüştür ve burada birçok kitabe göze çarpar.

Theodosius surları 626'da ilk kuşatmayı İranlılar ve Avarlardan gördü; fakat o sırada Bizanslılar henüz denizlerin hâkimiydiler. Husrev'in askerleri müttefiklerinin yenilişini Asya yakasından, ellerinden hiçbir şey gelmeden, sadece seyretmek zorunda kaldılar. Elli sene sonra bir Arap filosu İstanbul önüne geldi. Fakat o sırada yeni çıkmış olan Müslümanlığın mensupları birbiri ardı sıra altı yaz boyunca uğraştılarsa da, Doğu Avrupa'nın o sırada Müslümanlardan kurtuluşunu borçlu olduğu bu surlara karşı bir şey yapamadılar. Müslümanların istila dalgası bu istihkâmlara çarparak kırıldı ve geriye, Suriye, Mısır ve Kuzey Afrika'ya çekildi; Fransa'nın bir kısmı ile İspanya'yı kapladı. Fakat İmparator Şehri, dördüncü Haçlı seferinin batılı şövalyelerine karşı daha zor bir durumda kaldı. Frank Baronları Venedikli tüccarlarla birleştiler, 70 erzak gemisi ve 50 savaş için hazırlanmış kadırga ile birlikte 360 gemi 40.000 Latin Hıristiyanı Hellespont'tan geçirerek Üsküdar'a getirdi. Bosfor'un geçilişi altı koldan oldu ve Rumlar tarafından mukavemet görmedi. Venedik kadırgaları, büyük, yüzen kütüklerin taşıdığı liman zincirini kırdılar ve Bizans filosunun geri kalan kısmını da tahrip ettiler. Bu liman zinciri İstanbul'dan "Galata Kulesi"ne kadar uzanıyormuş. İhtimal bu kule limanın en dar yerinde, şimdi gümrük binasının bulunduğu noktada idi. Böyle de olsa zincir yine 400 koldan[93] daha uzundu. Bahsedilen bu kule muhakkak ki Galata'nın en

---

(92) IV. Mehmet zamanında bulunan kaşıkçı elması.
(93) Dirsekten parmak ucuna kadar olan eski bir ölçü. Prusya kolu 0.6669 m. idi.

yüksek noktasında bulunan büyük kule değildi. İstanbul'u zapteden Latinler zinciri zafer alameti olarak Filistin'e göndermişlerdir.

Franklar surlara kara cephesinden hücum ettiler. 250 savaş makinasını harekete geçirdiler ve sonunda hücum merdivenleriyle taarruza giriştiler. Fakat bu taarruzları püskürtüldü. Buna karşılık Venedikliler şehre liman tarafından hücum ettiler. Büyük kadırgalarını ta kıyıya kadar yanaştırabildiler. Direklerin çanaklıklarından burçlara köprüler attılar. En öndeki gemi, Doj Dondolo'nun, doksan yaşındaki kör bir ihtiyarın gemisi idi. Dondolo güvertenin ön kısmında zırhlar içinde, uzun boyu ve saygı uyandıran haliyle duruyordu. Önünde aziz Markus'un bayrağı açılmıştı. Kıyıya ilk ayak basan da Dondolo oldu. Çok geçmeden Venedikliler yirmi beş burcu zaptettiler ve Cumhuriyetin bayrağı imparator şehrinin surları üzerinde dalgalandı.

Çıkarana izafeten Quidam comes teutonicus adını alan korkunç yangın[94] Bizanslıları dokuz yüzyıllık, şehirlerinin zaptedilmez olduğu rüyasından uyandırdı. Bizanslılar bir yandan Latinlerin imansızlığını şiddetle tel'in ederken öte taraftan İstanbul'da bir cami yapılmasına müsaade etmişlerdir. Şövalyeler bu mâbedi yakarak işi hallettiler; fakat alevler limandan ta Marmara'ya kadar yayıldı ve sekiz günde sayısız evi ve muhteşem sarayı yok etti. Bundan Rum Bizansı'nın da ihtimal hemen hemen tamamıyla ahşap meskenlerden mürekkep olduğu meydana çıkmaktadır. Rumlar ve Latinlerin karşılıklı acı kinleri yeni bir kaynak bulmuştu. Daha bir yıl geçmeden Latinler şehirden kovulmuşlar ve yeni, daha çetin bir kuşatmaya girişmek zorunda kalmışlardı. Bu kuşatma üç ay sürdü. Bu sefer hücum yalnız liman tarafından oldu. İmparator erguvani çadırını şimdi Sultan Selim camiinin bulunduğu tepeye kurdurmuştu ve müdafilerin cesaretlerini körüklüyordu. Latinlerin genel bir hücumunu başarıyla püskürttü. Hücum edenler birçok asker kaybettiler, bizzat Villehardouin, "Mult ere grant péril" demiştir. Buna rağmen, hücum arka arkaya üç gün, aynı zamanda birçok yerlerden birden, tekrarlandı; "Hac Yolcusu" ve "Cennet" kadırgaları kuvvetli bir kuzey rüzgârına yelken açmış, ta kıyıdan süzülüyordu; Troye ve Soisson pisko-

---

(94) Almanların bir yoldaşı manasına. Yangını Günther'in komutasındaki Almanlar 1204 senesi Nisanındaki ikinci kuşatmada çıkarmışlardı.

posları öncülere kumanda etmekteydiler. Dört burç zaptedildi, kapılar kırıldı ve korkunç bir yangın çıkarıldı. O zaman Rumların elçileri, Almanlara kumanda eden Bonifas de Montferrat'ın yanına geldiler ve "Mukaddes Margrav ve Kralı, bizlere merhamet et!" diye bağrıştılar. Blakherna ve Bukoleon sarayları işgal edildi. Şehrin yağmasına müsaade olundu. Fakat kaçanlara kapılar açık tutuldu. Hadsiz hesapsız ganimet elde edildi ve Konstantin'in İmparatorluğu sona erdi veya hiç değilse Trabzon, Nikaia ve Epiros'tan ibaret kaldı.

Hıristiyan Latinler, Bizans'ı, daha sonra Türklerin yaptığından kat kat fazla harap ettiler. Nicetas Latinlerin tahrip ettikleri veya erittikleri bir sürü sanat eserini ve heykeli anlatır. Fakat Lysippos'un, Yunanistan'dan Roma'ya, Roma'dan da Bizans'a göçmüş olan dört tunç atını Venedikliler kurtardılar ve Markus meydanına götürdüler. Bunlar Yeni Galia İmparatoru[95] tarafından kısa zaman için Paris'e taşındıktan sonra yeniden Venedik'e dönmüşlerdir, şimdi de oradadırlar.

Flandre ve Courtenay soylarından beş Latin imparator İstanbul'a yarım yüzyıl sürece hâkim olmuşlardır; fakat devletleri o kadar zayıftı ki Michael Paleologus'un bir kumandanı payitahtı 800 kişi ile yaptığı bir baskında alabilmişti. Bunlar duvarlara merdivenlerle çıkmışlar ve uzun zamandan beri geçilmez hale konmuş olan altın kapıyı içeriden açmışlardı.

Latin imparatorlar zamanında Venedikliler Galata'ya yerleşmişlerdi. Bunları, limanın öte yakasında olan bu şehri surlar ve burçlarla tahkim etme müsaadesini elde eden rakipleri Cenovalılar kovdular. Çok geçmeden Cenovalılar kalelerinin arkasından imparatorlara meydan okudular, boğazın her iki yakasında kaleler inşa ettiler. Bütün Karadeniz ve Doğu ticareti onların ellerinde bulunuyordu; önemli dalyanları gasbettiler, hatta karşıdan karşıya insan ve eşya taşımayı bile tekelleri altına aldılar. İş düşmanlığa vardı. Az kalsın Roma İmparatorluğu Cenova ticaret müessesesinin bir vilayeti olacaktı.

Gerçi Theodosius'un surları II. Murat kumandasındaki 200.000 Osmanlının kuşatmasına dayandı. Fakat Müslümanlar Asya'ya da, Avrupa'ya da yayıldılar. Avrupa'ya geçiş noktaları olan Gelibolu'yu zaptettiler ve Edirne'yi kendilerine payitaht

---

(95) Napoleon.

yaptılar. Çok geçmeden Boğaz'ın en dar yerinde, Asya yakasında bir Türk kalesi yükseldi. Fatih Mehmet de Avrupa yakasında, imparatorun payitahtından sadece bir buçuk mil mesafede, bundan daha muazzam bir ikincisini kurdu.

1453 yılında Fatih Mehmet İstanbul'un, bugüne kadar sonuncu, kuşatmasına başladı. Kıtaları 250.000 savaşçıdan mürekkepti; bunlar şehrin kara cephesi karşısında, Marmara'dan limana kadar sipere girdiler. Geleneğe uygun olarak burada, Avrupa toprağında, Avrupalı askerler sağ, Asyalılar sol kanatta bulunuyordu, Mehmet ise bayrağını 18.000 yeniçerinin muhafazası altında olarak merkeze, Aziz Romanus'un burcu karşısına dikti. Tam bir sayım İmparatora, sadece 4970 "Romalının" ocaklarını ve dinlerini savunmak için silaha sarılmaya hazır oldukları hazin sırrını öğretti. Rumlar ümitlerini bir Cenovalı asilzâde olan Johann Giustiniani'nin kumandasındaki 200 yabancıya bağlamışlardı. Liman yine bir zincirle kapatıldı, bunu İtalyan ve Rum gemileri koruyordu, çünkü Mehmet'in Bosfor'da 320 yelkenlisi vardı ama, bunlardan sadece on sekizi harp gemisi idi.

Harp sanatındaki yeni bir icat, medeni Hıristiyanlarla coşkun Müslüman kıtaları arasında denklik sağlayabilirdi. Barut tam da bu sırada harp malzemesi olarak kullanılmaya başlamıştı; fakat bunun sırlarının kâfirlere ifşa edilmiş olduğunu ve müdafilerden çok daha esaslı bir şekilde, hücum edenler tarafından kullanıldığını görüyoruz. Dar ve yüksek burçlar vaktinde top için inşa edilmemişti ve duvarların fazla sarsılmasından korkuluyordu; buna karşılık Bizanslılar ok ve taş mancınıkları ve esrarengiz Rum ateşinin yanı sıra, ceviz büyüklüğünde birçok mermiyi birden atan kale tüfekleri kullanıyorlardı.

Sultan Mehmet Edirne'de Danimarkalı Urban'a, 600 pfund ağırlığında taş gülleler atan bir top döktürdü. Beş günlük bir yürüyüş bunu Bizans'ın surları altına kadar getirdi, yanı sıra iki dev top daha bulunuyordu. Bunları günde yedi defadan fazla doldurmak ve ateş etmek mümkün değildi. Urban'ın topu parçalandı ve kendisini yapanı öldürdü. Her ateşten sonra falya deliğinden içeri yağ akıtmak suretiyle geri kalanların böyle felaketlerden korunabileceğine inanılıyordu. Türklerin yan yana on batarya yerleştirdikleri kaydedilmektedir, fakat bahis konusu olanların yalnız toplar değil, bunlara birlikte daha eski harp makinaları olması çok muhtemeldir.

Gerçekten de bu bataryaların etkisinin az olduğu görülmektedir. Türkler kaleye (sıçan yollarıyla) yaklaştılar, hendekleri, çalı demetleri ve toprakla doldurdular. Ağaçtan yapılma, üzeri üç kat öküz derisiyle kaplı yüksek bir seyyar kuleyi, esasen hırpalanmış olan Aziz Romanus burcuna doğru sürdüler ve sura hücuma kalktılar. Fakat imparator bu hücumu püskürttü ve ertesi gün Sultan, seyyar kulesini yanmış, hendekleri temizlenmiş ve gediği tamir edilmiş buldu. Lağım teşebbüsleri de kayalık zeminde gene böyle başarısızlıkla sonuçlanmıştı. Şehirle onu kuşatanların gözü önünde kalabalık Türk filosu dört büyük Cenova ve bir Rum kadırgası tarafından mağlup edildi. Sultan kıyıda at üstünde duruyordu. Ruhundaki ihtiras vücudunun, savaşanların hareketlerini taklit eden hareketlerinde kendini gösteriyordu. Sanki tabiatın hâkimi imiş gibi atını dalgalara sürdü. Onun bağırışı ve öfkesi Osmanlı gemilerini yeni yeni hücumlara kaldırıyor ve bu hücumlar gittikçe daha mahvedici ve daha kanlı yenilgilerle sonuçlanıyordu. Nihayet Türk gemileri karma karışık bir halde Avrupa ve Asya kıyılarına kaçıştı. Kadırgalar buğday, şarap ve yağla, askerler ve gemicilerle dolu, liman zincirini zaferle geçtiler. Daha o zaman Allah'ın Müslümanlara karaların egemenliğini verdiği, denizlerin de kâfirlerin elinde kaldığı görülüyordu. Kaptan Paşa Baltaoğlu, efendisinin huzurunda altın bir asa ile 500 sopa yedi, vakanüvisler lüzumsuz bir mübalağa ile bu âsanın 500 libre ağırlığında olduğunu yazarlar.

Mehmet kara tarafından bir hücumun zorluğunu hissediyordur, liman zincirle kapanmıştı ve kuşatmanın kaldırılmasını isteyen birçok sesler duyulmaya başlamıştı. İşte tam bu en uygun zamanda, 800 yıl önce, Arapların hücumu sırasında, Bizans surları önünde "Şehit" düşen Ensardan Eyyub'un kılıcı bulundu. Bunun yerini bugün Eyüp camii işaret eder. Burası şimdiye kadar bir firengin asla girmediği en mukaddes camidir ve sultanlar tahta geçtikleri zaman Eyüp camiinde kılıç kuşanırlar. Bu, Hıristiyan kralların taç giymesi mahiyetinde bir törendir.

Bu mukaddes emanetin bulunuşu Müslümanları, tıpkı Mukaddes Mızrağın bulunuşunun Antakya önünde haçlı ordusunun cesaretini takviye edişi gibi, coşturdu. Mehmet filosunu karadan Haliç'in ucuna indirmeye karar verdi. Genel olarak bu işin Beşiktaş civarında olduğu kabul edilir. Fakat bu taraflar daha esaslı incelenince, bu tehlikeli geçişin Galata'dan biraz daha uzakta, Mehmet'in inşa ettirmiş olduğu Rumelihisarı şatosunun ötesindeki Baltalimanı vadisinden yapılmış olması akla daha yakın gelir. Kıyı burada çok alçaktır ve kısa mesafeye kadar doğrudan doğruya dereden de faydalanılabilirdi; bundan sonra vadinin tabanı gayet dügün olarak ve tatlı bir meyille ta Levent çiftliği harabelerine kadar devam eder. Dar bir sırttan sonra Kâğıthane vadisine inmek mümkündür ki Barbyses buradan itibaren küçük taşıtların işlemesine uygundur. Zorluklu yerlerde kalaslardan bir kızak kurulmuş ve üzeri yağlanmıştı. Palangalar ve bocurgatlarla daha büyük gemileri bile çekmek mümkündü. Bu sırada yelken açıldığı iddiası herhalde sadece bunu anlatanın ilave ettiği bir süsten ibarettir. Bütün filonun ferah ferah bir mil uzunluğundaki bu kara gezintisini bir gece içinde başarmış olduğu da yine böyle olsa gerektir. Küçük Türk gemileri herhalde şimdiki mavnalara benzemekteydiler; bunlar da limanın kuzey kısmında, su kesimleri daha derin olan düşman kadırgaları kendilerine yanaşamadan, ta Eyüp'e kadar yayılabilirlerdi. Fakat Fener Kapısına yöneltilen hücuma Rum gemileri cenahtan mukabele ettiler, buna göre Ceneviz donanmasının yenilmiş ya da daha muhtemel olarak, kendi arzularıyla uzaklaşmış olduğunu zorunlu olarak kabul etmek lazım gelmektedir. Cenevizliler imparatorluğun çöküşünden sonra da varlıklarını sürdürmeyi istiyorlardı. Sultanın vaatleriyle avunarak, Bizanslıların son, ümitsiz mücadelelerini surlarının üzerinden seyrettiler ve gaflet uykularından ancak, az önce o kadar önemi bulunan korunma vasıtalarının artık kendilerini kurtarmak için kâfi gelmediğini gördükleri zaman uyandılar.

Türkler 100 arşın boy ve 50 arşın eninde, sırıklar ve kalaslarla birbirlerine bağlanmış ve üzerleri örtülmüş fıçılar ve varillerden, yüzen bir batarya inşa ettiler; üzerine başka toplarla birlikte büyük toplardan biri yüklendi. Askerler ve hücum merdivenleri yüklü seksen gemi, surun tam vaktiyle Latin fatihlerin şehre girmiş oldukları kısmına yanaştı. Bu arada kara cephesinde de Aziz Romanus kapısının yakınındaki dört kale yıkıldı. Türklerin genel bir hücuma hazırlandıklar bu sırada şehirde ikilik, cesaret kırıklığı ve kıtlık hüküm sürüyordu. Rumlar en amansız bir düşmanlıkla, âyin sırasında mayalı mı yoksa mayasız mı ekmek kullanılacağını tartışıyor ve vatan hizmetinde kullanılmak için ellerinden alınmasın diye hazinelerini yere gömüyorlardı.

29 Mayıs 1453 sabahı kuşatmanın elli üçüncü ve Roma İmpa-

ratorluğu'nun bin yıllık devrinin sonuncu günü idi. Rumlar elli kat üstün bir düşmanın hücumuna iki saat karşı koydular. Elinde demir bir topuzla Sultan, savaşı ateşlendiriyor ve yönetiyordu. İlk defa olarak Yeniçeri Hasan dış sura tırmandı; fakat yanındaki otuz arkadaşından on sekizi öldü. Dev gibi Hasan surdan aşağı yuvarlandı; bir kere daha bir dizi üzerine doğruldu, ama bir ok ve taş yağmuru onu parçaladı. Fakat Osmanlılar yine de yollarından dönmediler. Surun üzerine yayıldılar ve birçok burçları zaptettiler. Görünüşe göre, bu hücumla aynı zamanda liman tarafına yapılan hücum az önce başarıya ulaşmıştı. Giustiniani elinden bir okla yaralanmıştı; onun kaçışı geri kalan Latin savaşçılarına da örnek oldu ve bu Cenevizli şerefle dolu bir hayata hiç yakışmayan bir ölümle öldü.

Konstantin Paleologus'un ölümü daha şerefli oldu. İmparator, soysuzlaşmış milletini kuvvetli bir savunmaya tahrik için boş yere uğraştıktan, bütün tehlikeleri onlarla paylaştıktan ve bütün ümitlerin yok olduğunu gördükten sonra, kendisi mevkiinden düşmüş, Roma İmparatorluğu yıkılmış ve Hıristiyan dini ortadan kalkmış olduğuna göre, artık yaşamamaya karar verdi. "Benim başımı kesecek bir Hıristiyan yok mu" diye bağırdı. Tanınmamak ve korunmamak için erguvani imparator mantosunu sırtından attı, savaşçıların en sık kalabalığına karıştı ve ölülerden bir yığının altında gömüldü. Topkapı yakınında, Konstantin Paleolog'un, Doğu Roma'nın son imparatorunun öldüğü yeri işaret eden bir küme servi yükselir.

Bu zaptı takip eden mezalimin hikâyesini yenilemek istemiyorum. Fakat Kapitolden, iki tiyatro ve sayısız heykellerle Jüstinian sirkinden, Forum'dan, Zeuksippus hamamlarından, 52 muhteşem kapıdan, zahire ambarları ve hallerden, 14 kiliseden, 14 saraydan, büyüklükleri ve güzellikleriyle o ilk devirlerdeki halkın evlerinden ayırt edilen 4388 binadan hemen hemen hiç eser kalmamasını, Roma hâkimiyetinin daha sonraki devirlerinden de sana anlattığım birkaç harabeden başka ayakta kalan şeyin bulunmamasını bütün bu muhasaralar ve zaptlar açıklar.

Rum İmparatorluğu Latin hükümdarlardan imdat dilediği zaman onlar bir milyon adam gönderdiler, ve Bizans da bu yardım selinin altında hemen hemen mahvoldu. Fakat doğu Hıristiyanlığının sadece İstanbul surlarının arkasında sığınak bulduğu, 20.000 yahut 30.000 asker ve birkaç geminin onları kurtarması mümkün olduğu zaman Avrupa'nın batısı doğusunu kendi mukadderatına bıraktı ve Labarum,[96] Sancağı Şerifin önünde eğildi. Fakat bunun intikamı gecikmedi ve iki asır sürece Batı, o günden beri Bosfor'a hâkim olan İslam imparatorlarının karşısında titredi.

İstanbul'un zaptının hemen arkasından Mehmet Gazi Fatih, surların en çok harap olan kısımlarını tamir ettirdi. Fakat bu duvarların, Roma imparatoru gibi gururlu bir unvanı taşıyan zayıf hükümdarlar için, orduları hilâli Macaristan ve Avusturya'ya, Mısır ve İran'a taşıyan muazzam sultanlar için olduğundan bambaşka bir önemi vardı. Zamanımız ise dünya şartlarının tamamıyla değişmesine şahit olmaktadır ve o garip eski kulelerle hendekler yeniden bir vakitlerki önemlerini kazanacağa benziyorlar.

Doğu'daki Hıristiyanlık, menşede Hıristiyanlığın da, Yahudiliğin de sahip olduğu, en yüksek, sırf manevî bir varlığın birliği imanını birlikte getiren ve onu esas edinmiş olan, *Allah il Allah*, yani yalnız Allah vardır diyen yeni dine mağlup olduğu sırada sahiden bir çeşit putperestlik seviyesine düşmüştü. Müslümanlık bu ulvî ve saf akideden öyle kanunlar ve kaidelere geçmiştir ki bunlar artık toplumun ilerleyişini tamamıyla önlemektedir.

Zafer gururu, tatlı bir iklim ve zengin bir toprağın beslediği tembellik, fakat özellikle din, Doğuyu olduğu yerde bırakmıştır.

Esas Hıristiyanlık Batıda da, daha sonraları yapılan ilaveler, insanlar tarafından konan naslar ve izahı imkânsız olan şeylerin izahlarıyla ne kadar yüklenmiş olursa olsun yine de esas olan şey, yok olmayan ve gerçekten ilahi olan taraf, mutluluk getirmekte devam etmiştir. Dağdaki Va'zın yüce hikmetleri insanları ahlâkça yükselmeye mutlaka götürecekti. Böylece kanun ve hukuk kaba ve haşin kuvvetin yerine geçti. Çoğu Cermen kavimlerinin sınırları içinde olup biten büyük devrim,[97] düşünme hürriyetine yol açınca artık ilmin ışığı, Hıristiyan dininin düşmanı olarak değil, onun zorunlu bir sonucu halinde yayıldı. Hukuk güvenliğini yarattı, onun himayesi altında da güzel sanatlar ve el zanaatları gelişti. Denizlere yol açan ve dağların yerlerini değiştiren, işte bu anlamda olarak, imandı. İslamın Roma İmparatorluğuna galebesinden üç yüzyıl sonra Hıristiyan Avrupa'yı büyük

---

(96)　Üzerine İsa'nın alameti işlenmiş, Bizans İmparatorluk bayrağı.
(97)　Protestanlığın doğuşu.

ve kudretli olarak, ölçüsüz zenginlikleriyle, muazzam filoları ve kokunç ordularıyla mütemadî bir ilerleme yolunda görüyoruz. Buna karşılık bir zamanlar medeniyetin beşiği olan Doğu, dini yüzünden dar sınırlar içine hapsedilmiş ve barbarlıkta donup kalmıştır.

İş buna varmadan önce Avrupa'yı İslamlığın hücumundan koruyanlar, Rusya ile Avusturya olmuştur. Rusya bunu daha üstün bir başarı, Avusturya ise daha büyük bir şöhretle yapmıştır. Rusların mücadelelerinin başarıyla sonuçlanışının sebeplerini düşünürken şunu unutmamak lazımdır ki, Alman imparatorları kuvvetli, Çarlar ise artık çöküntü halindeki Osmanlı İmparatorluğu ile dövüşmüşlerdir. Avusturya'nın uzun harekât hattı, Türk devletinin en savaşçı kavimlerinin: Boşnakların, Sırpların ve Arnavutların oturdukları yarı vahşi, yolsuz vilayetlerden geçmekteydi. Bu kavimler savaşçılık meziyetlerini bugün de muhafaza etmektedirler. Rusya ile Türkiye ahalisi arasındaki dindaşları ve sahil vilayetleriyle olan deniz bağlantısı yüzünden çok kolaylık görmüştür. Fakat Rusya da pek korkunç bir düşman haline gelmiştir ve artık vasiye muhtaç bir duruma düşen hasmının dostu ve koruyucusu bile olmuştur. Bütün Avrupalı komşuların, tamamıyla yıkılmasından korkarak, kendilerini bir zamanlar o kadar ürküten, Türk İmparatorluğunun savunucuları ilan ettikleri düşünülürse, büyük meselenin çözümünün bir kere daha Bizans'ın köhne surları önüne getirilebileceği anlaşılır.

Samsun'a Seyahat – Karadeniz Kıyıları – Vapur Yolculuğu

Asya'da Tokat, 8 Mart 1838

Sana birkaç satır yazmaya zor vakit bulabildim; işte yolculuğumuz bu kadar acele oluyor. Ancak bugün yarım gün mola verdik; ben de hemen, alev alev yanan bir ocağın başına oturdum (çünkü çepeçevre etraftaki dağlar karla örtülüdür), burada hiç bilinmeyen bir mobilyayı, yani bir masayı meydana getirmek için bir sürü minderi üst üste koydum ve yolculuk maceralarımı saymaya başladım; fakat her an bir misafir geliyor; Rumeli yolculuğumdaki eski bir yol arkadaşım ve şimdi redif kumandanı olan İstanbullu miralay, beni ziyarete gelen bütün subaylar, bir imam, eski paralar teklif eden bir Yahudi ve başkaları... Bir sürü çubuk ve kahve içildi, artık ortalık kararmaya başladı, yarın da erkenden yola çıkılarak karlı dağlar üzerinde yirmi saatte Sivas'a gidilecek. Sana von Mühlbach'la benim sultana veda için huzura kabulümüzü henüz anlatmadım. Bu benim dördüncü kabulüm oluyor ve ötekilerden hiç farkı yok, onun için de tekrarlamaya lüzum görmüyorum. Yeni olan tek şey, bu sefer benim Türk kıyafetinde olarak gidişim, bu sebeple de haşmetlinin sofasında silahlarımı bırakışım. Çünkü kimse, hatta vezir bile, silahlı olarak huzura giremez. Fakat haşmetlinin silahlarımızı almak niyetinde olmadığının en büyük delili, kendisinin her birimize altın kakmalı güzel birer paşa kılıcı hediye edişi. Bunlar herhalde pek iyi şeyler ki haşmetli görmemiz için kınlarından çıkarmamızı bizzat emrettiler. Sultan her zamanki gibi pek mültefitti.

Ertesi gün öğle vakti, büyük ve güzel bir buharlı gemi olan, "Fürst Metternich"le yola çıktık. Sevgili dostlarımız ve ahbaplarımız bize Boğazdan yukarı refakat ettiler. Büyükdere önünde onlardan ayrıldık ve gemimiz artık Euksinus'a açıldı. Hava mükemmeldi, deniz sakindi ve biz de hep yüksek ve sarp, üzerlerinden ta uzaklardaki daha yüksek karlı ve ormanlık tepelerin baktığı, kıyılar boyunca keyifle ilerliyorduk. Gemi Sinop'ta kömür aldı, biz de bu duruştan eski Ceneviz kalesini parlak bir ay ışığında seyretmek için faydalandık. Bu kale bir berzah üzerindedir ve şaşılacak kadar iyi inşa edilmiş olan şehirle arızalı bir yarımadanın kara ile arasını kesmektedir. Burası savunmaya pek elverişli, çok güzel gemi tezgâhları da var. Ilık hava, birçok zeytin ağaçları ve serviler, parıldayan deniz, eski burçlar ve surlar güzel bir güney manzarası meydana getiriyor. İkinci gün öğleyin Samsun limanına vardık. İki defa yirmi dört saatte, tam bir konfor içinde yüz Alman milli yol almıştık. Buna, tam da gün dönümünde ve Karadeniz'de olduğuna göre, pek talihli geçen bir yolculuk denebilir.

Samsun'un görünüşü pek hoş; eski bir Ceneviz kalesi, birçok güzel yapılı Türk konağı, birkaç taş cami ve han ta uzaktan göze çarpıyor. Bütün kasaba bir zeytin ormanıyla çevrili, bu zeytinlikler dağı kaplıyor ve aralarından sevimli köşkler ve bahçe evleri bakıyor. Tepenin doruğunda bir Rum köyü var, onun arkasında da 3000 ayak kadar yüksek ormanlık dağlar dikiliyor.

Öğleden sonradan burasının, limanın ve çevrenin planını almak için faydalandım ve bana Pontus'ta, Mithridates'in memleketinde, İngiliz patentli plançitamı kuruşum sahiden pek tuhaf geldi. Şehrin çeyrek mil kuzeyinde eski bir mendirek harabesiyle kıyıda temeller buldum; bunlar dev gibi iri yontma taşlardan yapılmıştı. Bunların arkasındaki tepe eski sur kalıntılarıyla çevrilmişti. Bu tepe belki Roma'nın azametli düşmanının barındığı Amisos'u taşımıştı. İş öyle uygun gitti ki ben şimdi Tuna ağzından ta Kızılırmak'a kadar (eski Halys) hemen hemen bütün limanları iyiden iyiye tanıyorum. Bunların hepsi de kötüdür. Daha ilk çağdan beri adı fenaya çıkan Karadeniz ne çok fırtınalıdır, ne de bizim Baltık denizi gibi çoğu zaman sisle örtülüdür; onun gibi sığlık ve çatak yerleri de yoktur. Büyük tehlike en başta, muhafazalı iskeleler ve emniyet altına alınmış limanların olmayışındadır. Geçtiğim 150 Alman milinden fazla mesafe içinde en geniş koy Burgaz'dır (Rumel'inde), burada duruma ve rüzgârın yönüne göre bir demir atma yeri seçmek mümkündür. İstanbul boğazının kendisi de mükemmel bir limandır, fakat ağzını bulmak son derece güçtür ve şaşırılacak olursa gayet tehlikelidir. Anadolu'nun kuzey kıyısında Samsun'a kadar, yani 100 Alman mili yerde, gemilerin sığınabileceği ancak iki nokta (Ereğli ve Sinop) vardır. Bunlar da kuzey-doğu fırtınalarında o kadar tehlikelidir ki buharlı gemi, eğer attığı demir dalgaların şiddetine dayanamayacak olursa açıkta selametini aramak için, kazanını hep istim üstünde tutuyor. Varna'da da korkunç bir fırtına sırasında bir buharlı geminin denize açıldığını görmüştüm. Çünkü liman ona açık denizden daha tehlikeli görünmüştü. Fena havada gemiler Samsun'a yanaşamaz, yolcularını Trabzon'a götürür. Çünkü Kızıl ve Yeşil ırmakların doldurarak meydana getirdikleri pek alçak ve denize dört mil uzanan burun limana girişi karanlık havalarda pek tehlikeli bir hale koyar. Ama Trabzon limanı da hiçbir bakımdan bundan daha iyi değildir. Her ne kadar bu liman üzerinden çok önemli bir ticaret mevcutsa da şimdiye kadar bu mevkii bir deniz limanı haline koymak için en ufak bir iş yapılmış değildir. Bir rıhtım ya da iskelesi bile yoktur. Balyalar insanlar tarafından su içinden kayıklara taşınmaktadır.

Hint ticaretinin yolu vaktiyle Doğu memleketlerinden geçerdi. Cenevizliler Küçük Asya kıyılarında ve Osmanlı İmparatorluğunun başka birçok noktalarında bulunan bütün limanlara hâkimdiler. Her tarafta egemenliklerinin devamlı izlerini bırakmışlardır; onların yaptıkları tesisat sağlamlık ve dayanıklılıklarıyla kendini gösterir. Eski şatoları hâlâ ayakta durmakta ve siluetleri daha yeni olan Türk yapılarıyla alay etmektedir. Fakat vaktiyle onların küçük boyda olan gemilerini dalgalardan koruyan dalgakıranları bugün deniz yutmuştur. Türk egemenliğiyle birlikte gelen çöküntü ile asayiş ve emniyet yokluğu o önemli ticareti başka bir kanala çevirmiş ve onu yeni keşfedilen deniz yoluna aktarmıştı. Bugün Hint ticareti yine eski yolunu tutmaya teşebbüs etmektedir. Fırat seferi bu yoldaki ilk adımdı ve Kızıldeniz yoluyla buharlı gemi ulaştırması gerçekten sağlanmıştır.

İranlı tüccarlar eskiden de Leipzig panayırını ziyaret ederler, oradan fabrika malları ve kürk alırlardı. Yolculuk genel olarak on beş ay sürerdi ve sayısız tehlikeler ve zorluklar pahasına olurdu. Bugün aynı tüccar Trabzon'dan buharlı gemi ile otuz dört günde, İstanbul ve Viyana üzerinden, Leipzig'e gidip dönmektedir. İnanıyorum ki özellikle buharlı gemi Doğunun medenileşmesi için en önemli vasıtalardan biri olacaktır ve Avusturya buna, bu alandaki muazzam teşebbüsleriyle, başka herhangi bir devletten fazla hizmet etmiştir.

Avusturya giriştiği iktisadi işlerde, idarecileri işin kâr tarafını bile göremeyecek kadar kısa görüşlü olan, başka bir memleketin payitahtını merkez yapmıştır. Avusturya gemileri İstanbul'la Trieste, Atina, İskenderun, Beyrut, İzmir, Trabzon, Varna ve Viyana arasında ulaştırmayı sağlamaktadır. Bizim "Metternich"te bir milyonluk fabrika eşya yüklüydü. Geminin bir köşesinde bağdaş kurmuş, yerinden kımıldamayan ve yedikleri zeytin, sarmısak, soğan ve ekmekten ibaret olan üstü başı yırtık pırtık bir İranlı tüccar 5000 kuruş navlun ödemişti. Vapur Asya'nın küçük limanlarından tütün, yemiş, ham ipek, İran şalları, mazı (ki büyük bir ticaret metaıdır), İstanbul'da eritilip ayarı bozuk para basılması için İran altın ve gümüş paraları getiriyordu. Yolcular daima kalabalık, fakat hemen hepsi sadece güverte yolcuları.

Türk yatağını, fukaraca yiyeceğini ve çubuğunu yanında taşır. Geceleyin kürküne ve halılarına sarılır, yola çıktığı sırada oturduğu yerden hemen hemen hiç ayrılmaz. Ben yeni teşkil edilmiş olan redif askeri subaylarından birkaçıyla birlikte yolculuk ediyordum. Bunlar İstanbul'a on dokuz günde varmışlardı, şimdi deniz yolundan iki günde yerlerine dönüyorlardı. Bizim önümüzdeyse kara yolu vardı. Küçük kervanımız takriben otuz attan mürekkepti ve yollarla havanın müsaade ettiği nispette hızlı ilerliyordu; yollar çok defa sadece patikadan ibaretti; bunlar dik tepelere tırmanıyor ve coşmuş derelerden geçiyordu. Arabalar hiç işleyemezdi ya da ancak öküzlere çektirilebilirdi. Fakat atla gidiş güç olmuyordu. Bazen yola çıkarken küçük Kappadokia atımın[98] pek de alımlı olmayan dış görünüşüne güvensizlikle bakarsam tatar sağ elini, parmak uçlarını birleştirerek, kaldırır ve en büyük hayranlık alameti olarak dudakları arasından havayı emerek: *"Rahvan!"* diye bağırırdı, en güzel tavsiye de bu idi. Gerçekten benim bu hayvancıklarla, ırmak boyundaki geniş çayırlıklar müsaade ettikçe, üç saat kadar bile dört nala gittiğim oldu. Fakat çok defa yol çakıllıklar ve dik bayırlardan geçiyor, o zaman sadece adi adımla ilerlenebiliyor.

Amasya – Taş Odalar

Sivas, 10 Mart 1838

Samsun'dan çıkınca ilk günkü yolculuğumuz 14 saat sürdü. Birçok tepeler ve derelerin geçilmesi lazım geldi; üzerlerindeki kar yeni kalktığı için buralardan geçmek iki kat zor oluyordu.

Geç vakit, karanlıkta ve yağmurdan sırsıklam, Ladik'e vardık. Ertesi sabah, karla örtülü yüksek dağlardan aşağı bakarak bu kasabanın güzel bir mevkide olduğunu gördük. Birkaç saat sonra ekili geniş bir vadiye indik. Bu vadinin kenarları gittikçe birbirine yaklaştı, nihayet iyice yakınlaşarak derin ve dar bir boğaz meydana getirdi. Her iki yanda kayalık yamaçlar dimdik ve hemen hemen hiç bitkisiz, yüz ayak kadar yükseliyordu. Buna karşılık vadinin dar tabanı iki saatlik yere kadar tek bir bahçe halinde idi, evler ve dut ağaçlarıyla örtülüydü. Küçük bir tepeyi aşar aşmaz, ömrümde gördüğüm en apayrı ve en güzel manzara önümüzde açılıverdi: Kadim Amasya şehri. Dağlardan akan iki önemli çay, tamamıyla aksi yönlerden gelerek birbirine karışıyor, sonra kuzeye doğru akıyor. Bunların birleştikleri yerde etrafı

---

(98) Meşhur Çukurova atları.

dağlarla çevrili derin bir ova meydana gelmiş; burada kubbeler, minareler, 20-30.000 kişinin evleri sıkı sıkı birbirine sokulmuş. Çağıldayan ırmağın içlerinden geçtiği bahçeler ve dutlukların etrafı yüksek kayalıklarla çevrili, sağda ileri doğru çıkmış bir kayalık üzerinde eski, garip şekilli bir kale var. İnsanda en çok hayret uyandıran şey şakulî kaya yamaçlarında oyulmuş olan garip odalardır. Bu muazzam hücreleri, koridorları ve merdivenleri, böyle meşakkatli, yıllarca süren bir işteki maksadın ne olduğu hakkında fikir edinemeden uzun zaman gözden geçirdim. Yüksek, hemen hemen şakulî bir duvar üzerinde, ırmak seviyesinden 200 ayak kadar yukarıda, aşağı yukarı 40 ayak genişlik, bol bol o kadar yükseklik ve takriben 30 ayak derinliği olan bir oyuk tasavvur et. Bu kovuğun içinde 25 ayak derinlik yükseklik ve eninde bir kaya blokunu bırakmışlar. Bu kaya, hücrenin içinde bir ev meydana getiriyor. Bunun içinde de, yine oyularak meydana getirilmiş, eni ve boyu 15 ayak olan bir odacık bulunuyor, dışarıya bir penceresi, ya da eğer öyle kabul edilirse, içine girmek için bir kapısı var. En sert granitten olan bu evin, içerisine bir lahit konmaktan gayri bir maksada hizmet ettiği pek düşünülemez. Gerçekten de zemininde böyle bir lahdin oturmuş olduğu hafif bir çukurluk var. Birbirine yakın yerlerde böyle beş büyük kaya odası görülüyor. Bunlar birbirlerine galeri ve merdivenlerle bağlantılı... Hepsi de, korkulukları da dahil olduğu halde, kaya duvarına oyulmuş. Muhtemeldir ki bunlar Pontus krallarının mezarları olsun.

İki bin yıldan fazla eski oldukları halde hatları çok defa öyle keskin olarak kalmış ki sanki yeni bitirilmiş sanırsın. Tasarım tamamıyla Mısırlı, meydana getiriliş tarzı da yine öyle.

Bu hücrelerin eskiden dışarıya tamamıyla kapalı olmaları ve önlerinde Peristil[99] bulunması muhtemel. Fakat bunlar şimdi yerinden tamamıyla sökülmüş ve aşağı yuvarlanmış; lahitler de mevcut değil; sadece mezar odası bütün yüzyıllara meydan okuyarak duruyor. Ama manzaraları güzel değil. Aşağıdan bunların büyüklüğünü tahmin mümkün olmuyor ve insan, neye yaradığına bir türlü akıl erdiremeden bu işe hayretle bakıyor.

İç kaleden aşağı manzara muhteşem; o gün tam da bayramdı; Türklerin en büyük mübarek günü. Her yanda hayat vardı. Bü-

---

(99) Etrafı direklerle çevrili giriş sofası.

tün kadınlar arkalarında en keskin alaca renkli elbiseleriyle hamamlardan geliyorlardı. Kalenin önünde küçük havan topları ateşlendi, top sesleri vadilerde ihtişamla yankılanıyordu; biz de elimizden geldiği kadar şenliğe katılmak için tabancalarımızı ateşledik.

Şimdiki kale Cenevizliler tarafından yaptırılmış ve hemen hemen tamamıyla harap olmuş. Eski malzemeden meydana getirilmiş yeni ve kötü bir eser. Fakat en yüksek tepede gayet eski devirlerden kalma duvar kalıntıları bulunuyor. Bunlar ancak 20-30 ayak yüksekliğinde temellerden ibaret. Taşlar harçsız olarak üst üste konmuş ve her biri sanki aşındırarak şekil verilmiş gibi gayet keskin yontulmuş. Strabo'nun, baba şehrindeki bu binalardan bir cümleyle olsun haber vermeyişi ne yazık.

Muazzam bir taşı kayalıktan aşağı yuvarladık. Gök gibi gürleyerek boğazdan aşağı yuvarlandı. Kayadan kayaya çarparak doğruca şehir yönünü tuttu. Ne yapmış olduğumuzu görerek fena halde korktuk, çünkü bizim yuvarladığımız kaya mutlaka 150 pfundluk bir bomba gibi bütün damları delip geçecekti. Bereket versin ki taş birçok parçalara dağıldı ve eski, harap olmuş bir hamama düştü.

Bayram sebebiyle ancak saat 10'daki namazdan sonra yola çıkabilecektik. Bu zamandan kaya mezarlarını bir kere daha gözden geçirmek için faydalandık. Başka birçok küçük odalar ve kayadan oyulmuş dar yollar bulduk. Bu dehlizler eskiden, şimdi dost için de, düşman için de çıkılması imkânsız, istihkâmlara gidiyordu.

Ayın yedisinde, parlak bir güneş ışığında yolumuza devam ettik. Sık sık arkamıza dönerek şehrin güzel mevkiini ve ona tepeden bakan eski şatoyu seyrediyorduk. Tokat'tan gelen Tozanlı ırmağına açılan vadilerden birini takip ettik. Bu ırmağın kıyısı boyunca kayalara yollar oyulmuştu. Bizim vadi çok geçmeden öyle darlaştı ki çıkacak yol görmeye imkân kalmadı ve vahşi bir dağ deresinin köpürerek aktığı dar bir kaya gediğinden, ağır yüklü atlar zor bela yukarı tırmandılar. Bundan sonra bir hayli yükseğe çıktık, sonra da içinden çağlaya çağlaya bir derenin aktığı güzel bir dağ derbendini takip ederek aşağı indik.

İki taraftaki kaya duvarları yine ancak yola ve dereye yol verebilecek, aralarında birkaç adım yer kalacak kadar birbirlerine yaklaştılar. Akşama doğru bu güzel yerdeki tek bir evceğizde mola verildi. Burada üst tarafı dört ayak uzunluğunda bıçaklarla donatılmış, ağaçlardan yapılma iskele gibi bir şey gördük, sormamız üzerine bunun tutulan eşkıyalar için yapıldığını ve onların bu bıçaklara saplanmış olarak üç dört gün yaşadıklarını öğrendik.[100] Böylece darağacının dibinde celladın kahvesini içtiğimiz anlaşıldı. Akşam geç vakit Turhal'a vardık. Bu kasaba, dört hatırı sayılır suyun meydana getirdiği geniş ve güzel bir ovadadır. Koni şeklinde tek tek bir sürü kayalık, çayırlıklar üzerinde yükseliyor. Bunlardan şehre en yakın olanının tepesinde eski bir kale harabesi var.

Tokat – Sivas

Sivas, 11 Mart 1838

Tokat paşası dün altmış atla buradan ayrılmış, onun için menzilde at yok ve biz bir gün dinlenmek zorundayız. Bu sebeple hikâyeme devam ediyorum.

Ayın 8'inde Tokat'a kadar olan sekiz saatlik yolu geniş Tozanlı vadisinde hemen daima dört nalla aldık. Tokat yüksek dağlar arasında açılan bir derbentte kurulmuş. Sarp bir kayalık, duvar gibi her iki vadiyi birbirinden ayırıyor. Bu kayalığın son çetin tepesinde büyük cüretle kurulmuş eski bir kale var. Bu kaleyi bir yeraltı yolu şehre bağlıyor. Şehir hayli büyük; ahalisi 30-40.000 kadar olsa gerek. Yeri güzel ama Amasya kadar güzel değil.

Ben Khalyb'lerin ve Kalde'lilerin bu eski işliklerinde bakır kalhanelerinin nasıl işlediğini görmeyi merak ediyordum. Fakat benim ümidim lüzumundan fazla büyükmüş! Burada maden yok, ya da hiç değilse işletilmiyor. Maden cevheri Ergani'de topraktan temizlendikten sonra maden külçeleri halinde, altı günlük yoldan kal edilmek için develerle buraya getiriliyor. Neye buraya getiriyorlar anlayamadım. Kasabanın ortasından akan bir dereyi tanzim etmeyi düşünememişler, bundan faydalanamıyorlar. Sefil tahta barakalar içinde ekmekçi fırını gibi iki sıra küçük kal fırını, insanların çektiği körükler ve ağaç kömürü yığınları; işte meşhur Tokat kalhanelerinin bütün vasıfları bundan ibaret.

---

(100) Çengele vurma cezası.

Tokat'ın arkasında artık batıya doğru yükseliyoruz[101] ve üç saat sonra en mükemmel kışın ortasında bulunuveriyoruz. Geniş kar alanlarında sadece tek tük köknarlar göze çarpıyor; yol da tarif edilemeyecek kadar kötü. Güneş yakıcı ışıklarını yağdırıyor; gözler o kadar ağrıyor ki sıcağa rağmen başımızı atkılar ve kukuletelerle sarıyoruz. Kar, basılmış olan iz dışında her yerde gevşek. Bu izden bir karış ayrılınca at batıyor. Fakat yolu takip edince de zavallı hayvan fena halde uğraşmak zorunda kalıyor. Çünkü bütün iz basıla basıla merdiven gibi basamak basamak olmuş. Ta geç vakit Yenihan'a vardık.

Dün de son derece zorluklu ve ancak adi adımla yapılan bir yolculuktan sonra akşama doğru Sivas'a vardık, aslında Mart ortasında ve 41'inci enlemin altında olduğumuz düşünülürse böyle bir kış manzarasını beklememek gerekirdi; geniş, verimli fakat az ekilen Kızılırmak vadisi ile, yakın tepeler ve uzak dağlar da, gözün alabildiğine, kalın bir kar tabakasıyla örtülüydü; sadece sarp kayalıklar bu yeknesak beyaz örtüden ayrılıyordu, çünkü ağaç diye bir şey yoktu. Bu beyabanın ortasında ihtişamlı görünüşü, kubbeleri, minareleri ve eski burçlarıyla Sivas var. Bir tepenin üzerinde bir iç kalesi, şehrin ortasında bir ikincisi bulunuyor. Evler çatı yerine toprak damlarla örtülü.

Fakat hiçbir yerde buradaki kadar pisliği bir arada görmedim. Kar on ayak yüksekliğinde olarak sokakları örtüyor. Bazen bir tarafında şöyle böyle dar bir geçit açmışlar; burada da atlar karınlarına kadar batıyorlar. Yük hayvanlarımızın bizden bu kadar kısa zaman sonra Tokat'tan buraya yetişebildiklerine âdeta akıl ermeyecek. Bu sabah yine yolumuza devam edemediğimiz için aşağı kaledeki garip harabeleri ziyaret ettik. Hiçbir yerde, hatta gotik kiliselerde bile, oradaki camiin cephesinde olduğu kadar taş oyma zenginliğini görmedim. Zerafet, ihtişam, zevklilik namına ne görmek mümkünse hepsi bu kapıda mevcut. Çiçekler, yapraklar ve arabeskler her sathı örtüyor. Bu süs bolluğuna rağmen, bütünü son derece ahenkli bir etki yapmaktı. Ahali bunun İran işi olduğunu söylüyor. Selçuklulardan önce yapılmış olması ve Güney İspanya'daki güzel binalarla aynı menşeden gelmiş olması çok muhtemel. Bundan başka bir *tekke*, yani derviş manastırını ziyaret ettik. Bunun yanında görmeye çok değer yuvarlak bir kule

(101) Çamlıbel.

vardı. Bunun içinde Şeyh Hasan, bir evliya, güzel bir mermer lahitte yatıyor. Bu kulenin alt tarafı yontulmuş taşlardan, yukarı kısmı da, mozaik gibi örülmüş, dış tarafları renkli, sırlı tuğlalardan yapılmış. Şehrin önünde, güzel bir manzaraya açık ikinci bir tekkeyi de ziyaret ettik. Bu tekke alçı taşı ya da antimon kayalarından yüz ayak kadar yükseklikte bir tepenin üstünde bulunuyor.

Sivas'ın etrafında ağaç diye bir şey kalmamış, sadece şehirde birçok kavak ve kiraz ağaçları var. Buralarda artık bağ da, zeytin ve servi ağacı da yetişmiyor. Çok buğday ekiliyor. Buğday Mayısta ekiliyor ve Kuzey Rusya'da olduğu gibi çabuk yetişiyor. Türkmen göçebe oymakları elde ettikleri ürünlere karşılık buğday almak için buraya geliyorlar.

Antitoroslar Yahut Küçük Asya Yaylası

Alacahan, 15 Mart 1838

Sivas'tan yola çıkarak geniş bir ovayı geçtik, burada hemen hemen iki yüz elli ayak genişliğine varmış ve çok kabarmış olan Kızılırmağı taş bir köprüden aştık. Sonra üç saat müddetle boyuna yokuş çıktık, bir yaylaya vardık. Burada birçok su pınarları vardı. Burası bitki bakımından çok fakir olsa gerek; kar örtüsünden baş gösteren ne bir ağaç, ne de bir fidan vardı. Akşama doğru ve şiddetli bir kar tipisinde Antitorosların en yüksek kadamesini, yani Deliklitaş'ı aştık. Sarp ve güzel bir kayalığı geçtikten sonra Karadeniz'le Akdeniz'in su bölüm çizgisine varmış olduk. Bu *derbent* yani geçitte kışı sekiz ay süren küçük bir köy var. Zannedersem denizden yüksekliği 5000 ayağı buluyor.

Herhangi bir derebeyinin geçidi hükmü altına almak için yaptırmış olduğu müstahkem bir şatonun temellerini gördük. Reşit Paşa buraya bir âyan tayin etmiş. Bir nevi Markgraf olan âyanın vazifesi yolun güvenliğini sağlamak.

Atla yorucu bir yolculuktan sonra onun evinde en büyük konukseverlikle karşılandık. Ocakta muazzam bir ateş çatırdıyordu. Geniş odanın tavanı sık köknar kütükleriyle örtülmüştü, üzerlerine de toprak çekerek bastırmışlardı; bunlar çatı vazifesini görüyordu. Fakat yer temiz halılarla örtülüydü. Ağaçtan ince direkler kibar misafirlere mahsus olan orta kısmı, uşaklar için olan yerden ayırıyordu. Minderlerin üzerine rahat rahat uzandık. Çok geçmeden üzerinde bir Türk yemeğini teşkil eden bir sürü sahanın bulunduğu büyük sac tepsi geldi. Kapakları da aynı madenden kalay[102] sahanlar, tahta kaşıklar ve çok uzun yarı ipekli bir el havlusu, fakirlerin de zenginlerin de yemek servisini teşkil ediyor. Güzel bir Rus çayı, belki de içindeki rom, Türk arkadaşlarımın pek hoşuna gitti. Bunlar arasında en kibarı, seraskerin divan efendisi Kâmil, pek terbiyeli, hoş bir efendi ve hatırlı bir insan. İkincisi Halil Bey, evvelce istihkâm miralayı, şimdi hiçbir şey değil, çünkü Varna'daki çalışmalarından memnun kalınmamış ve *nişanı* geri alınarak neferliğe indirilmiş. Bu işten hiç fütursuz bahsediyor, bunu kısmet olarak izah ediyor, *"inşallah"* başka bir sefere talihinin daha yolunda gideceğini umuyor. Yanımızda bunlardan başka genç bir istihkâm subayı ile birçok küçük memurlar var, hepsi de gayet terbiyeli insanlar.

Dün yolumuza on saat, tatlı bir meyille güneye doğru alçalan geniş yaylada devam ettik. Göz alabildiğine karlı alanlardan ve ta uzaklardaki yüksek dağ doruklarından başka görünen bir şey yoktu. Güneş karları ışıldatıyor, insanı âdeta kör ediyordu. Dağ yamaçlarındaki tek tük cılız köknardan başka bitki adına hiçbir şey yoktu. Kar her tarafta dört ayak yüksekliğinde idi ve o kadar da yumuşaktı ki yaya bir insanı bile zor çekiyordu. Yük hayvanları bu kış kendilerine bir iz açmışlar ve basa basa sıkıştırmışlardı. Şimdi bizim atlıların uzun bir hat halinde ilerleyebildikleri yol da işte bu iki ayak genişliğindeki köprü idi. Eğer başka bir atlıya rastlanırsa onun yoldan çekilmesi ve sonra, artık nasıl yapabilirse öyle, yeniden bu daracık yola çıkması lazımdı. İşin aksi tarafı bizim ağır yüklü bir deve ve eşek kervanına rastlayışımız oldu. İşte bu esaslı bir engeldi ve uzun müzakerelerden sonra yükleri indirmekten, sandıkları yolun kenarına dizmekten, bu kocaman hayvanları homurdanmalarına ve direnmelerine bakmadan derin karın içerisine atmaktan başka çare bulunamadı. Bizim, bu balyalar, sandıklar, insanlar, develer ve eşekler dizisini geçmemiz belki bir saat sürdü. Bu at yolculuğu en yorucu seyahatlerden biri oldu ve

---

(102) Moltke kalaylı bakırı Avrupa'da kullanılan kalay kaplardan sanmıştır.

Fırat kıyısında, şehir girişinde mola.

hep adi adımla ilerleyebildik; ancak akşamüstü küçük bir köye vardık ve *molla*nın evinde iyi bir konak yeri bulduk. Sivas'tan buraya olan yirmi saatlik yolda sadece iki küçük köyceğiz var. Burası tam bir çöl. Umarım ki bugün kardan kurtulacağız.

Bizi misafir eden molla bana güzel bir tazı hediye etti. Bu cinsin vatanı burası olsa gerek; pek güzel hayvanlar. Ben de karşılık olarak çay ve şeker hediye ettim. Şeker buralarda pek nadir ve Türkler bunu çok makbul tutuyorlar.

Bu havalinin vaktiyle Türkmenlerin ve Kürtlerin yağmasına çok uğramış olduğu bütün hanların küçük birer kale halinde oluşundan belli.

Fırat – Keban Madeni

Fırat kıyısında Keban Madeni, 16 Mart 1838

Hep biteviye kar çölündeki yolculuk 14 Martta Hasançelebi'ye kadar sürdü. Bu köyün evleri düz toprak damlarla örtülü, arkalarını da bir tepeye vermişler. Öyle ki bu taraftan gelindiği zaman insan evlerin farkına varamıyor. Bana da öyle oldu ve bir evin damına atımı sürdüm. Az kalsın baca yerine geçen delikten bu yeraltı ailesinin salonuna düşüyordum. Bu olaydan pek utandım; fakat kahvaltıdan sonra yeniden yola çıktığımız zaman bütün kervan köyün bütün damları üzerinden keyifli bir tırısla geçip gitti.

Bu ana kadar geçtiğimiz yerler ne kadar can sıkıcı, yol ne kadar yorucu idiyse şimdi derin bir kayalık vadiden, köpüklü bir dağ deresinin yanından hızlı bir dörtnalla ilerleyiş de o kadar keyifli. Hava çok serin fakat açıktı, gök İtalya'nın güzel mavi göğünün rengindeydi. Kırmızımsı ve mavi kayalıklardan meydana gelme sarp ve dik yamaçlar çok güzeldi. Her iki yanda ta uzaklarda üzerleri kalın kar yığınlarıyla örtülü muazzam dağlar yükseliyor, akşam güneşi bunları erguvan rengine boyuyordu. Karın böyle uzaktan harikulade bir görünüşü var, ama biz şimdilik ondan kurtulduğumuza candan seviniyoruz. Geceyi Hekimhan'da geçirdik; burası dar bir palanka, yani kale. Hanın avlusunun etrafı bir duvarla çevrili, içinde birkaç düzine kulübe, bir cami ve bir hamam var.

Müsellimin evinde rahat bir yer, alev alev yanan bir ocak, yumuşak şiltelerle halılar ve bol bir yemek bulduk. İhtiyar efendi hatır hoşluğu olarak benimle birlikte bir şişe Xeres'i[103] boşalttı; sadece benim hançerle yemek yiyişime şaşıyordu, çatalıma bu adı vermekteydi. Ayın on beşinde benim şişman efendiyi bin zorlukla on altı saat öteye götürdüm. Seri dörtnalla kâh derin kayalık boğazlardan kâh etrafı karlı doruklarla çevrili, tatlı meyilli tepelerden geçiyorduk. Fakat etrafın güzelliği divan efendisine hiç tesir etmiyordu. Üzerine kat kat yumuşak şilteler bağlanmış olan eyer ona saatten saate daha sert, ıstırapları daha acı geliyordu. Eğer bugün Maden'e varırsak bir şişe şampanya açacağımı söyledim ama artık hiçbir şey ona tatlı gelmiyordu. Biz de geceyi bir köyde geçirmek zorunda kaldık; burada böcekler bana dehşetli eziyet verdi.

Daha Uğurluoğlu sırtlarından, dik ve yüksek bir dağın eteğinde hayli büyük bir ırmağın aktığını görmüştük; bu Fırat'tı. Bir saat yol aldıktan sonra bugün derin bir derbende indik. Etraf gittikçe daha vahşileşti, dağlar fırtınalı bir denizin dalgalarına benzer şekiller aldı. Bitki namına bir şey yoktu. Yamaçları ne çalı, ne ot, ne de yosun örtüyordu. Fakat renkler son derece güzel ve çeşitli idi, vermiyon kırmızısı ve kahverengi kaya yamaçları, alt kısımlardaki yeşil ve mavi kilden şeyler, doruklardaki beyaz karlar ve

---

(103) Bir çeşit İspanya şarabı.

bunların üzerindeki parlak gök. Şimdi aşağımızda, dar boğazda Fırat'ı, Roma'nın büyük imparatorlarının uçsuz bucaksız ülkelerinin tabii sınırı saydıkları nehri görüyorduk. Bütün çevre o kadar yabani, nehrin bu taraftaki yakası öylesine hiç ekilmemiş halde, dağlar öyle yolsuz ki insan bunları dünyanın ucu olarak tasavvur edebilecek.

Keban Madeni kasabacığı önce ta aşağıda görünür. Dar bir sıra halindeki diş diş sivri dağların eteğindedir. Bu dağlar nehrin geniş bir yay çizmesine sebep olur. Garip şekilli taşıtlarla karşıya geçtik. Kasabacık çok güzel inşa edilmiş, bu sarp dağ yamaçlarında bulunan gümüş madeninin geliriyle geçiniyor. Kasaba en aşağı 3000 ayak yükseklikte olsa gerek, çünkü dağlarda henüz kar kalkmamış ve bugün öğleyin sürekli kar yağdı. Bir saat yukarıda her iki ırmak, Ararat'tan gelen Murat'la, Erzurum'dan gelen asıl Fırat birleşiyor ve oradan sonra artık yazın da geçit vermeyen bir nehir haline geliyor. Nehir burada takriben 120 ayak genişlikte ve son derece coşkun. Sal nehrin ortasına varınca, insanlar ve atlarla dolu olduğu halde, ok gibi hızla aşağı doğru gitmeye başladı, karşı kıyıya varması sanki imkânsızmış gibi görünüyordu. Fakat çok geçmeden bir karşı akıntı onu yakaladı ve tam da yanaşacağı noktaya götürdü. Thapsakos'taki tahrip edildiğinden beri Palu ile Eğin'in alt tarafında, ta ağzına kadar, Fırat üzerinde tek bir köprü yoktur. Halbuki bu mesafe yüzlerce mildir.

Menzilde tek bir atın bile bulunamayışına bizim efendi pek sevindi. Paşa yarın bize kendi atlarından otuz tane verecek. Aradaki vakti buraları görmek ve hamama gitmek için kullandık, çünkü şüpheli bir kaşıntı bize böceklerin kaynaştığı Asya'da seyahat ettiğimizi hatırlatıyordu. Bütün elbiselerimizi değiştirdik, ben de bu sakin zamandan, dizlerimin üzerinde bu satırları yazmak için faydalandım.

Toros Ordusunun Umumi Karargâhı

Harput civarında Mezraa, 19 Mart 1838

Keban Madeninden yola çıkarak derin bir boğazdan üç saat aşağı indik, nihayet üzerinde dağınık olarak tek tük Kürt köyleri serpili, az arızalı fakat yüksek bir bölgeye vardık. Kar hâlâ etrafımızı çevreleyen yüksek sarp dorukları örtüyordu. Yolumuzun her yeri de kardan kurtulmuş değildi. Biz ilerledikçe arazi de gittikçe daha sık bazalt parçalarıyla, tıpkı bir caddenin sökülmüş kaldırımları gibi, örtülüyordu. Buna rağmen bu taş kırıkları arasına buğday ekilmişti. Nihayet akşama doğru önümüzde köyler ve bağlarla örtülü, yollar ve derelerle bölünen geniş bir ova açıldı. Kavaklar ve ceviz ağaçları (fakat hepsi de henüz yapraksız) çıplak dağlara karşılık gözleri teselli ediyordu. Köylerin derli toplu bir görünüşü vardı. Evler yüksekti; kerpiçten yapılmış, balçıkla sıvanmıştılar, üstleri kütükten ve topraktan teraslarla örtülmüştü. Bunlar çamurdan yapılma fakat temiz meskenlerdi. Ovanın ortasında sarp kayalık kenarlarıyla bir tepe yükseliyordu. Bunun üzerinde eski bir kalesi ve birkaç minaresi akşam güneşinde parıldayan Harput bulunuyordu; çepeçevre etrafta, fakat ta uzaklarda, manzarayı sarp, karla örtülü sivri sivri dağ sıraları çerçeveliyordu.

Şehre yarım saatlik yerdeki şimdi umumî karargâhın bulunduğu Mezraa[104] köyünde durduk. Tarif etmiş olduklarım gibi kerpiçten ve düz damlı geniş bir bina kumandan generalin ikametgâhı idi. Küçük bir nöbetçi kıtası ve birçok hizmetçi, kavaslar, tatarlar, seymenler ve küçük memurlar avluyu dolduruyordu. Paşayı, kütüklerden yapılma yüksek tavanlı bir odada buldum. Odanın zemini ve sediri kurşuni kumaşla kaplanmış, pencerelerine de kâğıt yapıştırılmıştı. Duvarlarda silahlar asılı idi, minderin üzerinde de birer parça musline sarılmış ve kırmızı mumla müherlenmiş bir sürü mektup duruyordu. Masalar, iskemleler, komodinler, aynalar, perdeler ve bizim zorunlu olarak kabul ettiğimiz başka eşyadan, bütün Türk evlerinde olduğu gibi, burada da eser yoktu. Buna karşılık birçok hizmetçiler ve subaylar, kolları karınları üzerinde kavuşturulmuş olarak sessiz ve saygılı, ayakta duruyorlardı. Paşa yerde, bir kaplan postunun üstünde bağdaş kurmuş oturuyordu. Üzerinde içi samur kürk kaplı mavi bir pelerin, başında fes vardı. Son Exellence bizi hafif bir baş hareketiyle kabul etti, bize oturmamız için işaret etti, bir süre sustuktan sonra da hoş geldiniz dedi.

_____

(104) Şimdiki Elazığ.

Hafız Paşa doğuştan Çerkes'tir ve padişahın sarayı için satın alınmıştır. Bu sebeple mensup olduğu sınıftakilerin çoğundan daha iyi bir tahsil görmüştür; okur yazar, Arap ve Fars dillerini biraz bilir; memleketin eski tarihi hakkında biraz bilgisi ve çok merakı vardır; beş sene önce Rusya'ya gitmiş olan sefaret heyetinde bulunmuştur; Arnavutluk'ta İşkodra'da kendisini kuşatan Arnavutlara on üç ay karşı durmuştur.

Reşit Paşa Diyarbekir'de ölünce padişah, o sırada Kürtlerle savaşan fakat asıl vazifesi Mısır-Suriye ordusunu gözden ayırmamak olan ordunun kumandanlığını ona vermiştir. Öteki birçok paşaların aksine Hafız Paşa solgun benizli ve zayıftı. Bazen geriye ittiği fesi derin çizgili yüksek bir alnı örter. Biz gelmeden ancak birkaç hafta önce bir kızı ile bir oğlunu kaybetmişti. Muhakkak ki duygusuz değildi, fakat her yerde, özellikle burada, mevki sahibi bir insana yakışacak sakin ve kayıtsız tavrı elden bırakmıyordu. Seyahatimiz, yollar ve bunun gibi şeyler üzerine birkaç sözden ve kahvelerin içilmesinden sonra bize izin verdi. Yol arkadaşımız Divan Efendisi mektuplarını ve ağızdan getirdiği haberleri bildirmek üzere kaldı.

Bizi tıpkı paşanınkine benzeyen büyük bir odaya aldılar. Bizim nenin nesi olduğumuzu kimse bilmediği halde yine de yeteri kadar iltifatla kabul ettiler. Paşa harem dairesinden yataklar göndermiş, biz de yol yorgunluğumuzu ertesi sabah geç vakte kadar dinlendirdik. Daha uyanalı çok olmamıştı ki avluya muhteşem dört-Arap kısrağı getirdiler. Bunlar paşanın bize hediyesi idi. Ben henüz her iki atımı eyerlemek ve gemlemekle meşgulken bizzat paşa bizi ziyarete geldi. Seyahat yolumuzu gösteren bir yol krokisiyle çok ilgilendi. Bütün haritalarını getirtti ve krokinin bunlar üzerine işaret edilmesini emretti. Bundan sonra paşa ile birlikte atla, buradan yarım saat ötede bulunan, Harput tepesinin eteğindeki büyük kışlaya gittik. Paşanın selefi burasını 6000 kişi için yaptırmıştı. Bütün askerleri talimde bulduk. Harput'un kendisinde ise askerler, bu dağ şehrinin tek yatay yüzleri olan, damlar üzerinde talim yapıyorlardı. Yerimize dönüşte büyük kutular içinde Malatya'nın fıstıklarını, kuru şeftalilerini, elmalarını, bura dağlarından gelme balları bulduk. Bunlar paşanın hediyesi idi.

Malatya ve Aksu – Toroslar Üzerinden
Geçit – Maraş

Maraş, 28 Mart 1838

Paşanın verdiği bir vazifeyi yerine getirmek için[105] 23 Mart günü öğleden sonra, Suriye sınırına doğru bir yolculuğa çıktım. Maiyetim mümkün olduğu kadar azdı ve bir tatar ağası, uşağım, bir yük atı, bir de yedek atla sürücüden ibaretti. Geniş, etrafı karlı dağlarla çevrili Harput yüksek ovasından aşağı Fırat'a inen dar, derin bir dağ geçidine girdik. Biz yolda iken gece bastırdı; kayalık bir boğazda arayıp bulduğumuz bir Kürt köyünde dostça karşılandık ve misafir edildik. Bu Asya dağlarında Arap fasulyesi, Hint şekerkamışı, Çin yaprakları, Fransız şarabı, Fırat'ın alabalıkları ve Suriye fıstıklarından mükemmel bir akşam yemeği tertiplemenin de ayrı bir zevki var. Gece yarısı dehşetli bir gürültü koptu. Var kuvvetle avlu kapısı vuruldu, suvariler atlarını sürüp geldiler, tepeden tırnağa silahlı seymenler ocağımıza sahip çıkmak için içeri doldular. Bunlar Harput'a giden Malatya müselliminin maiyeti idi. İkimize de ait olmayan bu evde müsellimin mi yoksa benim mi daha fazla hakkımız olduğunu münakaşa etmeyi tatarıma bıraktım. Fakat müsellim sadece geceyi geçirmek için başka bir yere aramakla kalmadı. Üstelik büyük paşanın misafirinin yanına kâhyasını vererek, ona, Malatya'da misafirin iyi karşılanmasını ve at bulunmasını emretti.

Daha güneş doğmadan dik bir tepeden Fırat kenarına indik. (Türkler buna Murat nehri diyorlar). Nehir burada Toros'un birçok kollarından birini yarıyor, yukarıda 250-300 ayak genişliğinde iken burada 80 ayağa kadar darlaşıyor ve tepeleri karla örtülü yüksek siyah kaya yamaçları arasından ok gibi hızla akıp gidiyor. Sol yakadaki sarp yamaçlardan birine adamakıllı harap bir kale yapışmış, aşağıda nehir kıyısında da Sultan Murat'ın yaptırdığı, o zamandan beri harap olmuş bir hanla cami yükseliyor. Bu Kö-

---

(105) Hafız Paşa Moltke'ye o bölgenin haritaları olmadığından bahsetmiş ve onu keşif için yollamıştı.

mürhandan bir çeyrek saat aşağıda, sağdaki bir kaya duvarında, üzerinde binlerce küçük çivi işaretleri bulunan bir levha keşfettim. Bu yazıt sonradan Yüzbaşı von Mühlbach tarafından itina ile kopya edildi. Buradan daha yukarıda geniş, bereketli bir ova açılıyordu. Bu ovanın batıdan doğuya on saatlik uzunluğu vardı (buraların haritaları o kadar yanlış ve eksik ki hemen hemen hiçbir işe yaramıyor). İzoli'de nehri geçtik ve öğlen üzeri Malatya'ya vardık.[106] Burası 5000 kadar, kerpiçten yapılma düz damlı evden mürekkep önemli bir şehir; hatta camilerin ve hamamların kubbeleri bile balçıkla sıvanmış. Bütün avlular toprak duvarlarla çevrili, şehir baştan aşağı aynı kurşunî renkte. Pencere camının icadı yerküresinin bu kısmı için olmamış. Bir kimsenin, insan sever bir camcı sıfatıyla, bu eksikliği gidermek için bir miktar camla buraya gelmemiş olduğuna çok üzüldüm.

Malatya'da, benden iki gün önce yola çıkmış olan ve şimdi kendisine paşalığa terfi ettiği müjdesini getirdiğim Harput'taki oda arkadaşım topçu miralayını ziyaret ettim. Sevincinden bana bir çift çizme yapmayı vâdetti. Çünkü kendisi eskiden *papuççu* imiş; şimdi de bazen sanatını amatör olarak kullanıyordu.

Malatya yazın boştur. Herkes Asbuzu'ya[107] göçer. Burası 5000 evceğizden meydana gelme bir köydür ve kiraz, elma, kayısı, ceviz, incir ağaçlarından iki saat boyunda bir ormanın içine gömülmüştür. Beyaz ve dümdüz gövdeli narin kavaklar bu ormanın üzerinden, tıpkı bir şehirdeki minareler gibi yükseliyor ve billûr gibi duru sulu bir dağ deresi köyün bütün yolları boyunca şırıldıyor. Bu dağ deresini daha dağlarda, çıktığı yerde zaptetmişler, mümkün olduğu kadar yüksekten, dağın böğrü boyunca getirmişler. Üst tarafı bomboş taşlık bir çölden ibaret, alt tarafı ise, sayısız gümüş gibi sudamarlarının akarak verimli bir hale getirdiği bereketli bir bahçe alanı. Ağaçların çiçek açtığı zaman Asbuzu'nun manzarası herhalde pek muhteşem olacak. Fakat burada bitkilerin yeşermesi şimdi (mart sonu) ancak azar azar başlıyor. Eğer bizde hava dört hafta böyle gitse her yer çoktan yemyeşil olurdu. Ama güneş gündüzün ne kadar yakarsa yaksın geceleyin yine ayaz oluyor.

On sekiz saatlik bir at yolculuğundan sonra geniş, fakat gittik-

---

(106) Şimdi eski Malatya köyü.
(107) Şimdiki Malatya.

çe darlaşan bir vadinin sonunda, yüksek, karla örtülü dağlar arasındaki Sürgü köyüne vardık. Ben doğrudan doğruya kaya duvardan çıkıyormuş gibi görünen coşkun derenin üstündeki taş köprüden geçerken pek şaştım; bir kalker kayasının dibinden yirmi bir tane, 6 ila 15 parmak kalınlığında pınar kaynıyor, geniş bir havuz meydana getiriyor, sonra akıp gidiyordu. Anlaşılan oldukça önemli bir dere yeraltında akıp geldikten sonra burada yeryüzüne çıkıyordu. Bir buçuk saat yukarıda da böyle bir arada kırk pınar bulunuyor. Her iki dere köyün yakınında birleşiyor ve Göksu'yu meydana getiriyor. Bu, çağlaya çağlaya akan, Harz'daki İlse kadar bol sulu bir ırmak. Şurasında burasında da nefis alabalıklar bulunuyor.

Ayın 26'sında katırlara binmek zorunda kaldık, bu hayvanlar çok mükemmel yürüyorlar. Sadece uçurumların tam da kenarından gitmelerine müsaade etmek ve ne dizgin ne de mahmuzla rahatlarını bozmamak lazım. Gayet dik bir dağ yamacından Toros'un doruğuna tırmandık ve oradan sonra daha vadide bile kâfi derecede belalı bir görünüşü olan çakıl yığınlarının üzerinden aşağı indik. Harikulade vahşi manzaralı kayalık bir boğazda bir dağ yamacına küçücük Erkenek köyü yapışmış. Ta aşağıda kayalıklara köpüre köpüre çarpan bir dere akıyor. Simsiyah kaya duvarları, aşağıya inmeyi imkânsız gibi gösteriyor. Belveren köyündeki basık bir dağ sırtı Basra körfeziyle Akdeniz'e akan suların bölüm çizgisini meydana getiriyor.

Dün yüksek dağlar üzerinden çok çetin bir yolculuk yaptık. Kar ve yağmur yağıyordu. Akşam üzeri geniş, muhteşem Maraş ovasına indiğimiz zaman sahne değişti. Söğütlerin ilk yaprakları sürüyor; özlü bir yeşil, içlerinden gümüşten iki nehrin kıvrıla kıvrıla aktığı, saatlerce genişlikteki tarlalar ve çayırları kaplıyor, ağır kalın bulutlar Gâvurdağının karlı tepelerine takılı dururken Allah'ın altın güneşi şehrin üzerinde parıldıyor.

Altmış beş saatlik at yolculuğundan sonra bugün istirahat günümüz. Daha dün akşam, sırılsıklam ve yarı donmuş bir halde, şimdiye kadar vardığım en güneydeki noktada, sıcak bir Türk hamamında yorgunluklarımı çıkardım; bugün kâğıtlarımı düzene koydum. Paşa ile birlikte atla dolaşmaya çıktık, bana redif taburlarını gösterdi. Şimdi sana bunları bir Ermeni bankerinin evinin avlusunda, çiçekli badem ağaçlarının altında şıkırdayan bir fıskiyenin yanında yazıyorum.

Türk Ordugâhı – Fırat'ın Orta Mecrası –
Rumkale – Birecik – Urfa

Urfa, 6 Nisan 1838

Maraş'ta o kadar yaklaşmış olduğum güzel Suriye'ye istemeye istemeye arkamı döndüm ve atımı yine Fırat'a doğru sürdüm. 29 Martta on sekiz saatlik bir yolculuğu aynı atla yapmıştım. Çünkü bütün bu dolaşma sırasında ta Belveren'e kadar ne bir köy, ne de bir ev vardı. Pazarcık ovasını geçtik. Bu ovada üç Türkmen kabilesi: Atmalı, Kılıçlı, Sinimini'ler konaklamıştı. Bu üç kabile halkı 2000 çadırda oturuyordu. Reşit Paşa en nüfuzlu Kürt beylerinin akıllarını başlarına getirdikten sonra bu Türkmenler de hükümete karşı olan sevgi ve bağlılıklarını ilan etmişlerdi ve 400 kese akçelik (20.000 filorin) bir salyana (yani vergi) ödüyorlardı. Bunlardan bazıları çiftçilik yapıyor, çoğu da yazın sürüleriyle dağlara çıkıyordu. Kılıçlı kabilesi 600'den fazla atlı çıkarabiliyor, öteki iki kabile daha ziyade yaya savaşıyor. Kıymetli bir şekilde süslenmiş eski Türk ve İran tüfenkleriyle silahlı, iyi nişancı bunlar. Atlılar demir uçlu ve bunun altında devekuşu tüyünden yuvarlak bir top bulunan bambu kamışından bir kargı taşıyorlar. Kendileriyle aynı çadırda barınan atları mükemmel.

Maraş paşası Süleyman, Sinimini kabilesi ağasına, bir gâvurun geleceğini, ona çeşitli ikramlarda bulunulması gerektiğini bildirmek için önden bir haberci yollamıştı. Fakat aynı zamanda bana refakat edenlerin sayısını bir başçavuş ve tepeden tırnağa silahlı iki süvari ile artırmayı da uygun bulmuştu. Yeşil pirinç tarlaları ve basık tepeler üzerinden saatlerce yol aldıktan ve Akdere[108] ırmağını, geçit veren yerinden aştıktan sonra kendimizi, yamaçlarda ve ovada küçük köyler halinde gruplanmış çadırlar arasında bulduk. Kürt beyinin konağını bulmakta hayli güçlük çektik. Nihayet küçük bir vadide, herhalde yüz ayak boy ve bunun yarısı kadar ende bir çadır gördük. Güzel kır sakallı, saygı veren görünüşlü, fakat gayet sade kılıklı bir ihtiyar ağa beni kapıdan karşıladı. Çadırın içi (tıpkı ötekiler gibi bu da keçi kılından

---

(108) Aksu.

dokunmuş kara çuldandı) hasırdan alçak bölmelerle birçok oda-
lara ayrılmıştı; bunlarda yabancılar, kadınlar, atlar, develer, inek-
ler, keçiler, hep ayrı ayrı yerlerini buluyorlardı. Ortada muazzam
bir ateş yanıyordu. Kürtler daima orman yakınında kalırlar, yok-
sa hiç değilse bizim taraftakiler kadar şiddetli ve onlardan da da-
ha uzun olan kışlarda böyle bir meskende barınmak hemen he-
men imkânsızdır. Ağanın idaresi tamamıyla ataerkil bir sistemdi;
bana ekmek, süt, bal ve peynir ikram etti, fakat ancak ben kendi-
sini davet ettikten sonra o da oturdu. Hiçbir tarafta iktidar ve hâ-
kimiyetten eser yoktu. Bununla birlikte bu adam 500 ailenin ami-
riydi; hükümlerinin temyizi yoktu ve Türk makamlarının bu ka-
bilelerin içişlerine karışmaya yetkileri yoktu. Ağa ihtiyarları din-
ledikten sonra kabilesinden birinin suçlu olduğuna kanaat geti-
rince onu idama mahkûm eder. Paşanın, bir ağa öldüğü zaman
onun halefini tayin hakkı vardır, fakat yeni ağayı daima aynı aile-
den seçmek zorundadır.

Belveren, bir tek dam, daha doğrusu tek terasa altında, her-
halde 200 evlik bir köydür, bu köyü pek az sokak keser ve bu so-
kakların üzerinden de, dar hendekler gibi, rahat rahat bir adımda
aşılabilir. Pınarlarını Sürgü'de görmüş olduğumuz ve kar sula-
rından çok kabarmış olan Göksuyu'yu ayın 30'unda geçmek zo-
runda kaldık. Tam yaklaştığımız sırada, karşı tarafta bulunan bir
köyden yirmi beş kadar adam koşup geldi. Buz gibi soğuk suya
atladılar ve yüze yüze bu tarafa geçtiler. Dört kişi atımı ortaya al-
dı, ötekiler eşyalarımızı başlarının üstünde taşıyorlardı. Sonra
bağrışa çağrışa coşkun ırmak geçildi; fakat su eyer kuburlukların-
dan içeri girdi. Akşamüstü Adıyaman'a vardık. Burası önemli fa-
kat korkunç derecede tahrip edilmiş bir şehir, yıkık bir akropolü
var.

Uçurumlu dağ yollarından ve kabarmış derelerden geçen yir-
mi saatlik bir yolculuk bizi Gerger'e eriştirdi. Burası Fırat kena-
rındaki bir kayanın tepesinde eski bir hisardı. Bu hisarın, bu ha-
rap halinde bile, eğer içinde erzak bulunursa zaptı imkânsızdır;
fakat sadece bir kusuru vardır, o da bulunduğu yolsuz, Allahın
dağında onu kimsenin almak istemeyeceğidir. Fakat Kürtler ara-
sındaki savaşlarda yine de önemli bir rol oynayabilir. Burada çok
eski olduğu belli temeller ve kalıntılar var. Kayanın düz bir ye-
rinde, yazık ki anlayamadığım ve gayet uzun olduğu için de kop-
ye edemediğim, Yunanca bir yazıt vardı. Bir kaya duvarına oyul-

muş odalara açılan dört pencere görülüyordu, fakat bunlara erişmek imkânsızdı.

Bu memleketteki hemen hemen bütün köprüler, kervansaraylar, yollar ve hanlar Sultan Murat tarafından yaptırılmıştır. Türkler de haklı bir takdir nişanesi olarak meşhur nehre, Fırat'a onun adını vermişlerdir. Murat ya da Fırat kendisini ilk defa gördüğüm Keban Madeninde, Erzurum'dan gelen büyük kolunu aldıktan sonra tıpkı Mosel gibi bir nehir haline gelir. Yüksek, vahşi dağlar arasında daracık bir yatağa sıkışmış olarak hızla ve garip kıvrımlar yaparak akıp gider, on saatlik yoldan sonra dağlardan çıkar, Malatya'nın (Melitene) yakınında Tohma suyunu, (eski Melas yahut Koremos'u) alır ve üzerinde eski, ta uzaklardan görülebilen (bunun için de harita almada nirengi noktası olarak mükemmel iş gören) bir kilisenin bulunduğu bir tepenin eteklerini dolaştıktan sonra doğuya, geniş İsoğlu (İzoli) ovasına doğru yönelir. Daha önce anlattığım çivi yazılı yazıtın bulunduğu yerden sonra nehir, yüksek dağlar arasında dar bir kaya yarığına sıkışır. Buradan itibaren üzerinde sal işleyemez; taş kitlelerinin üzerinden ve sarp, çoğu zaman siyah kaya duvarların arasından çağlaya çağlaya akar ve haritaların Nuhar şelaleleri dedikleri çağlayanları meydana getirir.

Ancak takriben otuz saat kadar aşağıda, Gerger'de nehir, birbirine yakın ve şakulî kumtaşı yamaçlarının arasından yeniden meydana çıkar. Fırat burada genişler ve geniş kıvrımlar yaparak eski Horis hisarının önünden geçer ve meşhur Samosata şehrine doğru yol alır. Orada vadi geniştir ve nehir Oder'in Frankfurt'un hemen üst tarafındaki haline benzer. Beş saatlik yerdeki Allahköprü'den şehre kadar suyollarının güzel harabeleri vardır. Bunlar bütün küçük tâli vadileri geniş kemerlerle aşar; eskiden bunlar şehre içme suyu getirirmiş. Şimdiki Türk şehri Samsat eski Samosata'nın geniş alanının yirmide biri kadar bile yer kaplamıyor. Tarlaların ortasında eski kapı kemerlerini ve direk gövdelerini görmek pek garip oluyor. Ben ömrümde görmediğim kadar güzel işlenmiş bir mermer friz buldum. Üzerindeki yapraklar, kuşlar, boğalar, hepsi o kadar sağlam kalmıştı ki sanki daha yeni tamamlanmış gibiydi. Bir vakitler Akropol'un bulunduğu, insan eliyle yığılmış bir tepenin üzerinde bugün de dört köşe bir binanın güzel harabesi duruyor. Nehir artık pek nadir olarak doldurduğu 800 adım genişliğinde bir yataktan (ve haritaların gösterdiğinden tamamıyla başka olarak) Rumkale'ye, eski Roma hisarı Sigma ya da Seugma'ya kadar, batıya doğru akar. Bütün mecrasının en batıya düşen noktasına işte burada erişmiştir. Eskiden burada bir köprü bulunmakta idi; Romalıların burada, hemen hemen hiç yolu bulunmayan bir bölgede, koloni kurmalarının sebebi de bu olsa gerek. İnsan, 8000-9000 ayak yüksekliğindeki dağlarda şöyle böyle yollara rasgeldikten sonra hemen hemen düz bir mıntıkada nerede ise patika bile bulamayışına şaşıyor. Maraş'tan itibaren doğu-güney-doğu tarafında Rumkale, Urfa ve Siverek üzerinden ta Karacadağ'a kadar, elli saatten fazla uzunluktaki geniş alan ovalık ya da hiç değilse basık tepelerden meydana gelmiş arazidir. Fırat'ın sağ yakasında her ne kadar bir sürü derin vadiler varsa da sol yakada arazinin düzlüğünü kesen hiçbir çukur yoktur. Bütün bu alan, hemen hemen tamamıyla, toprakları gitmiş kayalık bir zeminden ibarettir ve taş kırıklarıyla öylesine kaplıdır ki açılmış olan birkaç at yolunun dışında yayan gitmek mümkün olsa bile hayvanla gitmenin imkânı yoktur.

Rumkale'nin pek şaşılacak bir manzarası vardır. 4 Nisan günü sabahtan akşama kadar taş çölünde, yağmur ve fırtına altında kendimizi zorlukla sürükledik. Derken, birdenbire önümüzde, bu ovayı derin bir şekilde yarmış olan Fırat'ın vadisi açılıverdi. Ta aşağıda 100 adıma kadar darlaşmış olan nehir kıvrım kıvrım akıyor, öteki yakada insana hayret verecek kadar muhteşem Rumkale hisarı yükseliyordu. Fakat oraya varmadan önce kayalara oyulmuş bir şehirden geçmek lazım geliyordu. Bu kayalar tıpkı malta taşları gibi önce çok yumuşak, fakat havada sertleşen bir cinsten. Bu dağlarda hemen hemen her yıl deprem oluyor.

Rumkale'de kayanın nerede bittiğini ve insan eserinin nerede başladığını kestirmek çok zor. Bir yanı Fırat, iki yanı da Marfifan deresinin derin vadisiyle çevrili, yarımada gibi ileri çıkmış bir dağ parçası 40 ila 100 ayak yüksekliğinde şakulî yamaçlarla kesilmiş; bu kaya duvarlarının üstünde yine aynı beyazımtırak taştan 60 ayak yüksekliğinde, mazgallar, burçlar ve mâchecouli'lerle[109] donatılmış surlar var; yukarıdaki kırk eve giden biricik yol birbiri ardı sıra altı kale kapısından geçerek dolanıyor. Bu kırktan geri kalan evler moloz yığınlarından ibaret. Bütün bunların hepsi, bü-

---

(109) Kale duvarlarının çıkık bedenlerinin alt tarafında kumbara ve taş atmak, kızgın yağ dökmek için açılmış mazgallar.

yük bir parça tebeşiri oyar gibi şekillendirilmiş bir kayaya benziyor.

Rumkale'nin tarihini bilmek çok meraklı bir şey olurdu. Burası oldukça yakın zamanlarda Ermeni papazlarının merkezlerinden biri olmuştu. Bunlar orada muhteşem bir manastır kurmuşlardı; tahrip hırsı bu muazzam yontma taşları tamamıyla devirmeye yetmemişti, sadece çok güzel yontulmuş Roma kartalları kısmen kazınmış, zengin süslü başlıklarıyla büyük direkler yerlerde yatıyor. Sonraları bir derebeyi hisarları ele geçirmiş, bir Kürt beyi onu kovmuş, Baba Paşa da onu sürüp çıkarmış; sonra Suriye'li, yani İbrahim Paşa, kaleyi topa tutmuş, böylece her şey yıkılıp gitmiş. Sadece azametli surlar ve azametli kaya bugün de, Romalılar onu nasıl gördüyse hâlâ öyle, ayakta duruyor. Hisarın asıl dördüncü cephesi tehdit altında; burada kaya kendisinden biraz yüksek olan bir düzlük ile bağlantılı. Taşa kazılmış 80 ayak derinliğinde bir hendekle kayayı bu düzlükten ayırmışlar; Rumkale'yi tam bir müstahkem yer haline getirmek istenecek olursa, zorunlu olarak bu düzlüğü tahkim lazımdır, esasen buraya da ancak pek az noktadan tırmanmak mümkündür. Fakat Rumkale'nin bu yolsuz izsiz çölde bir istihkâm olarak hiç önemi yok ve bir hücuma karşı da, hatta bugünkü harap halinde bile, tam bir emniyet altında. Topa tutulmak buraya pek az zarar verebilir, çünkü bütün evler kısmen yahut tamamıyla kayadan oyulmuş.

Mevkii bakımından asıl önemli olan yer, haritaların Birth yahut Bir olarak adlandırdıkları Belecik ya da Birecik. Nehir burada dik kaya duvarları arasından çıkıyor, artık ta ağzına kadar hep ovadan geçiyor ve üzerinde gemi işler hale geliyor. Albay Chesney'in o kadar şanlı şerefli bir tarzda başarısızlığa[110] uğradığı büyük teşebbüste, Hindistan'ı Fırat yolu ile Avrupa'ya bağlayacak olan vapur seferlerinin başlangıç noktası burası olacaktı. Hâlâ onun nehrin sağ kıyısında yaptırmış olduğu evlerden birkaçının harabeleri durmaktadır. Türkler de hâlâ (gâvurla) onun (Ateş kayık) yani ateş gemisinden hayretle bahsetmektedirler. Halep, Antakya ve Antep ile olan büyük kara ulaştırması da buradan ol-

---

(110) Albay Shesney, Fırat'ın ulaştırma bakımından imkânlarını incelemiştir. Fakat Süveyş kanalının açılması Fırat üzerinden bağlantıya lüzum bırakmamıştır. Şu halde başarısızlık diye bir şey bahis konusu olamaz.

maktadır. Bu tarafa doğru Fırat'ı Akdeniz'den sadece geniş, verimli bir ova ve basık tepeler alanı ayırmaktadır, bununla birlikte Fırat burada Akdeniz seviyesinden 100 ayak kadar yüksek olsa gerek. Birecik'ten itibaren doğuya doğru sadece dar, kötü, fakat araba işleyebilen bir şose, taş çölünden geçerek, Urfa üzerinden Diyarbekir'e gider. Denize sahili olmayan geniş Asur diyarından, Lübnan'la Gâvurdağ arasındaki büyük geçitten geçerek Suriye şehirlerine ve denize giden biricik yol budur.

Birecik'in yeri ne kadar önemliyse kendisi de o kadar başka yerlere benzemez bir şehirdir. Nehrin sol kıyısında ve burada bir araya gelen birçok tepelerin eteğinde kurulmuştur. Burçları da bulunan iyi bir sur şehrin etrafını çevirir. Fakat şehrin içi birçok yerlerden görülür; şehrin ortasında ve nehrin tam yanıbaşında 180 ayak yüksekliğinde ve tepesinde ömrümde gördüğüm en harikulade bina bulunan bir kaya konisi yükselir.

Bu memlekette en eski istihkâm, insan eliyle yığılmış uzunca yuvarlak tepelerdir, sonra bunların üzerine hisar yahut kale kurulur. Böyle tepelerden burada yüzlercesi vardır ve hemen hemen her köyün yanında bulunur[111]. Bütün iskân yerlerinin mevkii daima bir kuyunun varlığına bağlıdır ve bir yığma tepe ile işaretlenmiştir. Bu sunî tepeler çok defa devce bir emeğin mahsulüdür. Samosata yahut Samsat'ın tepesi 100 ayak kadar yüksek, 300 adım uzun ve 100 adım geniştir; bu tepelerin yamaçları yontulmuş taşlarla döşenir ya da takriben 75 derecelik bir meyille duvar örülür, böylece sunî bir kayalık meydana getirilmiş olur, yahut Horis hisarında olduğu gibi esasen mevcut olan kayaya bu suretle ilave yapılır. Birecik'in hisarında (Türkler buna Kalei Beda, yani Beda'nın hisarı derler) bu taş örtünün arkasında dışarıya mazgal delikleri olan kemerli dehlizler dolanır. Siverek'te böyle 80 ayak yüksekliğinde, kapkara bazalt taşından, şevli bir duvar vardır.

Asıl Beda hisarı böyle muazzam tonozlardan üç, hatta dört katının üst üste inşasından meydana gelmiştir; burayı tahrip ettiği söylenen altı deprem böyle taş bloklarını dağıtmaya ancak kâfi gelebilmiştir, fakat bunların çoğu yine de yerinden kımıldama-

---

(111) Moltke höyükleri, yani binlerce sene kerpiç inşaat yapılmış olan eski köy ve şehir kalıntılarını yığma tepe sanmaktadır; Shliemann'ın Troya kazısına kadar da herkes böyle bilirdi.

dan durmaktadır; burası tam bir labirent'tir. Çok güzel, yüksek bir kilise, şimdi bir Türk evliyasının mezarı bitişindeki odalarla hâlâ tam olarak durmaktadır; öteki gözleri yıkılmıştır. Yüzlerce ayak derinliğinde, hâlâ içinde su bulunan kuyusu kuzey tarafındaki bir mahzendedir, buradan yukarıya doğrudan doğruya kayaya oyulmuş bir dehlizden geçilerek çıkılır. Başka bir kubbeli yerde dev gibi iki insan tasviri ile Farsça bir yazıt gördüm. Kalei Beda'nın harabeleri şimdiki haliyle hücumlara karşı tamamıyla mahfuzdur, hatta zaptı imkânsızdır denebilir. Sahiden de üzerinde kaya kitlelerinden yapılma 60 ila 80 ayak yüksekliğinde bir suru bulunan 100 ayak yüksekliğindeki bir kaya duvarına karşı elden gelecek ne vardır? Devamlı bir bombardımanın yapabileceği şeyi deprem zaten yapmıştır, dış örtü duvarının 100 ayak uzunluğunda bir kısmı tepeden aşağı yuvarlanmıştır, fakat onun arkasındaki tonozlar sarsılmamıştır bile; hisara tırmanabilmek ise eskiden olduğu gibi bugün de imkânsızdır.

Urfa'ya giderken yolda, apayrı biçimde bir köyde kaldık. Mezopotamya'nın bütün yukarı kısmı, sana yukarıda anlatmış olduğum gibi, bir taş çölünden ibarettir. Burada ne bir ağaç, ne bir çalı, hatta ne de kibrit çöpü yontabilecek kadar olsun bir çırpı parçası bulabilirsin; çok defa bir ot bitirecek kadar bile toprak bulunmaz. Bu sebeple insan meskenlerinin çoğu yumuşak kum taşına oyulmuştur ve bu taşların açığa çıktığı yerlerde yani tepelerin başlarındadır; fakat ovada hiçbir kaya yükselmediği için burada bir çatı meydana getirmek başlı başına bir sanattır. Çarmelik'te buna, taş ve çamurdan bir çeşit kubbe örmek suretiyle çare bulmuşlar. Köyde yan yana birbirine sıkışmış yüzlerce böyle fırın görülüyor. Her meskende bu kubbelerden birçoğu var. Bunlardan mesela biri ahır, biri harem, bir başkası selamlık yani kabul odası vesaire olarak kullanılıyor. Bize deve tezeğinden ve bir cins baldıran otunun köklerinden ateş yaktılar.

Urfa, eski Edesa, Osroene'ler krallığının payitahtı idi, 216 yılında, imparator Severus'un vaktinde oraya ve Nisiis'in tahkimi suretiyle de Fırat'ın öteki kıyısına yerleşmiş olan Romalıların bir kolonisi oldu. Urfa kilise tarihinde meşhur Edessa Tasviri ile ilgiyi çeker. İsa'nın ölümünden ta yüzyıllarca sonra Hıristiyan toplulukları arasında tasvirlere ibadet yayılmıştır, bu sebeple Kurtarıcının yüz hatlarının herhangi bir tasvirini gerçeğe sadık ve doğrudur diye ileri sürmek kolay bir şey değildir. Bununla birlikte

Kral Abgarus'a dair olan Suriye efsanesi hatırlardadır; buna göre kral İsa'yı arayıp bulur, ona, Yahudilerin kötülüklerinden korunması için Edessa'yı takdim eder, kendisi de İsa tarafından iyi edilir ve İsa'dan, yüzünün bir beze çıkmış olan harikalı tasvirini hediye olarak alır. Beşinci yüzyılda Ermeniler bütün resimlere tapmayı kötü gördükleri gibi bu masalı da reddetmişlerdi, bugün ise buna inanmaktadırlar ve efsane halk ağzında yaşamaktadır. Bana şehrin bir çeyrek saat doğusunda bir mağara içinde gizli bir pınarı gösterdiler; beni oraya götürenlerin hikâyesine göre resmi taşıyan adam hemen hemen şehrin surlarına varmışmış, tam o sırada bir bölük atlı ona bu pınarda yetişmiş, o da bu mağarada saklanmış, fakat gelen atlılar onu taşlayarak öldürmüşler ve böylece resim yüzyıllarca müddet gizli kalmış; nihayet keşişler onu, uygun gördükleri bir zamanda, meydana çıkarmışlar. Mucizeler yapan resim Edessa şehrinin bir düşman tarafından asla zaptedilemeyeceğini müjdelemiş. Sahiden de şehir Nuşirevan'ın idaresindeki İranlılar tarafından iki defa kuşatılmış, fakat dayanabilmiş. Ama Araplar burasını zaptetmişler ve kutsal resim üç yüz sene kâfir elinde esir olarak ıstırap çekmiş nihayet İstanbul imparatoru onu 12.000 pfund gümüş ve iki yüz Müslüman esiri karşılığında satın almış. Edessa tasviri meşhur Veronika yahut Ter Bezi ile rekabet etmektedir. Söylendiğine göre de halen Cenova'dadır.

Urfa bugün de büyük ve güzel bir şehirdir, tamamıyla taştan yapılmıştır, azametli surları ve hâkim bir kaya üzerinde hisarı vardır. Hisarın üzerinde iki yüksek direk bulunmaktadır, fakat bunlar yekpare taştan değildir; güzel işlenmiş başlıkları vardır ve Roma kartallarıyla süslenmiştir. Şehrin içindeki bir bina ile bir kulenin (şimdi cami), güzel yontulmuş taşların harçsız olarak üst üste konması suretiyle yapılmış olan duvarları çok eskidir. Hisarın eteğinde birçok pınarların suları iki havuzda toplanır; bunların etrafı yüksek söğütler, çınarlar ve servilerle çevrilmiştir; yanlarında da güzel kubbeleri ve minareleriyle bir medrese yükselir. Duru suyun içinde sayısız sazan balıkları yüzer; bunlara kimse dokunmaz, çünkü mübarektirler ve kim bunları yerse gözü kör olur!

Urfa çıplak kayalıklara yaslanmıştır, buradan *çöl* başlar. Çöl uçsuz bucaksız bir alandır. Şu anda yemyeşil, fakat nerede ise kuruyacak. Urfa'nın meyve ve söğüt ağaçları kum ve taş çöllerinin arasında bir vaha meydana getiriyor. İki at kuyruklu[112] Şerif Paşa beni pek iltifatla kabul etti. Onun misafiri olmam lâzım geldi, cuma olmasına rağmen askere atış talimleri yaptırdı.

Urfa'dan buraya, Diyarbekir'e kadar olan alan – mektubuma Diyarbekir'de devam ediyorum – insanın tasavur edebileceği en kasvetli çöldür. Siverek şehri hariç, bu kırk saatlik mesafede içinde insan yaşayan sadece dört köy gördüm, geri kalanları kışın Arapların yuvalandıkları taş yığınlarından ibaret. Kuyular çok az, derelerde su yok, hatta herhangi bir zamanda su bulunmuş olduğuna dair hiçbir iz bile yok, bununla birlikte merhaleden merhaleye *ayvat*'lar yani üzerleri kubbeli sarnıçlar var. Kışın sular çıplak taş zemin üzerinden bunların içine akarak toplanıyor. Ayvatlar dinî vakıflardır ve yazın Türkmenler ve Araplar yüzbinlerce baş hayvanlarıyla bunların etrafında toplanırlar; bu sebeple de su çok defa haziranda tükenir. Bazen su pek derindedir ve uzun, dar merdivenler ta aşağıya, o kadar hasret çekilen elemana kadar iner. Buralar geceleri yüzlerce yabani güvercinin toplandıkları yerdir, rahatsız edilince geleni kanat çırpmaları ve büyük bir gürültü ile ürkütürler.

Bazalt döküntüleri, biricik dar patikadan bin zahmetle ayıklanmıştır. Gece ta geç vakte kadar, parlak ay ışığı altında bu çölde ilerledim; nadir olarak, uzun mızraklı bir atlı kıtasına rastlanıyor ve selam verilip alınıyor: *Selam Aleikon! Aleikon Selam!* Ara sıra, taşlar arasından bin zahmetle yem arayan bir deve sürüsü ve onların yanında çobanların kara çadırları ile karşılaşılıyor. Sürücü, nakaratı "Aman! Aman!" (Merhamet! Merhamet!) olan bu, Tuna kenarında da Fırat kıyısında da duyulan aynı şarkıyı söylüyor. Bazen bana, sanki uyuklamış, Mezopotamya'da olduğum rüyasını görmüş ve uyanmışım gibi geliyor.

Hemen hemen her dağ güzeldir; şimdiye kadar gördüklerimden sade Fırat'la Dicle arasındaki Karacadağ bundan müstesna. 3-5 dereceyi geçmeyen daimi tatlı bir meyille iki günlük yol gidiyorsun ve birdenbire kendini karlar içinde bularak şaşırıp kalıyorsun. İnsan ovada olduğunu sanıyor halbuki bu dağ muhakkak ki 5000 kadem yüksekliğinde ve fırtınalarıyla sert iklimi yüzünden meşhur. Ben çok erkenden yola çıkmıştım. Dağın doruğunu aştığım zaman güneş doğdu ve Dicle ilk kırmızımtırak ışık-

---

(112) İki tuğlu.

larla parladı. Öğleye doğru fırtına ve dolu altında Diyarbekir'e vardım. Çok soğuk vardı, ağaçlar henüz ilk yapraklarını açmaya başlıyorlardı; eminim ki sizin orada 54'üncü enlemde buradan, 38'inci enlemde olduğundan çok sıcak ve yeşillik vardır, halbuki ben ekvatora 240 mil daha yakınım.

Diyarbekir, 12 Nisan 1838

Son mektubunuza göre, azizim Fischer, sizin hâlâ Beyoğlu'nda olduğunuza inanacağım geliyor. Fakat ümit ederim ki sizi orada alıkoyan şey hastalık değil yeni bir değişikliktir ve yola çıkmanıza barışçı bazı durumlar engel olmuştur. Avrupa devletlerinin mümessilleri herhalde herhangi bir askeri Allopatie'ye[113] meydan vermeyecek, tersine, Suriye hastalığını diplomatik bir holeopatie[114] ile tedavi etmek isteyeceklerdir. Fakat bizim işimiz eski, biraz paslanmış olan eğri kılıcı, olur ki kullanılır diye, artık olabildiği kadar, alafranga bilemek.

Fakat eğer İconium'a gitmiş olursanız dostumuz Bincke'den, ona verdiğim haberleri size tamamıyla bildirmesini rica ederim; çünkü doğrudan doğruya buradan bağlantı sağlamayı imkânsız gibi görüyorum.

Ben, sadece kaldığınız yahut gittiğiniz hakkında bile olsa, sizden bir haber almak istiyorum. Bizim halimiz oldukça iyi ve Anadolu'da yolculuk hiç de Rumeli'deki kadar zor değil, fakat eğer sizin şampanya olmasaydı bizim şişman Divan Efendisini Samsun'dan Harput'a kadar böyle hızla peşim sıra sürükleyemezdim. Ben hep, atını olanca gayretiyle sürer de geceleyin konaklayacağımız yere varacak olursak bir *"Gümüşbaşı"*[115] açacağımı vaat ederdim.

Geçenlerde, yıldızlı bir gecede eski Roma hisarı Zeugma'nın harabelerindeydim. Fırat ta aşağıda kayalık bir boğazda pırıldıyor ve çağıltısı gecenin sessizliğini dolduruyordu. Derken Kyros ve İskender, Ksenophon, Caesar ve Julianus, ay ışığında önümden geçtiler. Onlar da işte tam bu noktadan Khosroes'in[116] neh-

(113) Bir şeyi zıddıyla tedavi.
(114) Bir şeyi kendi cinsinden bir şeyle tedavi.
(115) Şampanya şişesinin başındaki yaldızdan kinaye.
(116) Part'lar kralı.

rin öbür yakasındaki memleketini yine böyle görmüşlerdi; çünkü burada tabiat taştandır ve değişmez. O zaman büyük Roma milletinin hatırası için yine Romalıların ilk olarak Gallia'ya götürmüş ve benim de onların geniş ülkelerinin batı sınırından ta doğu sınırına kadar taşımış olduğum altın salkımları kurban etmeye karar verdim. Şişeyi tepeden aşağı fırlattım; suya daldı, sonra nehir boyunca dans ederek Hind Okyanusu'na doğru kaydı gitti. Şişeyi daha önce boşaltmış olduğumu iyi tahmin ettiniz; ben orada İhtiyar Sarhoş[117] gibi duruyordum:

> Hayatın son korunu içtim,
> Ve fırlattım kutsal kadehi
> Aşağıya, dalgalara,
> Gördüm onun düştüğünü; içtiğini
> Fırat'ın sarı sularını.
> Sonra kapandı gözlerim.

Bundan sonra artık bir damla bile içmedim.
Şişenin tek bir kusuru vardı: Sonuncu şişeydi o.

Dicle Üzerinden Musul'a Kadar Yolculuk – Araplar – Mezopotamya Çölünde Kervanla Sefer

Dicle kenarında Cezire, 1 Mayıs 1838

Son mektubumda sana Araplara karşı sefere çıktığımızı yazmıştım. Bundan pek fazla bir şey çıkmadı, fakat ben çok enteresan bir bölgeyi tanımak fırsatını buldum.

15 Nisanda von Mühlbach'la ben, paşanın tepeden tırnağa silahlı iki ağası, tercümanımız ve uşaklarla, herhalde daha Kyros zamanında da bilinen bir biçimde yapılmış bir taşıta, yani şişirilmiş koyun derilerinden yapılma bir sala bindik. Türkler avı doğru bulmazlar, av ve sığır etini sevmezler, buna karşılık büyük miktarda koyun ve keçi yerler. Bu hayvanların derileri göğüsten mümkün olduğu kadar az yarılır ve itina ile yüzülür, sonra diki-

---

(117) Yunan mitolojisindeki Silen, Dionissos'un arkadaşı.

Dicle üzerinde "Kelek"le yolculuk.

lir ve ayaklar bağlanır. Bu tulum üfleyerek şişirilirse (bu çabucak ve ağız doğrudan doğruya tuluma değdirilmeden olup biter) büyük bir taşıma kabiliyeti kazanır ve hemen hemen hiç batmaz. Bunlardan kırktan altmışa kadarı, ağaç dallarından hafif bir iskelet altına dört ya da beş sıra halinde öyle bağlanır ki sal ön tarafta aşağı yukarı sekiz, arkada ise on sekiz tulum eninde olur. Bunun üzerine biraz yapraklı dal, sonra bir hasır ve halı yayılır; böylece rahat rahat nehirden aşağı gidilir. Akıntının hızı sayesinde küreklere iş düşmez, bunlar sadece salı idare etmek, onu nehrin ortasında bulundurmak ve tehlikeli burgaçlardan korunmak için kullanılır. Biz her ne kadar böyle yerler yüzünden geceleri ta ay doğuncaya kadar durmak zorunda kaldıksa da yine, 88 saatlik yolu üç buçuk günde aldık. Buna göre nehrin akıntısının hızı ortalama olarak saatte hemen hemen bir mili bulmakta; fakat bazı yerlerde bundan çok fazla, bazı yerlerde de daha az.

Diyarbekir'in *"İç Kale"* yani şatosunun yüksek kara duvarları altından hızla geçtik; şato, üzerinden küçük bir derenin aktığı dimdik bir kaya yamacının üstünde yükseliyor. Türkçe belgelerde Kara Amid, yani siyah Amida denen Diyarbekir daha İmparator Konstantin zamanında muhkem bir kale idi ve burada üç lejiyon bulunurdu. 359 yılında Şapur[118] buraya hücum etti; yetmiş İranlı okçuyu bir hain, kaya duvarına kazılmış olan ve bugün de Dicle'ye inilen merdivenden yukarı aldı. Bunlar bayraklarını üç kat yüksekliğindeki bir kuleye diktiler. Fakat Gallia'lı lejiyonlar bu askerleri surdan aşağı attılar ve kuşatma yetmiş üç gün uzadı. Genel bir hücum şehri İranlıların eline geçirdi ve bunlar orasını korkunç bir şekilde tahrip ettiler. 505 senesinde Amida yeniden üç aylık bir kuşatmaya karşı koydu. Bu kuşatma 50.000 İranlının canına mal oldu. Şehir bir baskınla ele geçti ve ahalisinden 80.000 kişi öldürüldü. Amida yeniden Romalıların eline geçti ve Julian'ın ölümünden sonra halefi Jovian müstahkem Nisibis'i (ismi ve harabeleri Nuseybin kasabacığında hâlâ yaşamaktadır) İranlılara teslim edince oranın Hıristiyan halkına Diyarbekir'in bir mahallesi tahsis olundu. Justinian, emniyetsiz Ermenistan ile düşman İran arasına sokulmuş bir yerde oluşu yüzünden o zamanlar büyük bir önemi olan şehrin kalelerini yeniden yaptırdı; bugün hâlâ hiç bozulmadan duran yüksek güzel surlar belki de on iki yüzyıl önce yapılmış olan o surlardır. Bu ancak malzemenin mükemmelliği ve yapıda gösterilen özen sayesinde mümkündür; siyah, sert bazalt taşları büyük bir itina ile tam ölçülerinde yontulmuş ve 30-40 ayak yüksekliğe kadar örülmüştür. Kuleler son derece güzeldir ve her seksen adımda birileri çıktıkları surlardan daha yüksektirler; o kadar da geniştirler ki içlerine pekâlâ top yerleştirilebilir. Her iki kulenin arasında birer de isinat duvarı çıkmaktadır ve bunun mazgalları da surları yandan korumaktadır. Surların üzerinde birçok Latince, Yunanca ve Farsça kitabeler görülür. Kalelerin ihtişamı, etrafını kuşattığı şehrin sefaletiyle garip bir karşıtlık halindedir. 15.000 kadar kerpiç kulübe, aralarında daracık sokaklar bırakarak, birkaç taştan cami ve kervansarayın etrafında toplanmıştır. Dicle kenarındaki muhteşem harabeleri, azametli kemerleri ve güzel kubbeleriyle iç kale, şehirden yüksek duvarlarla ayrılmıştır. Burada da yine, bu bölgenin her tarafında üzerlerinde akropollerin bulunduğu o sunî toprak tepe vardır.

Dicle yahut Şat'ın çıktığı dağlık memleket üç tarafından Yukarı Fırat'la çevrilmiştir, pınarlarının bir kısmı da Fırat'ın kıyısından ancak iki bin adım uzaklıktadır. Halbuki onunla ancak 200

---

(118) Sasani soyundan Şapur II.

mil aşağıda birleşir. Harput ovasının üstünde ve yüksekteki büyük göl (Gölcük) Dicle'nin doğduğu yerin ta yanıbaşındadır, fakat bu nehirle hiçbir bağlantısı yoktur. Dicle Ergani-Maden'de dağlardan dışarı çıkar, Diyarbekir'in surlarının yanından geçer. Yazın buradan kolayca geçilebilir. Sonra geniş ve verimli bir ovadan akmasına devam eder, nihayet yüksek Garzan dağlarından güneye doğru inen ve Dicle'nin kendi suyundan fazla suyu bu nehre getiren Batman çayı ile birleşir. Bu noktanın hemen arkasında Sat yeniden yüksek kumtaşı dağları arasına girer, geniş ve sığ nehrin hafif kıvrımları burada dar bir kaya derbendinin keskin zikzakları haline gelir; nehrin iki yanında kaya duvarlar dik, çok defa şakulî olarak yükselir ve ta yukarıda, dağ yamacında koyu yeşil palamut ağaçlarının altında, burada çoğu mağaralarda oturan Kürtlerin tek tük köylerine rastlanır.

Şakulî yamaçlarına nehirden yukarı bir patikanın tırmandığı yüksek bir kayanın üzerindeki Hasankeyf şehrinin garip bir manzarası vardır. Aşağıdaki eski şehir tahrip edilmiştir, sadece tek tük minareler yükselir ve burada eskiden camiler ve evlerin bulunduğunu anlatır. Şehir halkı, tek geçilebilir tarafını bir surla tahkim etmiş oldukları kayalığa sığınmak zorunda kalmışlardır. Dar, kayalık boğazda yukarıdan aşağı yuvarlanmış olan büyük taş kitlelerine rastladım. Bunların içini oymuşlar, ev haline getirmişlerdi. Bu döküntüler küçük, pek de düzensiz bir şehir haline gelmişti, hatta çarşısı bile vardı. Fakat en dikkate değer şey buradaki, vaktiyle 80-100 ayak açıklıkta muazzam bir kemerle, Dicle'yi aşmış olan bir köprüdür. Böyle cüretli bir eseri eski Ermeni krallarına mı, Rum imparatorlarına mı yoksa, daha muhtemel olarak halifelere mi mal etmek gerektir[119].

Hasankeyf'in alt tarafındaki arazi vahşi ve güzeldir. Kükürtlü pınarların ısıttığı bir mağaranın önünden geçtik ve ertesi gün çepeçevre etrafını Dicle'nin bir kolunun sardığı Cezire'ye[120] (Adaya) vardık.

Benim bildiğime göre eskiçağda bu şehrin hiç bahsi geçmez. Nehir kıyısındaki büyük bir hisarın güzel harabesine yerliler Ceneviz yapısı gözüyle bakıyorlar, fakat ben Cenevizlilerin ticaret merkezlerini böyle ta uzaklara, Ermenistan'ın vahşi iç kısımları-

_____

(119) Selçuk Hükümdarı Emir Fahreddin'in. 1122.
(120) Eski adı Cezirei İbni Ömer. Şimdi Cizre.

na kadar götürmüş olduklarını sanmam. Bir köprü hisarla nehrin öte yakasını bağlar. Orada köprünün başını koruyan bir burcun temelleri hâlâ görülmektedir. Şehrin etrafını bazalttan bir sur çevirir. Reşit Paşa bu surlara aylarca hücum etmiştir. Şehrin zaptından sonra burada korkunç zulümler yapılmıştır. Yezidî yani şeytana tapanlar oldukları için hemen hemen bütün erkekler öldürülmüş, kadın ve çocuklar esir olarak götürülmüş. Şehir bir enkaz yığınıdır ve boş sokaklarda zor bela birkaç insan barınağına rastlanabilir. Bu tahrip ve sefalet manzarasıyla tabiatın bitmez tükenmez zenginliği ne garip bir karşıtlık meydana getiriyor! Âyanın sefil kulübesinden yıkık duvarlar arasındaki bir avluya çıktım ve birdenbire kendimi sayısız kıpkırmızı çiçeklerle örtülü büyük bir nar ağacının altında buldum. Bir asma bu ağaçtan, buracığa gizlenerek insanların tahribinden kurtulmuş bir zeytin ağacına atlayıp sarılmış.

Bizim yaptığımızdan daha rahat seyahat etmek imkânı yoktur. Yumuşak şiltelere uzanmış, yanımızda yiyecek, şarap, çay ve bir mangal olduğu halde hızla ve hiç yorulmadan, bir özel ulağın süratiyle kayıp gidiyoruz. Fakat bizi götüren tabiat elemanı başka bir şekilde başımıza dert oluyordu; Diyarbekir'den hareketimizden beri yağmur hiç durmadan bardaktan boşanırcasına yağıyordu. Şemsiyelerimiz artık bizi koruyamıyordu, elbiselerimiz, kaputlarımız ve halılarımız sırsıklam olmuştu. Paskalya cumasında Cezire'den ayrıldığımız zaman güneş açmış ve donmuş vücutlarımızı ısıtmıştı; yalnız şehrin yarım saat aşağısında, Dicle üzerinde ikinci bir köprünün harabeleri bulunuyordu ve köprünün ayaklarından biri, su yüksek olduğu zaman muazzam bir anafor meydana getiriyordu. Kürekçilerin bütün emekleri işe yaramadı. Bu Kharybdis[121], bizim küçük Nuh'un Gemisini önüne geçilmez bir kuvvetle kendisine çekiyordu; kelek bir ok gibi bu derin ağızdan aşağı atıldı ve bir dalga başımızın üstünden geçti. Su buz gibi soğuktu, salımız bir an sonra, devrilmeden, uslu uslu dans etmeye devam edince birbirimizin acıklı haline gülmekten kendimizi alamadık. Mangal nehre gitmişti, bir çizme yanımız sıra yüzüyordu ve her birimiz sudan ufak tefek bir şeyler topluyorduk. Bir adaya yanaştık; çantalarımız da bizim gibi sırsıklam ol-

_____

(121) Efsaneye göre Messina boğazındaki bir burgacın adı.

duğu için soyunmaktan ve bütün üstümüzü başımızı, mümkün olabildiği kadar, güneşte kurutmaktan başka çare yoktu. Az öte-deki başka bir kum adacığının üstüne bir sürü pelikan konmuştu ve sanki bizimle alay eder gibi onlar da beyaz elbiselerini güneş-lendiriyorlardı. Ansızın salımızın kendini kurtarmış ve yola çık-mış olduğunu gördük. Ağalardan biri hemen suya atladı ve çok şükür ki sala yetişti. Yoksa biz her şeyden yoksun bir halde bu ıs-sız adada kalacaktık.

Üstümüzü başımızı şöyle böyle kuruttuk. Sonra yolculuğu-muza devam ettik, fakat yeni sağanaklar emeklerimizi boşa çıkar-dı. Gece o kadar karanlıktı ki yeni bir anafora rastlamak korku-sundan kıyıya yanaşmak zorunda kaldık. Keskin soğuğa ve yağ-murun içimize kadar işlemiş olmasına rağmen, ateş yakmaya ce-saret edemedik. Çünkü böylelikle Arapları âdeta davet etmiş ola-caktır. Salımızı sessizce bir söğüdün altına çektik ve güneşin bizi ısıtmak için İran sınırını teşkil eden sıradağların arkasından yük-selmesini hasretle bekledik.

Cizre'den sonra Dicle yeniden ovaya girer ve parıl parıl yanan karlı tepesinde, halk ağzındaki efsaneye göre, Nuh'un çeşitli yol arkadaşlarıyla karaya oturmuş olduğu yüksek, muhteşem Cudi dağından uzaklaşır. Bundan sonra arazi pek biteviye bir hal alır. Pek seyrek olarak bir köye rastlanır, bunların da çoğu boştur ve tahrip edilmiştir. İnsan artık Arapların memleketine gelinmiş ol-duğunu anlar. Hiçbir yerde ağaç görülmez, nerede küçük bir çalı-lık kalmışsa orada bir "ziyaret" yani kutsal yer vardır ve çalı baş-tan aşağı elbise parçalarıyla örtülüdür; çünkü hastalar, elbisele-rinden bir kısmını evliyaya sunarlarsa iyi olacaklarına inanırlar. Çok uzaktan, oldukça yüksek ve tek başına bir dağın üzerinde, eski bir şehrin harabelerini gördük; salımız bu tepenin kuzey, do-ğu ve güney eteklerini dolaştı; buranın kadim Bezabde olduğunu tahmin ettim. Bu şehir için, çölde olduğu ve üç tarafının Dicle ile çevrili bulunduğu söylenmektedir. Sapur Amida'yı zaptettikten sonra burasını kuşatmış, üç lejiyonu esir almış ve kaleye İranlı muhafızlar yerleştirmişti.

Eski Musul denen harabelerin önünden salla geçtik ve akşama doğru Musul'un minarelerini gördük. Burası benim eriştiğim en doğudaki noktadır ve Türk yoldaşlarım akşam namazlarını kılar-larken, İstanbul'daki Müslümanların kıbleyi güneyde aramaları yerine, batıya yönelmeleri lazım geldi.

Musul

Musul, Bağdat'tan Halep'e giden yolda kervanların büyük uğrak yeridir. Çöl ortasında bir vaha olan bu şehir Araplara karşı daima tetikte bulunmak zorundadır. Etrafını çevreleyen surlar zayıf, fakat yüksektir ve bedevîlerin düzensiz atlı kıtalarına karşı bol bol kâfidir. Daha Haçlı seferler sırasında adı geçen Bab-el-Emadi kapısı hâlâ durmaktadır, fakat örülerek kapatılmıştır. Evlerin çoğu kerpiçten ve birkaç dakika içinde donan bir cins kireçten yapılmıştır. Eski Doğu âdetince burada dış kapıların (bab) güzellik ve büyüklüğüne çok değer verilir. Her evde – çatıları kapı kemerinin tepesine zor yetişen evlerin ve kerpiç kulübelerin önlerinde bile – mermerden (bu taş şehrin hemen yanı başında çıkarılır) kemerli kapılar görürsün. Çatıları düzdür, bastırılmış toprakla örtülüdür (*dam*) ve etrafları göğüs siperi gibi mazgallı duvarlarla çevrilidir. Şehirdeki büyükçe evlerin çoğunda bir sürü tüfek kurşunu izleri görülür ve bu meskenlerin kaleye benzeyen yapıları Floransa saraylarını çok andırır, sadece buradakilerin hepsi küçük, fakirce, yapısı bitmemiş haldedir.

Musul ahalisi, menşedeki Geldanî halkıyla, birbiri ardı sıra buraya hâkim olan Araplar, Kürtler, İranlılar ve Türklerin garip bir karışımıdır, fakat ortak dil Arapçadır.

Korkunç güneş sıcağında ahalinin çoğu yeraltında oturur ve her evin, sadece yukarıdan, bir asmanın gölgesindeki bir delikten ışık alan yeraltı odaları vardır.

Vali İncebayraktar bizi büyük bir itibarla kabul etti ve Ermeni patriğinin evine yerleştirdi. Musul'daki Nesturî ve Yakubî Hıristiyanlar Türkiye'de gördüğüm en güzel kiliselere sahiptirler, fakat aralarında geçimsizlik ve uzlaşmazlık hüküm sürer. Bu kiliselerden her biri, bilmem hangi sebeple, her iki cemaate aittir ve bunlardan birinin bu kutsal yerlerde yaptıkları, öteki için nefret edilecek şeyler olduğundan, bu güzel kubebeleri orta yerlerinden birer duvarla ikiye bölmüşler.

Bizim Yakubî patriği hiç şüphesiz, bizim gibi dinde doğru yoldan sapmış insanları misafir etmekte bir hayli tereddüt geçirmişti. Ama bu onun için, Nesturî veya daha da kötüsü, Rum olmamızdan daha ehvendi. Üstelik şimdiye kadar hiçbir Hıristiyan, paşa tarafından böyle kabul edilmediği ve hatırlı Müslümanlar gelip bize nezaket ziyaretlerinde bulundukları için, o da hiçbir şeyi eksik etmedi, hatta bana Arap ve Süryanî (yani Geldanî) dillerinde bir İncil sattı.

Paşa, kendisi için çarçabucak yaptığımız, Musul'un bir haritası, yeni bir kışla için plan ve bir su dolabının resminden pek memnun kaldı ve bize çölde yolculuk için atlar ve katırlar hediye etti.

Ta en eski çağlarda burada, tıpkı şimdiki gibi, Dicle üzerinden geçen bir dubalı köprü vardı; Julianus'un ordusu Ktesiphon'dan ricatı sırasında bu köprüden faydalanmıştı. Türk yapısı olması çok muhtemel bir taş köprüden sadece birkaç kemer kalmıştır. Nehrin sol kıyısında, Musul'un karşısında gözle bile apaçık fark edilen, çevresi bir mil kadar uzunlukta ve bugün de hâlâ 10-25 ayak yükseklikte bir toprak siper vardır. Bu istihkâm eski Ninova'yı kuşatmakta imiş[122]. Gayet büyük bir yığma toprak tepe burada da eski Akropolis'in yerini işaret etmektedir. Daha küçük başka bir tümülüsün üzerinde şimdi Nunia adında bir köyle, Yunus peygamberin tabutunun bulunduğu bir cami vardır. Ancak

_____

(122) Bunu Batta ve özellikle H. A. Layard'ın 1842'deki kazıları ispat etmiştir.

paşanın kesin emri bizim bu kutsal yadigârın yanına girebilmemizi sağladı. Camiin altındaki pek eski bir Hıristiyan kilisesini ziyaret ettik. Dicle'nin sağ yakasında da Aya Kedrilleh yani St. George ve başka birçok azizlerin mezarları vardır ki bunlar yarı cami, yarı kale halindedir.

Musul'da dikkate değer binalar bir Hıristiyan kilisesinin pek eski temelleri üzerine yapılmış olan büyük cami ile Dicle kenarında 500 sene önce kurulmuş ve duvarlarında çeşitli freskler, hatta bunlar arasında bir sürü insan resmi bulunan[123] bir *"kasr"* yani Müslüman sarayıdır.

İç kale dar ve önemsizdir. Şehrin kuzey-batı köşesinde vadi kenarı yüksek ve dik bir şekilde nehre iner; tepesinde de büyük bir burç vardır. Eteğinde, suların yükseldiği zaman örttüğü, sıcak kükürtlü pınarlar tüter. Su Dicle'den, ağaçlardan kurulma yüksek bir iskele ve ipler yardımıyla bir atın çektiği gayet büyük tulumlarla alınır, sonra bu hayat verici elemanı bahçelere ve tarlalara dağıtmak için tulumun uzun ucu, taştan örülerek yapılmış su deposunun üzerine getirilerek açılır, fakat sadece surların içindeki açıklık kısım ve dışında da en yakın çevre ekilmektedir. Musul'un önünden akıp giden suyun bir kısmı arazi sulamak için kullanılabilse burası en verimli yerlerden biri olurdu. Buradaki gayet eski birtakım yapılar bu fikirden doğmuş olsa gerek; bunlar şehrin birkaç saat üst tarafında nehir yatağını darlaştırıp suyunu şişiren setlerdir. Hiç şüphesiz lüzumlu suyu buradan kolayca tarlalara sevk etmek mümkündür, yalnız şehrin etrafına üşüşen Araplar mahsulün toplanmasını pek güvensiz bir hale getirmektedirler.

Musul'un surlarının hemen dışında Araplar için ayrı bir çarşı vardır. Bu çarşı, bu şüpheli misafirleri şehrin içine kabul zorunda kalmamak için kurulmuştur. Küçük kerpiç kulübelerin karma karışık kalabalığının üzerinde narin ve uzun birkaç hurma ağacı yükselir: Çölün sonuncu hurma ağaçları... Bunlar büyüyüp ağaç haline gelmiş kamışlara benzerler, güneyin sembolleridir bunlar. Araplara güven veriyor ve her ne kadar ta kuzeyde iseler de, onları hâlâ buhurlar memleketinde bulunduklarına inandırıyor gibidirler. Çöl evlatları buraya gelirler, uzun bambu mızraklarının ucunu yere saplarlar ve bir şehrin ihtişam ve şaşaasını hayran

---

(123) Lûlu Bedrettin'in sarayı (Musul kralı 1222-1254).

hayran seyre dalarlar. Burası gerçi biz Avrupalıların ihtişam ve şaşaanın tamamıyla zıddını gördüğümüz bir şehirdir, ama yine de yüz saatlik çevresinde bir eşi yoktur.

Belki de karakter, görenek, gelenek ve dilini yüzyıllar boyunca ve en çeşitli dünya şartları arasında Araplar kadar muhafaza eden başka hiçbir kavim yoktur. Mısırlılar, Asurîler, Yunanlılar ve İranlılar, Romalılar ve Bizanslıların meydana çıkıp ortadan silindikleri sırada onlar, bir yerde durup oturmayan bu çoban ve avcılar, pek az tanınan çöllerde dolaşıp durmuşlardır. Fakat bir düşüncenin verdiği vecitle coşan aynı çobanlar ansızın yükselmişler ve uzun zaman için Eskidünyanın hâkimleri ve o zamanki medeniyet ve ilmin mümessilleri olmuşlardı. Peygamberin ölümünden yüzyıl sonra onun ilk taraftarları Sarazenler[124] Himalayalardan Pirenelere, İndus'tan Atlas Okyanusu kıyılarına kadar olan yerlere hâkimdiler. Fakat Hıristiyanlık ve onun doğmasına sebep olduğu manevi ve maddi evrim, aynı zamanda onun ulvî ahlâkının reddetmesi gereken taassup Arapları Avrupa'dan sürüp çıkardı. Türklerin kaba kuvvetleri de onların Doğudaki hâkimiyetlerini ellerinden aldı ve İsmailoğulları bir kere daha çöllere yollandılar.

Asıl daha üstün bir olgunluk derecesine erişen ve yerleşip çiftçilik, ticaret veya sanatla uğraşan Araplar bundan sonra istibdat altında ezilmişlerdir. Bugün Mısır'daki fellâhların ve Suriye'deki Arapların altında inledikleri istibdat ve zulmü, belki de hiçbir zaman ve hiçbir yerde erişilmemiş olan derecesine vardırmak ve bütün bir memleketi bir malikâne, bütün bir milleti köle haline getirmek için, Avrupalılaşmış bir hükümetin sunî kışkırtmaları ve Frenklerin yardımları lazım gelmişti; bunun için nüfus sayımı, vergilerin, gümrüklerin ve tekellerin, daimi orduların ve askerlik mecburiyetinin kabulü, bunlara bağlı olarak memurlukların satılışı, vergi mültezimliği, angarya ve Doğunun zevk ve eğlence düşkünlükleri gerekmişti; her şeyden önce de Mehmet Ali'ninki gibi muazzam bir akıl, böyle kuvvetli bir irade ve böyle nadir bir talih lazım gelmişti.

Fakat Arap milletinin en büyük kısmı eski göreneklerine bağlı kalmıştı ve istibdat onlara hâkim olamamıştı. Asya ve Afrika çöl-

---

(124) Fransızca Sarrasin'ler. Ortaçağ'da Endülüs ve Akdeniz Araplarına Avrupalıların verdiği ad.

lerinin genişliği, yakıcı gökleri, susuz toprakları ve halkın fakirliği her devirde Arapların koruyucusu olmuştu. İran, Roma ve Rum hâkimiyeti ancak kısmî, geçici, çok defa da sadece sözde olmuştur. Bugün de bedevîler tıpkı dedelerinin hayatları gibi bir yoksunluk, zorluk ve bağımsızlık hayatı yaşamakta, bugün de hâlâ istepleri dolaşmakta ve sürülerini yine Musa ve Muhammed zamanındaki gibi kuyularda suvarmaktadırlar.

Araplar hakkındaki en eski tasvirler zamanımızdaki bedevîlere tam tamına uymaktadır. Bugün de yine sonu gelmez savaşlar kabileleri birbirinden ayırmaktadır. Bir otlağa ya da bir kuyuya sahip olmak birçok ailelerin mutluluğunun esasını teşkil etmektedir ve kan davalarıyla konukseverlik hâlâ, tabii halde yaşayan bu kavmin kusurlarıyla meziyetlerini teşkil etmektedir. Araplar sınırların neresinde yabancı milletlerle temasa gelirlerse orada savaş vardır. İbrahim'in oğulları zengin ve verimli memleketleri pay etmişlerdi, yalnız İsmail ile kabilesi çöle kovulmuştu. Bütün öteki milletlerden ayrılmış olan Araplar için, yabancı ile düşman aynı anlama gelir ve el sanatlarının ürünlerini kendilerinin meydana getirmeleri imkânsız olduğu için de bunları nerede bulurlarsa zorla almakta kendilerini tamamıyla haklı görürler.

Sınır vilayetleri paşaları komşularının daimi yağmacılıklarına ara sıra büyük çapta karşılık verirler ve bu sırada bundan kimlerin zarar gördüğüne hiç de aldırış etmezler. Birkaç bölük muntazam süvari ve bir topla sefere çıkarlarsa en büyük aşireti darmadağın edeceklerine emindirler. Arap tüfek ateşine zor karşı durur, hele zaten karşılık veremeyeceği top ateşine hiç dayanamaz; bu sırada kendinden ziyade atının canı için titrer, çünkü asil bir kısrak çok defa üç dört ailenin servetidir. Bizlerde üç dört efendinin malı olacak atın vay haline! Burada ise kaç sahibi varsa o kadar bakıcısı ve dostu vardır.

Türkler bir aşirete baskın etmeye muvaffak olabilirlerse koyun ve keçi sürülerini, birkaç deveyi ve rast gelirse birkaç rehine alırlar, bu sonuncular bundan sonra sefil bir esirlik hayatına mahkûmdurlar. Urfa sarayının dar bir mahzen yahut ahırında dokuz ihtiyar gördüm ki bunlar üç buçuk yıldan beri burada çürümekteydiler. Boğazlarına takılı demir halkalardan (*lâleler*) ağır bir zincirle birbirlerine bağlıydılar ve günde iki defa hayvanlar gibi su içmeye götürülüyorlardı. Onlar için kabilelerinden 150.000 kuruş (15.000 gulden) gibi muazzam bir kurtulmalık parası istenmişti, onlar da bunun üçte birini vermeyi teklif etmişlerdi ama artık bunların kurtulması için pek az ümit vardı. Paşa onları bırakmayı bana vaat etti, fakat bunu yapıp yapmadığından haberim yok. Böyle misaller Arapları ürkütmemektedir ve onların at sürebildikleri alanlarda daimi yerleşme yerlerinin kalması mümkün değildir. Torosların bütün güney tarafları, eski Osroene, onların tahribatının izleriyle doludur. Orada şirin ırmaklar dağlardan aşağı iner; suyun bolluğuyla kızgın, daima açık gökyüzü ve en verimli toprak birleşince bu, eğer insanlar tahrip etmemiş olsalar, bir cennet meydana getirmek için yeterdi. Oralarda kar yağmaz, zeytin ağacı, üzüm omcaları, dut, incir ve nar ağaçları, nereye incecik bir su arkı getirilirse orada kendiliğinden yetişir. Buğday, pirinç ve pamuk bol bol ürün verir. Fakat Karrai'den – yani şimdiki Harran – İbrahim'in oturmuş olduğu bu yerden, ancak bir toprak tepeyle duvar yıkıntıları kalmıştır. Dara'da, Justinianus'un kurduğu azametli şehirde, sadece muhteşem harabeler vardır; tamamıyla tahrip edilmiş olan Nusaybin'de Hafız Paşa gayet eski temellerin üzerine yeni bir süvari kışlası yaptırmıştır ve bunun koruyuculuğu altında şehirle yakınlarındaki köyler yeniden gelişmişlerdir. Nihayet Urfa ve Musul, tek büyücek şehirler, Mezopotamya'ya sokulmuş ileri karakollar gibidir.

Çapullar sırasında Arapların önünde ganimet ümidi, arkalarında ise emin bir ricat yolu vardır; çöldeki otlak yerlerini ve gizli kuyuları yalnız onlar bilir; yalnız onlar bu bölgede yaşayabilirler, o da ancak develerinin yardımıyla. 500-600 pfundluk bir yükü taşıyabilen bu hayvanlar onların bütün varını yoğunu, karılarını, çocuklarını, ihtiyarlarını, çadırlarını, yiyeceklerini ve sularını bir yerden ötekine götürür. Develer hiç su içmeden altı, sekiz, hatta on gün yol alabilirler, hatta beşinci midelerinde, en büyük ihtiyaç anı için, efendilerine su bile saklarlar. Tüyleri elbise ve çadır yapmak için kullanılır, sidiği tuz verir, tezeği yakıt olarak kullanıldığı gibi, mağaralarda güherçile üretimine yarar, bunu da Araplar barut yapmada kullanırlar. Devenin sütü yalnız çocukları değil, tayları da beslemeye yarar, böyle beslenen taylar bizim antrenmanlı atlarımız gibi kuru, fakat kuvvetli hayvanlar olurlar. Devenin eti lezzetli ve sıhhîdir; derisi, hatta kemikleri bile işe yarar. En kötü yem, kuru otlar, devedikenleri ve çalılar bu, dünyanın en sabırlı, kuvvetli ve müdafaasız hayvanı için kâfidir. En fakirinin bile hemen hemen inanılmayacak kadar çok sayıda sahip olduğu deveden sonra Arabın en büyük servetini at teşkil eder. Bu hayvanın nasıl çocuklarla aynı çadırda büyüdüğü, onların yiyeceğini, yağma seferlerini ve yoksulluklarını nasıl paylaştığı ve en asil soydan bir tayın doğduğu gün nasıl bütün bir kabilenin şenlik yaptığı malumdur.

Avrupa'da Arap atları ne doğru ne de yeterli olan bir sınıflamaya tabi tutulmaktadır. Mesela Küheylân ve Necdîlerin farkı böyledir. Bu sonuncusu, iç Arabistan yaylalarında yetişen ve sahiden de en mükemmel atlara verilen addır, fakat nasıl ki her Arap atı soy bir at değilse her Necdî de bir Küheylân değildir. İşin aslı şu: *Hazreti Süleyman Peygamber*in binek atının adı Küheylân imiş. Soy atların, doğdukları andan itibaren, ana babalarını ve çok defa büyük ana ve babalarını gösteren şecerelerinin düzenlendiği ve bunu küçük, üç köşeli bir kılıf içinde olarak bir kordonla boyunlarında taşıdıkları masal değil bir gerçektir.

Birçok yüzyıllar zarfında Küheylân'ın torunlarından bazılarının öyle üstünlükleri olmuştur ki bunlar da ayrı ayrı soyların dedeleri sayılmışlardır. Bana Küheylân'ın en mükemmel torunlarının Menegî'nin yavruları olduğunu söylediler, bunlardan sonra Terafîler, Celevîler, Sakalîler ve daha birçok soylar gelmektedir. Medine'den hicreti sırasında Muhammed, Menegî dalından bir Küheylân'a binmiş. Görüyorsun ki her Necdînin asil bir at olması gerekmemektedir ve bir Küheylân bir Necdî değil de pekâlâ bir Ennesî yahut Şamarlî olabilmektedir.

İki Nehir Arasındaki Memlekette konaklayan ve savaşta 10.000 atlı çıkaran Şamar kabilesi Arapları, son zamanlarda birçok haydutluklar etmiş ve Babıâli tarafından tayin edilen şeyhi tanımak istememişti. Hafız Paşa bunlara adamakıllı bir ceza vermek istedi. Urfa ve Mardin paşaları onlara karşı harekete geçeceklerdi. Hafız Paşa kendi emri altında bulunmayan Musul paşasının da aynı zamanda yürümesini istiyordu, çünkü o zaman bu Araplar, öteki yakasında düşmanları olan Ennesî kabilesinin bulunduğu Fırat'a doğru sürüleceklerdi. Fakat İncebayraktar'ın kendisine büyük masraflara mal olacak, buna karşılık pek az ganimet getirecek olan bir sefere hiç niyeti yoktu. Nihayet Bağdat valisinin kesin emri geldiği zaman öteki paşalar düşmanı yerinden kaçırmışlardı ve düşman alabildiğine uzaklara çekilmişti.

Burada kalışımız kısa fakat enteresan olmuştu. Nihayet tam bu sırada yola çıkan bir kervanla çölden geçerek geri dönmeye

214 MOLTKE'NİN TÜRKİYE MEKTUPLARI

karar verdik. Araplar son taarruzlar yüzünden çok kızgın olduk-
ları için kervan kırk başıbozuk atlı ile takviye edilmişti. Biz de ak-
şam üzeri, Musul'dan iki saatlik yerde, sanki son bir defa suya
kanmak istiyormuş gibi Dicle kenarında konaklayan kervanla bu-
luştuk. Paşanın geleceğimizi bildirmiş olduğu kervanbaşı hemen
bizi karşıladı, kendi çadırını bizim için kurdurdu ve akşam yeme-
ği için bir keçi hediye etti.

Tam beş gün, hiçbir yerde bir insan barınağı görmeden, Ku-
zey Mezopotamya çölünde gittik. Bu çölü bir kum sahrası sanma;
tersine, ucu bucağı görünmeyen ve sadece şurada burada hafif
dalgalı, yemyeşil bir alan tasavvur etmelisin. Araplar buraya
"bahr", yani deniz diyorlar. Kervan da, tıpkı büyük tümülüsler
gibi bu yeşil satıhtan yükselen sunî tepelere göre yönünü tayin
ederek hiç sapmadan dosdoğru ilerliyor. Bu tepeler vaktiyle bu-
rada bir köy kurulduğunu, buna göre de bir kuyu yahut pınarın
bulunmuş olduğunu anlatıyor. Fakat tepeler çok defa birbirinden
altı, on, hatta on iki saatlik uzaklıklarda. Köyler ortadan kalkmış,
kuyular kuru, dereler zehir gibi tuzlu. Birkaç hafta geçince, şimdi
bol bol düşen çiyin beslediği bu yeşil ovadan güneşin kavurduğu
bir çölden başka bir şey kalmayacak, şimdi üzengilere kadar eri-
şen otlar o vakit kuruyacak ve bütün sular çekilecek. O zaman
büyük bir dolambaç çevirerek Dicle kıyısını yakından izlemekten
başka çare yoktur. Sade çöl gemileri, yani develer bu bölgeyi ge-
çebilirler, o da ancak geceleyin yürüyerek...

İkinci menzil olarak Keseköprü'ye vardık. Burada içinde şim-
di yakındaki bir bataktan gelen koyu kahverengi bir su bulunan
bir dereyle üzerindeki tahrip edilmiş bir köprü ve onun yanında-
ki müstahkem bir evin harabesi var. Güneyde, ovada ve ta uzak-
ta Sencar dağının bir adaya benzeyen ve duvar gibi yükselen dik,
kayalık sırtı görülüyor. Üzerinde otuz dört Yezidî köyüyle, yakın
zamanlarda Reşit Paşanın tahrip etmiş olduğu bir şehir var. Bu
Yezidîler, dağların kendilerine Araplara karşı korunmak imkânı-
nı verdiği her yerde büyük bir çalışkanlıkla ekip biçen Kürtlerdir.
Şehirleri, Kral Şapur'un kuşatmış olduğu eski Singara'dır.

Kervanımızda 600 deve ve 400 kadar katır vardı. Develerin ta-
şıdığı büyük çuvalların çoğunda boyacılık için Halep'e götürülen
palamutla pamuk var. Yüklerin en değerli kısmını, Bağdat ku-
maşlarını, İran şallarını, Basra'nın incilerini ve İstanbul'da ayarı
düşük kuruşlar basılması için götürülen iyi gümüş paraları taşı-

maya az sayıda yük hayvanı yetişiyor. Develer ondan yirmiye kadarı bir ipe bağlı olarak arka arkaya, tek sıra halinde ilerliyorlar; önde, küçük bir eşeğin üstünde, kısa üzengilere rağmen ayakları hemen hemen yere değen sahipleri ilerliyor; zavallı hayvanın böğürlerine boyuna üzengilerin keskin kenarlarını vurup duruyor ve bu arada da rahat rahat çubuğunu içiyor; uşakları yayan gidiyorlar. Eşeğin kılavuzluğu olmadan develer oldukları yerden kımıldamazlar; eşeğin arkasından uzun, temkinli adımlarla ilerler ve ince, hareketli boyunlarını yoldaki devedikenleri ve çalılara uzatırlar. Katırlar daha canlı yürürler, koşumları çıngıraklar ve renk renk salyangoz kabuklarıyla bezelidir.

Kervan, geceleyin konaklanacak yere gelince kervanbaşı önden gidip konak yerini işaret eder. Hayvanlar buraya eriştikçe yükleri indirilir ve büyük çuvallar bir çeşit dört köşeli hisar yahut tabya teşkil edecek şekilde istif edilir; siperin iç tarafında da herkes kendi yatacağı yeri hazırlar. Kervanda tek olan bizim çadırımız dışarıya kurulmuştur ve başıbozuklardan nöbetçileri vardır. Bundan sonra develer ve katırlar, tamamıyla başı boş olarak yüksek çayırlara sürülürler ve sularını kendileri ararlar. Fakat atların ayakları kösteklenir; keçi kılından bir ip, içi pamuk doldurulmuş iki bağla sağ ön ve art ayakları birbirine bağlar ve arkadan, yere çakılı bir kazığa bağlanır. Fakat ortalık kararır kararmaz, çok defa yarım saatlik yerlere kadar dağılmış olan develer toplanır. Deveciler onlara avazları çıktığı kadar seslenirler, her hayvan efendisinin poah! poah'ını tanır ve uslu uslu gelir. Dörtgenin içine muntazam bir şekilde sıralanırlar; en küçük bir oğlan bu iri, kuvvetli, fakat tamamıyla zararsız ve müdafaasız hayvanları idare edebilir. Krr! krr! diye bağırır ve kocaman hayvanlar sabırla ön dizleri üzerine çökerler, sonra uzun arka bacaklarını katlarlar ve bir sürü acayip çalkantılı hareketlerden sonra birbirinin yanında, uzun boyunlarını döndüre döndüre etrafı seyrederek, yatarlar. Devenin boynunun devekuşuna benzeyişi daima dikkatimi çekmişti. Türkler de bu kuşa *devekuşu* diyorlar. Develerin bükülü olan dizlerinden biri ince bir ip sarılarak bağlanır, ayağa kalkacak olursa üç ayak üstünde durmak zorunda kalır ve yürüyemez. Sabahleyin yüklenirken develer homurdanarak ve acıklı acıklı bağırıp inleyerek yüklerini almak için yere çökerler, sonra da yolculuk devam eder.

Bu akşam bize dost olan kabilelerden birkaç Arap ziyaretimize geldi. Hepsi kısa boylu, kuru adamlar, fakat yapıları tıkız ve kuvvetli. Yüzlerinin rengi sarımtırak esmer, sakalları kömür gibi kara, kısa ve kıvırcık, gözleri küçük, fakat canlı. Yapmacıktan bir ağırbaşlılık tez canlılıklarını ancak örtebiliyor. Gırtlaktan konuşulan lisanları Yahudiceyi[125] hatırlatıyor. Elbiseleri kaba bir pamuklu gömlek, geniş beyaz yünlü bir harmaniye ve tıpkı Mısır heykellerindeki gibi bir iple başın etrafından bağlanmış sarılı kırmızılı ipek karışığı bir kumaş parçasından ibaret. Yanında iki arkadaşıyla genç bir Arap, çadırımızın etrafında dolaştı ve oldukça uzaktan içerisine baktı. Kendisine yaklaşması için işaret ettim, bunun üzerine çadırın kapısında yere oturdu. Elini, göğsüne ve başına değdirerek *Merhaba* dedi. Tam yemek sırasında olduğumuz için o da adamakıllı girişti. Yemeğimiz bitince artıkları gömleğine sardı, tabancalarımıza dokunmak istemedi, fakat kılıçlarımızın güzel Lahor çeliğinden namlularını ve yola çıktığım sırada Musul'da bir Arap şeyhinden satın almış olduğum bir tayı pek beğendi. Kervanbaşımız Arapça tercümanlığımızı yapıyordu. Tayın şeceresini bildiğini iddia eden misafirimize onun şecere kâğıdını gösterdim. Bana tayın Küheylân soyundan fakat Tarafî kolundan olduğunu ve eğer perşembe gecesi dikkat edecek olursam onun bir derviş gibi başını salladığını göreceğimi söyledi: Bu atın en kızgın sıcakta bile, su içmek için bir derenin kenarında kendiliğinden asla durmayacağını, eğer düşecek olursam yeniden bininceye kadar yerinden ayrılmayacağını temin etti. Bundan başka tayın boynundaki kılların yatmasından meydana gelen servi şeklindeki uğurlu işaretle üç ayağının beyaz oluşuna dikkatimi çekti. Bir ve iki ayağın beyaz oluşu makbulmüş, üç en mükemmel güzellik sayılmaktaymış, fakat dört ayak o kadar çirkin görülmekteymiş ki böyle bir atı kimse almazmış. Nihayet bizim Arap bana bir nasihat vermek istedi, ben de bunu öğrenmeyi pek merak ediyordum: Bu nasihat bu atı asla satmamamdı. Çubukla kahve misafirimi iyice samimileştirdi, onun bir kabile şeyhi olduğunu öğrendim. Bana, eğer kendi aşiretini ziyaret edecek olursam, nesi varsa hepsinin benim olacağını temin etti. Buna rağmen kahverengi dostuma arkadaşlarıyla birlikte tenha bir geçitte rastlamak istemem, ama bunun için de ona, şanlı dedelerimiz haydut şöval-

---

(125) Jiddisch: Polonya ve Almanya'da Yahudiler arasında konuşulan karışık bir dil.

yelerden daha kötü bir gözle bakıyor değilim. Bu adam çadırında hükümdardır; bizim taraflarda olsa olsa serseri diye Staussberg'e yollanır yahut güvenilmez bir asker olarak sevk edilirdi. Çölde avlanmaya değiyor; sayısız ceylanlar dolaşıp duruyor. Sülünler ve keklikler yüksek otların arasına saklanıyor. Üçüncü yürüyüş gününde biz tam kendini zor kaldırarak havalanan ve kısa bir uçuştan sonra yeniden konan birkaç toyun peşinden gidiyorduk ki kervanda bir gürültüdür koptu. Araplar geliyor! deniyordu. Ta uzaktan büyük bir hızla bize doğru gelen bir kalabalık görmüşlerdi. Yürüyüş kolumuzun ucu durdu; katar herhalde bir mil uzunluğunda vardı ve topu topu altmış kadar silahlıyla bütün kafileyi korumak ümidi pek azdı. Süvariler öne ılgar ederek bir yığma tepeye çıktılar, orada bana Arapları göstermelerini söyledim. Sahiden de ovada bir sürü siyah nokta büyük bir hızla hareket ediyordu. Fakat yanımda küçük bir dürbün olduğu için çok geçmeden bizimkileri, karşımızda gördüklerimizin tam da bize doğru gelen muazzam bir yaban domuzu sürüsü olduğuna inandırabildim. Çok geçmeden bu hayvanları gözle de seçmek mümkün oldu.

Bu akşam kervanbaşı bana bir Arabın karakteristik hikâyesini anlattı, bu hikâyeyi Urfa'dayken de duymuştum.

Mardin'deki bir Türk süvari generali, Dano Paşa, uzun zamandan beri Menegî soyundan asil bir kısrak için bir Arap kabilesiyle pazarlık halindeymiş. Nihayet 60 kese yani 2000 talere yakın bir parada uyuşmuşlar. Sözleşilen saatte kabile reisi kısrağıyla paşanın konağına gelmiş. Paşa bir kere daha pazarlığa girişmek istemiş fakat şeyh gururla, bir para bile inmeyeceğini bildirmiş. Türk, canı sıkılarak, 30.000 kuruşun bir at için duyulmadık bir fiyat olduğunu söylemiş ve parayı Arabın suratına atmış. Arap bir şey demeden ona bakmış, parayı sükûnetle beyaz harmaniyesine bağlamış, sonra hayvanıyla vedalaşmak için avluya inmiş; onun kulağına Arapça sözler söylemiş, alnını ve gözlerini okşamış, tırnaklarını muayene etmiş, hayvanın her tarafını dikkatle gözden geçirmiş, sonra birdenbire atın çıplak sırtına atlamış, at da o anda avludan dışarı fırlamış.

Burada âdet hayvanların sırtında gece gündüz palan, yani keçeden bir eyerin bulunmasıdır. Her kibar adamın ahırında hiç değilse bir ya da iki atı, binmek için sadece gem vurulacak durumda hazır bulunur; fakat Araplar ata dizginsiz binerler, boynuna takılan yular ise sadece hayvanı durdurmak için kullanılır, elle boyna hafifçe vurmak sağ yahut sola çevirmek için kâfidir. Çok geçmeden paşanın ağaları da atlarına binerek kaçanın peşine düşmüşler.

Arap atının nalsız ayakları o zamana kadar taş kaldırıma basmamışmış. Hisardan aşağı dik ve bozuk kaldırımlı yoldan sakınarak inmiş. Buna karşılık Türkler, üzeri keskin çakıllarla örtülü dik bayırları, bizim bir kum tepesine çıkışımız gibi dörtnala inerler. İnce, halka şeklinde, soğuk dövülmüş nallar hayvanların tırnaklarını her türlü zarardan korur, ve böyle koşullara alışmış olan atlar hiçbir zaman tökezlemezler. Kasabanın kenarında ağalar şeyhi hemen hemen yakalayacaklarmış. Fakat şimdi artık ovadadırlar, Arap kendi alanındadır ve atını dosdoğru sürer, çünkü buralarda yolunu kesecek ne hendek, ne çalılık, ne ırmak, ne de dağ vardır. Tıpkı yarışta başta giden usta bir cokey gibi şeyh için hızlı gitmek değil, ne kadar ağır gidebilirse o kadar ağır gitmek bahis konusudur. Boyuna dönüp dönüp kendini kovalayanlara bakarak onlardan kurşun menzilinden daha uzakta kalmaya dikkat eder. Onlar yaklaşırsa atını hızlandırır, geri kalırlarsa yavaşlatır, dururlarsa adi adımla ilerler. Böylece kovalama, ta akşam üzeri kızgın güneş batıncaya kadar sürer, ancak ondan sonra şeyh atının bütün gücünü kullanır. Hayvanın boynuna yatar, topuklarını böğürlerine vurur ve bir *"Yallah"* narasıyla fırlar gider. Sık çayırlar atın kuvvetli ayaklarının vuruşları altında gürler ve az sonra sadece bir toz bulutu, kovalayanlara Arabın hangi yönde kaçtığını gösterir.

Burada, güneşin ufka hemen hemen dikine indiği bu yerlerde, alacakaranlık son derece kısadır ve çok geçmeden gece kaçağın bütün izlerini örter. Kendileri için yiyecekleri, atları için suları olmayan Türkler muhakkak ki yerlerinden on iki yahut on beş saat uzakta ve hiç bilmedikleri bir bölgededirler. Geri dönmekten ve hiddetli efendilerine atla süvarisinin ve paranın kaybolduğu gibi hiç hoşa gitmeyecek bir haberi vermekten başka yapılacak ne vardır? Ancak üçüncü akşam, yorgunluk ve açlıktan yarı ölü, kendilerini zor bela sürükleyen atlarla Mardin'e dönebilirler. Kendilerine sadece Arabın sadakatsizliğinin bu yeni örneğine sövmek gibi zavallı bir teselli kalmıştır. Fakat hainin atının hakkını vermek ve böyle bir ata ne verilse az olduğunu tasdik etmek zorunda kalmışlardır.

Ertesi sabah, daha sabah ezanı okunmadan paşa penceresinin altında at ayak sesleri duyar ve bizim şeyh, sanki hiçbir şey olmamış gibi avluya girer. *"Sidi!"* diye bağırır. "Efendi! Paranı mı istersin yoksa atımı mı?"

Biz, bu Arabın at sürüşünden biraz daha yavaş olarak beşinci günü dağların eteğine vardık ve berrak sulu bir derenin kenarındaki Tillaya (Çilaga) köyüne indik. Burası Jovian'ın aç ordusunun İran'dan Nusaybin'e ricati sırasında ilk olarak yiyecek buldukları Tilsaphata olacak. Burada, Mehmet Paşanın ertesi gün bir askeri birlikle kuzey tarafına doğru, Kürtlere karşı bir hareket için yola çıkacağı haberini aldım ve hemen bu sefer heyetine katılmaya karar verdim; kervandan ayrıldım ve aynı akşam ordugâha vardım. Orada Hafız Paşanın bize muhafız olarak elli atlı gönderdiğini, fakat bunların Sencar tarafından geleceğimizi sandıkları için bize rastlayamadıklarını öğrendim.

Bir Kürt Hisarının Kuşatılması

Sait Bey Kalesi, 12 Mayıs 1838

Mehmet Paşanın maiyetindeki seferî kuvvet birinci ve ikinci muvazzaf harp piyade alaylarının üçer taburundan meydana gelmeydi, fakat bunlardan her birinin kuvveti 400 asker, 150 at ve 8 toptan fazla değildi. Bütün kıta takriben 3000 kişi kadardı. Bu hareket ta beş seneden beri devletin otoritesine karşı koyan, keyfi vergiler toplayan ve birçok gaddarlıklarda bulunan küçük bir Kürt prensine karşıydı. Muvazzaf asker kıtalarının yaklaşması üzerine beyin hemen hemen bütün taraftarları kendisini terk etmişti. Fakat o, 200 sadık adamıyla, yüksek dağlardaki, rivayete göre gayet muhkem bir kaleye sığınmıştı.

3 Mayısta Diyarbekir'den gelen sallar buraya vardı ve birinci alay topçusuyla birlikte Dicle'yi aştı, geri kalan kıtalar ertesi gün onları izledi. 40 tulumluk küçük bir sal bir ağır topla (toparlaksız olarak) 3-4 kişiyi, 80'lik büyükleri 15 kişiyi çadırlarıyla birlikte taşıyabilmektedir, (çadırlar tıpkı Prusya çadırlarına benziyor, yalnız çift katlı, pamuklu bezden yapılma ve yeşil boyalı), atların 2 ya da 4'ü salların arkasına bağlanmaktadır. Böylece bütün süvari 300

adım genişliğinde ve çok coşkun olan nehri tek bir hayvan bile kaybetmeden geçti. Katırlar taş atıp ürkütülerek sudan geçirildi. Nehrin sol kıyısında bir ordugâh kurduk, bu ordugâhın kuruluş tarzı bundan sonra daima muhafaza edildi. Her 20 yahut 40 adımda bir, yüzleri ordugâha dönük olarak duran ve bütün gece her dakika *"hazır ol!"* diye bağıran nöbetçiler hiç de hoşa gitmeyen bir etki bırakıyorlardı. Bunlara rağmen, zorla askere alınmış olan Kürtlerin birçoğu savuştu.

Ayın 5'inci günü akşamı, kuşatacağımız hisar hakkında aşağı yukarı bir fikir edinebilmek için, evvelce Reşit Paşanın zaptetmiş olduğu bir Kürt kalesine gittim. Hemen hemen Kocher[126] kadar bir derenin sarp, yüksek dağlar arasında açtığı bir vadiyi gözünün önüne getir; kayaların tabakaları tamamıyla şakulî. Bazı tabakaların aşınması yüzünden, geri kalanlar muazzam yükseklikte ve iki üç arşın kalınlığında azametli duvarlar gibi dikilmiş duruyor.

Birbirinden aşağı yukarı 40 adım aralıklı olan böyle iki tabii taş duvar arasına Bedirhan Beyin kalesi, bir kırlangıç yuvası gibi sıkışmış. Arka taraftaki kayalık nasıl yükseliyorsa öylece kalenin de bir katı öteki katının üzerinde yükseliyor. Yukarıdan kaleyi görmenin imkânı yok, her iki tarafından da kaya duvarlarıyla korunmuş; karşı tarafında, derenin öteki yakasında da çıkılması imkânsız kayalıkların üzerine bir burç oturtulmuş. İnsan bu burcu savunanların buraya nasıl çıktıklarını bir türlü anlayamıyor. Şimdi yıkıntıların üzerinden akan bol sulu bir pınar vaktiyle sarnıçları dolduruyormuş.

Reşit, toplarını develere yükletmiş ve bunları geceleyin dereden yukarı, su içinde yürütmüş, sonra meyilli olarak ve çok uzaktan kaleyi kırk gün topa tutmuş. Nihayet bey *"rai"* yani dostluk[127] ricasında bulunmuş ve bundan sonra da kalabalık maiyetiyle, eski yoldaşı Sait Beyin kalesini hücumla zaptetmiş, buna mükâfat olarak kendisine bugün de hâlâ ismi var cismi yok bir redif alayının albaylığı verilmiş.

7 Mayıs. Dün Cezire ordugâhında uzun zaman hiçbir iş yapmadan oturmaktan bıkarak, yanımda sadece bir ağa olduğu halde önden atla Sait Bey kalesine kadar olan iki menzillik yolu aldım.

---

(126) Kocher, Neckar nehrinin kollarından biri.
(127) Rai değil, raiyet, yani haraç veren, silah kullanmayan uyruk olmak.

Öğleye doğru bir kayalığın köşesini dönüp de başımın üzerinde, o kadar müthiş bir yükseklikten ve etraftaki bütün tepelerden o kadar uzaktan bakan muhteşem beyaz kaleyi görünce, her şeyi göze almış kırk adamın burada çok uzun zaman dayanabileceğini düşündüm. Fakat bereket versin ki burada iki yüz kişi vardı ve bu da bizim için iyiydi; çünkü bir defa iki yüz kişi kırk kişiden fazla yemek yer, bundan başka her şeyi göze almış kırk kişiyi bulmak iki yüzü bulmaktan daha kolaydır. Müttefikimiz Kürtler şimdiden hayli iş görmüşler ve esas kalenin yollarını koruyan ve onu ilk bakışta hemen hemen erişilmez gibi gösteren bir sürü küçük burç, tahkim edilmiş mağara ve bunun gibileri zaptetmişlerdi. Bu adamlar namluları altın ve gümüş kakmalı, çok defa da hâlâ fitilli, uzun, eski biçim tüfeklerine rağmen mükemmel nişancıdırlar. Savaş için hemen hemen yalnız geceleri harekete geçerler, gündüzleri taşların arkasına yatarak gizlenirler; her tarafta bir çeteci bulunur ve düşman nerede başını gösterirse hemen bir kurşun yapışıverir. Üstelik Kürtler barut ve kurşunun kendilerine bedavaya mal olması fırsatından da faydalanıyorlardı; buna karşılık kaledekiler az ve temkinli ateş ediyorlar, tam nişan alıyorlardı. Dün inanılmayacak kadar uzaktan üç kişi yaralandı. Kalede top yok. Fakat kale tüfekleri savunma için hiç de hor görülmeyecek bir silahtır; bunların ateşini ancak kaleyi zaptetmek durdurabilecek. Ben muhteşem bir beyaz atın üzerinde çıkagelip de Kürtler etrafıma toplanınca, hemen bir mermi, altında bulunduğumuz ceviz ağacının yaprakları arasından ıslık çalarak geçti.

Zamandan keşif için faydalandım; yirmi dört saat sonra Mehmet Paşa, kıtalarıyla buraya geldi.

Sait Bey kalesi 1000 ayak kadar yükseklikte bir kayalığın üstündedir; bu kayalık yalnız kuzey tarafından keskin, yol vermez bir sırtla dağın hâlâ karlı olan esas kitlesine bağlıdır. Doğuda ve batıda derin, kayalık boğazlarla çevrilidir; bu boğazlar güneyde birleşerek bizim ordugâh kurduğumuz vadiyi meydana getirir. Sade tek, incecik bir keçi yolu, sayısız zikzaklar çizerek, dolana dolana burçlara ve surlara kadar varır. Üstelik bu yol birçok dış istihkâmlarla da geçilmez hale getirilmiştir. Vadideki yollara kalenin mazgalları hâkimdir. Gerçi boğazın öte yakasında, doğu ve batı taraflarında kayalar kale ile hemen hemen aynı hizaya kadar yükselmekte ise de bunlar o kadar sarp, tepeleri o kadar keskindir ki oralara bataryalar yerleştirmek pek zor olacaktır.

Yanımda Kürt kılavuzlar olduğu halde her yönden bu tepelere tırmandım, ancak akşam geç vakit ve son derece yorgun bir halde Bedirhan Bey'in yanına döndüm. Bu beyin kara keçi kılından çadırı köpüre köpüre akan bir dağ deresinin kenarına kurulmuştu. Büyük bir ateşte, ufak ufak doğranmış koyun eti parçaları kebap edildi. Karşımızda 40-50 kadar Kürt, uzun tüfekleri, kamaları, tabancaları ve bıçaklarıyla, üstlerinde kendilerine mahsus ve pek yakışan millî kıyafetleriyle ayakta duruyorlardı; ileri gelenleri yerde bağdaş kurmuş oturuyordu; çepeçevre etrafımızda nöbet ateşleri alev alev yanıyor, üstümüzde, ta yukarda nöbetçiler ay ışığında da hâlâ etrafa kurşun atıyorlardı.

Çok yorgun olduğum için, yemek yer yemez beyin kürkleri altında, taştan yatakta (çadırım ve eşyalarım adamlarımın yanında kalmıştı) hemen uyuyuverdim.

Gece yarısında tekrar kalktım, bu sefer kalenin yakınlarını dolaştım, paşa gelmeden önce tanımadığım herhangi bir önemli nokta yahut patika kalmamıştı.

Hücum tarzı hakkında fikrim artık tamamıyla kesinleşmişti. Bütün atış vasıtaları doğudaki tepeye çıkarılmalıydı, kale bu tarafa doğru açıktı, kapıları, pencereleri o yana idi. Hulasa geniş bir hedef teşkil ediyordu. Kale avlusu bu tarafa doğru hayli meyilliydi ve küçük baş hayvanla doluydu. Ağır topların ise batıdaki tepeye çıkarılması lazımdı. Eğer kaledekiler ürkerlerse (bu adamların çoğu ömründe top görmemiştir) birinci batarya onları teslim olmaya zorlayabilecekti; eğer inat ederlerse, ikinci ile, piyadenin erişebileceği tek noktada kaleye bir gedik açılmalıydı.

Ayın 8'i: Kuvvetler dün akşam buraya vardı ve hemen düşmanla müzakereye girişildi; ama beceriksizliğin son derecesiyle! Önce bütün silahlarla kuru sıkı ateş etmekle işe başlandı, sonra bir murahhas gönderilerek kalenin teslimi istendi. Bey buna çoktan hazır, yalnız kendinin dikte etmek lütfunda bulunduğu şartlarla!.. Böylece müzakereler bugüne kadar sürdü. Şimdi de *"top mop'un"* yukarıya çıkarılması lazım.

Gece. Sana 18 okkalık havan topumuzla kartalları yuvalarından kaçırdığımızı yazarsam bunu tamamıyla gerçeğe uygun olarak kabul etmelisin. Birkaç ağaç sırıktan başka hiçbir alet olmadan, sadece insan eliyle böyle bir işin başarılabileceğini hiç zannetmezdim; her topun önüne yarım tabur asker koşuldu, ötekiler de ilerden gidiyor, ağaçları deviriyor, dev gibi kayaları yuvarla-

yarak yolu açıyorlardı, bu kayalar da gök gürültüsü gibi sesler çıkararak uçuruma yuvarlanıyordu. Yahut topun tekerleklerini, yerinden ayıramadıkları kayaların üzerinden aşırıyorlardı. Altı saat
çalıştıktan sonra her iki top da (top arabası üstünde havan topu)
kayalığın tepesine yerleşmişti.

Fakat bugün biz daha da yaman bir iş yaptık ve görüyorum ki
harpte, işe adamakıllı sarılmak çok bilginin yerini tutuyor. Paşanın kulak verdiği birçok adamların her biri ona topların ayrı ayrı
birçok yerlere yerleştirilmesini tavsiye etmişti; bu sabah onun yanına gittiğim zaman benim fikrimi sordu; ben de daha ilk günden bu işi tasarladığımı ve kalenin batısındaki noktalar üzerinde
ısrar ettiğimi söyledim. Bunun üzerine her iki alay kumandanı ile
Topçubaşı ve *Mühendisbaşıyı* benimle birlikte o noktalara gönderdi. Bunların hiçbiri buralara çıkmamıştı, hepsi de bu noktaları
mükemmel buldular. Fakat buraya ya çok uzun, zorluklu bir yoldan dolaşarak ya da tam kalenin altından geçerek varmak mümkündü. Ben geceleyin ve bu ikinci yoldan gidilmesini teklif ettim.
Mehmet Bey, haklı olarak, birçok kurşun yeneceği düşüncesiyle
buna itiraz etti ve birinci yolu daha iyi buldu. Şimdi sana şunu
da söyleyim ki sapa yoldan tırmanmak istediğimiz tepe en aşağı
600 ayak yüksekliğindeydi ve genel olarak 45-60 derece meyilliydi. Bazen 6-8 rute'lik[128] yerleri tamamıyla dik ve baştan aşağı taş
kırıkları ve kaya bloklarıyla örtülüydü. Bu engellerin üzerinden
geçildi ve akşam karanlıkta her iki topun ilk gülleleri Kürt kalesinin duvarlarında gümledi.

Bugün, çavuşlardan mürekkep maiyetimizden yüksek rütbeli
subaylar olduğumuzu muhakkak anlamış olan kaledekilerin, tam
kalenin altından atla geçtiğimiz sırada hiç ateş etmeyişlerinden,
onların çok geçmeden teslim olacakları ve kaleyi kuşatanları kızdırmak istemedikleri sonucunu çıkardım. (Eğer kehanetim doğru
çıkmazsa bu satırları çizerim; yok, doğru çıkarsa önceden söylemiş olurum).

Ayın 9'u. Bu sabah ateş açıldı. Şimdiye kadar yukarı çıkarılmış olan beş toptan her biri 20-30 defa ateş etti. Kumbaraların yarısı kalenin avlusuna düştü, fakat patlayışları (bu da her zaman
olmuyordu) zannettiğimden az zarar verdi, çünkü arazi son derece arızalı idi. İki defa kumbaralar kalenin terasına isabet etti, fa

---

(128) 1 Rute 0.31885 m.

kat bunu delemedi. Balyemezler (büyük top) ve 5 okkalıkların atışları pek düzensizdi. Güllelerin aşağı yukarı üçte biri kaleye isabet etti, üçte biri avluya düştü, üçte biri de kaleyi aştı. Bir gülle burcun kapısından girdi, herhalde içeride biraz *"kalabalık"*[(129)] etmiş olsa gerek.

Batıdaki bataryanın kaleden uzaklığı 750, doğudakinin ise 800 adım. Sen şimdi bunlara çok uzak diyeceksin ama *"ne yapalım?"* biz bu kadar yakına geldiğimiz için Allaha şükrediyoruz. Şurasını da söyleyim ki düşman soğukkanlılığını muhafaza ediyor, güllelerimiz isabet etmedi mi, bağırarak alay ediyor, isabet ettirirsek tüfek ateşi ile karşılık veriyor; biz bu uzaklıktan bu kurşunlara aldırış bile etmiyoruz. Bildiğime göre Nizam'dan[(130)] kimse yaralanmadı, fakat Kürtlerimizden yaralananlar çok. Paşa bana az önce, bu gece lağımcıların çalışabilecekleri bir yer bulmak için kaleye çıkmam emrini verdi.

Yarın sabah Diyarbekir'e bir tatar gideceği için sana *"inşallah"* devam edeceğim bu mektubu yolluyorum. Evvelki gün, biz daha topları yukarı çıkarmadan senin 28 Marttan 8 Nisana kadar olan mektuplarını aldım, bunun için çok teşekkür ederim. Son derece sevindiğimi tasavvur edebilirsin, çünkü Dicle'nin öbür yakasında Avrupalı bir ahbap ve dosttan alınan dostça bir selamın on kat değeri var.

10 Mayıs. Hamiş:

Dünkü keşiften döndüm. Paşa bana refakat için kılavuz olarak bir Kürt ağa ile iki yüzbaşıyı, benim ağamı ve iki lağımcıyı tayin etmişti. Fakat ben henüz gündüzken görmek istediğim için yalnız lağımcı ile gittim. Ben herhalde bu dağların en iyi kılavuzlarından biri olacağım.

Sana evvelce Kürtlerin geceleyin çok cüretli hareket ettiklerini ve yavaş yavaş kalenin ta yakınına kadar çepeçevre yerleşmiş olduklarını yazmıştım. Böyle noktalardan biri şimdiki teşebbüsümüz için en uygun görünen, kalenin tam arkasındaki doruktur. Pek saldırıya uğramadan doğu tarafından kalenin altından geçtik ve 600-700 ayaklık bir uçurumu dik yukarı tırmandık. Güneş batalı çok olmamıştı ve ben kaleyi önümde, 240 adım ötede gördüm. Beni ve elli Kürdü tamamıyla örten kayaların önünde, hisa-

---

(129) Kargaşalık, gürültü patırtı anlamına.
(130) Nizamiye, yani muntazam asker.

Bir Kürt Beyi

rın eteğine kadar, 100 adım genişliğinde ve ancak tek tük arızaları bulunan bir düzlük uzanıyordu. Bunun öte tarafında kapısız, penceresiz, sadece üzerinde mazgalları bulunan bir sur yükseliyordu. Mazgallardan nöbetçilerin aşağı yukarı dolaştıkları görülüyordu.

Fakat daha ileri gitmek zorunlu idi. Kürtler bana yardım için büyük bir arzu gösterdiler ve sadece geceyi beklememi rica ettiler. Ama şurası da var ki gece ile birlikte mehtap da, Güneye mahsus parlaklığı ile, dağların üzerinden yükseldi.

Kalede ses seda kesilince çabucak, iki büklüm, düzlük üzerinden yüz adım kadar giderek birkaç taş yığınına vardık ve bunların arkasına çömeldik: Bunun farkına varılmayınca sessiz sessiz (eğer Türk çizmeleriyle sessiz ilerlenebilirse!) ta siper olabilecek ve kalenin eteğinden ancak 25-50 adım açıklıkta bulunan kayalara kadar ilerledik. Burası, eğer birkaç hafta zaman olsa, lağımcıları yerleştirmek için mükemmel bir yerdi. Bizim lağımcımızın, barışçı sanatını bu savaşçı maksat için kullanmaya mecbur edilen kendi halinde bir taşçı, fakir bir reaya olduğunu düşünmelisin.

Adam bir mükâfat karşılığında bir Kürtle birlikte ta duvara kadar gitmeye hazırdı. Bir bulut ayı örter örtmez sessizce sürüne sürüne ilerlediler, biz sadece başımızı kayanın üstünden çıkarak büyük bir heyecan ve dikkatle onlara bakıyorduk. Herhalde artık mazgalların atış alanında bulunuyorduk ve surların üstünde otuz tüfek, bir kol kımıldar kımıldamaz ateş için tetik üzerinde bulunuyordu. Bizim adamların, her tarafın kayalık olduğu ve hiçbir yerde toprak ya da surların dibinde bir insanın siper alabileceği en ufak bir mağara bulunmadığı haberi ile dönmelerine kadar aşağı yukarı on dakika geçti.

Bu gece artık çalışılamazdı ve göreceğimizi de görmüştük. Onun için geldiğimiz gibi ihtiyatla geri döndük; fakat daha yirmi adım atmamıştık ve açıklık yerde idik ki mazgallardan tüfek ağız ateşleri çıkmaya ve kurşunlar kulaklarımızın dibinde vızıldamaya başladı. Biz pek fazla acele etmeden döküntüler ve taşlar üzerinden tökezleyerek ilerledik ve çok geçmeden emin yerlere vardık, vadiye indik. Başlayan avcı savaşı artık başımızın üzerinde, ta yukarıda oluyordu.

Paşaya bu akşam, basit bir tertibat kullanmasını teklif ettim. Bu, kalın kalaslardan yapılma, taşınabilir bir damdı ve çalışmaya başladığı ilk anlarda lağımcıyı koruyacaktı. Bir Kürt bunu duvara dayamayı gönüllü olarak kabul edecek, lağımcı bunun altına girecek ve yüz Kürt de mazgalların arkasından ne görünürse üzerine ateş için hazır bekleyecekti. Lağımcı kayayı değil doğrudan doğruya duvarı delecek, delik bir buçuk arşın derinliğine gelince bir fıçı barutu, önünü tıkamaya bile lüzum kalmadan yerleştireceğiz ve inşallah gedik de açılacak. Eğer olmazsa bu işi tekrarlamaktan bizi alıkoyan bir şey de yok. Paşa bu planı kabul etti. Bu akşam fazla ateş etmiyoruz, çünkü güllelerimiz Cizre'den henüz yola çıkmış. Dün biraz fazla ateşli davranmıştık.

Akşam.[131] Bütün gün pazarlıkla geçti. Sait Bey, oğlunu rehine olarak vermeyi kabul ediyor, fakat kaleden hür olarak çıkmayı istiyor. İkinci bir teklif de kalesini içinde ne varsa hepsiyle teslim etmek oldu. Fakat paşa onun bizzat gelmesini istiyor. Az sonra paşa beni kabul töreninde hazır bulunmaya davet etti. Lağımcının kalenin böyle ta dibini ziyaret edişi gizli kalmamıştı ve karşı tarafta büyük bir üzüntü uyandırmıştı.

Paşa şimdiye kadarki düşmanını büyük çadırda kabul etti. Alay ve tabur kumandanları her iki yanda oturuyorlardı (daha doğrusu diz çöküyorlardı) çadırın önünde subaylar bulunuyordu. Bir alay Kürt, sarp tepeden ağır ağır aşağı iniyordu, yarım saat sonra Bey, çadırımızın önünde atından indi. Onun şu ana kadar kralı olduğu güzel bir kaleyi birçok zenginlikleriyle birlikte teslim ettiğini ve şimdiye kadarki bütün örneklere göre kellesini bu çadırdan çıkarken de taşıyabileceğinden hiç de emin olamayacağını düşündükçe, paşaya doğru yürüyüşü ve onun elini öper gibi yapması sırasındaki tasasız ve emin tavrına hayran kalmaktan kendini alamadım. Paşa ve hepimiz ayağa kalkmıştık. Sait af ricasına gelmiyordu, çünkü mağluplar affedilmez, aksine Ray yani dostluk teklifine geliyordu; bu teklif henüz düşmanlık edecek kuvveti olanlardan gelirse kabul edilir. Bey, paşa ile benim aramda oturdu, çubuklar ve kahveler getirildi. Sanki sadece basit bir anlaşmazlık olup geçmiş gibi Kürtçe görüşmeler başladı.

Sait iri, güzel, çok ifadeli yüzlü bir adam; küçük gözleri pırıl pırıl parlayarak toplantıdakileri süzüyor; fakat yüzü tamamıyla sakin. Şimdi kale yerle bir edilecek, pek yazık ama lazım. Buraya bir kumandanla bir garnizon yerleştirilecek olursa bu kumandan da çok geçmeden bir Sait Bey olup çıkar.

---

(131) 12 Mayıs.

Sait Bey Kalesi (ordugâhta), 13 Mayıs 1838

Şimdi seni birkaç dakika için, sana şimdiye kadar dışarıdan gösterdiğim kalenin içerisine götüreceğim, sen de dik ve dolambaçlı patikadan yukarıya hayalen benim sırtımda, bitkin halimle tırmanışımdan daha kolay çıkacaksın.

Bir arşın, bir mızrak ve bir su tesviyesiyle yapılabileceği kadar tepenin yüksekliğini ölçtüm ve büyük burcun tepesini, paşanın çayırda bulunan çadırından 1363 ayak yüksek buldum.

Kulislerin arkasından sahne, balkondan olduğundan başka türlü görülür. Kale mevkii bakımından kuvvetli, fakat yapısı bakımından zayıf. Cenevizlilerin sağlam, ihtişamlı yapılarıyla asla kıyaslanamaz. Duvarlar ince, sadece buğday ambarı, sarnıçlardan biri ve bir burcun Sait Bey'in odasının bulunduğu üst katı tonozla örtülü. Mimar kalenin batı tarafındaki kayalıklardan mermi geleceğini rüyasında bile görmemiş olduğu için bu odanın kapısını bu tarafa çevirmiş; ama bu kartal yuvasından gelen 3 okkalık bir gülle kapının üstündeki kilit taşını parçalamış ve beyin erkân minderinin üzerindeki (herhalde elli saatlik çevrede kendi cinsinin tek örneği olan) aynaya çarpmıştı.

Bir kumbara da üstü açık sarnıca düşmüş, orada patlamış ve suyu içilmez hale getirmişti.

Bizim küçük çaptaki topumuz suru adamakıllı hırpalatmıştı ki bu da ancak duvarların kötü yapılmış olmasıyla mümkündü; bundan başka bir Frenk subayın bulunuşu da Beye belki pek kötü önsezilen vermişti; bütün tepeler üzerinde, kâh kalenin önünde, kâh arkasında gördüğü bizim günahsız plançita ona, etrafı saran bir çeşit büyü gibi görünmüştü ve Bey onu alabildiğine kurşun yağmuruna tutulmaya layık görmüştü. Bunu dün bizzat Sait Bey'den öğrendik. Kalede gayet bol miktarda buğday, arpa, kesim hayvanları ve atlar bulunuyordu; yetecek kadar su vardı, fakat kötü cinstendi. Ortalık o kadar pisti ki kale muhafızlarının başına bela getirmesi muhakkaktı; avlu yiyecek artıkları, paçavralar ve hayvan kemikleriyle örtülü idi, hava pis kokularla doluydu. Kale kapısının altında yaralı kardeşini taşıyan bir Kürde rastladık, zavallı bacağından vurulmuştu, onu taşıyan kardeşi gözleri dolu dolu olarak kardeşinin yedi günden beri bu ıstırabı çektiğini anlattı. Cerrahı çağırttım, "manasız bir şey istediğini anlamıyor musun?" dermiş gibi, her seferinde sesini daha yükselterek birçok defa "Evet ama Kürt bu!" dedi durdu.

Gerçekten 3000 kişiyi, yanlarında cerrah diye bir cahil berber olduğu halde harbe yollamak çok ayıp bir şey. Ta sekiz gün önce topçularımızdan biri çiğnendi, bugün bile hâlâ kimse, acaba bacağı kırıldı mı, çıktı mı, yoksa sadece biraz ezildi mi bilmiyor, adam çadırında çaresiz ve zavallı yatıyor. Cerrahlığın bu durumunu Hafız Paşa'nın Seraskere anlatacağını umuyorum. Frenklerin Türklere bu işten fazla hiçbir işte faydaları olacağını zannetmem. Hekimlikte lisan ayrılığı zarar verir, fakat cerrah, gözüyle görür ve soracağı pek az şey vardır. Türkler Galatasaray'da nebatat bahçesini ve yüksekokulu kuruncaya kadar askerlerinin yüzlercesi ölecektir; hem de canla başla savaşan en iyi askerleri.

Ayın 16'sı. Üç gün üç geceden beri sarp kayalıktan dumanlar ve alevler yükseldi durdu. Dün de büyük burcun son kısımları yıkıldı. Bundan sonra ne tarafa yöneleceğimiz hakkında kumandanın emrini bekliyoruz. Kalenin alınışı haberi evvelki gün Diyarbekir'e vardı, bugün cevabın gelmesi lazım.

Kürdistan Dağları

Sait Bey Kalesi, 18 Mayıs 1838

Bilindiği gibi Osmanlı İmparatorluğu, aslında üzerlerinde Babıâli'nin hiçbir sözü geçmeyen, geniş ülkeleri içine alır. Muhakkak ki padişah bizzat kendi devleti içerisinde geniş fetihler yapmak zorundadır. Bunlara İran sınırı ile Dicle arasındaki dağlık memleket de dahildir. Bu nehir ile Fırat arasındaki geniş bölge susuz, ağaçsız, üzerinde herhangi bir sabit barınak bulunmayan bir çöl halindedir. Birkaç harabe insanların burada yurt kurmaya teşebbüs ettiklerine tanıklık etmektedir, fakat Araplar herhangi şekilde olursa olsun yerleşmelerin meydana gelmesine müsaade etmezler; bu çölde yalnız onlar çadırlarını kurarlar.

Fakat Dicle'yi aşar aşmaz iç açıcı güzellikte tepeler başlar ve bunlar yavaş yavaş şimdi de hâlâ karla örtülü olan ulu dağlar haline gelir. Önce dik kayalardan ve derin boğazlardan yuvarlanıp gelen, sonra ormanlık dağ yamaçları arasından çağlayarak geçen, nihayet bahçeleri, çayırları ve pirinç tarlalarını sulayan dereler ve ırmaklar oralardan doğar. Tepeleri meşeler ve çınarlar kaplar, ovalar incir, zeytin, ceviz ve nar ağaçlarıyla, üzüm kütükleri ve zakkum fidanlarıyla doludur. Kahverengi toprakta açılan az derin çizilere serpilen buğday en zengin ürününü verir. İnsanın hiçbir şey yapmadığı yerlerde de tabiat muhteşem, milyonlarca renk renk çiçekle bezenmiş çayırlıkları meydana getirir. Bunları hemen hemen her akşam, yakındaki dağ doruklarına toplanan bulutlar sular. Atlar, koyunlar, inekler, keçiler, gayet iyi vasıflardadırlar. Dağlarda kayatuzu açıkta bulunur ve dağların içlerinde başka ne gibi hazineler saklı olduğunu, sanırım ki henüz hiçbir mineralog araştırmamıştır.

Eğer böyle zenginliklere sahip olan bir memleketin dörtte üçü işlenmemiş bir halde dururda bunun sebebini halkın acıklı sosyal durumlarında aramak lazımdır.

Kürt hemen hemen her bakımdan komşusunun, Arabın, aksidir. Sadece haydutluk bakımından her ikisinin zevki aynıdır; fakat bunda da Arapta daha ziyade hırsızlık, Kürtte de savaşçılık tarafı vardır. Araplar, eğer kuvvet kendilerinde ise zor kullanırlar. Tüfekten korkarlar ve mükemmel atlarıyla savuşup giderler. Çiftliği ve şehirleri hor görürler, deve onlar için her şeyin yerini tutar ve onlara başka kimsenin yaşayamayacağı bir memlekette oturma kudretini verir. Ciddi bir hücum karşısında Araplar erişilemeyecek uzaklıklara çekilirler ve hiçbir tarafta tahrip edilebilecek daimi bir oturma yerleri olmadığı için, bu bakımdan da kendilerine zarar vermenin imkânı yoktur.

Buna karşılık Kürt ihtiyaç yüzünden, çiftçi, eğilimi yüzünden de savaşçıdır. Bu sebeple köyler ve tarlalar ovada, palankalar ve kaleler dağlardadır. Yaya olarak savaşır; duvarlar ve dağlar onun siperi, tüfeği de silahıdır. Kürt mükemmel bir nişancıdır, zengin kakmalı ve telkâri işlemeli tüfeği babadan oğula miras kalır ve Kürt onu en eski çocukluk arkadaşı gibi tanır.

Bu bölgedeki Kürtlerin çoğu Müslümandır, fakat İran sınırına doğru birçok Yakubî Hıristiyanlar da vardır. Bu bölgedeki ırsi aile nüfuz ve iktidarlarını, imparatorluğun geri kalan kısımlarının çoğunda olduğu gibi, yıkabilmek Babıâli için asla mümkün olamamıştır. Kürt beylerinin adamları üzerinde büyük bir egemenlikleri vardır. Beyler aralarında savaşırlar, Babıâli'nin egemenliğine karşı koyarlar, vergi vermekten kaçınırlar, asker toplanmasına müsaade etmezler ve son sığınak olarak da yüksek dağlarda kendileri için yaptıkları kalelere çekilirler.

En önemli reisler, Reşit Paşa'nın yendiği Ravenduz Bey, şimdi bizim tarafımızda çarpışan Bedirhan Bey, az önce kalesi alev alev yanan Sait Bey ve Babıâli'nin paşalığa yükselttiği fakat bağlılığı şüpheli olan Akkâlı İsmail Bey'dir. Bu beylere karşı olan seferler daima büyük fedakârlıklar ve zayiata mal olmaktadır. Buralarda savaş pahalıdır, çünkü malzeme güç temin edilebilir; Samsun'dan buraya, katır sırtında gelen bir kumbara aşağı yukarı bir altın lui'ye mal olmaktadır. Müstahkem hisarlar topa karşı inşa edilmemiş olmakla birlikte arazi bakımından o kadar uygun durumdadırlar ki hepsi 30, 40 hatta 42 gün dayanabilmişlerdir; bu sırada firar ve hastalık yüzünden ordudan birçok insanlar eksilmiştir; yerleri güçlükle doldurulabildiği için zayiat bir kat daha acı olmaktadır.

Kürt Mehmet Paşa harekâtı pek uygun geçmişti; topların erişmesinden beş gün sonra kale teslime mecbur edilmişti, kıtaların sıhhî durumları mükemmeldi, yaralı pek azdı ve hemen hemen hepsi müttefik Kürtlerdendi, bunlar da zayiattan sayılmıyordu. Şimdi bir enkaz yığınından başka tarafı kalmayan böyle küçük bir dağ hisarının zaptı padişah için hiçbir ehemmiyet verilecek bir şey değildir ama burası Babıâli'ye karşı olan direnme hareketinin merkez noktalarından biriydi. Sait Bey'in yola getirilmesinin bu bakımdan ne kadar önemli olduğunu şimdi, hiç vakit geçirmeden, iki tam redif taburu teşkili için asker toplamaya girişilişi göstermektedir.

Kürtlere Karşı Sefer

Garzan dağları, 4 Haziran 1838[132]

Kürtlerin mukavemeti Sait Bey'in yenilmesiyle, umduğumuz gibi ortadan kalkmış değildi; Muş ile Hazo arasında, şimdiye kadar Türk ordularının, hatta Reşit Paşa'nın ordusunun bile girememiş

---

(132) Tarih yanlış olsa gerek, çünkü Moltke Haziranın 3 ile 7'si arasında hasta olarak Papur'da yatmakta idi.

oldukları yüksek dağlık bir bölge vardır, orada bütün Küçük Asya'nın en yüksek dağları arasında sayılan ve şimdi bile tepelerindeki karlar 1000-2000 ayak aşağılara kadar inen sarp koniler ve sırtlar yükselir. Bu dolaylara toptan Garzan adı verilir ve zengin köyler, tarlalar, ağaçlar ve derelerle bezelidir. Köylerden hiçbiri *salyana* vermez, ahaliden hiçbiri askere gitmeye zorlanamaz. Garzan dağlarını artık Babıâli'nin hükmü altına almak için çok önemli hazırlıklara girişilmişti, çünkü sadece bizim Mehmet Paşa bizzat birlikleriyle Kürdistan'ın kalbine doğru yürümekle kalmıyor, kumandan da Diyarbekir'den 19. piyade alayı, (bizimle birlikte olan müfreze dışında) iki hassa suvari alayı, birkaç yüz sipahi, yüzlerce başıbozuk ve üç topla, yani hepsi birden 3000 kişi ile yola çıkmıştır. Bundan başka Garza'ın doğusunda oturan Şirvan Beyi, kendisi de Kürt olan Mut Paşa'sı, hatta Erzurum valisi de çağırılmıştı, ama bu sonuncunun ne yaptığından bugüne kadar hiçbir haber alamadım. Böylece Garzan sarılmış olacak ve her yandan birden hücuma uğrayacaktı. Düşman 30.000 tüfekli olarak tahmin ediliyordu, fakat aralarında birlik yoktu, başlarında hiçbir önder bulunmuyordu. Mukavemet hareketlerinde onlara daimi şekilde kuvvet verecek hiçbir kale, hiçbir hisar mevcut değildi.

Garzan'a giden yol Dicle'nin kollarının yukarı paralel vadilerinden, boyuna 1000 ila 2000 ayak yüksekliğindeki su bölümü çizgilerini aşmak suretiyle ilerlendiği için, son derece yorucu idi. Reşit Paşa'nın bu memlekette büyük iş gördüğü inkâr edilemez; böyle bir yoldan toplarla geçmeyi ilk defa göze alan da o olmuştur. Biz de soluk soluğa onun izinden ilerliyoruz. Fakat sahici bir yoldan gittiğimizi tasavvur etmemelisin; her topa on kuvvetli at koşmuştuk, böylece taşlar ve çakıllar üzerinden, ırmak vadilerinden ve dağ sırtlarından ilerliyorduk; çok defa yol öyle dolambaçlı ve dikti ki insan elleri de güçleri yettiği kadar işe karışmak zorunda kalıyordu. Bu yüksek dağlarda ordugâh için çadır kuracak yer bulmak da çok güç oluyordu. Türkiye'deki bir savaşta ekin tarlalarının konak yeri seçmede bana engel olacakları dünyada aklıma gelmezdi, fakat hal böyle oldu. Dost Kürt köylerinden geçiyorduk ve ekinlere sanki Teltow'un pancar tarlalarıymış gibi saygı gösteriyorduk; bu hareket tarzı çok akıllıca ve ne kadar övülse yeri. Bazen bizzat paşa, kimse soygunculuk etmesin diye, bütün kıtalar geçinceye kadar bir saat bir köyün önünde duruyor; Kürtler de hiç korkmadan bizim ordugâhtaki pazara mallarını satmaya geliyorlar. Bu hal asayiş ve inzibata doğru muazzam bir adım, sen de Seraskere bunu alabildiğine methedebilirsin. Irmaklar yolumuza engeller çıkarıyor, Doğansu 150 adım genişliğinde idi ve Dicle'den çok daha coşkundu, sallar karadan ayrıldıkları noktadan 1000, hatta 1500 adım aşağıda öteki kıyıya varabiliyorlardı.

Küçük ordumuzu sürülerimizle birlikte karşıya geçirebilmek için tam iki defa yirmi dört saat sarfettik. Bu arada ben de yakındaki Siirt'e bir gezi yaptım. Güzel bir dağ şehri, fakat son harpten beri bir kısmı harabe halinde. Bir konak yeri ötede yine bir su kenarına, 300-400 adım genişliğinde fakat sığ olan Yezidhane suyuna vardık. Burada da durup kalmamak, ne pahasına olursa olsun ilerlemek istiyorduk. Birinci deneyişte az kalsın atımla birlikte sürüklenecektik; hayvanın ayağı ancak yere değebiliyordu; bir saat ötede daha uygun bir yer bulduk ve bütün piyadeler göğüslerinin üstüne kadar suya batarak hemen karşıya geçtiler. Toplar tamamıyla gözden kayboluyordu, deniz yüzünden 8000 ayak yukarıdaydılar ama gene de ırmağın yüzünün altındaydılar.

Buradan, bize düşman olan Hazo kasabasına kadar kısa bir yürüyüş gerekiyordu. Ertesi sabah iki kol halinde, ihtiyatla ilerledik. Topçu bize hemen giriş yolunu açacaktı, fakat orada müdafaasız reayadan başka kimsenin kalmadığını, bütün Müslümanların dağa kaçmış olduklarını öğrendik. Kasabanın önünde ordugâh kurduk. Paşa beni ertesi günkü ordugâha yer aramak üzere keşfe gönderdi. Bunun için yanıma yalnız mızrak, kılıç ve kalkanla silahlanmış birkaç düzine Kürt süvarisi verdi. Gitmek istediğim ve oradan dağlara doğru ilerlemek için yeri çok uygun olan köy üç buçuk saat uzakta idi. Yolda dağlardan birkaç el silah atılınca başıbozuklar ilerlemek istemediler, ben de onlarla konuşamadığım için yalnız başıma gitmekten başka çarem kalmadı. Bunun üzerine bir Kürt benimle birlikte geldi. Köyü terk edilmiş ve ordugâh olmak için son derece uygun buldum; paşaya bu haberi getirdikten sonra bunu fırsat bilerek ona bizim memlekette keşfe çıkan bir subayın yanına bir piyade devriye kolu ve eğer gerekirse birkaç topla bir tabur bile verildiğini anlattım.

Ertesi sabah erkenden yeni ordugâha gittik; herkes gümüş gibi dupduru bir havuz meydana getiren muazzam pınara, büyük ceviz ağaçlarına, geniş buğday tarlalarına ve üzerinden araba işleyebilen bir yola hayran kaldı. Köy hemen tutuşturuldu, ben boş yere bunu önlemeye çalıştım, kaçanlara karşı sert davranmalı, fakat kalanlara aman vermelidir, yoksa bu işin hiçbir zaman sonu getirilemez. Biz buraya varır varmaz kumandanın, kendisine katılmamız hakkındaki emri de geldi. Piyade hemen topları bırakarak emredilen yönde yola çıktı. Yolda bir düzine kadar köy tutuşturuldu. Nihayet derin bir dağ geçidinde bulunan büyük bir köye, Papur'a vardık. Bu köyün halkı kaçmamıştı, aksine, evlerinin düz damlarının üzerine çıkmış, bize uzaktan ateş ediyorlar ve "hele daha yaklaşın!" diye bağırıyorlardı. Hafız Paşa'nın dün bu geçitte zayiat vererek geri püskürtülmüş olduğunu öğrendik. Köy dik bir kayalığın eteğinde ve 200 ayak kadar yükseklikte bulunuyordu. Mahmut Bey'in sorması üzerine, avcı kolları ile, bir tepe sırtının ve ağaçların bizi kurşunlara karşı koruduğu, köyün sol tarafından dolaşmayı, sonra gerideki kayalığa tırmanmayı ve yukarıdan aşağıya köye hücum etmeyi teklif ettim. Böylece köy halkının ricat yolları kesilecekti; aksi halde onlarla yarın bir kere daha savaşmak lazım gelecekti. Avcılar hiç tereddütsüz, cesaretle ilerlediler. Gerçi yukardan, dağın yüksek sırtından, oraya kaçmış olan bazıları biraz ateş ettiler ama bunun pek tesiri olmadı. Çok geçmeden köydekilerin başlarının üstünde bulunuyorduk. Bir kurşun yağmuru onları düz damlarından kaçırdı. Ricat hatlarının tehlikede olduğunu görerek korkuya düştüler. Bundan sonra Allah! Allah! ile bayır aşağı köye hücum edildi, kaçmak isteyenlerin birçoğu süngülendi, ötekiler sapa yollardan kaçıp kurtuldular.

Ben bu maceraya katır sırtında katılmıştım, çünkü birkaç günden beri yorgunluktan hastalanmıştım ve yürüyebilecek dermanım yoktu. Evler yakındaki köylerden getirilmiş olmaları muhtemel şeylerle tıklım tıklım dolu idi. Askerler oradan ganimetlerle yüklü olarak döndüler. Bir süvari benden samimiyetle, atını tutmamı rica etti. Ben de o, ceplerini dolduruncaya kadar dediğini yaptım. Fakat yukarıdan hâlâ ateş edildiği için köyde kalmak hiç de hoş bir şey değildi.

Kolağası benim yanımda elinden bir kurşun yedi, uzaklaşması için ona benim ağanın katırını verdim. Duvar diplerine sokularak korunmak gerekiyordu. Nihayet dayanan tek bir ev kaldı ve dört beş saat kadar en kızgın bir ümitsizlikle bize karşı koydu. Köyün başkanı adamlarıyla birlikte bu eve sığınmıştı; bu adam için bu dünyada kurtuluş yoktu, çünkü af bekleyemezdi, bu sebeple sadece canını pahalıya satmak istiyordu. Aynı pencere deliklerinden, içeriden dışarıya ve dışarıdan içeriye ateş ediliyordu.

Bu sırada ben, geçidi açılmış bulan ve savaşı aşağıdaki bir tepenin üzerinden seyreden Hafız Paşa'nın yanına gittim. Oraya ganimetleri ve esirleri getiriyorlardı. Kanlı yaralar içinde erkekler ve kadınlar, memedekilerden itibaren her yaşta çocuklar, kesik başlar ve kulaklar. Bunların hepsi, getirene 50-100 kuruşluk bir bahşişle ödeniyordu. Mühlbach yaralı esirlerin yaralarını yıkıyor ve elden geldiği kadar sarıyordu. Kürtlerin sessiz ıstırabı, kadınların ümitsiz feryatları yürekleri parçalayan bir manzara meydana getiriyordu.

İşin en kötü tarafı şu: Dağlarda bir halk savaşını böyle iğrenç haller olmadan yapmak nasıl mümkün olabilir? Bizim zayiatımız az değil. Mehmet Bey ile Mehmet Paşa'yı hücum sırasında avcıların en ön safında gördüm; Mehmet Paşa'nın atı vuruldu. Ertesi gün istirahat verildi, sonra yine dağlarda ilerlendi ve inanılamayacak kadar çok esir ele geçirildi. Bu harekete ben iştirak edemedim, ancak son kuvvetimle ve paşanın maiyetinde olarak buraya, dağların dışında bırakılmış olan ordugâha gelebildim ve dört gün adamakıllı hasta yattım. Savaş da sona erdi, artık herkes aman diliyor.

Kürtlerin mukavemetinin ana kaynağı, ömür boyu süren nizamiye askerliği korkusu idi. Hatta redifleri bile bizim Landwehr'lerle kıyaslayamayız. Bunları, erlerine daha talimlerini bile tamamlamadan üçte bir maaşla belirsiz bir zaman için izin verilmiş bir nizamiye kıtası olarak nitelendirmek lazımdır. Silah altına alınmayan redifterin maaşları devlet için önemli, fakat şahıslar için pek azdır ve sadece işsiz güçsüzlük için verilen bir prim denebilir buna.

Türk askerleriyle aslında önemsiz olan bu sefere iştirak ettikten sonra biraz güven kazandım, meğer ki hepsi bu iki alay gibi olsun. Bu askerler yaman savaştılar. Gerçi bu savaşta, kuvvetini hiç kaybetmemiş olan kadere inanışları ve ganimet hırsları onların cesaretlerini kamçılayan muazzam kuvvetler olmuştu; çünkü düşmanları Yezidi'ler yani şeytana tapanlardı ve varlıklı idiler. Teçhizatımız kötü idi, fakat hava yumuşaktı. Taşlık dağ patikalarını ve sayısız dere ve ırmakları aşarak buraya kadar gelişimiz gibi çetin bir yürüyüşü livamız[133] yalınayak, kötü kunduraları ellerinde olarak yaptı. Asker savaşta bütün giyim eşyasını, kaputu

---

(133) Tugay.

da dahil, beline sarıyor ki bu da yabana atılacak bir şey değil. Tüfekler kötü ve isabetleri de pek az. Zaten askerler de hiç nişan almıyorlar. Köye hücum edildiği sırada bir çavuşun, başını da çevirmiş olarak, Tanrının mavi göğüne ateş ettiğini gördüm. *"Arkadaş"* dedim, *"nereye attın acaba?"*, *"zararı yok babam, inşallah vurdu!"* diye karşılık verdi ve hemen, aynı yöne doğru bir kere daha ateş etti. Fakat yaralılarımızın çoğunu, boyuna arkamızdan gelerek başımızın üzerinde ıslık çalan kendi kurşunlarımız yüzünden verdiğimiz de bir gerçektir.

Burada bizim ordugâh nizamımıza aykırı düşecek bazı kurallar var; asker gelir gelmez önce matarasını dolduruyor, içiyor ya da, eğer bulursa, kan ter içinde olduğu halde kendini suya atıyor, sonra bir iki saat uyuyor ve yakıcı güneş biraz inince dışarı çıkıyor, çadırının yanında bir ocak çukuru açıyor. Burada yemekle birlikte hemen ekmek de hazırlanıyor; tayın olarak verilen unu ince bir pide halinde yoğuruyor ve ateşin üzerine konmuş olan bir sac levha üzerinde, tıpkı omlet gibi çarçabuk pişiriyorlar. Bu usul hiç de fena değil. Eski, depodan iaşe etme usulünü bir düşünelim; en müteşebbis kumandanlar bile fırıncılarının kendilerine taktıkları beş menzil uzunluğunda bir zincirle bağlıydılar ve bundan başka bir imkân da yoktu. Erzakımız bol, büyük keçi ve koyun sürüleri peşimizden getiriliyor, develer pirinç ve un taşıyor. Sağlık durumu mükemmel. Reşit Paşa'nın zamanında bir Kürt kalesinin kuşatılması 3000-4000 insan hayatına mal olurken bizde hiçbir asker hasta olmadı. Bunun çadırlar sayesinde olduğuna inanıyorum; bu da çok güzel bir şey, eğer yarım milyon askerle sefere çıkılmazsa bizim ordularda da muhakkak bu usul yeniden kabul edilecektir, çünkü çadırsız olarak konaklamak için bizim burada, bu dağların yeşil ağaçları altında bulduğumuz gibi bir hava lazımdır. Hatta burada bile askerler dallardan çok güzel barakalar yapıyorlar. Çadır aşağıda, ovada, gündüzün yakıcı sıcağından da, gecenin çiyinden de koruyor. Gerçi nakliye kolunu büyütüyor ama bu sayede binlerce asker savaşa hazır bir halde bulundurulabiliyor. Bir katır rahat rahat dört çadır taşıyabiliyor, bir tabur için de on altıdan yirmiye kadar katır lazım oluyor; develer bu işe çok daha uygun ve bu paha biçilmez hayvanlardan dört tanesi bir tabura kâfi geliyor. Birkaç gün önce Araplardan yine birkaç yüz deve ele geçirildi, eğer harp olursa bunlar işimize çok yarayacak.

Talimnamelere gelince, kabul edilmiş olan bir şeyi, sadece yerine, isterse daha iyi olsun, yeni bir şey getirmek için atmak muhakkak ki uygun olmaz. Kumanda, silah kullanmanın ayrıntıları gibi şeyler hep olduğu gibi kalmalıdır, yalnız basitleştirilmeleri lazımdır ve bunların yeniden gözden geçirilmesi en yüksek makamlar tarafından emrolunmalıdır.

Şimdi bırak da bir an için Boğaziçi'ndeki havadar, büyük salonuna hayalen gireyim ve altı hafta çadırda büzüldükten sonra geniş divan üzerine rahat rahat uzanayım! O zaman sana binlerce şey anlatırdım; bazısı uzak Asya'dan çok güzel hikâyeler, ama bazısı da çok can sıkıcı ve üzücü... Fakat bu, rüyadan başka bir şey değil.

Garzan dağlarında konak yeri, 14 Haziran 1838

Sana Garzan dağlarında Kürtlere karşı olan küçük seferimizi anlattığım son mektubumun hemen arkasından kendimi Hafız Paşa'nın son askeri hareketlerinden sonra çekilmiş olduğu ve sekiz günden beri yerinden kımıldamadan kaldığı açık ordugâha gidebilecek kadar iyi hissettim. Temiz, serin dağ havası beni çok kuvvetlendirdi ve çok geçmeden gücüm tamamıyla yerine geldi.

Ben yokken Mühlbach, Hafız Paşa'ya, kelle ve kulaklar için para verme usulünün zorunlu olarak verdiği kötü sonuçları açık açık anlatmak gibi büyük bir hizmette bulunmuştu. Hafız Paşa daima en iyi şeyleri arzu etmektedir; belki bir an için gücenmiştir, fakat insan böyle bir adama karşı kanılarını mertçe söylemekten hiçbir şey kaybetmez. Başıbozuklarla (tercümesi muavaise tête ya da düzensiz asker) mümkün olabildiği kadar, birçok kötü hareketler islah edilmiştir. Af ve merhamet prensipleri hüküm sürüyor ve Kürtlerin murahhaslarının sözleri memnunlukla dinleniyor.

Fakat müzakere zor oluyor: taraflar birbirine güvenmiyor. Bugün bütün köylerin murahhaslarını göndermeleri lazımdı, fakat gelmediler. Şimdi işin en tabii şekli bunlara karşı yürümek, ama bu durumda onlar toptan Muş bölgesine kaçacaklar. Orada ise, kendisi de Kürt olan ve Erzurum valisinin maiyetinde bulunan, Emin Paşa var, o da bu askeri harekete yardım için ne elini, ne de ayağını kımıldatır.

Türklerin Vergi Toplayış ve
Askere Alışları

Garzan dağında ordugâh, 15 Haziran 1838

Ancak üç seneden beri yeniden Türk egemenliği altına girmiş olan bu memleketin durumu hakkında bilgi toplamaya uğraştım:

Kürtler (bunlardan hangi sınıfa mensup olursa olsun bütün konuştuklarım) iki şeyden şikâyet etmektedirler: Vergi ve asker toplama. Zannımca imparatorluğun bütün geri kalan vilayetleri de bunlardan şikâyetçi oldukları için burada kısa bir açıklama yapmayı lüzumlu gördüm.

Kürtler vaktiyle hiç vergi vermezlerdi. Fakat bitmez tükenmez kabile çarpışmalarında tarlaları çiğnenmekte, köyleri tahrip edilmekte ve kimse, kendinden daha kuvvetlisine karşı, kendi savunma gücü dışında kimseden himaye görmemekte idi. Şimdi kabileler arasında barış hüküm sürmektedir. Medeni bir hayatın ilk şartı olan bu durum devlete verilen vergiler karşılığında satın alınsa bile, bunda yine sadece iyiliğe doğru bir ilerleyiş görülebilir.

Reaya, bütün memlekette Müslümanlardan fazla vergi verir. Ama mükellef oldukları haraç, bilindiği gibi, pek azdır. Eğer reaya bundan gayrı bazı işlere mecbur ediliyorsa bu da, eğer bu angaryalar sert ve tahkir edici bir şekilde yaptırılmıyorsa, haksız bir şey değildir, çünkü reaya bütün vergilerin en ağırından, askere alınmaktan bağışık tutulmuştur.

Şikâyetin gerçek sebebi vergilerin ağır oluşu değil, keyfi oluşudur. Ben, vergiler belirli bir para olarak tespit edilsin demiyorum. Ama bunlar gelirin yahut servetin belirli bir miktarı olarak tespit edilmelidir. Eğer devlet bugün bir dönüm yerin ürününü kendi ihtiyaçları için isterse çiftçi bundan sonra on dönüm yerine on bir dönüm ekecektir, çünkü işlenmeyen verimli topraklardan yeteri kadar vardır ve iş, bizim birçok yerlerimizde olduğu gibi, bütün kuvvetlerin artık daha fazlasına imkân olmayacak kadar çalıştırılması haline gelmekten henüz çok uzaktır. Fakat ya şimdi çiftçi ilkbaharda bir katı fazla toprağı ekerse ne olur? Sonbaharda ona iki

kat vergi yükleyeceklerdir. Bu yüzden herkes kimde çok varsa ondan çok alınacağını bildiği için, kollarını kavuşturup oturuyor ve
geçimi için zorunlu olan kadarını yetiştirmekle yetiniyor.

Vergi tarzı, müsellim'in kendi eline verilmiş olan emir kullarını, işi onları isyan ettirecek dereceye vardırmadan, sıkabildiği kadar sıkıp sızdırmasından başka bir şey olmadığı sürece ziraat asla kalkınamaz, sanat da ondan daha az kök salabilir. Halbuki bunun birçok dalları pekâlâ gelişmeli idi. Ancak bu sayededir ki
topraklar hakikî değerini verebilir. Ne kadar tabiat kuvvetinden
burada henüz faydalanılmamakta! Ne kadar çok dere çağlaya
çağlaya akıp gidiyor! Halbuki bunlar ne kadar değirmen ve fabrika işletebilirlerdi. Ne uçsuz bucaksız ormanlardan yolsuzluk yüzünden faydalanılmamakta, ne kadar yapı malzemesi burada ortalığa serilmiş halde. Bu dağlar ne maden hazineleri saklamakta,
bu hazinelerden ne kadarı da açıkta yatmakta ve sadece işlenmeyi beklemekte. Dicle kumundan bir mıknatısla yüzde elliden fazla demir ayırdık. Mil karelerce arazi dut ağaçlarıyla kaplı da bir
okka bile ipek elde edilmiyor. Fakat böyle teşebbüslere hangi sermaye girişebilir? Yüzde 50 ya da 100 vergi yükletilebildikten sonra yüzde 50 yahut 100 kâr vaadi neye yarar?

İşte ekilmeyen toprakların ta büyük şehirlerin surları dibinde
gözleri incitmesi bundan; memleket sermayelerinin uyrukların
sandıklarında işsiz kalması ve Türkiye'nin bütün ticaretinin, kendi memleketlerinin kanunlarının himayesi altında yaşayıp bu
devletin içinde bir sürü devlet meydana getiren yabancıların elinde olması bundan. İşte bu sebeple Türkiye hammaddelerini yabancı memleketlere satıyor da, elde ettiği para ile yabancı sanat
ürünlerini ödeyip alamıyor. Para değerinin sıkıntılı durumu ve
parayı züyuflaştırma[134] gibi hazin çare işte bu yüzden. Bu güzel
denizlerden geçen buhar gemilerinde Avusturya, İngiliz, Rus ve
Fransız bayrakları dalgalanıyor; Türk denizlerinde dalgalanmayan sadece Türk bayrağı. Bir cümle ile, bu son derece zengin
memleketin görülmedik fakirliği işte bu yüzden.

Fakat verilerin hakkaniyete uygun bir şekilde dağıtılması ve
tespiti de, bugünkü vergi toplama sistemi devam ettikçe, imkânsız, iltizam yani vergi icarının kötülükleri, müsellimlerin keyfi

_____

(134) Altın ve gümüş paraya değersiz madenler, özellikle bakır karıştırarak,
bizzat devletin başvurduğu hile.

hâkimiyetleri, angarya, *sehim* yani vergilerin peşin olarak alınışı, hükümet tarafından tespit edilen fiyatlara göre zorla satın almalar ve bunun gibi haller hakkında boş yere söz söyleyecek değilim. Bunların zararları herkes tarafından öyle hissedilmiştir ki hatta Babıâli bile artık bunu anlamıştır.

Hükümetin, âdil olmanın sadece adalet icabı değil, aynı zamanda akıllıca ve menfaate uygun olduğunu kabule başlamasını görmek sevinilecek şey. Mehmet Paşa'nın küçük askeri kuvvetinin, hükümete sadık kalmış olan köylerin mal ve mülklerine ne büyük bir titizlikle saygı gösterdiklerini ne kadar övsem azdır. Ordugâhta bir pazar kurulmuştu, burada köylüler çekinmeden mallarını satıyorlardı; köylere girmek, uygunsuzluklara engel olmak için, şiddetle yasak edilmişti ve dalgalanan buğday tarlalarının ortasında nerede ise atlarımız aç kalacaklardı. Hükümetin muti âleti olan ordunun bu hareket tarzında, bizzat devlet reisinin arzusunu görmek herhalde doğru olur. Sahiden de hükümetin senelerden beri tuttuğu yol artık güven uyandırmıştır. Şimdi eskisi gibi mal ve mülkün gaspından korkulmuyor, ama elde edilen ürünün keyfi bir şekilde zaptı devam etmekte. Artık yavaş yavaş devlet emrinde bol maaşla fakat sıkı bir kontrol altında çalışacak memurların tayin edilmesi lazım değil mi?

Şimdi dikkatinizi ikinci noktaya, asker toplama işine çekmeme müsaade ediniz: Bugünkü haliyle askerlik mükellefiyeti az sayıda omuzlara yükletilmiş ağır bir yüktür. Bu mükellefiyetin bazı bölgelere, buralarda da yine sadece bazı fertlere nasıl ağır bir şekilde uygulandığına Siirt şehri misal gösterilebilir.

Reşit Paşa tarafından zaptından hemen sonraki sayım bu şehirde 600 Müslüman ve 200 reaya ailesi bulunduğunu göstermiştir. Bunlardan birincilerinden ilk defa 200 asker, yani % 5-6'sı birden, silah altına alınmıştır; üç sene içinde Müslüman halk 400 haneye kadar inmiştir. Tam bu kasabayı gördüğüm bu sıralarda askere yeniden 200 kişi istenmektedir. Bunun üzerine bütün erkek nüfus dağlara kaçmıştır ve sokaklarda sadece çocuklarla ihtiyarlar görülmektedir.

Buradaki hata da yükün eşitsiz bir şekilde dağıtılması ve uzun askerlik süresidir. On beş yıl askerlik süresi[135] sadece

---

(135) Yeniçeriliğin kaldırılmasından sonra askerlik süresi 15 yıl olarak kabul edilmiş, daha sonra 7 yıla indirilmişti.

ömür boyunca'nın başka türlü söylenişidir. Kürtler erken evle-
nirler, karıları, çocukları ve yurtlarından ebedi olarak ayrılmak,
onların kaçma, ya da silahla karşı koyma suretiyle kurtulmaya
çalıştıkları bir kara alın yazısı olmaktadır. Şimdi mukadderat, ya-
rı yarıya Kürtlerden mürekkep askeri kıtaları Kürtlerin memle-
ketlerinin dağlarına sevk ettiğinden kadınlar ve erkekler, çoktan
ümitlerini kesmiş oldukları evlatlarını, akrabalarını yahut dostla-
rını bir kere daha kucaklamak için her yandan akın akın geliyor-
lar. Fakat yarın yine yola çıkılacak ve bu, yine ebedi bir veda ola-
cak.

Şu halde eğer ordugâhın etrafına, yüzleri düşmana değil ken-
di kıtalarına dönük, sık bir nöbetçi kordonu çevriliyorsa buna
şaşmamak lazımdır. Bir kaçağı yakalayana 250 kuruş vaat edil-
mesine rağmen her gün birçok asker kaçıyorsa buna da şaşma-
malıdır. Bu orduda bulunduğum sırada kaçmadan başka bir se-
beple tek bir değnek vurulduğunu görmedim; kaçak sessiz bir
teslimiyetle iki yüz değneği yiyor ve sadece yeniden kaçmak için
ilk fırsatı bekliyor. Eğer daha çok insan, daha kısa askerlik süresi
için toplanmış olsaydı bu halin önüne geçilirdi. Gerçi İstanbul'da,
askerlik süresini beş yıla indiren bir irade çıktığını biliyorum, fa-
kat köylüler terhis edilmiş askerlerin yurtlarına döndüklerini
gözleriyle görmeden bunun hiçbir tesiri yok ve nizamiye kıtaları-
nın kurulduğu günden bugüne henüz hiçbir asker terhis edilmiş
değil.

Gerçi harp halinin hemen hemen aynı olan statükonun[136] de-
vam ettiği sürece Babıâli'nin yeni teşkilattan faydalanması pek de
kabil değil, çünkü redifleri terhis etmesi imkânsızdır. Ne tarafın-
dan alınırsa alınsın düşünceler hep tek bir noktada, yani barışın
bu devlet için daha uzun yıllar zorunlu olduğunda ve onun, si-
lahlı kuvvetlerini şimdilik sadece kendisini memleket içinde can-
landırmakta kullanması gerektiğinde toplanmaktadır. Fakat şim-
diki savaşla barış arası durum hakiki bir felakettir ve her yerde
her şeyi önlemektedir. Her iki tarafın, padişahla Mısır valisinin,
Avrupa devletlerinin aracılıkları ve garantileriyle, bir silahsızlan-
maya gitmelerinin mümkün olabilip olamayacağını sizin takdiri-
nize bırakırım.

---

(136) Statüko = Statu quo, durumun anlaşmalara göre sürdürülmesi.

Garzan dağındaki ordugâh, Temmuz 1838

Bir askeri hareket daha lazım oldu. 14 bölükle bir sürü başıbozuk son derece dik bir tepeyi dört bir yandan sarmak üzere gönderildi. Tepeye tırmanmak için beş saat lazım geldi ve bu arada nizamiye askerleri on altı ölü ile altmış kadar yaralı verdi. Kadınlar bile nizamiyenin üzerine ateş ediyorlardı. Bir Kürt kadını bir askeri hançerle vurup öldürdü. Yukarıya varınca, gözü kızmış olan askerler, karşı koyan kim varsa vurup kırdılar. 400-500 kadar Kürt öldürülmüştü. Elli kadar kadın, götürmek istenirken, kabarmış olan dağ deresinde boğuldu.

Paşa bizim bu harekete katılmamızı istememişti, itiraf edeyim ki bu da bana pek uygun geldi. Bu harp için bize gıpta etmene değmez, baştan aşağı iğrenç ve korkunç. Binlerce baş hayvandan başka 600 de esir getirdiler. Esirlerin yarısını küçük çocuklu kadınlar teşkil ediyor. 6-7 yaşındaki bir oğlan kurşunla vurulmuştu, şimdi önümde duran kurşunu onun yarasından çıkardık, fakat çocuğun kurtulması çok muhtemel. Kadınlardan yaralılar var, ama asıl süngü yarası almış çocukların bulunuşu bütün bu harekât üzerine acı bir ışık serpiyor. Dün akşam ta saat beşte, korku ve uzun yürüyüşten bitkin bir hale gelmiş olan bu zavallılara henüz bir lokma ekmek verilmemişti. Zaten askerler için lazım olan unu bile bin zorlukla temin ediyorduk, tam erzak gelmesini beklerken ansızın yüzlerce aç da bize katılıvermişti. Dün bütün çarşıda ne varsa topladım, ama orada alınacak ne vardı ki? Altmış okka üzümle biraz peynir! Adamların köylerinde bile kendileri için un yok, çünkü atlarımız ve katırlarımız onların güzelim buğdaylarını yiyip bitirdiler. Bugün dörtte bir kental pirinç bulunca öyle sevindim ki... Bundan muazzam bir pilav pişirttim. Kadınlar ve çocuklar pilavların üzerine üşüştüler, erkekler ağaç yapraklarını yiyorlardı. Hele şükür ki bugün un geldi. Dün akşam geç vakit de biraz ekmek temin edilebilmişti, şimdi iaşe muntazam bir halde.

Böyle şartlar altında tek tük güzel hareketler insanı iki katlı sevindiriyor. İkinci alaydan bir asker, bir kayanın arkasında iki üç günlük bir çocuk bulmuş; ötekiler ganimetlerini yüklenirken bu asker miniminiyi, bir sütanne gibi, o uzun ve sarp yoldan aşağı getirmiş. Burada küçücüğün ne annesinin ne de babasının sağ olduğu anlaşıldı. Zavallı adam çocuğu ne yapacağını şaşırmıştı, nihayet bir kadın yavrucağı aldı da asker işine gidebildi, ama mükâfatsız da kalmadı. Bu felaketten dolayı Hafız Paşa kusurlu sayılamaz. Papur'daki mezalimden sonra, itaat vaadiyle kendisini aldatanlara karşı uzun zaman tereddüt geçirmişti. Nihayet kuvvet kullanmak zorunlu oldu. Başıbozuklar gibi kullar bulununca önlenmesi imkânsız birçok kötülüklerin olacağı önceden bellidir. Üzerine mallarıyla birlikte kadın ve çocukların sığındıkları kayalıklar ve köylerin hücumla zaptı lazım iken yumuşak bir savaş yapmak nasıl mümkün olabilir? Böyle hallerde bu felaketlerden kaçınılamaz. Birkaç güne kadar buradan ayrılacağız. Öğrendiğime göre Malatya'ya gidiyoruz.

Dağlardan Atla Geçerek Dicle'den Fırat'a – Fırat Üzerindeki Akıntılardan Geçerek Yolculuk – Asbuzu

Harput, 20 Temmuz 1838

30 Haziranda, paşanın büyük çadırında kırmızı kadife minderlere oturmuş akşam yemeği yerken, paşa ansızın buradan göç etme emrini verdi. Buna candan sevindim, çünkü Garzan dağının dışında ve eteğinde bulunan ordugâhımız son derece rahatsızdı. Burada sıcak korkunçtu, gölgede 32° Reumür[137] derecesini buluyordu. Zavallı atlarımız sabahtan akşama kadar güneşin kızgın sıcağında, sadece kalın keçe çullarıyla korunarak, bağlı duruyorlardı. Böceklerden dehşetli rahatsız oluyorlardı ve yemleri sadece yeni biçilmiş ottan ibaretti; suları tulumlarla taşınıyordu. Fakat biz çadır içindekilerin halleri de onlardan pek üstün değildi. Bir sürü zehirli örümcek çadır bezinin üzerinde dolaşıp duruyor, yılanlar çadırın gölgesine sığınıyor, taşların arasında sayısız akrepler barınıyordu. Ben geniş ve ferah çadırımı günde beş defa su ile ıslatıyordum. Ancak bir uşağın fevkalâde temizlik ve itinası sayesinde çadırımı her türlü böcekten korumak mümkün oluyordu;

---

(137) 40° santigrat.

fakat hava öyle ağırdı ki ancak güneş battıktan sonra kalkıp dolaşabiliyorduk.

Bir saat içinde her şey yolculuğa hazırlanmıştı ve takriben 60 atlıdan mürekkep maiyetle, ay aydınlığı bir gecede yüksek Garzan'ın batı eteği boyunca ilerledik. Sağımızda solumuzda, Diyarbekir'den itibaren doğu yönünde yirmi mil uzanan ve birçok büyük ırmak vadilerinin kestiği güzel, geniş ova vardı. Önce Batman Suyunu, muhteşem, eski bir köprünün *"Batman köprüsü"* üzerinden geçtik. Bu köprü Hasankeyf köprüsünün tamamıyla eşi bir üslupta, muhtemel olarak onun zamanında yapılmıştır, fakat hâlâ sağlam olarak durmaktadır. 100 ayak açıklık ve muhakkak 80 ayak yükseklikte muazzam bir kemer, coşkun dağ ırmağının üstünden aşmaktadır. Bir kayanın köşesini döner dönmez ansızın bu dev gibi yapı ile karşı karşıya geldik. Bu saygı değer eski duvarlar, gürleyerek akan ırmak ve bir Türk süvari kafilesinin hareketi sahneleri ılık aylı gecede seyrine doyulmaz bir manzara meydana getiriyordu.

Sabaha doğru "Miyafarkin'e"[138] Ermenistan'ın bir zamanki kudretli krallarının merkezi olan Tigranokerta'ya vardık. Surlar ve burçlar iyi bir halde kalmış, büyük iç kalenin güzel burçları muhakkak ki Arsakes'in haleflerinin oturmuş oldukları yeri gösteriyordur. Şehir dağın en alt basamağında kurulmuş, bu basamaktan bol sulu bir dere çıkıyor ve güzel kıvrımlarla ovayı geçerek Dicle'ye akıyor, fakat şehrin içinde sadece harebeler ve Kürtlere az zaman önce büyük zorluklarla baş eğdiren tahrip savaşının taze izleri görülüyor. Bu istila binlerce – yalnız silahlıların değil – âcizlerin, kadın ve çocuğun hayatına mal olmuş, binlerce köyü tahrip etmiş ve uzun yılların emek ürünlerini yok etmişti. Kürtlerin bağımsızlıklarının yerini daha iyi bir idare almayacak olursa bu seferki hâkimiyetin de evvelce birçok defa olduğu gibi, geçici olacağını düşünmek insanı üzüyor.

Nemli bir çayırda, atlarımız yüksek otları yiyerek kendilerini toplarken, verdiğimiz kısa bir moladan sonra doğan güneşin yakıcı ışınları bizi uyandırdı. Yürüyüşümüze aynı yönde, taşlık ve ıssız dağ eteğinden devam ettik. Sıcak çok fazla idi, kireç taşı yamaçlar ateş gibi kızmıştı, gölge verecek ne bir ağaç, ne de çalı vardı, bütün bitki hayatı sanki yok olup gitmişti; ama ben öğle-

---

(138) Silvan.

den hemen sonra vardığımız nefis pınarı asla unutmayacağım. Bir kaya duvarının dibinde su, köpürerek her yandan fışkırıyor ve tarif edilemeyecek berraklıkta büyük bir havuz meydana getiriyor; muazzam boyda kamışlar, tırmanıcı bitkiler, insan boyunda otlar, çiçek açmış sümbüller, zengin bir bitki gelişmesi ve en bol yeşillik, çepeçevre etrafları dik kayalar ve taş yığınları ile sarılmış olarak, pınarı çevreliyordu. Sevinçle, ter içindeki atlarımızı serin sulara sürdük ve kendimiz de tepeden tırnağa kadar seve seve ıslandık. Bütün gün su içmelerine müsaade edilmeyen atlar vücutlarını ıslatmak ve serinlemek için ön ayaklarını suya vuruyor ve keyiflerinden sıçrıyorlardı. Aklıma Kur'an'dan bir söz geldi: "Min el mai küllün...": yani "su ile her şey can bulur".

Akşama doğru, yani hemen hemen yirmi dört saatlik at yolculuğundan sonra yine nefis bir dağ deresine vardık. Kıyısı boyunca yukarı çıkarak sağa, dağların içine saptık ve bir tepenin üzerinde, etrafı bağlarla çevrili, çınarlar, ceviz ağaçları ve kavaklarla gölgelenmiş sevimli Hazro kasabacığını ve zarif camiini gördük.

Kavak burada, Yakın Şark'ta son derece faydalı. Ev yapmak için de zorunlu olan bir ağaç. Gerçi evlerin duvarları çok defa sadece yontulmamış taşlardan ve kerpiçten yapılıyor, fakat üstleri merteklerden bir damla örtülüyor. Buna da narin, düz kavak kütükleri pek uygun geliyor. Sonra merteklerin üstü ince bir tabaka çalı çırpı ile örtülüyor, bunun üzerine de bir ayak kalınlığında balçık ve iri kum döşenerek iyice dövülüyor. Asya'nın yumuşak ikliminde bu dam kâfi geliyor ve gece serinliğinde yatak odası vazifesini görüyor, ama bu düz teraslar (*dam*) sadece Antitorosların güney yamaçlarında bulunuyor, Eğin ve Tokat'tan ötede basık, kiremitli damlar başlıyor.

Kavaklar, sulanabilen her yerde inanılmayacak kadar çabuk, muazzam bir büyüklüğe varıyor. Hazro'da, narin gövdeleri bir buğday tarlası gibi sık, birbirine sokulmuş kavaklardan bir sunî koruya hayran kaldım.

Ertesi gün dağlardan ilerleyerek Lice'ye, 4'üncü akşam da cebrî yürüyüşle Zivan-Maden'e vardık. Sadece en iyi atlar paşanın yaman kısrağının yanı sıra buraya varabildiler. Maiyeti halkının hemen hemen yarısı geride kaldı ve o kadar cins olmayan atlar yorgunluktan çatladı.

Zivan'da Hafız Paşa bir yüksek fırın yaptırdı[139]. Dünyada bundan zengin, aynı zamanda daha kolay faydalanılabilecek bir maden daha bulmak zordur. Burada yerin altına girmeye lüzum yoktur, çünkü alabildiğine her tarafta dağlar ve dereler küçük büyük kara taşlarla örtülüdür; bu taşları sadece ele almak, yalnız ağırlıklarından ne kadar maden cevheri ihtiva ettiklerini anlamak için yeter. Burada bir yüzyılda işlenebilecek kadar maden gün ışığına serpilmiş duruyor.

Dicle'nin kollarından birinin boyunca yukarı doğru çıkarak bu nehirle Fırat ya da Murat arasındaki su bölümü çizgisine vardık. Dicle'nin pınarlarının, burada artık azametli bir nehir haline gelmiş olan Fırat'ın kıyısına böyle yakın oluşu pek şaşılacak şey. Bu uzaklık 1000-1500 adımdan pek fazla değil.

Fırat'ın bütün önemini kavrayışı paşama şeref verecek bir şey. Nehrin yukarısında aşağıda bulunmayan her şey var: Ağaç, demir ve buğday. Bu malların hemen hemen tamamıyla yolsuz bir bölgeden taşınması için nehri su yolu olarak kullanmaya, onun Küçük Ermenistan yani şimdiki Kürdistan dağlarında açtığı yatak önemli bir engel meydana getiriyor. Bizim haritalar nehri çaprazına çizivermek ve buraya da "Nuchar Çağlayanları" yazıvermekle işi kestirip atıyorlar, bu adı ise buralarda bilen yok. İşin aslında şimdiye kadar hiçbir Avrupalı araştırıcı, yabancılara en çok düşmanlık besleyen Kürt kabilelerinin oturduğu bu yolsuz, ıssız yabani yerlere girememiştir. Nehir kıyısından ilerlemek hiçbir şekilde mümkün değildir. Ancak nehirden gitmek imkânı vardır.

Nehrin akıntısına karşı, en kuvvetli ve su kesimi en az buharlı gemiler bile ilerleyemez. Nehir yatağının sığ yerleri ve zikzakları da caba! Aşağı doğru gidiş de yine, deri tulumlardan yapılma sallardan başka çeşit taşıtlar için, imkânsız. Böyle bir taşıt bir balık gibi bükülür, aşağı yukarı kıvrılarak üzerinde yüzdüğü dalgaların şeklini alır, üzerine suların hücumu ile bir an için batsa bile zarar görmez. Taşlıklara ya da sivri kayalara şiddetle çarpmasından, olsa olsa birkaç tulum yırtılabilir. Nehrin aşağısına varıldığı zaman üzerindeki tahtadan yapılma tesisat bu ağaçsız bölgede

---

(139) Chatillon adında bir Fransız bir yüksek fırın yapmak için buraya gönderilmiş fakat mahalli makamların çıkardığı zorluklar yüzünden bir şey yapamamış, o sırada Hafız Paşa gelmiş ve çarçabuk işi tamamlattırmış.

kârına satılır ve bir at yahut katır bu tulumları karadan geriye, yola çıkış noktasına götürmek için kâfi gelir. Birçok defa, bura halkının, bir tulumun üzerine ata biner gibi binmiş olarak, Fırat yahut Dicle'nin çok hızlı akıntısını, korkusuzca yüzerek geçtiklerini gördüm.

Hafız Paşa böyle bir salla Fırat'tan aşağı inmeyi iki defa tecrübe ettirmişti, fakat sonuçları iyi olmadı ve her iki teşebbüste de boğulanlar oldu. O zamandan beri birkaç defa, ama pek önemsiz bir şekilde, kayaları barutla attılar. Nehrin şimdiki ortalama su yüksekliği bu teşebbüse uygun görüldüğü için paşa benden, Fırat'ın yukarıdan aşağıya doğru bir su yolu olarak kullanmanın imkânı olup olmadığını anlamak için, bir denemede bulunmamı rica etti. Palu'da altmış tulumluk gayet sağlam bir sal yapıldı. Lazım olan erzak ve eşya bol bol yüklendi ve dört dev gibi kürekçi verildi. 10 Temmuzda adamlarımdan ikisi ve paşanın bir ağasıyla sala bindim. Hepimiz mükemmel silahlı idik. Yanıma pusula ve ölçü aletleri almıştım, bir köyden öteki köye kadar nehri iyi tanıyan bir dümencimiz de vardı.

Şimdiye kadar yüksek, ormanlık dağ kıyılarından giden ve Hon'da dimdik, muhteşem kaya yamaçları arasından ve kaya parçaları üzerinden gürleyerek akan nehir, Palu'dan itibaren açıklık bir alana giriyor, hızla fakat meyilsiz akıp gidiyor. Palu'da nehrin üzerinde onu aşan sonuncu, sefil bir tahta köprü ile Cenevizlilere maledilen eski bir kalenin muhteşem harabesi var; kale kasabanın üstündeki sivri bir tepenin üzerinde yükseliyor. Kasabanın etrafı bahçeler ve pamuk tarlalarıyla çevrili.

Nehir güzel Mastar dağı grubunun eteğinden geçtikten sonra sol yakasını geniş, muhteşem Harput ovası teşkil ediyor. Fakat Fırat bu ovadan yüz çeviriyor, bir kere daha yüksek dağların arasına giriyor ve kırk millik bir sapmadan sonra aynı ovanın güney kenarına varıyor. Nehrin yatağındaki birkaç sığlık yer anaforlara sebep oluyor, fakat bunlar kolayca geçilebiliyor ve sağ kıyıda yüksek bir kaya konisinin üzerinde yükselen eski bir dağ hisarı harabesine, Pertek kalesine kadar süratle yola devam ediliyor. Burada artık sal işlemesine tamamıyla uygun bir hale gelen nehir üzerinde, çıplak dağlar arasında bütün gece ilerledik ve sabaha doğru, Murat'ın Erzurum'dan gelen ve hemen hemen kendisi kadar büyük olan Fırat'la birleştiği noktaya vardık. İki saat ileridreki Kiervan veya Keban Madeni'nde karaya çıktık. Buradaki gümüş madeni son derece perişan bir halde. Türkler şöyle diyorlar: "Eritme için kullanılan odun bize bedavaya geliyor, çünkü bütün Türkiye'de orman kimsenin malı değildir, yani herkesin malıdır; gerçi günlerce uzaktan buraya taşınması lazım ama bu da angarya ile oluyor. Buna karşılık elde edilen gümüş az, ama bizim malımız". Fakat yakacak ile insan emeğinin değeri de hesaplanacak olursa muhakkak ki madenin işletilmesinin, hasılatın üç dört katına mal olduğu sonucuna varılacaktır.

Keban Madeni'nin hemen alt tarafında Fırat'ın kıyılarını sarp dağlar çevreliyor. Ama çok geçmeden sağ kıyı gittikçe alçalıyor ve nehir geniş bir kıvrımla, ta uzaktan üzerinde eski bir kilisenin harabesi görülen yumurta gibi yuvarlak bir dağın eteğini dönünce, sağda geniş Malatya ovası açılıyor ve Kömürhan'da, evvelce bahsetmiş olduğum çivi yazısının yakınında, yüksek, vahşi dağ kitleleri her iki yandan yaklaşıyor. Nehir bundan sonra derin, tüyler ürpertecek kadar korkunç bir kaya yarığından akıyor. Salımız fevkalade bir hızla kayıp gidiyordu ve nehir yatağı, dışarıda olduğunun ancak yarısı kadar genişlikte idi. Çok geçmeden dimdik kaya duvarlarda yankılar yapan uzak bir uğultu duyduk. Akıntının artarak bizi ok gibi götürmesinden Yılan değirmenine varmış olduğumuzu anladık. İhtiyatla kıyıya yanaştık ve anaforlara kendimizi kaptırmayı göze almadan önce, ileri doğru çıkan bir kayalıktan etrafı gözden geçirdik. Böyle şiddetli akıntılar daima dik bir sel yatağının nehirle birleştiği yerlerde oluyor. Bu derbentten zamanla birçok irili ufaklı kaya döküntüleri yuvarlanır, derenin ağzında (aslında pek önemsiz) bir dil meydana gelir ve nehrin genişliğini azaltır, bu da yetmiyormuş gibi çok defa muazzam taş kitleleri nehrin yatağına kadar yuvarlanır; suyun az olduğu zamanlarda bunlar meydana çıkar, fakat çok olduğu vakitlerde dalgalar, kendilerine yenemeyecekleri bir direnç gösteren bu kayaların üzerinden aşar. Darlaşan ve yönünden sapan coşkun nehir bu engellere çarparak köpürür ve su demetleri halinde havaya fışkırır. Bunların arkasında, geniş bir kaptaki suyu dar bir oluğa boşaltmışsın gibi, köpüklü ve anaforlu müthiş bir akıntı meydana gelir.

Şimdiye kadar geçmiş olduğumuz birkaç kötü yerden keleğimizin neleri başarabileceği hakkında aşağı yukarı bir ölçü elde etmiştik. Ben keleği *"Bismillâh"* – Allah adıyla – diyerek yeniden yola çıkardım. Çok geçmeden suyun genel akışı bizi kaptı ve daha ne olduğunu anlamaya vakit kalmadan sağ salim tehlikeli yeri aşmış bulunduk. Gerçi tepeden tırnağa kadar da ıslanmıştık, çünkü her yandan gelen dalgalar tepemizde birbirine kavuşmuştu. Fakat belki de 40 dereceyi bulan bir sıcakta bu, sadece hoşa giden bir serinlemeden ibaretti. Akıntılı yerin yukarısı ile aşağısı arasındaki seviye farkı, 200 ayaklık bir mesafede aşağı yukarı 15 ayağı buluyordu.

Bu anlattığım akıntılı yerler gibi, fakat daha az önemde olanlardan üç yüzden fazlası birbiri ardısıra dizilmiş bulunuyor ve nehrin yirmi millik kadar bir kesiminde Cataractae Euphratis'leri meydana getiriyordu. Daha birini geçer geçmez hemen ötekinin çağıltısını duyuyorsun. Kelek boyuna dönüp duruyor ve sana, oturduğun yumuşak şilte üstünde duruşunu değiştirmeden, bu vahşi romantik dağ bölgesini her yandan seyretme imkânını veriyor. Ta yukarılarda gölgeli ceviz ağaçları altında tek tük Kürt köyleri yamaca yapışmış duruyor ve dik dağ yamaçlarından çağlayanlar köpüre köpüre akıyor. En tehlikeli kısımlar Şiro kasabasının bulunduğu yerler, Telek'in hemen üst tarafında kükürtlü pınarların kayalar arasından tüte tüte çıktığı yerdeki birbiri ardı sıra üç çağlayandır. Bu köyün alt tarafında ve yakınında bulunan sivri kaya yarığında, nehrin yukarıda 200-300 adım olan genişliği bir yer kayması yüzünden darlaşarak 35 adıma iniyor. Buranın adı Geyiktaş.

Nihayet eski Gerger dağ hisarının hemen üst tarafında ve dik bir tebeşir kayası yamacının dibindeki çok tehlikeli bir yerden geçtik, bundan sonra nehir yatağının karakteri tamamıyla değişti.

Şimdi Fırat çok azalmış bir hızla dik ve yüksek kıyılar arasında akıyor, dağlar her iki tarafta uzaklaşıyor, nehre açılan vadilerin kenarları, alçak, duvar gibi bazalt yamaçlarıyla çevrili. Nehre dik olarak inen kırmızımtırak kayalar 300-400 ayak yüksekliğinde. Bunlar kumtaşından meydana gelme garip şekiller alıyor ve birçok mağaraları ihtiva ediyor. Bu mağaralardan birkaçının içinde çok eski manastırların harabeleri var; bunlara kaya duvarına tırmanan dar, baş döndürücü bir patikadan çıkılıyor. Acayip gözcü kuleleri kayalığın ileri doğru çıkmış yerlerine yapışmış duruyor. Garip, eski Horis hisarından sonra nehir iki büyük kıvrım çiziyor. Ondan sonra kayalıktan, alçak tepelerden meydana gelme açık bir alana çıkıyor ve Samosata'nın([140]) alt tarafındaki taş çölü-

_____

(140) Samsat.

ne girinceye kadar Oder'in Frankfurt önündeki haline benziyor. Buradan sonra da ta Zeugma yani Rumkalesi'ne kadar batıya doğru akmaya devam ediyor, orada bir dik açı meydana getirerek güneye yöneliyor. Bu bölgede düz bir yayladan geçmekte olmasına rağmen yatağı derin oyulmuş ve kenarları dik kumtaşı yamaçlarıyla çevrelenmiştir, bu yamaçlar ancak pek az yerlerinde nehre inmeye imkân veriyor.

Nehir yolculuğuna Samsat'ta son verdim. Çünkü daha öne buradan Birt'e yani Birecik'e kadar Fırat boyunca karadan gitmiştim. Böylece aldığım krokiler albay Chesney'in Birt'ten aşağı kısımlar haritasına bağlanmış oluyordu.

Türkiye'de biraz hatırı sayılır bir adam bir yere gelince oranın ileri gelenlerinden birkaçının onu şehrin dışında karşılaması zorunludur. Atından inmesine yardım ederler, merdivenden çıkarken ona destek olurlar, çizmelerini çekerler ve onu ocağın sağına, minderler üzerine oturturlar. Müsellim ya da ev sahibi kimse o, hemen odadan çıkar ve ancak davet üzerine, kapı dibinde yere oturur. Eğer kendisine kendi kahvesini içmek için müsaade edilecek olursa yerlere kadar eğilerek ve elini yere değdirip temenna ederek fincanı alır. Misafir kalındığı sürece: "Evim senin evindir" sözü âdet olsun diye söylenmiş bir laftan ibaret değildir; üstelik böyle bir misafire, veda ederken bol bol hediye vermek de lazımdır. Büyük paşaların çok defa elli uşağı yahut ağası bulunur ki bunlar ücret almaz, sadece kendilerine yolculuk görevleri verilmek suretiyle tatmin edilirler; bunlar nerede gecelerlerse oradan bir hediye alırlar.

Müsellim bana genç bir at, ağaya da bir katır getirdi, Türk uşağıma da yarım kese para ayırmıştı. Ben hediyesini almak istemeyince şaşırdı kaldı ve bütün kasabada bundan asil bir hayvan bulunmadığına yemin etti durdu. Çünkü reddedişime hediyesini küçük görmemden başka bir sebep düşünemiyordu. Ali Ağa daha da şaşmıştı bu işe. Halbuki sadece eski, muhteşem şehrin bir köşesine sığınmış olan ve meşhur Samosata sirki kadar yeri zor kaplayan sefil Samsat'a bakmak, ona acımak için kâfiydi. Çünkü müsellim böyle cömertlikleri asla kendi kesesinden yapmaz, bunu ahaliden, özellikle Hıristiyanlardan geri alır. Arkadaşımın aklına böyle şeylerin geldiği yoktu. Tersine, paşaya kendi hakkında kötü şeyler söyleyeceğimden korkuyordu, ki bu ona pek pahalıya mal olurdu. Çetin bir mücadele yaptı, nihayet o da verilen hediyeyi almadı, fakat katır herhalde geceleyin kendini bağından kurtarmış ve zorla bizimle birlikte gelmiş olacak; çünkü ertesi sabah onu yük beygirlerimizin arasında buldum. Buna karşılık sahiden para almayan benim namuskâr Yakub'umun zararını ödedim. Üstelik buradan ayrılırken kendimin ve adamlarımın yediklerimizi de ödeyince Müsellim'in gözünden bir hayli düştüm, zira Türkiye'de ödemek için pek aşağılık olmak lazım; kimin elinden gelirse parasız olarak istediğini alır.

Sanırım ki bütün Asya'da Samsat kadar böcekli yer yoktur. Gece yarısına kadar zor dayandım, adamlarımı ata bindirdim ve güneş doğarken altı saat ötedeki Adıyaman'a (Kürtler buraya Hassunmanna, ya da Hesn Mansur⁽¹⁴¹⁾ diyorlar) varmıştık. Toros'un güney eteğindeki ovada, bir nehrin pınarları yanında kurulmuş olan bu kasabanın geniş bağları ve meyve bahçeleriyle güzel bir manzarası var. Eski bir akropolün harabelerini ve çok sayıdaki minareleri görünce insan büyük ve kalabalık bir şehir bekliyor, fakat içeride sadece moloz ve yıkıntı görülüyor. Doludizgin müsellimin evine doğru at sürdüğümüz sırada, geniş ve sığ bir dereden geçerken, maiyetimin manzarasına gülmekten kendimi alamadım. Çünkü kürekçilerimi de yanıma almıştım ve benim dört nehir tanrısı, Neptun'un bütün alametlerini taşıyorlardı; kürekleri omuzlarındaydı, tulumları da küçük atların iki yanından sarkmaktaydı. Atları değiştirir değiştirmez yolculuğumuza devam ettik. Kasabanın bir saat kuzeyinde Toros'un dik eteğine tırmanmaya başladık. Güneş dehşetli yakıyor, çıplak kaya yamaçlar kızgın fırınlar gibi ateş saçıyordu. Bu yolculuk ömrümde çekmediğim kadar yorgunluklu oldu. Dört derin vadiyi aşmamız lazım geldi, bunların her birinde 2000 ayak kadar iniliyor, öte tarafta yeniden bu kadar yükseğe tırmanılıyordu. Bütün gün bir insan barınağı göremedik. Tepelerin üstünde ya da vadilerin dibinde bazen güzel bir manzara yorgun gözleri okşuyordu; mesela büyük bir derenin kırmızımsı kumtaşından dik bir yamaçtan kaynadığı, köpürerek 60-70 ayak aşağıya düştüğü ve sonra geniş gölgeli çınarların altından akıp gittiği Hocali boğazında olduğu gibi.

Dağların en yüksek noktasına çıktığımız zaman ansızın aşağımızda, ta derinde iç açıcı bir vadi gördük. Bir mil kadar genişlik-

---

(141) Hısnımansur.

teki yeşil, tamamıyla yatay ova baştan başa tarlalar ve ekinlerle
kaplıydı. Billur gibi duru dört dere kıvrıla kıvrıla akıyordu, çepe-
çevre etrafını göğe değen dağlar sarmıştı, bunların eteklerinde
birçok köyler görülüyordu. Yorgun hayvanlarımızın son bir gay-
retiyle dağdan aşağı indik ve güneş batarken, yani on sekiz saat-
lik bir at yolculuğundan sonra ömrümde görmediğim dev gibi
ceviz ağaçlarının altına sığınmış duran bir köye vardık, fakat bü-
tün evlerin bırakılmış ve boş olduğunu görünce üzüntümüz ne
kadar büyük oldu.

Kürtler çok defa yazın köylerinden ayrılır ve sıcak mevsimi
sürüleriyle birlikte serin dağlarda geçirirler; karların eriyip yeşil
yaylakların meydana çıkmasını izleye izleye gittikçe daha yük-
seklere tırmanırlar. Biz de, ta uzaktan duman gördüğümüzü san-
dığımız yeni bir dağ yamacına tırmanmak zorunda kaldık. Çalı-
lıklar arasından çıkınca ansızın kendimizi bir Kürt konak yerinde
bulduk. Kara çadırlar geniş bir daire halinde dikilmişti, kadınlar
sürülerle meşguldü. Erkekler yerde, halılar üzerinde yatıyor ve
çubuk içiyor, sürülerle çocuk da onların etrafında oynuyordu.

Bizim çıkıverişimiz büyük bir kargaşalığa sebep oldu. Bu za-
vallı adamların son zamanlarda Türklerden ne muamele gördük-
lerini, köylerinin nasıl yakıldığını, mahsullerinin çiğnendiğini ve
oğullarının zorla alınıp götürüldüğünü düşündükçe bu sahneye
biraz güvensizlikle bakıyordum. Benim bahriye kıta pek de mu-
azzam değildi, silahlı maiyetim de pek zayıftı, fakat gördüğümüz
kabul, çok geçmeden bütün tasaları dağıttı. Konak yerinin ihtiya-
rı hemen koşup geldi, beni atımdan indirdi, kendi çadırına götü-
rüp en iyi minderlerinin üzerine oturttu. Karısı (kabilenin en gü-
zeli değil, en ihtiyarı) eski şark usulünce misafirinin ayaklarını yı-
kamaktan vazgeçirilemedi. Çubuk eksik değildi, fakat kahve, bu
konak yerinde bulunmayan lüks bir meta idi. Buna karşılık he-
men, akşam yemeği için bir oğlakla bulgur pilavı hazırlanmaya
başladı. Debelenen hayvan çadırın önüne sürüklendi ve kurban
olarak hançerle boğazlandı. Muhtelif ailelerin en yaşlıları geldi-
ler, lütfen verdiğimiz müsaade üzerine yere çöküp oturdular ve
birbiri ardı sıra bana çubuklarını ikram ettiler.

Kürt kadınları peçesiz geziyor, fakat yaşlılar güzellerin kolay-
ca görülmemesine dikat ediyorlardı. Kadınların burunlarında
halkalar vardı ve konak yerinde ne kadar para varsa hepsini saç-
larında taşıyorlardı. Ben de misafir olduğum adamın kızına, İs-

tanbul'daki darphane sayesinde birkaç talere bir haylisini almak mümkün olan kötü, iki, üç ve baş kuruşluklardan bir para koleksiyonu hediye ettim. Böylelikle kız kabilesinde paradan yana zengin bir gelinlik kız oldu; annesini de bütün kahvemi hediye ederek sevindirdim.

Ertesi gün sabahleyin (17 Temmuz), bir sazlık denizinin ortasındaki eski hisarıyla Abdülharab köyüne vardık. Bundan sonra saatlerce taşlık ve çıplak bir vadiden yukarı, Beydağı'nın sırtına tırmandık. Oradan itibaren keçi yolu ve yine daimi olarak bayır aşağı iniyordu, sıcak korkunçtu ve zavallı hayvanlarımız dünden çok yorgundular. Her kaya köşesinde geniş Malatya ovasının gözümün önünde açılacağını bekliyordum, fakat bir ümit kırıklığı ötekini takip ediyordu. Ansızın kendimizi muazzam bir pınarın yanında bulduk. Billûr gibi berrak soğuk su, yirmi otuz yerde, kireç taşlarından kol kalınlığında fışkırıyor ve çağıltılı bir dere haline gelerek güzel çınarlar ve yeşil kıyılar arasından, kaya döküntüleri ve taşlar üzerinden akıp gidiyordu. Bir küme büyük dut ağacı gölgeler ve tatlı yemişleriyle bizi kendimize getirdi.

Buradan itibaren Sultansuyu vadisinin üzerimde bıraktığı harikulade etkiyi hiçbir zaman unutamayacağım. Meşhur bir İngiliz mühendisine, acaba Allah nehirleri ne için yarattı, diye sormuşlar "kanallara su versin diye!" demiş. Bana kalırsa buna "taşları da sulasın diye!" sözünü ilave edebilirdi. Sahiden de sanırım ki elli ya da yüz sene sonra Oder yahut Elbe gibi yazın gemicilerin kazma kürekle yol açmak zorunda kaldıkları zavallı nehirleri tanzimle uğraşmayacaklar, etraflarındaki kumluk araziyi onların sularıyla sulayacaklardır. Sultansuyu'nu daha doğduğu yerden tutmuşlar ve vadinin her iki yanında, vadinin tabanından 200 ayak kadar yüksekten, dağ yamaçlarından ve tâli vadileri aşan köprü kemerleri üstünden götürmüşler. Vadinin yan yamaçları gittikçe açıla açıla birbirinden ta 1000 adıma kadar uzaklaşıyor; bütün bu aradaki alan, birbiri ardı sıra, dört coğrafi mil mesafede bir sıra böyle dolmuş; Hindebey, Çermikli, Barguzu ve Asbuzu köyleri ta Malatya'dan (eski Melitene'den) bir saatlik yere kadar uzanıyor. O su arklarının alt tarafında her yer bir cennet, bir karış yukarısı ise çöl. Vadinin, altında 20.000 kişinin barındığı koyu, gölgeli yeşilliği, güneşin sıcağından kor haline gelmiş gibi görünen ve üzerlerinde ne bir çalı, ne bir ot yetişen tepelerin kurşuni ve kırmızımsı taşlarıyla son derece güzel bir karşıtlık yaratıyor. Ceviz ve dut ağaçlarının geniş taçları evleri örtüyor, öyle ki bir düz dam ya da bir minareyi pek nadir görebiliyorsun. Binlerce narin kavak bu koyu yeşil kitleden yukarı fırlıyor; güzel meyve ve sebze bahçeleri, binlerce ev, yollar ve köprüler o yapraklardan çatının altında gizleniyor. Gölge ve suyun ne büyük bir mutluluk olduğunu anlamak için kızgın sıcakta bir dağ yolculuğu yapmalı ve sonunda Asbuzu'ya varmalı.

İpeğin, bu nefis metaın üretimini Asbuzu'ya sokmak için Bursa yahut Amasya'dan birkaç ipekçiyi buraya getirmenin ne kadar faydalı olacağına paşanın dikkatini çektim, çünkü burada en aşağı 20-30 bin dut ağacı var ve şimdiye kadar bunların yalnız meyvesinden faydalanılıyor.

Harput'ta Mesire[142], *23 Temmuz 1838*

Malatya (daha doğrusu Asbuzu) eşi az bulunur bir ordugâh yeri. Nerede "su istiyorum!" diyecek olsan senin için oraya bir ayak kalınlığında, billûr gibi bir su akıtıyorlar. Ordugâh yerleri yüksekte, biraz taşlık, fakat serin hava cereyanlarına açık. Buna rağmen askerler buranın havasının sıhhî olmadığını söylüyorlar. Suyu hızlı akan, bataklıksız ve bu kadar çok ağaçla kaplı bir dağ eteği nasıl olur da sağlığa zararlı olabilir? Malatya'dan ileriye üç yol var: 1. Topçu, süvari ve bir kısım piyade için Gözene, Sürgü, Ermenek, Perveri ve Besni üzerinden giden araba yolu. 2. Piyade için yüksek dağları aşarak Abdülharap ve Adıyaman üzerinden geçen yaya ve atlı yolu. 3. Murat üzerinden nehir yolu.

Paşa bugün Halil Bey'i, kırk lağımcı ile, benim işaret ettiğim yedi noktayı açmak için gönderdi. Yazık ki kumandan rahatsız, küçük paşalar da buradan ayrılmak istemiyorlar ve her şey *"bakalım!"* da kalıyor.

Ama şimdiye kadarki hareketsizliğin önemli sebeplerinden biri de korkunç sağlık durumudur. Bir redif taburunda 350 hasta var; Malatya'da bin kişi hastahanede yatıyor. Acaba bu ırk tamamıyla dayanıksız bir hale mi gelmiş, yoksa bunun sebebi ne[143]? Askerler sabahleyin iki, akşamüstü de bir yahut iki saat talim yapıyorlar, yemek iyi ve bol, çadırlarımız, ordugâh yeri kuru, su iyi

---

(142) Mezraa, şimdi Elazığ.
(143) O tarihlerde henüz hastalıklara sebep olan mikroplar bilinmiyordu.

ve yeteri kadar var, sonra da, bütün bunlara rağmen yüzde otuz hasta! Nizamiye kıtalarında sağlık durumu daha düzgün ama o da memnunluk verici değil; bir taburda 60 hasta var. Bunun sonu ne olacak? Bütün suç *"hava"*ya yükletiliyor.

Harput, 3 Ağustos 1838

Burada hepimiz yan gelmiş yatıyoruz; ama hepimiz hastayız da ondan. Ben de yatmak zorunda kaldım. Ama yalnız üç gün. Paşa dün ilk defa olarak çıkıp dolaşabildi.

Hafız Paşa hasta idi; buradan geçmekte olan İngiliz konsolusu ona hekimini teklif etti. Hekim, paşayı çok geçmeden iyi etti, fakat hastalıklardan sonra da olagelen yorgunluk ve keyifsizlik hali kaldı. Paşa asıl şimdi tam hasta olduğuna inandı ve tek konsolosun hatırı olsun diye kendini bu hale getirdiğini, İngiliz hekiminin kendisini hasta ettiğini iddia etti. Bu sefer Türk akıl hocaları çeşit çeşit *"şerbetlerle"* geldiler ve birkaç gün sonra paşa şiddetli bir kanlı basura tutuldu. Bunun üzerine bir molla getirdiler. O da bir ekmeği ateş üstünde şu ya da bu şekilde doğramak gibi bir şeylerin hem çok iyi geleceğini, hem de Tanrı'yı hoşnut edeceğini söyledi. Paşanın bir dostu, kendisinin kuru kahveyle iyi olduğunu yazdı. Bütün bu ilaçlara rağmen iş gittikçe daha kötüleşti ve Rum eczacı o zamana kadar *"haram"* yani günah sayılıp kullanılmayan tenkiyesi ile getirildi. Şimdi paşa bir Türk hekiminin tembihlerini (canının istediği şeyler müstesna) tutuyor, fakat aynı zamanda doktorun tavsiyeleri hakkında benim tercümandan da öğüt istiyor. "Ey delikanlı! Tarihten ibret al!".

Eğer bir öğüt bazı zorluklar ve ihtilatlara sebep olursa bu öğüdü veren kimse İngiliz hekiminin kategorisine sokulur. Bundan sonra her taraftan öğüt alınır, her birinden birazı uygulanır, sonunda da artık hiçbir şey yapılmaz ve işler oluruna bırakılır.

Sivas'ta veba çıktı, orada sıhhi tedbirler alındı. Fakat bizde giden gelen ve nakliyat çok olduğu için, Hekimhan'ında Sivas'tan gelen bütün yolcular ve eşya için beş günlük bir karantinaya karar verildi. Kıtaların sağlık durumu ne kadar kötü olmak mümkünse o kadar kötü, binlerce hasta, onlardan daha fazla da nekahatte olan var ve hepsi de hekimsiz! Bu anda bir harbe kudretimiz hemen hemen yok, askerlerin yarısını yolda bırakacağız.

Paşa altı haftadan beri keyifsiz ve bütün bu zaman içinde askerlerini görmedi. Akşamları beni çağırtıyor; katırlarımıza biniyoruz ve yakındaki herhangi bir bahçeye ya da bağa gidiyoruz. Yere halılar serdiriyoruz, çubuklarımızı tüttürüyor, sırf bizim için Fırat'tan getirilen sulardan içiyor ve karanlık basınca rahat rahat yerimize dönüyoruz. Kesin bir savaşın çıkmasından belki de birkaç hafta önce işte böyle yaşıyoruz biz.

Burda hâlâ çok sıcak var ve en iyi zamanlar geceler. Aylardan beri açıkta, evin düz damında yatmaktayım. Oturduğum ev bir uçurumun tam kenarında ve yukarıdan nezareti pek muhteşem. Aydınlık yıldızlı gök yahut ılık mehtap altında yatmak ve güneş Fırat kenarındaki yüksek dağın arkasından doğup adım adım, karşımda, ta derinliklerdeki bahçeleri, köyleri ve bağları aydınlatırken uyanmak pek hoş oluyor. Fakat içinde yaşadığımız bu işsizlik beni çok üzüyor.

Padişahtan Gelen Haber

Harput, 19 Ağustos 1838

Garzan dağı seferinden dolayı orduyu taltif için padişahın göndermiş olduğu Hacı Esat Efendi geldi ve bu sefere bütün iştirak edenlerle askerlere bin *"ziyafet"* verdi. Fakat yere bağdaş kurulan ve yalnız su içilen bir Türk ziyafeti neşesiz bir ziyafettir. Efendi büyük bir debdebe ile karşılandı; bütün kıtalar geçit resmi yaptılar, fakat yazık ki taburlardan çoğu sadece on altışar mangalık altı, hatta bazen dört takımdan ibaretti. Paşa, baş belasını çadırında bekliyordu ve o, bütün öteki generallerin refakatinde olarak yaklaşınca, Paşa ona doğru yüz adım ilerledi ve padişahın al atlasa sarılı namesini aldı. Göğsüne, dudaklarına ve alnına bastırdı, sonra ellerinin üstünde tutarak çadırına götürdü. Orada bütün paşalar ve alay kumandanları oturdular, paşa ile efendi birkaç beylik söz söylediler, sonra biz çıktık ve ikisini yalnız bıraktık.

Topçu da törene katılacaktı, ama ovanın ortasında saplanıp kalmıştı. Şimdi, vakit geçtikten sonra, ta uzaktan atışa girişti ve üstelik bize birkaç atış da borçlu kaldı. Paşa buna fena halde kızdı, ben de pek sevindim. Paşa toplanmış olan generallere: "Bir zamanlar biz dünyanın en iyi topçularıydık, ama şimdi ovada bile ilerliyemiyoruz" dedi. Sonra "Bu yakınlarda, bir bey, Prusya'dan gönderilmiş olan subaların İstanbul'da kurmuş oldukları topçunun hoşuna gitmediğini söyledi!" diye sözüne devam etti, "atışları süratli değilmiş, yok bilmem ne imiş. Böyle adamların kellelerini ayaklarının dibine koymalı. Biz padişaha, menfaatlerimizi bizden daha ziyade kollayan ve biz uyurken de bizim için çalışan böyle subaylar gönderdiği için her gün teşekkür etmeliyiz!"

Doğulu Kılığı

Malatya, Asbuzu'daki esas ordugâh, 2 Eylül 1838

Burada geçirdiğim bu son altı haftayı, geç de olsa sana anlatmam lazım. Dicle'nin pınarlarına yaptığım küçük bir inceleme gezisi müstesna, çoğu zamanımı Parhut'ta, etrafı dağlarla çevrili geniş, verimli Mezraa ovasından 1000 ayak yükselen bir kayanın tepesinde geçirdim. Aşağıdaki sıcak bizi bu kartal yuvasına kaçmaya zorladı. Buradan biz, köyleri, dağlar ve dereleri, pamuk tarlalarını ve bağları, dut korularını ve kıtaların daimi ordugâhını tıpkı bir haritaya bakar gibi görüyoruz, fakat buradaki hayatımız çok biteviye ve sevimsiz. Her gün, aşağıdaki ovada tahmin bile edilemeyen, şiddetli bir rüzgâr burasını serinletiyor; fakat rüzgârlı hava daima tatsız, hoşa gitmez bir havadır. Üstelik güneşin sıcağı o kadar yakıcı ki bütün gün odada kapanıp oturmak zorunda kalıyoruz. Sadece işler beni ara sıra ovaya inmeye zorluyor. Ancak kızgın güneş, tepelerin şurasında burasında gümüş gibi parlayan kar taneciklerinin kızgın ışıklara meydan okuduğu yüksek dağların arkasına inince insan canlanıyor. Yavaş yavaş bütün damların üzerinde hava almaya çıkan aileler görülüyor. Damlara halılar seriliyor ve evin efendisi için minderler konuyor. Efendi ailenin gençlerine hizmetlerini gördürüyor, o çubuğunu içerken ötekiler önünde hürmetle ayakta duruyorlar. Sonra, içlerinde öğle yemeği bulunan sayısız kalaylı sahanlar üzerinde olduğu halde, büyük yuvarlak pirinç sini ortaya geliyor, sonunda da kahve... İyi âdet gereğince erkenden, üzerinde muhteşem, ışıl ışıl yıldızlı gökten başka bir şey olmadan yatılıyor ve doğan güneş en yüksek tepeleri kızartırken ondan kaçmak ve işe gitmek için kalkılıyor.

Paşa bana Harput'ta, kendisiyle birlikte dört atlı arabasıyla Malatya'ya gelmemi söylediği zaman pek sevinmiştim. Bunu sen aşağı yukarı, bizim orada birine balonla uçması teklif edilmiş gibi tasavvur edebilirsin. İlk dağa kadar iş mükemmel gitti. Orada, katırın bu memlekette Viyana malı bir arabadan çok daha güvenilir bir yolculuk aracı olduğunu anladık.

Paşa'nın kıtaları teftişinden ve ordugâhı gözden geçirmesinden sonra, Malatya'nın yazlık şehri olan Asbuzu'ya gittik. Bu görülmedik güzellikteki yerden bundan önceki mektuplarımda bahsetmiştim. İnsan kendini Lombardia ovasında sanır; burada dut ağaçları ve bağların öyle taze yeşilliği; duru, çağıltılı sularıyla öyle sayısız kanallar var ki... Benim *konağım* küçük, fakat burada bulduklarımın en zariflerinden biri. İşin en garip tarafı da burada benden önce Vassaf efendinin oturmuş olması. Sana, padişaha refakat ettiğim sırada bahsetmiş olduğum bu sonsuz kudretli gözde (arada şunu da söyleyim ki her işte benim muarızımdı), İstanbul'a dönüşümüzde gözden düştü ve Maden'e, yani Toros maden ocakları bölgesine sürgün edildi. Burada kendisine, şimdi bunları yazmakta olduğum, aynı köşeciği seçip bulmuş. Faat düşmanları – bunlar hem çok, hem de nüfuzlu idiler – onu Varna'ya sürüklemişlerdi. Orada... ansızın öldü. Kendisini pencereden atmış imiş. Görünüşe göre ona bu işte yardım edenler var.

Dört aydan beri yağmur yağdığı yok, gökte küçücük bir bulut bile gördüğümüz nadir. Küçük sarayımın düz bir damı ve sadece üç duvarı var, bunlar da yalnız gölge vermek için. Bütün evi adamlarıma bıraktım, bunlar saygı karakolu olarak bir çavuşla, bir Türk askeri, hizmetçilerim ve iki seyis. Kendim bir ağaç altındaki bir köprü üstünde kalıyorum; yani serin olsun diye bütün bu cenneti meydana getiren ve çağlaya çağlaya akan berrak dağ deresinin üzerine kurulmuş tahtadan bir sedirin üstünde. Benim sekiz adım karelik salonumun zemini halılar ve minderlerle örtülü, salkımlarla dolu muhteşem bir asma tavanını teşkil ediyor ve yanıbaşımdaki ceviz ve sakız ağaçlarıyla bir olarak günün her saatinde buraya nefis bir gölge veriyor. Burada yazıyor, okuyor, yiyor, tütün içiyor ve uyuyor, hulasa haftalardan beri, atla gezmez yahut paşanın yanında bulunmazsam, gece gündüz kalıyorum.

Başı göğe değen kavaklardan bir duvar (bunlardan on üçü dokuz adımlık bir yere sıkışmış) iki küçük avluyu ayırıyor, bunlarda benim atlarımla katırlarım duruyor. Bütün bunların çevresinde, dev gibi kabaklar, kavunlar, karpuzlar, mısırlar, hıyarlar ve fasulyeler dolu, kayısı, ceviz, erik, armut, elma ve dut ağaçlarıyla gölgelenmiş bahçeler yayılıyor.

Hava biraz serinledi; fakat yine de, benim su üzerindeki gölgeli yerimde bile, öğleleri 25° derece sıcak oluyor[144]. Buna karşılık geceleri ısı bir hayli düşüyor ve güneş doğmadan az önce hep 11-12 derece oluyor. Bu kadar büyük bir ısı değişmesi ile birlikte, pek bol olan meyvelerin yenişi askerlere musallat olan bu kadar çok hastalığın esas sebebi olsa gerek.

Eskiden Türklerin yazın kürk giymelerine akıl erdiremezdim, fakat memleketimde hiçbir zaman kullanmadığım halde, ben de burada bütün yaz sırtımdan çıkarmadım. Gündüzün 28 dereceye kadar sıcak çektikten sonra insana gecenin 14-15 derecesi adamakıllı soğuk geliyor. Birçok yerliler yaz kış, gece gündüz üst üste iki üç kürk giyiyorlar, çünkü Türk hemen hemen tamamıyla giyimli olarak yatar ve elbiselerinin çokluğunun soğuktan olduğu kadar sıcaktan da koruduğunu iddia eder.

Aslında hiçbir zaman sıcağa dayanamadığım olmadı, sıcak sadece insanı tembelleştiriyor, her hareket zor geliyor ve hepsinden gücü de mektup yazmak. Evdeki kıyafet buradaki Kürtlerde âdet olan ve Malta şövalyelerinin bu memleketlerden Avrupa'ya getirdikleri ince yünlüden geniş beyaz bir manto. Bu kılıktan daha maksada uygun ve rahatını bulmak mümkün değildir. Bu mantonun altına ne kadar istenirse o kadar çok ya da az şey giyilebilir; atla yolculukta insanı güneşten de, yağmurdan da korur, geceleyin yorgan vazifesini görür, omuza alınış, giyiliş yahut sarılışa göre pelerin, elbise, kuşak ya da sarık olur. Bu elbisenin yapılışı da son derece basit: ortasından yarılmış bir torbadan ibaret, buna karşılık insanın üzerinde pek güzel duruyor. Böyle mantolar, alacalı sarıklar ve uzun tüfekleriyle atlı başıbozukların gerçekten pek güzel bir görünüşleri var.

Elbise bakımından Doğululardan sahiden çok şey öğrenebiliriz. Uzun zaman ve inceden inceye gözlemler yapmış olan ve romanlarında bu memleketin âdetleri hakkında birçok bilgince ki-

---

(144) Bütün dereceler Reomür'e göredir. 31 santigrat.

taplardan daha doğru bir fikir veren Morrier[145], frak gören bir Türke şöyle dedirtir: "Frenk! Senin memleketinde kumaş pek pahalı olsa gerek!" Paris'in Stanbi'sinin yahut Viyana'nın Gunkel'inin bir şaheseri Doğudaki komşumuza fukaralığın timsali gibi görünür. Türk bunun üzerine bir de, daracık bir pantolon, ayağın olanca kuvvetle zorlayarak sokulabildiği kunduralar, yüksek ve dar bir yakalık ve her an başa giyilip çıkarılan katı, siyah bir silindir şapkayı görecek olursa, böyle kendine eziyet ediş karşısında düşünceli düşünceli kaşlarını kaldırır ve sanki "Allah! Je ne comprends rien!"[146] der.

Türk, içinde uyuduğu elbiseleriyle ata biner; ne supiye'ye,[147] ne de mahmuz takmaya ihtiyacı vardır. İleri gelenlerden birinin yanına giden kimsenin başka çeşit bir elbise giymesi lazım değildir; yalnız böyle hallerde iğreti, yırtık pırtık bir elbise tedarik eden zengin reayalar müstesna.

Burada her yerde eski güzel elbiseler görülür. Sarık, hem yakışıyor, hem de maksada uygun; insanın kendini güneşten ve yağmurdan korumak isteyişine göre şal başka tarzda sarılıyor. Buna karşılık şapka ile insan her an güneş çarpması tehlikesiyle karşı karşıyadır. Pantolon çok defa, belde toplanan ve alttaki köşelerinde iki delik bulunan dokuz arşın genişliğinde bir torbadır. Bu beliklerden alaca işlemeli çoraplar içindeki ayaklar çıkıyor; iki, üç, altı, hatta sekiz kat üst üste hafif kumaştan, çok defa zengin işlemeli mintan vücudu ihtiyaca göre koruyor. Bele sarılan geniş kuşak ya da şalın içine para kemeri, tütün kesesi, hançer, bıçak, tabancalar ve divit yerleştiriliyor. Bir kürklü ceket, onun üzerinde de uzun bir kürk, kılığı tamamlıyor. Keçi kılından yahut dövme keçeden bir manto[148] kötü havalardan koruyor, geceleyin de yatak ve yorgan vazifesini görüyor.

Böyle bol katmerli elbise içindeki adamın her hareketi ona kelli felli bir görünüş veriyor ve insan her dakika, resmini çizmek arzusunu uyandıran bir şahısla karşılaşıyor. Türklere frenk elbisesi giydirilmeden önce onların neden dünyanın en güzel insanları

---

(145) Doğrusu Morier, o zamanlar pek meşhur olan bir İngiliz diplomat ve yazarı. "Hacı Babanın Bağdat Seyahati" adlı eseri Türkçeye çevrilmiştir.

(146) "Bir şey anlamıyorum!"

(147) Pantalon paçasını aşağıya geren kayış.

(148) Yamçı ve kepenek.

sayıldığını anlamak kolay. Bizim mükemmel talim görmüş askerlerimize Türk kılığı giydirilseydi onların da muhteşem bir görünüşleri olurdu.

Görüyorsun ki sana haber verecek yeni bir şey yok. Malatya'daki bu ikametimiz yıkıcı bir fırtınanın içindeki küçük hortumlara benziyor. Onlarda saman çöpleri ve yapraklar bir an hareketsiz kalır, sonra fırlayıp giderler. Yaz sıcağının geri kalan müddetince bundan şikâyetçi değilim, ama sonra ne olacak bilmem, çünkü biz burada ancak ertesi gün ne olacağını öğrenebiliyoruz.

Asker Kaçaklığı

Malatya yakınında Asbuzu, 23 Eylül 1838

Evvelki akşam Haydar Paşanın bir ağası paşanın yanına geldi ve ona acele acele Çerkezce bir şeyler anlattı, ihtiyar bu sözlerin kendisine yaptığı tesiri tamamıyla gizleyemedi, ama orada bulunanlar gidinceye kadar oturduğu yerden kımıldamadı. Paşanın atını istediğini duyunca ben de hemen benimkini eyerlettim ve onunla birlikte gittim. Yolda paşa bana Maraşlı rediflerden 180 kişinin kaçtığını, birçok subayın da onlarla birlikte gittiğini, bu askerlerin silahlarını da götürmüş olduklarını söyledi. Bunun üzerine hemen bütün süvarinin atlanması emri, yerleştirilmiş oldukları köylere gönderildi. Her yakalanacak için yarım kese mükâfat vaat edildi. Kaçaklar Beydağları yönünü tutmuş oldukları için biz de o tarafa doğru keşfe çıktık. Yeni aydı, fakat burada yıldızlar o kadar parlak ki insan oldukça uzağı görebiliyordu. Yolda ağalarımızı azar azar ayrı ayrı yönlere gönderip ben hemen hemen yalnız paşa ve divan efendisiyle kalınca bir dikenlikte oturduk ve uslu uslu bir çubuk içtik. Önceleri çok hiddetli olan *"paşa efendimiz"* bizi vaktiyle kendisinin Çerkezistan'da birçok defa nasıl kaçmış olduğunu anlattı. Hele bir keresinde, babası efendi onu uzun bir zincire vurmuş olduğu zaman, zincirle birlikte kaçıp üç ay eve dönmemiş. Hikâyeler sona erip şafak sökünce sakin sakin evlerimize döndük. Kaçakların ellisi yakalanmıştı. Bunlar tabanlarına birkaç yüz değnek yiyecekler ve sonra Mansuriye, yani muvazzaf asker olarak kullanılacaklar. Fakat bu kaçış bizim red_iflerin hazin durumunu meydana vurdu.

Şimdi sana şunu da yazayım ki bizim paşa her şeyden önce kendi ordusunun levazım başkanıydı. Bunun ne kadar doğru olduğunu aşağıdaki olaydan anlayabilirsin: Her ne kadar Mehmet Paşa'nın livası, esas ağırlıklarını Harput'tan doğruca, dağlardan geçirerek, Ergani üzerinden Urfa'ya sevketmişse de (firarları önlemek için kıtalar bu yolu tutmamışlardı) geri kalan pılıpırtıyı götürmek için yine de 1000'den aşağı *mekâre* (kiracı beygiri) kullanılmadı. Ben kendisine bu hususta itirazda bulunmak üzere iken Hamdi Bey (Türk subaylarının en zekilerinden biri) bana Mısır-Suriye ordusu tayınları ve atlarıyla bizimkileri karşılaştıran bir muhtıra getirdi. Ben de bunu paşaya vermesi için teşvik ettim ve kendisini bu sırada elimden geldiği kadar destekleyeceğimi de vaat ettim. Hafız Paşa daha ilk satırları okur okumaz bunu beğendiğini söyledi, burada olup biten suiistimallerden birçok örnekler verdi: mesela ...paşanın, katırları ve binek atlarından başka 36 beygiri yanında sürüklediği halde, yemlerinden kâr etmek için mekkâre de istediği vb... fakat ikinci satırda dedi ki: "Al şu muhtıranı git buradan! Bunu ne göreyim ne de işiteyim, çünkü eğer ben buna başlarsam bütün subayları kendime düşman ederim!" ben bu husustaki talimatın kanun halinde İstanbul'dan beklenmesi lazım olduğunu söyledim, fakat o, bu takdirde bile buna sebep olarak kendisini göreceklerini ve bu reform için zamanın uygun olmadığını ileri sürdü.

Süratle Isı Değişmesi

Malatya, 3 Ekim 1838

Sana mektup yazmayı o kadar uzattım ki şimdi bunun için ancak bir an vaktim var. Yine 100 millik bir at yolculuğu yapacağım, yarın sabah yola çıkıyorum, Kayseri üzerinden Konya'ya gideceğim, orada arkadaşım Yüzbaşı Fischer'le buluşacağım. Bütün yolculuğun üç haftadan fazla sürmemesi lazım.

Ben daha dört gün önce derede yıkanıyordum, fakat dün birdenbire kış geliverdi. Sabahları ancak 3° Reomür oluyor. (Su ise 9 derece.) Ermenistan dağlarının tepelerine şimdiden kar yığılmış, hatta benim yolumdaki alçak dağlar bile bembeyaz; fakat bunun sadece havanın soğuk bir gün dönümü şakası olduğunu umuyorum, çünkü burada, 38. enlemin altında, şimdiden kış gelmesi imkânsız.

Konya'da Seyahat – Eshabı Kehf – Erciyaş ve Kayseri – Karacehennem – Konya – Kilikya Geçitleri – Tomarza Piskoposu – Afşar Prensi

Malatya, 3 Kasım 1838

3 Ekimde Malatya'dan ayrıldım. Yanımda tercümanım, bir Türk çavuş, bir tatar ve yedek atları götüren bir seyis – yani Türklerin (*kalabalık*) dediğinden bu memlekette mümkün olabildiği kadar azı – vardı. Dört yol arkadaşı uğurlu bir sayı idi, üstelik "Allahın ve meleklerin lütufkâr oldukları" bir perşembe günü yola çıkıyorduk. Ne kuyruğu kesik bir köpeğe, ne kulakları yarılmış bir kısrağa, ne kuyruğu üstüne oturmuş bir kurda, ne de kır saçlı bir kocakarıya rastladığımız için pek mutluyduk, bu yüzden yolculuk da son derece iyi geçti. Çarçabuk geniş, etrafı yüksek ve şimdiden karla örtülü dağlarla çevrilmiş Malatya ovasını aştık ve Hekimhanı vadisinden tatlı bir meyille, fakat daimi bir surette Küçük Asya'nın orta yaylasına doğru tırmandık. Burası ilkbaharda o kadar zorlukla geçmiş olduğum yoldu. Fakat bu sefer en güzel bir sonbahar havasının yardımıyla, uzun merhalelerle, çarçabuk ilerledik, etrafın son derece bitevdiyeliği ve alâka uyandıracak şeylerden yoksun oluşu da bunu kolaylaştırıyordu.

Hekimhanı ile Dikilitaş arasındaki 22 saatlik yolda ancak iki meskûn yer gördük[149]. Dağların araları açıldı; göz alabildiği kadar yerde sadece ekilmemiş alanlar ya da çıplak dağlar görülüyordu.

Dikilitaş ovasında muhakkak ki denizden 4000 ila 5000 ayak yüksekte bulunulmaktadır! Fakat buğdayın henüz başakta ve

(149) Bunların Alacahan ve Kangal olması lazım.

halkın hasatta olduğunu görmek beni şaşırttı. Daha birkaç gün önce buraya kar yağmıştı. Bizim kuzey iklim bölgelerinde birazcık sıcak güneş ışığı bütün bir bitki alemini canlandırmaya kâfi gelir, burada ilkbahar her yerde çok geç geliyor ve hasat da kışa kadar sürüyor.[150]

˙ Kayseri'ye kadar köyden köye değiştirdiğim silahlı muhafızları almaya beni zorlamışlardı. Bunlar bizi Afşar'ların, kışın Adana bölgesinde barınan, yazın ise Küçük Asya toprağında konaklayan ve o zaman ufak tefek ihtiyaçlarını başkalarının sırtından çıkarmak âdetinde olan bir Türkmen kabilesinin talanlarından koruyacaklardı. Afşar'lar az önce posta tatarlarına saldırmış, yolcuları soymuşlardı; hatta iki gece önce bir köy saldırılarına uğramış, bu da bütün öteki köyleri korku içinde bırakmıştı.

Üçüncü günkü yolculuk da aynı ıssız ve monoton yüksek ovada, batıya doğru oldu; benim tatarım işi öyle ayarlıyordu ki her bir (*gâvur*) köyünden yemek ve at istiyordu; çünkü oraya vardığı anda, ta atının nal sesleri uzaklaşıp duyulmaz oluncaya kadar efendi o idi. Güzel bir Ermeni köyü olan Gaziler Mağarası'nda ona, burada hiçbir Müslümanın oturup oturmadığını sormuştum. Cevabı *"olmaz!"* oldu. Neden? *"olmaz!"*. Nihayet burada, Eshabı Kehf'in kırk yıllık uykularını uyudukları mağaranın bulunduğunu ve bu köye yerleşen Türkün kırk gün sonra kör olduğunu öğrendim. İçerisinde küçük bir kilise kurulmuş olan mağarayı ziyaret ettim. Başka ve daha akla yakın bir rivayete göre bu sofu uykucular uykularını Kayseri'de çekmişlermiş.

Kahvaltıdan sonra hep Peygamberin şu sözünü hatırladık: "Kaylule uykusunu uyu, çünkü şeytan bu uykuyu uyumaz." Sonra yolumuza devam ettik. Fakat Şarkışla'dan sonra güzel havadan eser kalmadı, yağmur göz açtırmadan yağıp duruyordu. Elbiselerim o kadar ağırlaşmıştı ki beni âdeta ağırlığı altında eziyordu. Zavallı atlar ayaklarını derin balçıktan zor çıkarabiliyorlardı. Gemerek kasabasına girişimiz pek hazin bir manzara idi. Ben, geniş bir kırmızı şalvarla mollanın kürkü içerisine sokuldum. Bu arada içi pamuklu kaputum kocaman bir ateşin karşısında kavruluyor ve çizmelerimin içindeki sular da boşaltılıyordu. Fakat kasabanın yarım saat ötesinde yine aynı sefalete düştük.

_____

(150) O zamanlar Anadolu'da güz ekimi bilinmemekteydi. Bu yüzden de, kış birdenbire bastırırsa bütün ürün yok olurdu.

Bütün bu tarafların tuz ihtiyacını sağlayan tuzlu pınarların yanıbaşında ve Talas'ın yakınında bulunan bir köyde geceledik, fakat burada ne tulumbalar, ne buhar makineleri, ne tuzlu suyu koyulaştırma tertibatı ne de kaynatma ocakları vardı. Sığ gölcükler kendiliğinden doluyor, güneş bunları kurutuyor, geriye hazır bir halde tuz kalıyor, uzun deve katarları da bunları taşıyıp götürüyordu. Ertesi gün sabahleyin bulut perdesi sıyrılınca, muazzam Erciyaş devi karşımıza dikildi; geceleyin yepyeni, kar beyaz bir urba giymişti; bu elbisesi şimdi, henüz ufkun ta aşağılarında olduğu halde yüzünü gördüğü güneşten erguvan rengini almıştı; şimdiye kadar hiçbir faniye, onun yazın en sıcak zamanlarında bile çıkarmadığı, beyaz külâhının son tepesine erişmek nasip olmamıştır. Elli saat ötede, Konya'nın yakınlarında bile bu devin bütün öteki dağların üzerinden yükseldiğini gördüm. Bu dağın şekli son derece güzeldir; sarp tepesi üç çatala ayrılır, bunlar ebedî karlarla örtülüdür. Bu muazzam piramidin çepeçevre etrafı bir sürü, son derece dik yamaçlı, yuvarlak dağ konileriyle çevrilidir. Erciyaş'ın etekleri uçsuz bucaksız bağlarla kaplıdır ve içinden yeni Caesarea'nın kubbe ve minarelerinin yükseldiği bir ovayla birleşir.

Kayseri Türkiye'nin en güzel şehirlerinden biridir. Gerçi yollar burada da dar ve pistir, fakat evlerin sevimli bir görünüşü vardır. Bunlar en güzel kumtaşından yapılmışlardır, pencere ve kapıları sanatlı bir şekilde oymalıdır. Damlar düz birer teras halindedir ve bu teraslardan, sadece iki saat uzakta bulunan Erciyaş'ın, şehrin içindeki eski şatonun ve şehri çevreleyen geniş, verimli toprakların seyri pek hoştur. Eski Caesarea'nın harabelerinden, itiraf etmeliyim ki hiçbir şey görmedim, süratli yolculukta günün küçük ihtiyaçları eski eser merakından daha ağır basıyor ve istirahat, yemek ve menzil atları, yorgun insanları direklerden, lahit kapaklarından ve yazıtlardan daha ziyade meşgul ediyor.

Ertesi sabah hava yağmur, fırtına ve doludan, yol da bataklık, taş ve molozdan ibaretti. Başlangıçta bana bu kadar yüksek, sarp dağlar arasında tamamıyla düz bir ovadan geçmek pek garip geldi, fakat çok sürmeden bir sırtı aştık ve öbür yanda, Asya'nın bu kısımları için karakteristik olan ve hemen bütün ırmakların kısa bir akıştan sonra içinde nihayet buldukları bir sazlık boyunca ilerledik.

Bu yolda tercümanım kayboldu ve onu bulabilmek için tatarları göndermek zorunda kaldım; zavallı adamın elleri donmuştu, atından düşmüş ve ayağını incitmişti, fakat yine ta İncesu'ya kadar at sürmekten başka çare yoktu. Burası, kırmızımsı taşlardan surları ve camii ile, vadinin bütün enini kaplayan büyük bir hanın yapılmış olduğu bir boğazda kurulmuş şirin bir kasabadır. Orada tercümanım için ilk resmî hekim çağrıldı ve bir çoban geldi. Kırık olmadığını, sadece bir ezik olduğunu temin etti. Fakat tercüman pek tasalı idi ve üç gün kime rastladı ise "kırıkçı" olup olmadığını sordu. Bir yaylayı daimi yağmur altında aştıktan sonra akşama doğru önümüzde derin bir vadi açıldı. Yamaçlarından aşağı yarım saat kadar zamanda indik. Karşı tarafta güzel Ürgüp kasabası yayılıyordu. Dimdik ve mağaralarla garip bir şekilde oyuk oyuk olmuş bir kayanın üzerindeki eski bir kale kasabanın tepesinden bakıyordu. Ürgüp'ün evleri taştan, son derece zarif bir şekilde yapılmıştır. Fakat burada ev yapmaktan daha kolay bir şey yoktur. Kumtaşı tebeşir gibi yumuşaktır, fakat havada sertleşir. Taşın kayadan koparıldığı delik de yine bir ev meydana getirir, yazın serin, kışın sıcak ve her zaman kuru olur, hiçbir kumpanyanın sigorta etmesine de muhtaç değildir.

Ürgüp'ün arkasındaki yayla bağlarla örtülüdür, derin boğazlarla bölünmüştür ve bunların dik kenarlarında, eski duvar kâğıtlarında görülen resimler gibi garip kaleler yükselir; sağ tarafta Kızılırmak'ın geniş vadisi uzanır. Kısa ve süratli bir ilerleyişten sonra büyük ve sevimli Nevşehir kasabasını taçlandıran beyaz kaleyi gördük. Nevşehir Almanca Neustadt[151] demektir. Bu da Fars dili ile Almanca arasındaki garip benzerliğin bir misali daha.

Nevşehir'de bu memleketin ileri gelenlerinden biriyle tanıştım, lakabı Karacehennem'di. Asıl adını (sanırım ki Yusuf, yani Joseph) hemen hemen kimsenin bilmediği bu adam yeniçerilerin yok edilişinde o kadar kanlı bir rol oynamış, o zaman ve ondan beri o kadar azim, zalimlik, cesaret ve şiddet göstermişti ki kendisinden herkes kaçınıyor, adını ancak bir nevi saygı ve yavaş sesle anıyordu. Benim tatar da benden iki defa sahiden müsellimin evinde misafir olmak isteyip istemediğimi sormuştu. "Efendim hemen at istiyor". "Efendin bekleyebilir". "Sen bizim beyi tanımıyorsun, hatırlı bir adamdır". "Benim bey de bambaşka biridir; sen Karacehennem'i şimdiye kadar duymadın mı?". Bu konuşma, tam sarayın avlusuna girdiğim sırada, önden giden tatarımla uşaklar ara-

---

(151) Yeni şehir.

sında geçmişti. Müsellimin namazda olduğunu ve kendisiyle konuşamayacağımı söylediler. Bunun üzerine yakında gördüğüm incecik minareli güzel bir camii ziyaret ettim. Dönüşümde, bu sefer Müsellim Efendinin henüz kalkmamış olduğunu söylediler. Fakat ben sözle ve uysallıkla iş çıkmayacağını bilecek kadar Türklerimi tanıyordum. Onun için etrafa toplanmış olan kavas ve ağalar kalabalığına, kendimden emin bir tavırla ve bağırarak, hemen Müsellimin yanına götürülmemi istediğimi, avluda kabul edilmeye alışık olmadığımı söyledim ve dosdoğru merdivenlerden yukarı çıkarak bir odaya girdim, hemen hemen aynı anda bey de içeri girdi. Bu, o zamana kadar rastladığım en heybetli insandı.

Cehennem Prensiyle ben haysiyetlerinden hiçbir fedakârlık etmemeye çalışan iki insan gibi karşılaştık. Beyin kır sakallı güzel yüzü, savaş ve barıştan birine karar veremediğini anlatıyor gibiydi. Bana gelince onun varlığından hiç haberim yokmuş gibi davrandım, âdet gereğince, ağır süvari çizmelerimi çektirdim ve üstüm başım geçtiğimiz her çeşit toprakların örnekleriyle kaplı olduğu halde baş köşeye kuruldum. Ancak oraya oturduktan sonra ev sahibimi, elimi göğsüme götürerek resmî bir *"Merhaba!"* ile selamladım. Bey de, Avrupalı adabımuaşeretini ne kadar iyi bildiğinden bana bir örnek vermek için, "Adio!" diye karşılık verdi. İkram edilen çubuktan bir iki nefes çektikten sonra birkaç lakırdı ettik. Müsellim bana, kendisini tanıyıp tanımadığımı sordu. "Seni görmüş değilim ama, senden bahsedildiğini duydum" dedim. "Ne duydun?" "Senin iyi bir topçu olduğunu ve adının Karacehennem olduğunu!". Herhangi insan için böyle cehennemi bir lakap bir iltifat olamazdı, fakat bu, beyi bana ısındırdı, hemen yiyecek, kahve ve benim tatarları sevinçli bir hayrete düşürerek, mükemmel atlar getirdiler. Bunlarla hemen o gün Aksaray'a kadar on altı saat ilgar ettik. Oraya (gerçi kısmen atlar yedeğimizde olarak) zifiri karanlık gecede vardık. Burada bir otele inmek hiçbir zaman bahis konusu olamaz. Han yahut kervansaraylar, içerlerinde eşya namına tek bir şey bulunmayan ufak hücrelere bölünmüş geniş, taş binalardan ibarettir; çok defa bütün binada hiç kimseye rastlanılmaz, sadece insanın kendisi ve atı için başlarının üstünde bir dam vardır, üst tarafını herkes kendi getirir. Biraz itibarlı kimseler doğruca müsellimin, voyvodanın yahut paşanın, kısacası oranın başının konağına giderler, o da pek tâbii bir hal olarak, onlara karşı konukseverliğini gösterir.

Aksaray'dan Konya'ya kadar yayılan ova, karadan ziyade denize benzer. Yolcu otuz saat uzaklığa kadar tek bir ağaç, tek bir çalı; millerce mesafede bir köy, bir ev yahut bir tarla göremez. Burası görmüş olduğum en düz ovadır. Sadece ta uzak ufukta mavi dağlardan uçuk bir şerit uzanır, bunlar deniz üzerinde olduğu gibi, tıpkı havada yüzüyormuş gibi görünürler. Buralarda uzaktaki eşyayı yükselten ve büyüten bir serap olayına rastlanır. Bunlar ne kadar yaklaşılırsa o kadar küçülürler ve atla iki üç saat gittikten sonra o cisimler, sanki o kadar saat uzaklaşmışsınız gibi eskisinden ufak görünürler. Bu geniş alanları cılız bir bitki örtüsü, çok defa ineklerin pek sevdikleri ve atların tırnakları altında ezilince son derece güzel bir koku çıkaran, çalıya benzer bir ot örter. Konya'da bu ottan bir yağ çıkarırlar. Bundan örnek olarak biraz aldım, kokusu bana gül yağı ile kıyaslanamayacak kadar güzel geliyor. Burada bütün toprak tuz ve güverçile ile doygun. Hiç su bulunmaması her türlü ziraati imkânsız kılıyor, sadece, hiç ayağı bulunmayan, tuzlu Koçhisar gölüne doğru bir bataklığın kolları diziliyor. Bu bataklık gölcüklerin kenarlarında birkaç "*yayla*" bulunur; bu isim Türkmenlerin yazın, sürülerini otlatmak için oturdukları evlere verilen ve kış ikametgâhlarının "*kışla*" aksine kullanılan çok uygun bir addır. Türkçede askerlerin oturdukları yerlere de kışla adı verilir, çünkü askerler şehirlerde bile yazın çadırda yaşarlar. Bataklığın tam kenarında muazzam Sultanhanı yükselir. Bu hanın mermerden olan alay kapısı cephesi İstanbul'un herhangi büyük camiininki kadar yüksek, o kadar zengin süslemeli ve o kadar muhteşemdir; fakat böyle bir bölgede son derece hayrete değen bu kapıdan bir harabeye girilir, çift sıralı güzel revakların çoğu yıkılmıştır ve gözcü kulesinin enkazı arasındaki küçük bir kerpiç kulübe, oturulabilecek tek yerdir. Muhteşem kemerlerin altında inanılmayacak kadar çok, kuru deve pisliği gördüm, bu, kış için sağlanabilecek biricik yakıttır.

Bu çölde Hasandağı'nın iki güzel tepesi yol gösterir. Bunlar eski yanardağlar olsa gerek. Tepesi eğrileme kesik olanın, içinden yeniden sivri bir koni yükselen geniş bir krateri var. Başka büyük bir han da Obruk'ta takriben 300 adım çapında yuvarlak, aşağı yukarı 150-200 ayak derinlikte bir çukurun içindeki bir gölün kenarındadır, bu tamamıyla düz bir alanda çok dikkati çeken bir yer. Konya'ya kadar sadece iki yerleşmeye rastladığımız bu, aynı atlarla iki günde otuz sekiz saatlik yolculuk, hatırlayabildiğim en yorucu yolculuklarımdan biridir. Nihayet, dik dağların eteğinde Konya'nın kubbelerinin, minarelerinin ve birçok ağaçlarının apaçık meydana çıktıklarını gördüğüm zaman pek sevindim.

Türk şehirlerinin genel olarak harap bir görünüşleri vardır, fakat hiçbiri Konya kadar harap değildir. Konya'yı zamandan çok insan eli harap etmiş. Her yüzyıl kendinden öncekinin yıkıntılarından anıtlar meydana getirmiş: Hıristiyan Roma çağında kiliseler yapmak için eski tapınaklar yıkılmış, Müslümanlar kiliseleri cami haline koymuşlar, bugün camiler de harabe halinde. Yüzlerle burçlu yüksek ve uzun bir sur, içinde sadece birkaç harabe bulunan bomboş bir alanı çevreliyor. Bu duvara putperest sunaklarının, Hıristiyan mezar taşlarının, Yunanca ve Farsça yazıtların, aziz resimleri ve Ceneviz kaçlarının, Roma kartallarının ve Arap arslanlarının, bir mazgal yahut gediğe uyup uymadıklarından başka bir şeye aldırış etmeden örülmüş olduklarını görürsün. Her kuledeki büyük bir Türk yazıtı da bu eseri meydana getirenlerin kimler olduğunda kimsenin şüphesi kalmamasını sağlıyor. Şehrin ortasındaki, evvelce Akropolis'in bulunması muhtemel tepe üzerinde birçok camilerin ve çok zarif bir Bizans kilisesinin harabeleri var. Oradan, bütün hamamlar ve türbelerin – yani Türk evliyalarının mezarlarının – çökmüş kubbeleri, bir enkaz yığınının yanında renkli sırlı tuğlalardan yapılma tek tük narin minareler, uzun duvarlar, eski kuleler ve bunların gerisinde, yukarıdaki dağlara doğru zaman büyük Sille köyünün güzel ağaçlıkları görülüyor.

Eski bir duvarda açılan dar ve yarı yıkık bir kapıdan girdim ve ansızın kendimi insanın ancak hayal edebileceği kadar güzel bir avluda buldum: Arap kemerleri, renkli tuğlalardan narin direkler, geride geniş, yarı yıkılmış, siyah, koyu ve açık mavi tuğlalardan yapılma bir kubbe; bunlar mimarlarımızın bir kopyasını yapmalarını çok istediğim bir bütün meydana getiriyor.

Yalnız bugünkü kuşak bir kışla ile içine sığındıkları kerpiç kulübelerden başka bir şey yapmamış. Konya bugün eski surların dışındadır ve aslında, şimdi mevcut olmayan bir şehrin dış mahallelerinden ibarettir.

Geniş Konya sancağının valisi, eski tipte bir paşa olan Hacı Ali, beni çok dostça kabul etti ve bana Müsellimin konağını tahsis etti ki bu Müsellim, ekselansın kerpiç sarayı ile kıyaslanamayacak kadar iyi bir yerde oturuyordu. Paşa Külek Boğazı'na yolculuğu mutlaka bu eyaletin sivil valisi olan Eyüp Paşa ile birlikte yapmamı istedi, ben de bu yüzden birkaç gün Konya'da kalmaya mecbur oldum. Veda sırasında ihtiyar paşa bana Ermeni sarrafı vasıtasıyla dört kese gönderdi. Para hediyesi almadığımız için, sarrafa, paşaya teşekkürlerimi bildirmesini ve paraları geri götürmesini rica ettim; o da bu hareketi pek güzel buldu, fakat bu vazife ile başkasını şereflendirmemi rica etti, çünkü tabanlarını paşaya böyle bir şey teklif edemeyecek kadar çok seviyordu. Paşa böyle bir durumda paranın az görüldüğünden başka bir şey düşünemezdi; onunla kendim konuşsam bir Frengin 2000 Guldenlik bir kutu ya da saati kabul edip de, 200 Guldeni neden alamayacağını anlatmak benim için de güç olacaktı. Eğer konuşmasam sarraf parayı rahat rahat cebine atacak ve paşanın hesabına kaydedecekti. Bu durum karşısında hediyeyi aldım, teşekkür ettim ve hemen tercümanım, çavuş ve tatarlar arasında taksim ettim. Etrafımdakiler bunun büyük bir yüce gönüllülük, özellikle pek delice buldular, fakat biliyorlardı ki bütün Frenkler biraz "deli" idiler.

Konya'dan sonra bir bütün gün (16 Ekim), yolda ancak iki köye rastlayarak, ilerledik. Karapınar'da dağın öteki yakasına varıncaya kadar, geniş, ıssız ovada gece yarısına kadar da yol aldık. Ertesi akşam Ereğli'ye vardık. Burası dağların eteğinde, ağaçlar altına gömülmüş bir kasaba; dağlardan çıkan iç açıcı bir dere romantik bir vadiden çağlaya çağlaya akıyor, fakat ovadaki iki saatlik yolunda acı ve tuzlu oluyor ve bir bataklığa gömülüyor.

Kasaba oldukça büyük, fakat hemen hemen tamamıyla boşalmış. İlk çağda hemen hep Herkules'e adanan sıcak pınarlar yüzünden buraya bu ad verilmiş.

Geniş ova şimdi bir vadi haline geliyor, bu da gittikçe daha daralıyordu. Sağda Yüksek Bulgar Dağları bir duvar gibi hiç aralık vermeden ve hemen hemen aynı yükseklikte olarak, yirmi saatlik yere kadar uzayıp gidiyor.

Bu, Suriye ile Anadolu arasında tek bir vadi, daha doğrusu derin bir boğazdan başka yol vermeyen, Adana ile Küçük Asya'yı birbirinden ayıran dağ duvarıdır[152]. Bu sebeple Pylai'[153]ler, İbrahim Paşa'ya kadar Kyros, Ksenophon ve İskender ordula-

---

(152) Başka vadiler de vardır.
(153) Pylai Yunanca dağ geçitlerine verilen isim. Aslında Tesalya'da bir geçit.

rının seferlerinde önemli bir rol oynamıştır; fakat, her ne kadar az dikkati çekmişse de, daha mühim işini kavimlerin ticaret ve ilişkileri alanında görmüştür. Eskiden Avrupa ordularının İran, Hint ve Mısır'a sefer için geçtikleri, şimdi Külek boğazı denen bu Kilikia Geçitlerini, bugün de tıpkı beş sene önce olduğu gibi Avrupa'ya hücum etmek isteyen Mısır ordularına karşı kapamak görevi arkadaşım Yüzbaşı Fischer'e verilmişti. Ulukışla'da her iki yandaki dağ yamaçları bir araya geliyor; burada Osmanlı İmparatorluğu'nun en güzel hanı var. Bu hana bir süvari alayını rahatça yerleştirmek mümkün; her ne kadar yüzyıllardan beri bir tek tuğlası bile tamir edilmemişse de yine bütünü sağlam bir halde kalmış. Bu geniş binanın bir hamamı ile bir camii var. 100 ayak genişliğinde açıklıklı tonoz, binanın ne kadar itinalı yapılmış olduğunu ve bir zamanlar bu yolun ticaret için ne kadar önemi bulunduğunun şahidi. Şimdi ise bu yol bırakılmış, ancak üzüm ya da kömür yüklü birkaç katırın geçtiği görülebiliyor.

Yedi saat ileride, Çiftehan'da vadi artık bir boğaz haline geliyor, yüksek ve sivri kayalıklar onu sıkıştırıyor, tabanında da sadece kaya blokları üzerinden çağlaya çağlaya akan dereye yer var. Yol sağ kıyıdan kıvrıla kıvrıla aşağı iniyor. Burada büyük bir canlılık hüküm sürüyor, köprünün yanındaki her iki han yeni yapılmış. Bunlar vadinin aşağı kısmını gören yassı bir tepenin üstünü kaplıyor ve işçilerin barınması için kullanılıyor. Dağlar odun kesicilerin baltalarından ve ihtiyar fıstık çamlarının devrilişinden çıkan seslerle inliyor. Fakat bu faaliyet sahnesinde bunları asıl harekete getireni boş yere aradım. Arkadaşımı hanın rutubetli bir odacığında şiddetli bir sıtma ile titrer ve alışık olduğu bütün rahatlık ve bakımdan yoksun bir halde buldum. Fakat üzerinde bu kadar önemli bir görev varken[154] hasta olmaya vakti yoktu, bu sebeple daha o gün benimle birlikte atla civarı dolaştı, ancak gece karanlığında, Ksenophon'un bile bahsetmiş olduğu Therma'ların yani sıcak pınarların önünden geçerek yerimize dönebildik. Ertesi sabah Fischer, paşa ve benimle birlikte Tahtaköprü üzerinden Mısır sınır nöbetçilerinin bulunduğu Akköprü'ye bir saat mesafe kalıncaya kadar atla geldi. Oradan sonra yüksek dağların üzerinden Cevizlihan'a gittik. Orada da Çiftehan'daki faaliyet hüküm

---

(154) Bu görev Külek'ten Konya ve Kayseri'ye giden yolları tahkim etmek ve icabında kapamaktı.

sürüyordu. Ertesi gün de Maden'e gidildi. Fischer'in irade kuv-
veti vücudunun zaafını yeniyordu, sıtma nöbeti geldiği zaman
bir ağacın yahut bir çeşmenin yanında bir saat yatıyordu; biz de
çalı çırpı ve otlardan bir ateş yakıyor, bir çay kaynatıyor, sonra
yeniden şöyle böyle yolumuza devam ediyorduk. Maden'de (22
Ekim) arkadaşımdan ayrıldım. (Bütün yanındakiler, tercümanı,
kâtibi ve hizmetçileri sıtmaya tutulmuşlardı). Ne yazık ki o za-
mandan beri kendisinden hiç haber alamadım.

Dağlar Külek Boğazı'ndan sonra, oraya doğu tarafından gel-
dikleri gibi yine öyle duvar halinde, kuzeye yöneliyorlar.

Cevizlihan'da, Apuşkir dağı, batı tarafında 1000 ayaktan daha
yüksek dik bir kaya duvarı teşkil ediyor; bu dağ seddi Musahacılı
geniş ovasında birdenbire son buluyor. Benim dağlar arasından
doğruca Malatya'ya gidecek bir yol bulmam lazımdı, fakat her ta-
raftan yeni yeni zorluklar ortaya çıktı. Böyle bir yolun bulunmadı-
ğını ve bu civarın, Afşar'lar yüzünden, kuvvetli bir muhafız kıtası
olmadan geçilemeyecek kadar güvensiz olduğunu söylüyorlardı.

Elimde Hacı Ali Paşa'nın Develi Müsellimine bir yazısı vardı,
bunda Müsellimin, yoluma devam etmem hususunda şahsen so-
rumlu olduğu bildiriliyordu. Müsellim, istediğim yönde yolculu-
ğumun sorumluluğunu üzerine alamayacağını bildirdi; fakat
eğer Tomarza Piskoposuna başvuracak olursam, onun Afşar'lara
en iyi amannameyi verebilecek adam olduğunu, oraya kadar da
kendisinin arzu ettiğim kadar muhafız verebileceğini söyledi.

Ben Müslüman müsellimin bir gâvur olan Ermeni piskoposu
hakkında böyle şeyler söylediğini duyunca şaştım ve bu teklifi
kabule karar verdim. Ermeni tercümanım hemen; bir tavsiye
mektubu şaheseri olan, Ermenice bir yazı kaleme aldı; bunda pa-
dişahtan ve Develi müselliminden sonra Osmanlı İmparatorlu-
ğunda benden büyük kimse olmadığı da yazılıydı, müsellim bu
yazının altına mühürünü bastı.

Muhafızlarım, sanırım ki, on beş on altı kişi idi, fakat ben bü-
tün kuvveti bir defada teftiş mutluluğuna erişemedim, arada sı-
rada teçhizattan tüfek, çakmak taşı yahut bir harbi gibi ufak tefek
şeyler de kayıp oluyordu. Bizim kıtanın yaya oluşu, muhakkak ki
eski muhafızlarıma göre daha kârlı idi, çünkü iş ricate gelince
bunlar artçı olmak zorunda idiler. Fakat ilerlerken oldukça geri-
de kaldılar ve zannımca ben Tomarza'ya geldiğim zaman onlar
da Develi'deki evlerine varmış oldular.

Tomarza tarlalar ve meralarla kaplı geniş bir ovadadır; kasabanın önünde Türklerin yıkmış oldukları güzel bir Bizans kilisesinin harabeleri görülür, fakat kasabada yontma taştan yapılma ve çan kulesini andırır bir yeri de bulunan yeni bir kilise yükselmektedir. Piskopos burasını geçen sene tamamlamış. Kasabadan geçerken gâvurlar bize, o kadar kendilerine güvenerek bakıyorlardı ki, sanki bizimki gibi bir ziyaretin daima beraberinde getirdiği tazyiklerle karşı, manevi çobanlarının himayesinden emindiler. Piskopos daha yakınlarda Afşarlara karşı sefere çıkmış ve yirmi otuz haydutu manastırına hapsetmiş. Ben yavaş yavaş Tomarza baş papazını aşağı yukarı Köln Elektör Kardinali gibi bir şey tasavvur etmeye başlamıştım. Tercüman, elinde resmi yazışma şaheseri olduğu halde, eğer içerisinde eksik bir şey yazılı ise sözle açıklamak için önden koşmuştu. Beni, etrafları duvarla çevrili birkaç küçücük evin bulunduğu bir kaya yarığına götürdüler. Burası manastırdı ve piskoposun makamı idi. Avluda kısacık boylu, semiz bir adamcık beni karşıladı, piskopos da bu idi.

Mültefit ev sahibim bana kahve, likör ve pilav ikram ettikten sonra ben ondan dünyevî iktidarının nereden geldiğini sordum. On sene önce bütün Tomarza halkı, Türk makamlarının tahammül olunmaz tazyikinden kurtulmak için hicrete karar vermişler. O zaman piskopos araya girmiş, halkı kalmaya ikna etmiş ve iltizamı, yani vergi müteahhitliğini kendisi almış. Ermeniler dışında büyük sayıda Müslüman da burada oturduğundan, şekli kurtarmak için bunların üzerine bir voyvoda tayin edilmiş, fakat o da tamamıyla piskoposa tabi. Bu da kıvrık asa altında iyi yaşandığının yeni bir delili.[(155)]

Piskopos bundan başka bana, Afşarlardan o kadar korkmama lüzum olmadığını söyledi. Afşarlar da herhangi başka bir millet gibi baştan aşağı haydutlardan mürekkep değildi. Gerçi aralarında birçok ipsiz sapsızlar vardı, fakat bunlar yabancıların olduğu kadar kendi kabileleri halkının da düşmanıydılar ve onlar tarafından da takip olunurlardı, üstelik Afşarlar bu sırada Çukurova'ya göçmüş bulunmaktaydılar.

Ertesi gün öğleyin Ekrek'e vardım. Bu bölge kayalıktır. Kültelerin katları tamamıyla yataydır. Yağmur yüzünden bazen böyle iki katın arasındaki toprak yıkanıp gitmiş ve geniş yeraltı boşluk-

---

(155) Kıvrık asa: Piskoposluk asası.

ları meydana gelmiş; bunlar insanlar ve sürüler için yurt yerine geçiyor.

Ekrek'te, Maraş Valisi Süleyman Paşanın Göksun'da, yani Elbistan yönünde gideceğim yoldaki ilk köyde olduğunu öğrendim. Fakat Göksun çetin dağ yollarından gitmek üzere tam yirmi saatlik yerdeydi. Aynı atlarla bir günde bu yolculuğu yapmak imkânsızdı; yol üzerinde de ne bir köy, ne bir ev, ne de sabit bir barınak vardı. Bu yüzden, o kadar korkulan Afşarlardan bazılarının burada kalmış olmaları benim için büyük bir talih oldu. Geçen gece nasıl bir Ermeni piskoposunun çatısı altında uyudumsa, bu geceyi de bir Türkmen prensinin çadırında geçirdim.

Süleyman Paşanın Ekrek'te bulmuş olduğum bir ağası Osman Beye benim geldiğimi haber vermek için önden koştu. Bu oldukça lüzumluydu, çünkü bir emriyle 2000 süvariyi atlandırabilen bey, bir süre önce en küçük oğluna 500 talere bir kadın satın almıştı, sekizinci ve sonuncu düğün günü bugün kutlanıyordu; bundan başka göçebe kabilenin yazın arazisinde konakladığı Süleyman Paşanınkinden daha iyi bir tavsiye bulunamazdı. Bir Müslüman yabancı birini kabul merasimine kendince karar veremezse işi sanki yabancının geldiği sırada namazdaymış gibi idare eder; bu sırada kimsenin geldiğinden haberi olmak zorunda değildir ve hiç değilse bir kâfire ayağa kalkmak gibi kendilerine zor gelen ve nefret ettikleri bir şeyden kurtulmuş olur. Mızıkayla karşılandıktan sonra Osman Beyi, kara keçi kılından çadırında halı üzerinde diz çökmüş ve Kâbe'ye dönük buldum. Baş köşeye, bir tarafı tamamıyla açık çadırın altında alev alev yanan ateşin karşısına güzel ipek şilteler serilmişti. Ateşin önünde beyin atı, âdet üzere dört ayağından kösteklenmiş ve yere çakılı bir kazığa bağlanmıştı. Eyerler geceleyin de çıkarılmaz, bir çul, yani keçeden büyük bir örtü, dayanıklı Türkmen atlarının soğuğa karşı tek koruyucusudur. Öteki atlar hür ve bağsız, çayırda sıçraşıp duruyorlardı.

Ben kabil olduğu kadar rahat bir tarzda yerleştikten sonra bey geldi, beni dostça selamladı. Her ziyaretin başında terbiye icabı olan sessizliğe kahve ve çubuk son verince, vatanım olan Keltler memleketine dair, hemen hemen bir gök taşı gibi dünyamıza düşmüş olsa Merih sakinlerinden birine bizim soracağımız gibi şeyler sordu. Bizde deniz olup olmadığını sordu: – Evet! Kışın üzerinde gezeriz. – Bizim memlekette çok tütün yetişir miymiş acaba? – Biz çoğunu Yeni Dünya'dan alırız. – Bizim atlarımızın kulaklarını ve kuyruklarını kestiğimiz doğru muymuş acaba? – Hayır, sadece kuyruklarını. – Acaba bizim memlekette pınarlar akar mı imiş? – Evet eğer donmazlarsa. – Bizim taraflarda deve var mı imiş? – Evet ama sadece para ile seyir için. – Acaba limon yetişir miymiş? – Hayır. – Acaba çok mandamız var mı? – Hayır. Nerede ise bizim memleketi de güneşin aydınlatıp aydınlatmadığını, yahut sadece havagazı ile mi aydınlandığımızı soracaktı. Fakat, herhalde benim memleketimin mutlaka beyaz ayılar için yaratılmış olacağını söyleyecek iken bunu boğuk bir "Allah! Allah!" ile yuttu.

Bulunduğumuz küçük çadır beyin drawing room'u idi. Yoksa Türkmenlerin kış çadırları küçük ve fırın şeklindedir; üzeri hafif ve zarif bir şekilde düzenlenmiş çıtalardan bir kubbe ile örtülü daire şeklinde bir kafesten ibarettir. Hepsi birden de keçe ile kaplıdır ve uzun kolanlarla sarılmıştır. Böyle bir çadıra bir mangal kondu mu az sonra içerisi hamam gibi olur.

Prensin yemeği süt, pilav, peynir ve ekmekten mürekkepti. Müşkül bir teşrifat problemine dokunmadan geçmek için sofra benim önüme kuruldu; yani yere bir meşin parçası serildi, üzerine tahta kaşıklar kondu, sonra bütün cemaat oraya toplandı. Fakat bey yerinde oturdu ve biz bitirdikten sonra yemeğini yedi.

Yemekten sonra bale başladı. Bu bana sahiden Berlin Operasındakinden çok daha eğlenceli geldi ve herhalde sahneye konuşu çok daha ucuza idi. Sana bunu anlatayım:

Sahne güzel çimenli bir düzlüğü tasvir ediyor. Geri planı yüksek, karlarla örtülü dağlar sınırlandırıyor, bunların üzerinden şu anda yeni ayın zarif hilâli yükseliyor. Lambalarla aydınlatma yerine, ortada muazzam köknar kütüklerinden bir ateş alev alev yanıyor. Orkestra büyük bir davulla iki tulum düdükten mürekkep. Bunlar senfonilerini büyük bir şevkle çalıyorlar. Seyircilere gelince bunlar pek karışık, bizden başka, mandalarla, uzun garip boyunlarını alçak çadırların üzerinden uzatan develer de var. Şimdi ateşin etrafında genç, güçlü kuvvetli bir delikanlı dans ediyor. Arkasında bol Türkmen elbisesi var, sarığı başında, bıçak ve tabancaları kuşağında... eğer vücut zerafeti azanın bütün hareketlerine tamamıyla hâkim olmak ise, delikanlının buna sahip olmadığı söylenemez. Ansızın karşı taraftan ikinci bir şampiyon, karanlıklardan fırladı ve onu yakalamaya davrandı. Hücuma uğrayan büyük bir süratle ateşin etrafını dolaştı, kendini yere attı, yeniden sıçradı ve peşinden gelenin elinden kurtulmaya her çareye başvurarak çalıştı. O zaman onun tarafını tutanlardan bir arkadaş yardımına geldi, bu sefer o da arkadaşını kovalayanın peşine düştü. Böylece bizim "elim üstünde kalsın" oyununa benzer bir oyun başladı. Çok defa birbiriyle fena halde çarpışıyorlardı, fakat büyük bir neşe hüküm sürmekte idi (hem de içkisiz!). Ayakları altında yerler gümleyen kuvvetli vücutlar görülüyordu. Şurada biri havaya zıplıyor, beride bir başkası ateşin ortasından atlıyor, bir tarafta iki kişi birbiriyle kapışmış, etraftakilerin kahkahaları arasında var kuvvetleriyle güreşiyorlar. Böyle bir balede üç dört saat dans edebilmek için herhalde çok kuvvetli bir vücuda sahip olmak gerek. Benim küçük tercümana bir defasında öyle çarptılar ki arkaya doğru taklak attı.

Bu Türkmenler benim çok hoşuma gitti. Tabii nezaketleri iyi niyetliliklerinden doğma, bizimki ise terbiye ile elde edilme. Bizim çadıra toplananlara, benim yatağımdan daha garip gelen bir şey yoktu, halbuki bu bana pek ıspartalıca geliyordu ve sadece birkaç battaniye ile beyaz çarşaflardan ibaretti. Hele ben, yatmak için elbiselerimden bir kısmını çıkarınca oradakiler umumi bir gülümsemeyi önleyemediler. Sahiden ötekiler o kadar az gece tuvaleti yapıyorlardı ki kemerlerinden tabancalarını bile çıkarmıyorlardı. Konukseverlik bu insanlar için tabii bir şeydi, ne gelirken ne de giderken bunu bir mesele yapıyorlar. Ertesi gün güneş doğarken ayrıldığım sırada bahşiş verebileceğim birini bulmada zorluk çektim.

Akşamüstü, Süleyman Paşa'nın konakladığı Göksun'a vardım. Ortalık kararmış olduğu için paşa birkaç ağasını meşalelerle karşıcı çıkardı. Misafir edilişim son derece dostça oldu, ertesi sabah erkenden paşa, ben ona gitmeye vakit bulamadan, ziyaretime geldi, beni o gün alıkoydu ve ayrılırken bana güzel bir Türkmen atı hediye etti, ben de buna bir çift tabanca hediyesiyle mukabelede bulundum.

Küçük Asya'nın şimdiye kadar mevcut olan haritaları bu memleketin gerçek yapısı hakkında asla bir fikir veremiyor. Ben Ekrek'ten itibaren hep yüksek dağlar üzerinden geçeceğimi bekliyordum, buna karşılık karlı dağlar arasında, sanki tabiat tutmuş da insanlara bir yol açmak istemiş gibi bir gedik, batıdan doğuya geniş bir ova görünce şaşırdım. Elbistan ya da Al-Bostan'a, birçok köyler ve tarlalarla kaplı bir ovada muhteşem kavak ve meyve ağaçları arasındaki bu çok şirin kasabaya kadar yol devam etti. Bu kasabanın arkasında güzel Şardağı dimdik yükseliyor, bu dağın kara yamaçları üzerinde kasabanın beyaz minareleri ve kubbeleri görünüyor. Sanırım ki eski Germanicia'nın yeri Elbistan değil, üç saat batısındaki Yarpuz köyü olacak. Orada birçok temeller, direkler ve güzel işlenmiş taşlar bulunuyor. Elbistan'ın yanıbaşında Ceyhan'ın muazzam pınarı vardır. 20 adım genişlik, 2-4 ayak derinliğinde bir ırmak oradan birdenbire doğar. Az sonra Ceyhan, yolun üzerinde bulunan, hemen hemen kendisi kadar kuvvetli bir pınarın suyunu da alır. Bundan başka doğudan, kuzeyden ve batıdan gelen kendisinden daha bol sulu üç dere de ona karışır, böylece daha çıktığı yerden dört saat ötede azametli bir nehir haline gelir, yüksek sıradağların arasından çıkarak İskenderun körfezine dökülür.

Akdeniz'in su alanı haritaların gösterdiğinden çok daha kuzeye, ta 40 derece enleme kadar uzanır. Pınarlar Küçük Asya'nın geniş orta yaylasında, Erciyaş ve Hınzırdağ eteklerinden çıkar. Adana'nın sınırlarını teşkil eden yüksek dağlara kadar derin vadilerden akar, sonra dağları yararlar, daha doğrusu dağların gediklerinden aşağı bol sulu coşkun ırmaklar halinde dökülerek Akdeniz'e doğru akarlar.

Yolculuğumun özel durumu, şimdiye kadar her Avrupalı için dolaşmak imkânsız olan ve bugün bile askeri bir muhafız kıtasıyla birlikte olmadan geçilemeyecek, yahut Garzan dağında olduğu gibi ancak bir orduya katılmadan gidilemeyecek bölgeleri bana açıyor. Böyle uygun şartlar nadir olarak biraraya gelebilir, ben de olanca gayretimle bundan faydalanıyorum. Şimdiye kadar bu memlekette 700 coğrafi mil yer dolaştım ve krokisini aldım.

Asıl kazanç olarak Seyhan ve Ceyhan'ın kolları ve Murat yahut Fırat'ın orta kısmı hakkındaki bilgileri düzeltebilişimi sayıyorum. Buralara şimdiye kadar hiçbir seyyah sokulamamıştır, çünkü hâlâ çok tehlikeli olan salla yolculuk ancak lağım atmak sayesinde mümkün olabilmiştir.

Elbistan'dan çıkarak sekiz saatlik çok çetin bir dağ yolundan Malatya ovasında Polat'a indim. Malatya'ya bardaktan boşanırcasına bir yağmur altında 29 Ekimde, Konya'da kaldığım süre dahil, atla yirmi altı günde 190 Alman mili yol aldıktan sonra, sağ salim vardım. Sırsıklam olduğumu gören, fakat hemen havadislerimi dinlemek isteyen paşa kaputunu bana giydirdi, başıma kuru bir fes geçirtti ve beni ta gece yarısına kadar alıkoydu.

Ramazan – Türklerin Binicilik Oyunları

Malatya, 8 Kasım 1838

Son yolculuğumdan beri Asya haritamı tamamlamakla ve talimlerle çok meşguldüm; birincisini dün paşaya sundum, çok memnun oldu ve benim nezaretim altında bu işte çalışmış olan mülâzımı[156] hemen oracıkta yüzbaşı yaptı.

Hava hep pek güzel gittiği (ama dağların karları da her gece bir basamak daha bize doğru inmekte) ve önemli bir askeri kuvvet Malatya'da toplanmış olduğu için, mevsimin ilerlemesine rağmen büyük kıta tatbikatı yapmaya fırsat çok uygundu. 40 tabur ve 80 topla manevra yaptık ki bu, şimdiye kadar, büyük sayıdaki birliklerin hareketleri hakkındaki esasların mevcut olmaması yüzünden, tamamıyla imkânsızdı. Bu memleketin geleneğine göre askerin evlere bizde olduğu gibi yerleştirilmesi kabil değildi. Ya ev sahibinin ya da askerin evden çıkması lazımdır. Malatya'da birinci yol tercih edilmiştir. Şehrin 12.000 kişilik bütün ahalisi bu kış, Asbuzu'daki yazlık evlerinde kalmaya davet edildi. Şehir ise tek bir büyük kışla haline geldi. Orada artık ne kadın, ne çocuk, ne ihtiyar, sadece asker görebilirsin. Evler, kırlangıçların yuvalarını yaptıkları malzeme ile inşa edildiği için iki dakika içinde bir pencere ya da kapı açmak, yahut bir duvarı yıkmak kabildir. Ev sahibi ileride yeniden evine dönerse kendi yurdunu zor tanıyabilecek, fakat pek nadir olarak güzelleştirilmiş bulacaktır.

Şimdi biz *Ramazan-ı Şerifte*, yani o yüce oruç zamanında bulunuyoruz. Güneş gökte iken ne yiyebiliriz ne de içebiliriz; bir çiçeğin kokusu, bir tutam enfiye, bir yudum su ve hepsinden daha kötüsü çubuk yasaktır. Çoğu zaman akşam saat 5'e doğru kumandanın yanına gidiyorum, paşalar orada toplanıyor, hepsinin saati elinde. Büyük pirinç sini meyveler, zeytin, güneşte kurutulmuş sığır eti, peynir, şerbet gibi şeylerle örtülmüş. Şimdi 12'ye (Türk saat ile) sadece bir dakika var, çorbanın kapağı kaldırılıyor ve insanı çileden çıkaran koku sabırsızlığı son haddine getiriyor. Nihayet, muhakkak 160 saniye çeken bir dakikadan sonra, İmam

---

(156) Teğmen.

Lâilâhe İllâllah diyor, bir *Bismillâh* ve *Elhamdülillâh* ile herkes yakınında ne varsa saldırıyor, uzun yoksunluğun acısını pilavla koyun etinden çıkarıyor.

Dostlarımız ve arkadaşlarımız Türkler için tütün içmeden çalışmak imkânsız olduğundan şimdi her iş gece yapılıyor. Büro açık, mektuplar okunuyor ve gönderiliyor, raporlar alınıyor, işler konuşuluyor. Sana, gece yarısından iki saat sonra askerlere ikinci yemeğin verildiğini söyleyecek olursam buradaki idareyi tasavvur edebilirsin; sabaha doğru herkes yatıyor; ertesi gün de mideleri bozuk ve keyifleri yerinde değil. Âdet Ramazan ayında hiç talim yapmamak olduğu halde biz bu ayda öteki aylara göre daha faal idik; her gün (hatta cuma günleri de) ramazan şafağı sökünce – yani aşağı yukarı öğle vakti – davullar çalınıyor ve şehir kapılarından uzun kollar halinde kıtalar çıkıyor. Kürdistan'da dağların Robert le Diable ve Portici'nin Dilsizler'inden melodileri aksettirişini ve Prusya avcı boru işaretlerinin Fırat kıyısında tıpkı Spree kenarında oldu gibi ötüşünü duymak bana hep bambaşka bir tesir yapar. Kim derdi ki Prusya'nın en sıkıntılı devrinde çıkarılmış olan talimnameler yirmi sene sonra ta İran sınırına kadar yol bulacak?

Buradaki insanlara şunu anlatmak kolay değil: Mesele ne kadar çok evolution'u[157] değil, tersine, ne kadar azını yapabilmektedir. Avrupa'dan her gelen subay onlara yeni icatlar hediye etmiş ve böylece altmış dört hareketlik bir yekûna varmışlar. Eğer ben de bunun üstüne kırk dokuz yeni ve adamakıllı karışık çeşit teklif etmiş olsaydım bunu uysallıkla kabul ederlerdi, fakat hareketleri bu kadar azaltmak çok daha güç. Yarın kumandana, Prusya'nın basit ve bu yüzden de maksada uygun liva talimlerini artık adamakıllı muntazam bir tarzda uygulayan iki redif livasını göstereceğim.

Sekiz gün sonra bayram (18-20 Kasım), bizde paskalya ne ise aşağı yukarı o. Bir sevinç ve neşe, tebrik ve hediyeler bayramı. O günlerde herkes verir ve alır. Esasen Türklerin prensibi (*almalı vermeli*) yani (sen de yaşa, ben de yaşayım)dır. Bu, gerçekten basit ve zevkli bir ekonomi prensibidir. Toplumun her sınıfı, en aşağıdaki müstesna, bundan faydalanır; en aşağıdakine ise sadece kaidenin ilk yarısı uygulanır. Bu sistem hakkında ileri sürülebile-

---

(157) Eskiden bir tabiye şeklinden ötekine geçiş.

cek tek kusur o en aşağı sınıfın bütün ötekilerin yekûnundan çok daha kalabalık oluşudur.

Güzel havada bazen tüfek atmak yahut buralardakileri pek mükemmel cins ve güzellikte olan tazılarla tavşan kovalamak için atla gezmeye çıkıyoruz. O zaman paşaya generallerin çoğu, birkaç gözde bey yani miralay ve hizmet için de bir sürü ağa refakat ediyor. İçinde hâlâ bazı eski Şark kıyafetlerine rastlanan bu kortejin fevkalâde ihtişamlı bir görünüşü var, çünkü dünyada pek az şehir vardır ki orada bizim ordugâhımızda olduğu kadar çok sayıda mükemmel atlar bulunsun; bunlar arasında deve sütü ile beslenmiş küçük, kuru yarış atları, ağır kafa ve boyunlu, fakat muhteşem sağrılı kuvvetli Türkmen atları, vücutlarının ön kısmı yüksek, iri İran atları, Sivas'ın (eskiden sığırları o kadar meşhur olan Kappadokia) mükemmel hayvanları ve hepsinin başında da asil Necdi ve Ennesi soyları.

Burada bir atı tecrübe etmek için onun, bizim taraflarda ihtiyatlı veya iktisatı seven binicinin hayvanının ayağını sakatlamak korkusu ile atından ineceği, üzeri çakıl ve taş döküntüleri kaplı bir bayırdan aşağı sürüyorlar; atın böyle bir dörtnalda hiçbir yanlış adım atmaması lazım.

Ovaya vardığımız zaman maiyet halkından atlılar sağa sola fırlıyor, cirit olarak bir değneği ya da sanki cirit tutuyormuş gibi yalnız sağ ellerini havaya kaldırıyorlar; o zaman at artık işin ne olduğunu anlamıştır, kürek biçimi üzengilerle en ufak bir vuruşta ok gibi fırlamaya hazırdır. Solur, arka ayakları üzerinde dans eder. Binicisi ona en küçük daireler içinde çark ettirir; bu sırada at gayet muntazam bir tarzda ayak değiştirir, derken süvari bir *Yallah!* ile ileri fırlar, ciridini fırlatır, sonra dörtnal giden atını birden durdurur (çok defa atının ağzı kan içinde olarak ve sağrılarından terler damlayarak), içerisinden başka birinin hemen, kendisinden daha üstün gelmek için koştuğu gruba döner.

Burada hayvanları çok acı gemliyorlar. Kantarmanın (gemi tanımıyorlar) çok yüksek boynuzları (şebeş), son derece uzun ve ağır bir ağız demiri, suluk zinciri yerine de demir bir halkası var. Bu sebeple bütün atlar devamlı olarak kantarma demirini geveliyorlar; sadece at oynatmak icabettiği zaman kantarma çekiliyor.

Eyerler yüksek, üzengi kayışları çok kısadır. Bu yüzden keskin üzengiler hep atın sağrısına değer ve at bütün bunlara tahammül zorundadır.

Yanımızda, memleketi olan Hazer Denizi kenarındaki Dağıştan'dan sürülmüş bir Lezgi prensi var. O kadar mükemmel bir nişancı ki atı alabildiğine koşarken upuzun tüfeğiyle bir kuşu kurşunla vurabiliyor. Bu biraz avcı hikâyesi gibi görünüyor ama ben gözümle dört defa gördüm. İki defa karga vurdu, hayvanlar olduğu gibi kalıverdiler. Bir defasında bir kartalın, tam uçarken, ayağını kopardı, bunun üzerine de kartalı köpekler yakaladı; bir defasında da isabet ettiremedi. Daha çok uzakta iken atını dörtnala kaldırıyor ve kuşa doğru sürüyor; at nereye gideceğini görüyor ve dörtnalla dosdoğru, sağa sola en ufak bir sapma yapmadan, gidiyor. Han efendinin tüfeği henüz omuzundadır, derken dizginleri atının boynuna atıyor, tüfeğin horozunu kaldırıyor ve tam atının başının üstünden nişan alıyor; çok defa kuş, süvari ta yakınına gelinceye kadar olduğu yerde kalıyor, tam havalanırken de Han efendi ateş ediyor.

Kış Ordugâhı

Malatya, 23 Kasım 1838

İngiltere ile Babıâli arasındaki yeni ticari antlaşmanın[158] Mısır'la olan ilgisi bakımından, uygulanmasını imkânsız görüyorum. Mehmet Ali bunu kabul edecek ve birkaç sene (bu müddet zarfında bu iş esasen yavaş yavaş ölür) uygulamaya yanaşmayacak, kendisini sahiden mecbur edeceklerine kani olursa, hiç şüphe yok, gelecek ilkbaharda bize hücum edecek.

Vakit geç oldu. Ben de bu acele karaladığım yazılarımı kesiyorum. Ah sevgili Bincke! Burada biz pek parlak bir karnaval geçiremeyeceğiz; eğer kar böyle yağmakta devam ederse kıtalarla meşgul olmak imkânsız hale gelecek. Bana öyle geliyor ki termometrenin donma noktasından başka bir de üşüme noktası var; 10 derece "ısı" denen şey benim için, üşüme noktasından birkaç derece daha aşağıda; ben, ocak ve mangalla, pencerelerimin cam yerine kullanılan yağlı kâğıtlarının arkasında 8 derecenin üstüne çıkamadığım ve içten ısınma çareleri de son derece kıt olduğu için bazen donma derecesine pek yakın olduğumu sanıyorum. Bura-

---

(158) 16 Ağustos 1838 tarihli ticaret anlaşması.

da, bizim taraflarda büyük bir asker topluluğunun vasfı olan ba-
bayiğitçe ve neşeli hayatı hiç aramamalısın. Bu adamlar sanki de-
delerinin cengâver ruhundan tamamıyla sıyrılmış gibi. Birkaç
gün önce altı nöbetçiyi nöbet yerlerinden alıp birlikte firar eden
bir çavuşu kurşuna dizdik. Ötekiler bunu gördüler ve "zavallı
adam!" diye düşündüler. Paşa yakalanıp getirilen her kaçak için
250 kuruş veriyor. Söylediğine göre ekimden beri 100.000 kuruş
ödemiş... Her gün iki üç sefil yaratığın, elleri arkalarına bağlı, bir
kendir ipe dizilmiş, sabır ve tevekkülle bir Kürdün önüne katılıp
geldiklerini görüyorum. Bazen onlara sorarım: "Yiyeceğiniz bol,
yattığınız yerler iyi, üstünüz başınız (eğer zavallı Sivas redifleri-
nin beyaz bezden ceketlerini giymiyorsanız) sıcak tutucu, sizi
kimse hırpalamıyor, az yoruluyorsunuz, aylığınız iyi, neden kaçı-
yorsunuz?" "İşte böyle olmuş", "ne yapalım". Adam iki yüz sopayı
inleye inleye yer ve ilk fırsatta gene kaçar. Buraya gelirken Bolu
alayından üç yüz altmış dört kişi (aynı konakta otuz kişilik bir
grup birden) kaçtı. Belki de bunun tek çaresi başarılı bir harp.

Pencerelerden dışarı baktığım zaman (daha doğrusu kapıdan,
çünkü pencerelerin dışarıyı göstermemek gibi bir meziyetleri
var) ön planda mezarlığı görürüm. Burada askerler, sabahtan ak-
şama kadar, katı toprakta hastahanelerimizin istediği kadar çok
mezar kazmak için uğraşırlar. Taburlarımızın neşeli bir mızıka ile
geçit resmi halinde önümüzden geçtiğini gördüğüm zaman, ba-
zen en garip düşüncelere kapılırım; arka planda en çirkin şehir-
lerden biri yükselir. Sokak çocukları, lambaları, arabaları (en sefil
Sparwald[159] burada kraliçe Victoria'nın taç giyme alayı arabası
yerine geçerdi) olmayan bir şehir, kadınsız, balosuz, tiyatrosuz,
kahvehanesiz, okuma kulüpsüz... Sadece gök ve askerler. Gerçi
bunlardan başka muhteşem şekilli ve parlak karlı mağrur dağlar
da yükseliyor, ben de bazen neşelenmek için kendi kendime di-
yorum ki: Burası Ermenistan, şurada da coğrafya dersinde pınar-
larını söyleyemediğim, çünkü bana dünyanın ucundan daha
uzak gelen Fırat akıyor!

Fakat bu karanlık tabloya rağmen benim çok melankolik bir
ruh hali içinde olduğumu zannetmemelisin. Evimin içinde, Alla-
ha şükür, her şey yolunda. Adamlarımın keyfi yerinde, bana da

---

(159) Sparwald o zamanlar Berlin'deki büyük bir arazi sahibinin adıdır, birçok
arabalıkları vardı. Kira arabalarına adı verilmiştir.

bağlılar; en yiğit atlar beni her gün geniş ovada uçuruyorlar, bu benim aile hayatım; paşalar sadece nazik değil, sahiden de benim için bir gâvura karşı ne kadar mümkünse o kadar dostça düşünüyorlar. Benim baş zevkim burada, Fırat kenarında, Augsburger Allgemeine Zeitung'umu[160] okumak. Bunlar hep iki haftada bir, tatarla İstanbul'dan geliyor ve o zaman genel olarak 21 ila 28 günlük oluyorlar; bu beni ansızın dağlar ve denizlerin üzerinden aşırarak Avrupa'ya, medeni milletlere götürüyor ve ben oradaki şartlarla burada etrafımızı çevreleyenler arasında paraleller çizmek imkânını buluyorum. Ah sevgili dostum, bir büyü sayesinde, gayrımemnunlarla bozguncuları ara sıra on beş günlüğüne Malatya'ya getiriversen, şimdi eleştirmelerinin bütün keskinlik ve acılığı ile yerden yere vurdukları bütün o teşkilata nasıl hasret çekerlerdi.

Paşa gazetelerdeki en enteresan şeyleri anlatmamı ister. Bana İstanbul'a bir yolculuktan bahsediyor. Eskiden bu şehircik bana biraz dünyanın dışında imiş gelirdi, şimdi ise orada kendimi âdeta "beau milieu de Paris"de bulacağım. Zaten bir gün yeniden bir patates yemeği yediğimiz, parlak mahmuzlu, boyalı bir çizme giydiğimiz, yahut buna benzer Avrupaî bir fenomenle karşılaştığımız zaman bu bize nasıl gelecek bilmem.

Gecen hayrolsun. Ateş söndü ve mürekkep donuyor. Artık sadece candan selamlar.

Hamiş: Eğer öbür gün, Noel gecesinde senin evde bir hayalet dolaşırsa bil ki o benim.

Urfa'ya Seyahat – Cirit Atma – Mağaralar – Nemrut'un Sarayı

Birecik, 27 Ocak 1839[161]

Ayın 19'unda Malatya'dan ayrıldım. Bu uğursuz isimli[162] kasabayı arkamda bıraktığım için çok memnundum, kendi atlarımla

(160) O zaman çıkan bir gazete.
(161) Tarih hatalı, herhalde Şubatın başı olacak.
(162) Moltke İtalyanca Malatia, yani hastalık kelimesini düşünüyor.

seyahat ediyordum, fakat yol çok çetin olduğu ve çavuşum en iyi atlarımdan birinin bacaklarını, daha ilk merhalede, kötü sürmekten tutmaz ettiği için seyisimi geri gönderdim ve posta atlarıyla yoluma devam ettim. Ertesi gün dik Gözlen dağına tırmandık ve geceyi derin bir kayalık vadinin yamacındaki Erkenek köyünde geçirdik. Tepelerde çok kar vardı ve küçük kervanımız karları basılarak sertleşmiş dar bir patikadan ilerliyordu. Fakat her iki yanda, develerin uzun bacaklarıyla basarak açtıkları bir arşın derinliğinde çukurlar vardı. Bu yüzden atlarımız ya da katırlarımızdan biri, bir adım genişliğindeki izi şaşırır ve buradan aşağı kayarsa, hayvanı kardan çıkarmak çok zamana ve yorgunluğa mal oluyordu.

Ertesi gün yolun en yüksek yerini, Sakaltutan dağının eteğinden, aştık ve Göksu'nun derin, kayalık vadisine indik. Birkaç saatcik beni kıştan ilkbahara götürdü; Malatya'da henüz her yer beyazdı, kalın kar, dağları olduğu gibi ovaları da kaplıyordu; dağların güney yamacında ise kuvvetli güney rüzgârı bütün karları, hatta en yüksek yerlerdekileri bile, eritmişti. Ovada ekinler yeşermişti, tarlakuşları ötüşerek uçuyorlardı, ağaçlar büyük tomurcuklar vermişti, güneş sıcak sıcak ışıldıyordu; toprak alabildiğine su içmişti, dereler o kadar kabarmıştı ki az kalsın yük hayvanlarımı sular sürükleyecekti. Çok zahmetli bir yolculuktan sonra beşinci günün akşamı, Adıyaman ve Samsat üzerinden, Urfa'ya vardım.

Bu şehir, alçak, kara ve garip manzaralı sıra dağların yamacında ve çölün başlangıcında, Kürt ve Arap kavimlerinin ortak sınırındadır. Şehrin surlarının içinde birçok kubbeler, minareler, serviler ve çınarlar görürsün. Taştan son derece zarif bir şekilde yapılmış evler, ince sütunları, sivri kemerleri ve çeşmeleriyle, Arapların Muhammed dininden aldıkları heyecan ve ilhamla medeni dünyanın bir kısmını zaptettikleri ve kendilerinin medeniyet, ilim ve sanatın koruyucuları oldukları zamanları hatırlatır. Sur kapılarının dışında bunların şimdi ne olduklarını görürsün; bir alay harabe orada oldukça geniş bir alanı kaplar. Çöl evlatları oraya gelirler, bilinmez nereden gelmektedirler; birkaç gün kalır, sonra yine ayrılırlar, bilinmez nereye giderler. Yüzlerle saat, deniz gibi enginlere açılırlar. O ev demeye dilin varmadığı taş yığınları arasında, kısa kara sakallı, ateşli gözlü esmer insanlar görülür; insandan ürkek ürkek kaçarlar, etraflarını çekingen bakışlarla süzerler. Onların halinden yabancı oldukları ve develerinin otlayamadığı, duvarların görüşü sınırlandırdığı ve hırsızlığın cezalandırıldığı yerlere yabancı kalmak istedikleri görülür.

Urfa'da şimdi, yazın birlikte Kürtlere karşı sefere çıkmış olduğum kıtaların çoğu bulunuyor. Burada eski ahbaplar beni karşıladı ve gösterilen dostluk beni sahiden çok memnun etti. Urfa valiliğine tayin edilmiş olan Mehmet Paşa beni kendi yanında alıkoydu ve bir çeşit iç kale olan sarayda bana oda hazırlattı; atlar, hizmetçiler, mükemmel yemekler, ağırlamalar, iltifatlar, hulasa bu memlekette ikram edilebilecek her şey emrime hazır idi. Ertesi gün cuma idi, yani Türklerin pazarı. Burada âdet, bugün şehrin kapısı dışındaki bir meydanda, cirit oynamak için toplanmak. Paşa, beyler, şehrin en ileri gelen ve en aşağı halkı, sadece kimin iyi bir atı varsa hepsi buraya toplanıyor. Araplar beyaz mantolarını sol omuzlarına atmış, ciritlerini sağ elleriyle havaya kaldırmış, narin kısraklarını, güzel tımar edilmiş zengin takımlı atları, kavukları, kırmızı, mavi ve sarı elbiseleriyle son derece muhteşem bir alay teşkil eden Türklerin arasında oynatıyorlardı. Gerçi meydan, bizim taraflarda üzerinde at sürmek için seçilecek gibi bir yer değil; çünkü taş ve molozla örtülü; fakat bu insanlardan daha tasasızca at sürülemez. Bunların doludizgin uçarken atlarına birden çark ettirdiklerini ya da ani olarak durdurduklarını görenler bu atın çok defa onların servetlerinin yarısını, hatta bütününü teşkil ettiğini hiç düşünmemeli. Halk hiçbir tertibe lüzum kalmadan hemen karşılıklı iki bölüğe ayrılıyor. Kim isterse ileriye at sürüyor, o yüzgeri eder etmez başka biri onun ardından hücum ediyor, ona yetişmeye çalışıyor ve kısa üzengilerinin üzerinde doğrularak temreni bulunmayan üç ayak uzunluğunda, parmak kalınlığında, hatta biraz daha da kalın bir harbeyi fırlatıyor; bu değnek adamakıllı vuruyor ve çarpıyor, fakat bir kazanın duyulduğu da vaki değil. Her ne kadar daima kovalama sırasında cirit atılıyorsa da hasmının gözüne rastgetirmek tehlikesi bu yüzden büsbütün ortadan kalkmış değil, çünkü kaçan, ciritten kaçınmak ya da onu eliyle yana doğru çelmek için hep arkasına bakıyor. Birçokları sopayı yakalıyor ve kendisini kovalayana fırlatıyor. Fakat şuna da dikkat ettim ki, aşağı payede olanlar kibarlara atarken çok itidalli davranıyor, âdeta atıyormuş gibi yapıyor. Atlar da bu oyundan binicileri kadar çok hoşlanıyor gibi; paşanın henüz huyunu suyunu tanımadığım bir atına binmiş olduğum için kalabalığa karışmaktan çekindim. At tepinmeye ve kişnemeye başladı; dizginlerini salıverince öyle hızla koştu, aynı zamanda dizgin ve diz temasına o kadar itaat etti ki en kötü binici bu işten şerefle çıkardı.

Eski kurşunî kalenin dibindeki bu heyecanlı sahne, geride fon olarak uçsuz bucaksız çöl, güzel ve karakteristik bir tablo meydana getiriyor.

Dün, şehrin yakınındaki bir dağın tepesinde bulunan mağaraları ziyaret ettim. Surlar, camiler, kervansaraylar ve hamamların bütün taşları buradan çıkarılmışa benziyor. Bu yüzden meydana gelen mağaralar fevkalade büyük. Bir tanesinin içinde atla 150 adım ilerledim, 8-10 arşın yüksekliğinde, fakat asıl şaşılacak şey 30-40 arşın geniş oluşu; çünkü bu genişlikte, fakat kemerli değil de tamamıyla düz ve yatay, direksiz ve desteksiz bir tavanı başının üstünde asılı görmek insanı âdeta korkutuyor. Bu mağaralar 2000 beygiri alabilir, ama ne yazık ki burada hiç su yok. Benim şehirde en sevdiğim gezinti yerim, dupduru su ile dolu ve içinde sayısız balıklar yüzen bir havuz. Bu hayvanlar *"ziyaret"* yani mübarektir. Bunları havuza Nemrut koymuş ve kim bunlardan yerse kör olurmuş. Balıklara bir avuç nohut atınca yüzlercesi, bir sürü köpek gibi, kıyı boyunca insanın arkası sıra geliyor. Suyun bir kenarını azametli çınarlar çevreliyor, öteki kenarında beyaz kumtaşından yapılma, minareleri, zarif oyma taş parmaklıkları ve siyah servileriyle Halilürrahman camii yükseliyor. Tam da ocak sonunda, sıcak öğle güneşi altında gezinti yapılacak bir yer.

Şehirden aşağı yukarı bir saat uzakta ve çıplak kayalardan birinin üzerinde, Arapların Nemrut'un sarayı dedikleri eski duvarlar yükseliyor. Bunların aslında ne maksatla yapılmış olduklarını tahmin güç; oraya hiçbir yol çıkmıyor, hiçbir ağacın, hiçbir otun yetiştiği de yok, su da büyük sarnıçlarda birikiyor: Görünüşe göre, asîl ve sade üslubuyla göze çarpan eski binanın içine daha sonra başka bir bina yapılmış. Güzel, dört köşeli kulelerden birinde aşağıdaki yazıtı buldum.[163]

---

(163) Yazıt Yunanca ve Süryani dilindedir. Yunanca metin şu: (Amasamsos yani güneşin cariyesi Manno'nun oğlu Saredos'un karısı), yazıt İsa'dan sonra ikinci yüzyıldandır ve bu, kulenin Mannos ve Abgare soyundan bir Edessa prensinin türbesi olduğunu gösteriyor.

AMCHCCAEΔOITOYMANNOYTYNH
ЧƎ1Ə77Ł7ΚЫΙЧ

Günlerce kesilmeden devam eden yağmurun alıkoymasından sonra, ilk açık günde Urfa garnizonu dışarı çıktı ve parıl parıl güneşte ve mızıka ile Prusya liva talimleri yaptı; bu bir iki gün sürdü, sonra 9 piyade, 6 süvari taburu ve 4 topla bir manevra yaptık; bu kâfi derecede iyi oldu, askerler bile memnun kaldılar. Bundan sonra Birecik'e hareket ettim ve sana evvelce anlatmış olduğum aynı Çarmelik fırınında geceledim. Akşama doğru otuz baş manda, sığır ve katırın benim salondan geçerek bir arka kapıdan çıkıp gittiklerini görmek beni az hayrete düşürmedi. Eğer buraya bu adı vermek doğru olursa bu "ev"in arkasında geniş bir mağara vardı ve ahır hizmetini görüyordu. Her türlü yapı malzemesinden yoksun olan bu memlekette bizzat tabiatın kireçli kum taşları içinde böyle çok sayıda mağaralar yaratmış olması büyük bir bahtiyarlık.[164]

Birecik paşası Urfa'da bulunuyor, bu sebeple ben bir müddet için onun konağını işgal ettim. Benim hizmetime tahsis edilmiş olan bir bölük kumandanı yüzbaşı daima karşımda divan duruyor ve bana birbiri ardı sıra çubuk ikram ediyor; beş altı ağa da ona bu hususta yardım ediyorlar. Başlangıçta bu nezaket beni dehşetli rahatsız etti; fakat buna alışmak lazım. Peşimden emir çavuşu gelmeden bir adım atabilmem mümkün değil. Ondan kurtulmaya boş yere çalıştım, beni gölgem gibi takip etti. Ben gezmeyi çok sevdiğim, hızlı yürüdüğüm ve topoğrafya çalışmalarından alışkın olduğum üzere uzun adımlar attığım için zavallı adamcağız bu yorgunluk yüzünden tamamıyla kuvvetten düştü.

Türkler at yahut eşeği olan bir insanın yaya yürümesine asla akıl erdiremezler; durur bakar ve hayretle: *"yürir!"* derler. Fakat yalnız gezmek, geleneklere yayan yürümekten de daha büyük bir tecavüzdür ve insan çok sefalet içinde olmalıdır ki arkasından gelip çubuğunu taşıyacak hiç olmazsa bir tembeli olmasın. Bir gün Malatya'da cemaatiyle birlikte şehre dönen bir eşekçiye rast-

---

(164) Ksenophon (Anabasis IV, 5, 25) böyle mağaraları daha kuzeyde de bulur.

ladım. Adam herhalde beni paşanın yanında görmüş olacaktı ve bana iltifatta bulunmaya niyetlenmişti, daha ben neye uğradığımı bilmeden beni kolumdan tuttu ve eşeğini önüme çekti, *"bin gözüm!"* dedi. Ben teşekkürle yolumda gitmeme müsaade etmesini rica ettim. *"Vallah sana yazıktır, yayan yürüme!"* dedi. Ben ona bir ahır dolusu atım ve katırım olduğunu söyledim, fakat adam aklına koyduğundan vazgeçmedi, başka çaresi olmadığı için ben de – gerçi eşeğe binmedim ama – eve döndüm ve atla gezmeye çıktım, halbuki asıl istediğim yayan gezmeydi.

Birecik'teki kıtalar da yine benim eski tanışlarımdı. Her gün talim yapıldı; subaylar, en yükseklerden en aşağıdakilere kadar, öğrenmek için büyük bir istek gösteriyorlar ve manevraların basitliğine çok seviniyorlardı.

Birecik'te, şubatın başında tarlaları yeşil ekinlerle kaplı buldum. Çalılıkların küçük küçük yaprakları vardı ve Araplar nehirde yıkanıyorlardı. Son derece enteresan olan etrafın bir planını çıkardım ve eski, harikulade kaleyi sürüne emekleye dolaştım. Burada yüzyıllardan beri yıkılmış olduğu anlaşılan bir sürü kubbe vardı. Bu eski bina dev gibi bir şey, hatta zelzeleler bile onu tahribe muvaffak olamamış. Sana evvelce de burasını anlatmıştım. Birecik'ten Nizip'e küçük bir yolculuk yaptım, burası küçük bir kasaba, arkasında da Mısır sınırı başlıyor; kasaba 64.000 kök zeytin ağacından bir orman içinde. Bu sayı bilinmektedir, çünkü her ağaç için bizim paramızla bir gümüş groschen vergi tayin edilmiştir. Büyük bir ağaç 500-600 pfund zeytin verir.

Nizip müssellimi "büyük paşa"nın gönderdiği adama bir at hediye etmek vazifesi olduğunu sanmıştı ve tabii kasaba da bunu kendisine tazmin edecekti. Benim bu hediyeyi kabul etmeyişime pek şaştı.

Malatya, 16 Şubat 1839

Fırat'ın sağ kıyısından ve henüz bilmediğim bir yoldan atla Rumkale'ye yollandım ve altı saat sonra kendimi kışın ortasında buldum. Dağları karlar örtüyordu ve keskin bir rüzgâr soğuğu daha da tesirli bir hale getiriyordu. Çıplak kayalar üzerinden ve taş kitleleriyle çakıllar arasındaki dar bir patikadan zor bela ağır ağır ilerledik, bir fıstık ormanının içinden geçerek Besni'ye vardık. Bu bölgeye düz bir dağ diyeceğim. Gerçi kabartılar önemsiz ama yorda hemen hemen hiç toprak yok, çakıllar ve taş kırıklarıyla öylesine kaplı ki Diyarbekir'in batısından Maraş'a kadar olan bütün dolayda hiç yol yok. Parlak güneş ışığında, fakat en çetin kışta Toroslar üzerinden geri döndüm ve ayın 15'inde yeniden Malatya'ya vardım. Orada adamlarımı ve atlarımı sağ salim buldum. Yola çıkarken taylarımın bulundukları ahırdan çıkarılmalarını tembil etmiştim, çünkü pek haraptı ve burada her ilkbaharda yağmurdan evler yıkılır; dediğimi yapmışlar ve daha o gün ahırın damı çökmüş.

Statüko

Malatya, 20 Şubat 1839

Harp olacağında ne kadar az şüphe varsa, büyük bir önem taşıdığını gördüğüm bir şeyden söz açmanın da o kadar zamanı olsa gerek. Son iki harpte, daha başlangıçta, Hüseyin Paşa ile Reşit Paşaya peşin olarak Suriye eyaleti tevcih olunmuştu. Yeniden böyle bir hata işlemek istenmiyorsa Suriye'yi üçüncü defa olarak, daha zaptedilmeden birine vermeseler bari.

Haşmetpenahın lüzumuna inandığı ıslahatın uygulanmasındaki esas güçlük, her tarafta adamların usule ve nizama uygun bir şekilde sahip oldukları ve bazen de satın almış bulundukları, sayesinde gelenek ve görenekler gereğince vergi mükelleflerinin sırtından büyük kârlar edinmeye kendilerini tamamıyla haklı gördükleri memuriyetlerinden uzaklaştırılmalarındadır. Yeni zaptedilmiş bir vilayette, yönetime alanında, artık vazgeçilemeyecek hale gelmiş değişikliklerin yapılabilmesi çok daha kolay olacaktır ve reformlar işte böyle bir vilayetten imparatorluğun öteki kısımlarına, en çabuk bir tarzda yayılabilir. Suriye'nin zaptını (ki ben bunu kolay bulmamakla birlikte hiç de imkânsız görmüyorum) bir an için olmuş bitmiş farz etmeme müsaade edin. Suriye'yi bir paşanın eline vermek zorunlu görülüyorsa, bu zatın kıtaların başkumandanlığını muhafazaya devam etmemesi lazımdır. Ancak askeri ve sivil iktidarın ayrılmasıyla, Osmanlı tarihinde o kadar sık görülen ve zamanımızda da Mehmet Ali'nin tekrarladığı gibi isyanların önüne geçmek mümkün olabilir.

Şimdiki vergi toplama tarzında toplananların beşte, belki de onda biri devlet kasasına girer. Eğer şimdiye kadarki iltizam yani vergilerin bir müteahhide verilmesi, müsellim idaresi, angarya, cebren asker toplama, bilinen fakat göz yumulan irtikâp ve ihtilaslar, iltimasla terfiler, hulasa bütün eski kötü âdetler yeniden uygulanacaksa, böyle bir maksat uğrunda dökülecek her damla kana acımak lazımdır. O zaman, esasen isyana hazır olan böyle bir memlekette, yer yer ihtilaller hiç eksik olmayacak ve önemli bir askeri kuvvetin daimi olarak Suriye'de bulundurulması gerekecektir; bu yüzden de vergilerin ve toplanacak askerin miktarı artacak, böylece sadece dert çoğalmış olacaktır.

Buna karşılık iyi bir yönetim Suriye'ye egemenliği 40.000 askerden daha mükemmel sağlayacaktır. Eğer bu kadar zengin bir memlekette vergiler her bucağın ihtiyarları tarafından toplanıp doğruca devlet kasasına yatırılsa, eğer sadece ferdî olan bugünkü yönetim yerine iş ve elbirliğiyle çalışan devlet daireleri geçse, eğer memurlar devletten ve mümkün olduğu kadar bol maaş alsalar, sıkı bir kontrol altında tutulsalar, Suriyelilerin böyle bir durumu bugünkü eşi görülmedik tazyike tercih etmemeleri için çok düşüncesiz olmaları lazımdır.

Bir harbe karar verildiği şu an bana Babıâli'nin nazırlarının dikkatini bu noktaya çekmek için en uygun gibi görünüyor. Padişahın böyle bir idareyi, mal emniyetini, orduda tam disiplini ve teslim olacaklara affı vaat eden bir beyannamesi, sanırım ki bir harbin başladığı sırada çok uygun bir tesir yapacaktır.

Malatya, 25 Şubat 1839

Bizim kuvvetler tarafından herhangi kışkırtıcı bir harekette bulunulmadığı gibi, hatta Malatya'da yığınak yapan kıtalardan yarısı gerideki, konak yerleri olan, Diyarbekir ve Siverek'e nakledilmiştir.

Ama bu, görünüşte barışçı hareketlerden durumda büyük bir istikrarsızlığın bulunduğu sonucunu çıkarmamalıdır. Şunu özellikle kaydetmek isterim ki durum burada, İstanbul'da Ocak sonuna kadar mevcut gibi görünenden çok daha tehdit edici ve daha savaşa hazır.

Geçen yıl burada büyük bir gayretle çalışıldı, Hafız Paşa kuvvetleri tamamıyla mücehhez bir halde bekliyor ve ilk emirle harekete geçebilir. Öte yandan İbrahim, Suriye'nin kuzey sınırına çok miktarda cephane sevk ediyor.

Yüzbaşı Fischer'in, çok yakından tehdit eden harbi sonbahara kadar savsaklamak için ileri sürdüğü sebepler tamamıyla doğrudur; fakat asıl mesele harbin patlak vermesini önlemenin hâlâ mümkün olup olmayacağıdır. Şuna hemen hemen inanıyorum ki, haşmetpenah ancak hakikî bir barış, şimdiki gibi memleketin en uzak köşelerinde devletin kuvvetlerini tüketen ve taşrayı mahveden bir ordu bulundurmak zorunda kalınmayacak bir durum ümit edilebildiği takdirde statükonun uzatılmasını kabul edecektir. Böyle bir durumun sağlanması için ilk şart Mehmet Ali'nin silahsızlandırılmasıdır. Fakat bunun ne dereceye kadar Avrupa devletlerinin arzuları ve iktidarları dahilinde olduğu hakkında hüküm veremem.

Bir de şu hususu ilave etmem lazım: Buradaki şartları bilmeme ve tam bir inançla, bir harp halinde stratejik durumun askeri kuvvetin ve memleketin ruh gücünün Babıâli lehine olduğuna inanmama rağmen bir harbin sonucuna kimse kefil olamaz. Ben bütün kalbimle, diplomasinin müdahalesi sayesinde bu fırtınanın patlamasının önlenmesini temenni ediyorum.

Malatya, 23 Mart 1839

25 şubat tarihli mektubumdan beri buradaki durumda pek az değişiklik oldu. Hatta tam bu sırada gelen haberler eskisine göre daha sakin, fırtına da bir kere daha önlenmişe benziyor. Ben bunu sadece kutlarım, fakat bunun ancak çok geçmeden başvurulacak son karşılaşmanın geciktirilmesinden ibaret olduğuna da inanıyorum.

Önemli bir kuvveti silah altında tutmanın muazzam malzeme harcanmasına mal olduğu, mühimmat, giyim eşyası, çadırlar, arabalar ve bunun gibilerin kısa zamanda yenilenmesi gerektiği açık bir hakikattir. Bizim topçu koşum hayvanlarımız kısa zamanda 3000'e çıkartıldı, bunlardan her biri ortalama 1000 kuruşa satın alındı. Bu üç milyon kuruşa yem, bakım ve koşum paralarının da ilave edilmesi lazımdır. Barış zamanında topçuya, erlerin talim ve terbiyesinin eksiksiz sağlanabilmesi için, bunun altıda ya da beşte biri kadar at yeter.

Konya, Ankara ve Malatya'da kırk bin kadar sipahi ve redif askeri toplanmıştır. Sadece bu bir felaket, hem de çifte felakettir, çünkü hükümet bu insanları asker olarak beslemek zorunda kaldığı gibi onlardan uyruk sıfatıyla vergi alamaz; bunların ticaretleri, sanatları durur, tarlaları yoz kalır ve çoluğu çocuğu sefalete düşer. Rediflerden başka muvazzaf kıtaların da ikmali lazımdır. Bizim askerlerimiz arasında, eşi görülmedik derecede ölüm var. Olayları kaydedeceğim: 3'üncü hassa piyade alayından, burada geçirdiği on iki ay zarfında 1026 kişi öldü, yani toptan kuvvetinin yarısı Muhtar Paşa'nın hassa redif livası dört ayda 8000 asker kaybetti, bu da on iki ayda 2400, yani mevcut kuvvetin yarısı kadar; en az zayiat veren liva Kürt Mehmet Paşa'nınki, Garzan dağına olan küçük seferimizde ölen ve yaralananlar da dahil bütün zayiatı 200 kişiden ibaret; geri kalan bütün alaylar hastalık yüzünden çok kayıp verdiler. Eğer bir barış yılı içinde kuvvetimizin üçte birini gördüğümüzü söyleyecek olursam muhakkak ki yine hakikatten geride kalmışımdır.

Bu şartlar içinde ve ikmal hemen hemen tamamıyla Kürdistan'a yüklendiği için asker toplama, devlet makamlarının köylere baskın etmesi şeklinde. Öyle köyler var ki içinde genç ve çalışabilir kimse kalmamış. İnsan bu adam avcılığında hazır bulunmalı, bu elleri bağlı ve gazap dolu bakışlı yeni askerlerin gelişini görmeli ki hükümetin, bütün iyi niyetine rağmen, bu halkın ruhunda nasıl kendisine karşı tam bir nefret uyandırdığını anlayabilsin. Günümüzdeki bu dertlere gelecekte, aslında çok seyrek olan Müslüman nüfusunun zorunla olarak azalması, millî servetin tükenmesi ve onların geldiği pınarların da tamamıyla kuruması katılacaktır.

Böyle önemli bir askeri kuvvetin varlığı vilayete de, dolayısıyla, müthiş bir baskı yapmaktadır. Yürüyüşler, kıtaların barındırılması, yiyecek, odun, yem gibi şeylerin sağlanması halka bir sürü angarya, binek ve koşum hayvanları sağlamak, aynî ve bedenî mükellefiyetler, vb... yüklemektedir. Gelenekler ve âdetler bir evi ya ev sahibinin ya da konaklayanların bırakmasını zorunlu kılmaktadır. Bu sebeple artık çadırda barınılamayınca bir şehir baştan aşağı boşaltılıyor, üstelik bunun için tazminat da verilmiyor. Bu kış önemli Malatya şehrini tamamıyla işgal ettik, tek bir evi bile sahibine bırakmadık; ahali civardaki köylerde barınacak yer aramak zorunda kaldı. Bütün bunları sadece büyük asker yığınaklarının bu memlekette bize nazaran ne kadar yıkıcı sonuçlar verdiğini göstermek için yazıyorum. Ama, komşu bir memleket bizi de, bir seneden fazla zaman ihtiyatlarımızı silah altında ve topçumuzu harbe hazır tutmaya mecbur etse, bu duruma son vermek için, hatta bizden çok daha kuvvetli bir düşmanla savaşı göze almaz mıyız?

Şimdi Babıâli'nin kuvvetlerini tüketip bir vilayet mahvetmekle ne kazandığına bakacak olursak, onun hemen hemen bütün askerini memleketin en uzak köşelerinden birine yığmış, beri yanda memleketin en büyük kısmını ve daima tehlikede oldukları kabul edilen sınırlarını bütün savunma imkânlarından yoksun bırakmış olduğunu görürüz. Bu devletin, bu şartlarla kendi içinden çökmesi, dışardan gelecek bir istiladan çok daha kolay olmayacak mıdır? Ve önlemek için o kadar gayret sarfedilen sonuç böylelikle kendiliğinden meydana gelmeyecek midir?

Osmanlı İmparatorluğu'nun devamı ve kuvvetlenmesinde Avrupa devletlerinin nasıl yakın bir çıkarları varsa, aynı surette, emrindeki bir valinin tehditkâr yumruğunu Babıâli'ye dayaması gibi acıklı bir durumu yatıştırmakta da o kadar çok ilgilidirler. Burada prensipler hilafına bir harp açmak ya da herhangi bir silahlı müdahale değil, sadece her iki tarafın güvenliğine kefil olmak bahis konusudur. Her ne kadar iş Mehmet Ali'nin Suriye'de ancak silah kuvvetiyle tutunabileceği hale gelmişse de şurasını unutmamalıdır ki onun bu işte kullandığı ordu ne kadar büyükse bulunduğu yere baskısı da o kadar fazla olur ve bundan kurtulmak arzusu da o kadar şiddet kazanır. Eğer Mısır paşası Suriye'deki mevzilere 10-15000 asker dağıtır ve kalanları geri çekerse bizim redifler terhis edilir, nizamiye askerleri de Rumeli ve Anadolu'ya taksim olunur, topçu barış durumuna getirilir ve memleketin şiddetle muhtaç olduğu gibi her türlü yükler hafifletilebilir. Böyle birçok yabancı devletin ortaklaşa garantisi altında her iki tarafın silahsızlanmasının mümkün olup olmayacağını bilmem, fakat bende şu kanaat hasıl olmaktadır ki, eğer bu tedbir imkânsız ise harpten de kaçınmak kabil değildir.

Biz, muhtemel olarak iki haftaya kadar buradan kalkacak ve Samosata (Samsat) yakınında ordugâh kuracağız; bu, iaşe bakımından alınan bir tedbir. Orada kıtalara büyük harekât talimleri yaptırılacak.

Toros Ordusunun Toplanması

Malatya, 5 Nisan 1839

Bizim umumî karagâh sekiz on güne kadar buradan ayrılıyor ve bütün kuvvetler Torosların güney eteğinde, Samsat'ın yakınında bir talimgâhta toplanıyor. Büyük kitlelerin uzun zaman kalması yüzünden, şimdiye kadarki konak yerlerinde bulunan erzak tükenmişti; yem kıtlığı da, atların çayır bulabilecekleri, daha sıcak bir bölgeye göçmeyi zorunlu kılmıştı. Bundan başka kışın şiddeti ve yazın sıcağı sadece ilkbaharla sonbaharda daimi surette talim yapmaya imkân vermektedir, kumandan da bu sebeple gelecek aydan büyük manevralar için faydalanmaya karar verdi.

Fakat bu sebeplerden başka, kuvvetlerin toplanması başka bakımlardan da zorunlu idi.

Bilindiği gibi Babıâli askeri kuvvetlerini Asya'da iki esas ordugâhta toplamıştır: Konya'da ve Kürdistan'da. Eğer İbrahim Paşa bir taarruz harbine karar verecek olursa onun, bütün zorluklara rağmen yine Külek boğazından hücum etmesi şimdiki halde en akla yakın olanıdır. Çünkü bu yön ona, kararsız durumu içinde, varlığını muhafaza için muhtaç olduğu çabuk ve kesin başarıyı vaat etmektedir. Hacı Ali Paşa da işte bu, Suriye'den başşehire giden en kısa ve en önemli yol üzerinde bulunuyor. En zayıf olan da odur, tahkimatla mevzilerini muhafaza altına almıştır, sadece düşmana karşı savunma ile yetineceği muhakkaktır.

Şimdi, bu hipoteze göre Hafız Paşanın ne durum alacağını düşünelim. Bu kadar önemli bir kuvvetle hareketsiz kalmak kimsenin aklından geçmez; ilerleyen düşmanın önünü kesmekse imkânsızdır. Bu çevreleri belli başlı bütün yönlerde gezdiğim için iddia edebilirim ki, ancak uzak yollardan dolaşarak, Kayseri üzerinden Hacı Ali Paşa ile birleşmek mümkündür, yani bizim Külek Boğazı'na kadar olan yolumuz 150 saatliktir. Halbuki düşmanın da oradan itibaren İstanbul'a kadar ancak bu kadar yolu vardır; şu halde, ne olursa olsun muhakkak geç kalınacaktır. Bu sebeple sadece dosdoğru ilerleme imkânı kalıyor ki böyle bir şaşırtma hareketi de, Hafız Paşa kesin bir savaşı kaybetmediği takdirde, düşmanın İstanbul üzerine yürümesini imkânsız bir hale getirir. Şu halde bu taarruzu muhtemel olarak kabul etmemiz lazımdır.

Suriye'den gelen haberler hep İbrahim Paşa'nın kuvvetlerini Halep dolaylarına yığmak için hazırlıklar yaptığı üzerinde toplanıyor; bu hazırlıkların ne kadarının tamamlandığını öğrenmek ancak daha yakından bir araştırma ile mümkün olabilecektir, çünkü istihbaratımızla karanlıkta yol bulmaya çalışıyor ve çok defa en mübalağalı rivayetler arasında bir seçme yapmak zorunda kalıyoruz. Şu kadarı muhakkak ki Hafız Paşa bu durum karşısında birbirlerinden sarp dağlar ve büyük bir nehirle ayrılmış olan ordugâhlarda kalamaz, kuvvetlerini birleştirmek ve belki de sınırdaki askeri bakımdan önemli noktalarda tahkimat yapmak zorundadır; çünkü ben, İbrahim Paşa'nın İstanbul'a doğru ilerlemek için, Konya üzerinden geçen harekât hattını bütün ötekilere tercih edeceğini nasıl en büyük ihtimal olarak görüyorsam, buna başlamadan önce kısa ve kuvvetli bir taarruzla, İstanbul'a yürüyüş teşebbüsü için zorunlu olan, harekât serbestliğini elde etmek isteyeceğini de muhakkak olarak kabul ediyorum. Bundan sonra Hafız Paşa böyle ani bir hücuma hazır olmalıdır.

Bir süre önce, bir miktar Ermeniyi Türk ordusuna almanın mümkün olup olmayacağı sorusu ortaya atılmıştı. Hukuk ya da hiç değilse hakkaniyet bakımından sanırım ki bu tedbire itiraz olunamaz. Türkler bu memleketi fethettikleri zaman tabii onun korunması da kendilerine düşüyordu. Onlar o zamanlar bunu kolayca yerine getirilebilir bir ödev olarak üzerlerine aldılar ve reayaya vergi ve angaryaları yüklediler. Zamanla şartlar tamamıyla değişti: Başlangıçta sadece tımarların mahsulü ile geçinen Müslümanlar şimdi hakiki toprak sahipleri olmuşlardır ve bu sıfatla mülke bağlı olan bütün mükellefiyetleri de yüklenmiş bulunuyorlar, çünkü sonraları başka memleketlerden görülerek kabul edilen vasıtalı vergilerle reaya kadar onlar da mükelleftirler ve reaya (kanun dışı tazyikler bir tarafa bırakılırsa) Osmanlıdan fazla bir şey ödemez; sadece haraç, yani şahsi vergi verirler ki bunun gerçek değeri, paranın genel olarak kötüleşmesi yüzünden, Prusya'nın geçer akçe iki taler'ini bile tutmayacak kadar düşmüştür, hem de asker toplamanın dayanılmaz bir hale geldiği şu sırada, Babıâli tamamıyla kuvvetten düşecek kadar bir uğraşma ile, sınırları Basra körfezinden Avusturya'ya, Arabistan'dan Rus sını-

İbrahim Paşa'nın Ordugâhı

rına kadar uzanan bir memleketi savunmaya asla yetişmeyecek bir orduyu zor ayakta tutmaktadır.

Yukarıda söylediğim çare bana hakkaniyete uygun, zorunlu ve Asya'nın benim tanıdığım kısımlarında uygulanması tamamıyla mümkün görünmektedir. Yalnız bununla bu işin memleketin bütün reayası için istisnasız olarak teşmilini düşünüyorum. Asya Ermenileri kalabalık, kuvvetli bir insan soyudur. Alışkanlık yüzünden muti, emir kulu tabiatlı, çalışkandır; çoğu da zengindir. Bu anda Hıristiyan Ermeni halkının Babıâli'ye, Müslüman

Kürt ya da Müslüman Araplardan daha sadakatle itaat etmeleri çok mümkündür.

Hafız Paşa her mangaya bir Ermeni vermeyi düşünüyordu. Böylece ordunun yirmide biri bu milletten olacaktır. Ben bu fikre pek iştirak etmiyorum, çünkü bu takdirde en sondaki Kürt kura neferi kendisinde gâvura emretmek hakkını görecek, reaya da bu yüzden çok bedbaht olacaktır. Ermenilere en aşağı kumanda mevkilerinin yolu bile kesilmiş olacağı için onları iyi askerler olarak yetiştirmek de kabil olamayacaktır.

Buna karşılık her redif alayımızda dördüncü bir Ermeni taburu teşkil edilecek olursa reaya için de orduda binbaşılığa kadar yükselme yolu açılır; böylece Müslüman ve Hıristiyan taburları arasında bir rekabet de meydana gelirki bu da her iki tarafın faydasına olur. Alınacak tedbirler reaya tarafından daha az şüphe ile karşılanır, ordu önemli bir kuvvet kazanır, memleket de büyük bir ferahlığa erer. Silah altında olan reaya, haraçtan muaf tutulmalıdır, böylece belki Hıristiyan halk tam bir hürriyete, böyle adalete uygun ve kolay bir yoldan kavuşmuş olur.

Acaba Hafız Paşa kendisinin olan bu fikirde daha ileri gidecek mi? Bunda âdeta şüpheliyim. Şimdiden bununla, Müslüman kitlesinin zaafını anlayamamış ve Müslümanlık gururunu muhafaza etmiş olanların taassuplarını inciteceğinden emin. Ben meseleyi, kendisinden hemen hemen hiç yardım beklememekle birlikte, serasker paşaya açacağım.

Nihayet şunu da tekrara kendimi mecbur hissediyorum: Bizim açımızdan görüldüğü takdirde harp çok tehdit edici bir manzara arz ediyor; gerçi büyük devletlerin birlik olarak araya girmeleriyle, harbin çıkması bir kere daha geciktirilebilir, fakat bundan sonra barışın, statükonun sağlayabildiğinden daha dayanıklı temellere dayandırılması son derece lüzumludur. Gördüklerime nazaran şuna inanmak zorundayım ki İstanbul'da işin çözümünü silahlara bırakmaya ciddi surette karar vermişlerdir ve bugünkü durum da sahiden artık böyle devam edemez.

Fırat Kenarında Eğin'e Seyahat

Malatya, 8 Nisan 1839

Birkaç gün önce küçük bir geziden döndüm. Bu sefer doğrudan doğruya kendi arzumla ve her iki Fırat ordusu arasındaki, henüz hiçbir haritaya şöyle böyle doğru sayılabilecek gibi olsun kaydedilmemiş araziyi tanımak maksadıyla dolaşmıştım.

Burada, elli altmış saatlik mesafeden de görülebilen bir nokta olan Munzur dağının yüksek doruğunu trigonometrik doğrular için esas nokta olarak alabildiğim, yolda da pusula elde olarak gittiğim için, harita almada sadece hüküm sürmekte olan ilkbaharın, başka yıllardan çok yüksek olan karlar yüzünden, sarp ve tehlikeli yollarda karşımıza çıkardığı engellerden başka yenilecek bir zorluk yoktu. Ne kadar uğraşılırsa uğraşılsın 78 saatlik yolu altı günden az zamanda almak mümkün değildi. Bu sırada atla geçilmesi imkânsız tepelerden kurtulmak için Arapkir'den dolaştım. Burası derin bir boğazda, güzel yemiş ağaçlıklı, oldukça önemli bir şehirdir. Fırat'ın değil, hemen hemen onun kadar önemli bir suyun, Arapkir suyunun kenarındadır. Buradan sonra kuzeye doğru, daima Munzur dağının keskin sırtı yönünde ilerledim. Bu bölge bir yayladır ama karlar ve korkunç bir derinlikte açılmış, diplerinde ufacık derelerin aktığı boğazlar bunu hatırlatmasa insan bu kadar yüksek bir dağ düzlüğünde bulunduğunun farkına varamayacak. Güneş bu sonsuz gibi görünen kar sathına parlak ışıklarını saçıyor, bu da Türk serpuşu ile insanın gözlerini müthiş kamaştırıyor. Ben tatarların gözlerinin altına barut sürmek âdetini uyguladım. Bu, insanı çok rahatlatıyor.

Nihayet iki köye rastladık, bunlar yan yana gibi görünüyorlardı, fakat o boğazlardan biriyle ayrılmışlardı. Dik kaya yamacından aşağı inmek ve öte tarafta yeniden yukarı tırmanmak için bir saatten fazla zaman lazım. Monoton manzara Fırat'a yaklaştığım zaman değişiklikler göstermeye başladı.

Şimdiye kadar üzerinde ilerlediğim yayladan Munzur'un yüksek, diş diş, ta ağustosa kadar karla örtülü doruğu ne kadar yüksekse, onun eteğindeki uçurum da yayladan o kadar derine iniyor. Bu boğazdan Fırat'ın kuzey kolu akıyor. İnsan birdenbire ta aşağıda, dimdik 3000-4000 ayak yükselen kaya duvarları arasına sıkışmış, çağlaya çağlaya akan nehri görüveriyor. Aşağıda vadi o kadar dar ki nehir bunu tamamıyla dolduruyor. Yolu da kayadan oymak ya da barutla açmak lazım gelmiş. Bazen hayli yüksekliklere çıkan bu uçurum kenarındaki patika kışın Ermenistan yaylasıyla Kürdistan arasında işleyebilen tek yoldur. Uçurumun ta kenarından gidebilecekleri için tam da katırların çok hoşlandıkları bir yol. Dik virajları takip ederek hayvanlarımız bizi birkaç dakikada kar bölgesinden aşağıya indirdiler ve çok geçmeden kendimizi tatlı bir sıcaklık içinde bulduk.

Gece bastırdığından, yakındaki güzel Habunos (?) köyüne varabilmek için, yeniden oldukça yükseklere tırmanmak zorunda kaldık; parlak bir ay ışığı vardı, Fırat da aşağımızda parlıyordu, karlı tepeler de çok geçmeden ta yakınlarımıza sokularak etrafımızı çevirdiler, bu sebeple ertesi gün, nehirden hemen hemen dik olarak 1500-2000 ayak yükselen kaya duvarı boyunca bir yaya yolundan atla gitmek gibi bir zevke eriştim. Bu yoldan yavaş yavaş yeniden aşağı indik; kayalar gittikçe birbirine yaklaştı ve yolu, nehrin keskin bir dönemecinde, vadiyi terk etmeye ve sonsuz zikzaklarla adamakıllı yüksek bir tepeye tırmanmaya mecbur ettiler. Sarp sırta varınca insan, önünde yeniden Fırat vadisini ve ta aşağıda Eğin şehrini görüyor. Bu şehirle Amasya benim Asya'da gördüğüm en güzel yerler. Amasya daha garip ve hayret verici, fakat Eğin daha muhteşem ve güzel; burada dağlar daha muazzam, nehir daha önemli. Aslında Eğin birbirine ulaşmış bir sürü köylerden meydana geliyor. Bütün evler ceviz ve dut ağaçları, kavaklar ve çınarlarla gölgelenmiş bahçelerin ortasında olduğu için şehir büyük bir alanı kaplıyor. Yukarıdan görüldüğü zaman tamamıyla vadide imiş gibi göünüyor; fakat nehrin kenarına varılınca evlerin bir kısmının yukarıda, çeşit çeşit garip şekilli taşlık ve kayalıkların üzerinde kurulduğu ve vadinin dik yamaçlarının ta 100 ayak yüksekliğe kadar meyve bahçeleri ve bağlarla örtülü olduğu görülüyor. Birçok küçük sular dağdan aşağı çağlayarak iniyor. Bunlardan birinin üzerinde beş değirmen saydım, her değirmenin çatısı ötekinin tabanı hizasında idi, öyle ki su bir çarktan ötekine dökülüyordu. Ağaçların çiçek açma zamanında yukarıdan görünüş anlatılamayacak kadar güzel olacak.

Eğin Ermenilerin baş şehridir. Asya'nın uzak bir köşesindeki bu derbende Ermeni sarraf yani banker, eğer paşa, yani patronu ona bir iki milyon kuruş borçlu kalır ve kendisi de alışverişten bir o kadar kârla çekilirse – çünkü hesaba üç dört milyon fazla yazmıştır – hazinelerini kaçırır. "*Kalfa*" yani yapı ustası, "*bakkal*" yani yiyecek satan, "*hamal*" yani yük taşıyıcı hep buraya döner. Çünkü uzun zamandan beri âdet, Eğin'den bütün genç erkeklerin on sene için başşehre gitmeleri, orada vebadan ölmeleri ya da zengin olarak kayalık vadilerine dönmeleridir.

Asya şehirlerinden farklı olarak burada evler, düz toprak damlı değil çatılıdır; her evin taştan bir alt katı var, fakat burada kimse oturmuyor. Bunun üzerine iki üç kat yapılıyor, bunlardan üstteki daima alttakinden ileri çıkıyor. Büyük pencerelerin üzerinde bir sıra yuvarlak pencere var. Bir cümle ile, sadece evlere bakınca insan kendini İstanbul'da sanıyor.

Karın çokluğu ve iznimin kısalığı daha ileriye gitmeme engel oldu. Henüz haritalara adı geçmemiş fakat önemli bir kasaba olan Çemişkezek üzerinden geri döndüm. Bu kasaba güzel bir dağ deresi kenarında, garip sivri kayalıklar arasında burulmuş; derenin karşı kıyısında dikey bir kaya duvarı bulunuyor. Bu yumuşak kumtaşı içerisine bir sürü mesken oymuşlar; fakat kayanın bütün yüzü yıkılmış olacak, ta yukarıda bu meskenlerin, giriş yolu olmayan kesitleri görülüyor. Kasabanın yakınında güzel bir çağlayan gördüm; bir dere (İsviçre'deki Pissevache gibi) ileri doğru çıkmış bir kayanın üzerinden 60 ayak düşüyor ve aşağıya damla damla yağmur halinde varıyor, fakat bu derenin sadece karların erime zamanında aktığını tahmin ediyorum.

Buradan sonra yolumu eski, yüksek Pertek kalesine çevirdim ve orada Murat'ın (Ararat'tan aldığı) güney kolunu aştım. Sonra Harput üzerinden Malatya'ya döndüm.

Suların Taşkın Olduğu Sırada Fırat'tan Aşağı Kelekle İnmek Denemesi

Malatya, 12 Nisan 1839

Fırat, şimdi, tam kendisine ihtiyacımız olduğu sırada, 15 ayak yükseldi. Paşa, bu şartlar altında nehirden ulaştırmanın mümkün olup olamayacağını ve bu biraz tehlikeli denemeyi kime yaptırabileceğini düşünerek çok üzülüyordu. En tecrübeli kelekçiler akıntılardan geçerek aşağı inmenin tamamıyla imkânsız olduğunu, çünkü su seviyesinin en uygun olduğu zamanlarda bile üç teşebbüsten ikisinin kaza ile bittiğini söylüyorlardı. Akşam yemeğinde paşa bana bu işi teklif eti. Ben de daha o akşam atla Murat kenarında Etebe'ye gittim. Keleğim orada, meşalelerin aydınlığında çarçabuk kuruldu ve gece yarısından sonra yüzdü. Şafak vakti Kömürhan'a vardım. Güç yerler burada başlıyordu. İş sahiden kötü idi; vaktiyle akıntı olan yerler şimdi çağlayan haline gelmişti; Yılandeğirmeni'nde bizim Nuh'un teknesini parçalarına ayırmak, direkler, tulumlar ve yükleri karadan, çağlayanın alt tarafına kadar taşıyıp orada yeniden kurdurmak zorunda kaldım;

bu da üç saat sürdü. Çok yağmur yağıyordu, fakat esasen bazı yerlerde üzerimize serpilen dalgalarla sırılsıklam olduğumuz için bu umurumuza bile gelmiyordu. Telek'in üst tarafında sal yeniden dağıtıldı, buradaki çağlayanları ve kayalara çarpıp kırılan dalgaları geçmek düşünülemezdi bile. Zifiri karanlıkta Telek'te karaya çıktık, geceleyin orada kaldık ve üstümüzü başımızı şöyle böyle kuruttuk. Bugün biz altı saatte, vaktiyle karadan yirmi dört saatte gidebilmiş olduğum bir yolu almıştık. Benimle birlikte bir mühendis Miralay, Mehmet Efendi ve ona refakat eden başka biri vardı. Bunlar bana, daha öteye gitmeyi canlarının istemediğini, buraya kadarın kendilerine yettiğini söylediler. Buna karşılık diyecek yoktu. Yanımda paşanın bir ağasıyla dört kelekçi vardı, dördüncü kelekçiyi köyden, kılavuz olarak almıştım; fakat ertesi sabah sala bineceğim zaman çavuşum da bana refakat şerefinden vazgeçtiğini söyledi. Bunun üzerine artık teklif tekellüfü bir tarafa bıraktım ve eğer elleri bağlı olarak Malatya'ya gönderilmesini istemiyorsa yerine geçmesini söyledim. Zavallı adam ağladı, benimle karada ateş içinden geçmeye hazırdı, fakat su onun işi değildi... Çare olmadığını görünce razı oldu, fakat çok geçmeden onu zorladığıma pişman oldum. Kıyıdan açılır açılmaz kelek ok gibi gitmeye başladı, sanırım ki bir saatlik yolu almak için 10-15 dakika bile sarfetmiyorduk; hem de ne yol alış! Üst kısımlarda 250 adım genişliğinde olan Murat 100 sonra 80 ve daha az adım kalacak kadar darlaştı. Bütün o muazzam su kitlesi bu huniden, kaya parçaları üzerinden dik aşağı iniyor ve bu yüzden öyle büyük anaforlar ve dalgalar meydana getiriyordu ki bazı yerlerde su demetleri fıskiye gibi 5 ayak yüksekliğe fışkırıyordu; her iki yanda da sular hızla, sanki kaynıyorlarmış gibi akıp gidiyordu. Dalgalar kelimenin tam manasıyla tepemize iniyor ve salımız bazen tamamıyla suya gömülüyor, fakat koyun tulumları yeniden yukarıya çıkıyordu. Tehlike sadece kısa ve yüksek dalgalar üzerinden dik aşağı iniş ve yukarı çıkışlarda devrilmekti.

Kürek çekmek akla bile gelmezdi. İki kelekçi nehre düştü, fakat bereket versin iplerle sala bağlı idiler. Geri kalan mürettebat arasında büyük bir şaşkınlık hüküm sürüyordu. Kelek muhakkak ki bir saatlik yolun üçte birinde böyle *istediği gibi* gitti. Nihayet Allah bizi bir anafora kaptırarak kenara götürdü, orada birkaç düzine defa döndürdü durdu, fakat aklımızın birazcık başımıza gelmesine de müsaade etti. Artık kürekler olanca kuvvetle

kullanılıyordu, fakat acaba kıyıya varabilecek miyiz, yoksa akın-
tıya kapılıp yeni bir çağlayana mı sürükleneceğiz, burası bir
müddet şüpheli kaldı. Salın yapılmış olduğu sırıklar 1-2 parmak
kalınlığındadır, bunlardan dördü orta yerlerinden kırılıvermişti.
Tulumlardan dördü patlamıştı. Buna rağmen talihin lûtfu ile kı-
yıya yaklaştık. Süleyman Çavuş, içinde bulunduğu durumdan
kurtulmak için apaçık bir ölüm tehlikesini göze alarak, sallantılı
kelekten Wilhelm Tell gibi, bir sıçrayışta bir kayalığa kendini attı;
orada yere çöktü, Kâbe'ye döndü ve ellerini açarak duaya başla-
dı; Ali Ağa da kurban olarak bir kuzu kesmeyi adadı.

Ben ise bütün bu olan bitenler sırasında, çok muhtemel olarak
bu işi başarabileceğimiz kanaatine varmıştım, çünkü bu kelekler
kadar dayanıklı hiçbir şey yoktur; bununla birlikte tamamıyla su
içinde oturmayı göze almalıdır, bu da karların erime vaktinde
pek hoşa gidecek şey değildir; fakat iş bir defa bu yola girdikten
sonra sonuna erdirmek için büyük bir arzu duyuyordum, zaten
bundan daha kötüsü de artık başımıza gelemezdi. Bu sebeple
"kalabalık"ı geri yollamaya karar verdim.

İki kelekçiye, eğer yalnız ikisi benimle birlikte bu işi bir kere
daha denerlerse bir kese vereceğimi vaat ettim, çünkü akıntının
bu hızıyla öğleye doğru çağlayanların alt tarafındaki Gerger'e va-
rabilirdik. "Venedik'i versen nafile!" Artık kimse bu oyuna katıl-
mak istemiyordu. Bununla birlikte, nehirden ulaştırma meselesi
tamamıyla anlaşılmıştı, salla nehirden aşağı eşya taşımanın im-
kânsızlığı meydanda idi, ben de geri dönmeye razı oldum.

Yanaştığımız yer bize yeni bir zorluk çıkardı. Önümüzde ye-
niden yüzünü görmek istemediğimiz Murat, arkamızda karlar
sınırına kadar yükselen bir kaya duvarı vardı. Neticesiz kalan
iki teşebbüsten sonra bir dereden, daha doğrusu bir çağlayan-
dan yukarı tırmanmaktan başka çaremiz kalmadı. Eminim ki
bin ayaktan fazla yukarı çıktık. Ayaklarımızın çarpmasıyla ye-
rinden kopan taşlar nehre kadar yuvarlanıyordu, üstelik elbise-
lerimizin içmiş olduğu birkaç okka suyu da taşıyorduk. Yola çı-
kışımızı seyretmek için bütün halkın toplanmış olduğu Telek'te
artık bizden ümidi kesmişlerdi. Bütün köy halkı keleğimizin en-
kazını kurtarmak için seferber oldu. Öğleye doğru katırlara bin-
dik ve bunlar bizi, o kadar hızla aşağıya doğru gittiğimiz yol-
dan, bu sefer ağır ağır ve zor bela geriye taşıdılar; çünkü dar pa-
tika bazı kere karlara kadar yükseliyor, bazı kere de kıyıya ka-

dar iniyordu. Bir taraftan da dereler o kadar kabarmıştı ki zavallı hayvanların nerede ise ayakları yerden kesilecekti, o zaman da biz yeniden *"koca Murat"*ın kucağına düşecektik. Nihayet üç gün sonra, dün akşam, hoşa gitmeyen hikâyemle paşanın huzuruna çıktım.

Şimdi Torosları geçmek için buradan iki yolumuz var. Bunlardan biri topçuya bırakılmalı, denesin bakalım; piyade için olan öteki yüksek ve ne yazık ki henüz, erimekte olan karlarla örtülü. Birkaç gün daha kalmak akıllıca bir iş olur ama, öbür gün *"aybaşı"* hem de sefer ayı başlıyor. Bu ay uğursuzdur, bu sebeple, bizim şiddetli itirazlarımıza rağmen, yarın herkes yola çıkıyor.

Toros Ordusunun Yola Çıkışı

Murat kenarında Samsat'tan bir saat aşağıda,
Karakayık'taki ordugâh, 29 Nisan 1839

Barış ve esenlikle, hiçbir düşman tarafından rahatsız edilmeden, kendi memleketimizin bütün yardım kaynaklarını kullanarak az önce Torosları, ulaştırmaya en elverişli yollardan faydalanarak aştık. 2000 kişilik müfrezeler on dört gün önce kar küreleme, kayaları lağımla atma, yolu düzeltme ve köprü kurma için memur edilmişti.

14 Nisan günü öğleyin bütün kuvvetler her taraftan birden yola çıktı, altı gün sonra şimdiki vaziyet şöyle: Malatya'dan Hassa kıtaları ile Halit ve Bekir paşalar Karakayık'ta Murat'ın sağ kıyısında, Diyarbekir ve Siverek'ten Haydar, Mazhar ve Bahri Paşalar Karakayık'ta Murat'ın sol kıyısında, İsmail'in livası Birecik'te, Mahmut'unki Urfa'da, Malatya'daki süvari ve topçunun ucu henüz geride Besni'de (Şu anda bir haber geldi Halil Bey'in kurmuş olduğu köprüyü, taşan nehir ikinci defa olarak sürükleyip götürmüş). Bu sonuç bütün kuvvetleri son haddine kadar zorlamak ve geride birkaç yüz hasta ve ölü bırakmak suretiyle elde edildi. Topçudan birkaç günden beri haber yok, yarısının henüz Toroslar'ın öte tarafında Sürgü'de olması muhtemel.

Doğrusu istenirse mümkün olabilecek en kötü havalara rastlamıştık. Malatya'dan ayrıldığımızdan beri bardaktan boşanırcası-

Başıbozuklar. Diyarbakır'dan gelen yardımcı birlikler

na yağmur yağıyor. Tek bir gün geçmedi ki gök bulutsuz olsun; bir fırtına ötekini kovalıyor, bir sağanak ötekinin peşinden geliyor; en önemsiz dereler geçit vermiyor, otların yeşermesi o kadar geri kalmış ki zavallı atlar hemen hemen yemsiz. İaşe sağlamak büyük zorluklarla olabiliyor ve günlerce çamur içinde yüzmek yahut dağlara tırmanmaktan bitkin askerin besini sadece su ve peksimetten ibaret. Açıkta, çadırsız, yaş toprak üstünde yatıyorlar. Diyarbekir'den gelen kıtalar ve ötekiler çadırlarını Malatya'da bizden alacaklardı, fakat daha ilk merhalede kendi çadırlarımız da çamur ve kara saplanıp kaldı. Ben eşyalarımı ancak dokuzuncu günü bulabildim. Paşa bana önden yola çıkarak Abdülharap üzerinden geçen en çetin yolu takip edecek olan Mustafa Paşa ile gitmemi emretmişti. İliklerimize kadar ıslatan şiddetli yağmurlar ve kuvvetli bir güney rüzgârı, hâlâ üç ila altı ayak yüksekliğinde olan karı o kadar gevşek bir hale koymuştu ki ancak yularlarından çekerek yedeğimizde götürmek zorunda kaldığımız atlarımızı zor bela kurtarabildik. Bütün yüklerin geri gitmesi ve ikinci kafileyi takip etmesi lazım geldi. O gün iki ölü verdik, fakat varmamız gereken menzile vardık. Takriben yirmi evlik Abdülharap, Bulam ve Kömürlük adlı üç köyden her birine birer alay yerleştirildi. Ertesi gün, hava değişmesinden sonra, güney tarafından bir çıkar yol bulunup bulunmadığını anlamak için, Mustafa Paşa ile ileri doğru gittik. Kıtalar istirahatte idi ve bunu gerçekten hak etmişlerdi. Dağlar o kadar kalın ve gevşek bir karla örtülü idi ki bunları aşmak düşünülemezdi bile. Bulam çayı üzerine bir köprü kurmaya, sonra mevcut yolu aşağıya doğru ta Kârikan'a kadar takip etmeye karar verdik. Ben o gün atla oraya gittim, Hocaali suyu üzerine ikinci bir köprü kurdurdum. Bu dere 50-60 adım genişliğinde idi ve son derece coşkundu. Ben onun dik bir kaya duvarını yalayarak aktığı ve ancak 16 arşın genişliğinde olduğu bir yer buldum. Yüksek, güzel kavaklar rahatça kullanılabilecek malzemeyi sağladı ve köprü yirmi dört saatte tamamlandı. Oradan baş döndürücü bir patikadan, Ziyaret Suyu kenarından aşağı Adıyaman'a, kıtalara önden erzak yollamak için gittim. Sonra Sürgü ve Tut üzerinden gelecek olan ikinci kafileye karşı ilerledim. Adıyaman ovası bir bataklık halinde idi ve atlar üzengilere kadar kara gömülüyordu. Çepger çayına vardığım zaman bunun atla zor aşılabileceğini gördüm. Burada köprü kurmak güçtü, çünkü ağaç yoktu. Ben, yanımda yalnız çavuşum olduğu halde, bir saat ötede dağda bulunan üç köyden kırk adam toplayıncaya kadar akşam oldu. Aşağı yukarı lazım olan uzunlukta üç kütük elde etmek için iki evi yıkmaktan başka çare bulamadık. Dağ köylerinden 25 adam, üç çeyrek saat öteden dördüncü bir kavak getirdiler. Bu su son derece coşkundur ve çok defa bir iki saat içinde 4-5 ayak yükseliveriyor. Dağdan iki muazzam kayanın dereye yuvarlanmış ve böylece köprü kurmaya elverişli hale getirmiş olduğu bir yer buldum. İkinci kafilenin gelişi, havanın çok şiddetli olmasından, iki gün gecikti. Kıtalar iki gün dinlendirildikten sonra Karakayık'a gönderildi. Üçüncü kafile topçu ve iki süvari alayı idi. Şerif paşa kumandasında Sürgü, Erkenek, Perveri ve Besni üzerinden geliyordu. Bunlar en büyük güçlükleri yenmek zorunda idiler ve kendilerinden henüz yeteri kadar haber alamamıştım, çünkü Laue, kafileleri teçhiz için zorunlu olarak Malatya'da kalmıştı.

Paşa önden Birecik'e gitmişti, Mülhbach da Birecik'in öbür tarafındaki tepeleri tahkim için iki hafta önce oraya gönderilmişti. Tahkimat işi iyi ilerlemiş ve paşa çok memnun kalmış.

Kıtaların Birecik'te Toplanması

Birecik, 7 Mayıs 1839

Paşa beni önden Karakayık'a yolladı, orada bütün kıtalar için iyi bir ordugâh yeri buldum. Bu arada kendisi Birecik'e gitmiş, buraya âşık olmuş ve sağını solunu düşünmeden herkesin doğruca oraya gitmesini emretmiş, yani düşmanın burnunun dibinde ve ayrı kollar halinde iken toplanma yerini değiştirmişti. Her ne kadar Malatya'da 700 kelek, yani koyun derisinden salımız var idiyse de, onlara muhtaç olduğumuz zaman bir tanesi bile aşağı Murat'ta değildi ve topçuyu ne Göksu'dan, ne de Fırat'tan geçirmenin çaresi vardı. Buraya gönderilen talimata göre arabalar eski Sultan Murat yolundan, Rumkale'den dolaşarak Birecik'e gideceklerdi. Bütün emirleri geri çevirtmeye benim gücüm yetmezdi; kumandan, dokuz paşa ile birlikte sadece on iki tabur, iki süvari bölüğü ve dokuz topla Birecik'te bulunuyordu; geri kalan kollar tabii hemen yürüyüşlerini her iki yandan Murat'a yöneltmişlerdi ve şimdi yapılacak tek şey mümkün olduğu kadar çabuk takviyeyi, özellikle topları, Birecik'e eriştirmekti.

Kelekler mutlaka çok geçmeden geleceğinden (her gün bunun için bir tatar gönderiliyordu) ilk iş, Besni'den, Göksu'nun alt tarafında Murat'a varacak araba işleyebilen bir yol bulmaktı. Karakayık'tan yola çıkar çıkmaz Laue'ye rastlamakla son derece sevindim. Onunla birlikte yeniden Göksu'nun öte yakasına döndüm. Geçilemediğini üç yoldan denemiş olduğum o kurşunî yassı dağları görünce ümidim kırıldı. Fakat, buna rağmen rahat bir yol (anlaşılan bir Roma yolunun kalıntısı, Göksu üzerindeki muhteşem bir köprünün harabesinde nihayetleniyor) bulduk ve buradan Murat'a vardık. Laue hemen o gece Besni'deki topçunun yanına gitti (bütün bu işlerin hiç durup dinlenmeden bardaktan boşanırcasına yağan yağmur altında yapıldığını düşünmelisiniz) ben Kızılin'de, kelekleri beklemek ve hazırlık yapmak üzere, kaldım. Laue ile ilk varacak keleğe bir top yüklemeye ve nehirden taşımayı denemeye karar vermiştik, çünkü bunda başarı muhtemeldi ama muhakkak değildi ve hiçbir Türk kumandanı sorumluluğu üzerine almak istemiyordu; fakat eğer top yerine varacak olursa o zaman bu işe itiraz edilemezdi. İki gün bekledim, kelekler gelmedi, üçüncü gün atla, topçuyu karşılamaya gittim. Murat kenarında Sübürgüç kola daha yakın olduğu için orada bir Descente yani bindirme yeri yapıldı, fakat hâlâ kelekler ve paşanın muvafakati ortada yoktu; bu sebeple kara yolunun da tayini lazımdı. Laue ile birlikte bunu hemen o gün, Rumkale'ye kadar tamamladım. Laue, Şerif Paşa'ya haber götürdü, ben de Birecik'e, kumandana gittim ve yarı yolda onunla karşılaştım.

Anlaşılan Hafız Paşa randevusundan biraz ürkmüştü, şöyle bir sırasını getirerek yolun durumunu sordu. Ben de topların geçirilmesinin imkân içinde olduğuna kanaat getirdiğimizi, fakat daha önce yolun düzeltilmesi lazım geldiğini, buna rağmen birçok tekerleklere, dingillere, atlara ve özellikle zamana mal olacağını, dokuz günden önce de hiçbir topun yerine varamayacağını söyledim. Aynı zamanda tamamıyla tehlikesiz olan aşağı Fırat üzerinden (üç ay önce yapıldığı gibi) nakli teklif ettim. Kumandan da topları yüklemek için bizzat Sübürgüç'e gitmeye karar verdi.

Ben Birecik'e gittim ve 3 Mayıs akşamı oraya vardım. Kıtaların vaziyeti şöyle idi: Birecik'te (Mühlbach şimdiden burada su kenarındaki hanı tahkim etmiş ve tepede bir redüt[165] yaptırmıştı) İsmail ve Mehmet'in livaları (bunlar az önce nehri geçmişlerdi) Mirza'nın bir süvari alayı ve dokuz top vardı. Nehrin öbür kıyısında Haydar, Mazhar ve Bahri Paşalarla Rüstem Bey'in süvari alayı bulunuyordu. Ertesi gün de ordugâha, Mustafa Paşa kumandasında dört hassa taburu ile Halid'in livasından üç tabur erişti. Mustafa üç perişan kelekle Göksu'yu geçebilmek için yedi

---

(165) Toprak tahkimat tesisi.

gün sarfetmişti. Bu sırada bir mülâzım, iki çavuş ve üç asker boğulmuştu. Halit askerlerini deve ve katır sırtında Başgeçit geçidinden geçirmişti. Onun arkasından Bekir'in livası geliyordu; bunlar bütün çadırları ve ağırlıkları geride bırakarak üç günde on altı saatlik çok çetin bir yoldan ilerlemek ve bu sırada Araban ve Merzimen derelerini göğüslerine kadar suya batarak geçmek zorunda kalmışlardı.

Şimdi İbrahim'in taarruz etmesinin tam zamanıydı; gayrı muntazam süvarileri birkaç gün önce, buradan bir buçuk saat ötedeki köyleri talan etmişlerdi, gözcüleri nehirden geçişi gözetlemişti; mevzi, 17 tabur ve 6 süvari bölüğü için çok genişti, tahkimat yeni başlamıştı, bütün topçu 9 toptan ibaretti. Aldığımız haberlere göre İbrahim'in Halep'te 8 alayı ile 52 topu vardı. Buna rağmen bizim için burada savaşmaktan, burayı tutmaktan ya da mahvolmaktan başka çare yoktu, çünkü buradan ayrılmak istersek (bu takdirde siperleri bırakmak ve düşmanı karşılamak için ta Balgız'a[166] kadar gitmemiz lazım olduğundan başka) tek bir dağ yolunu kullanmamız lazımdır ki belki de bu anda 300 araba bu yoldan bize doğru ilerlemektedir ve piyademizin yarısından da Murat'la ayrılmış durumdayız.

Fakat bunlar öyle engellerdir ki insan bunları aşar da çok daha ufak engellerde karaya oturur. Ayın 5'inde öğle vakti Laue geldi; ilk erişen sadece 45 tulumluk keleğe bir topla, toparladığını ve topçularını yüklemiş, hiç arızasız, beş saatte Sübürgüç'ten Birecik'e kadar olan on millik yolu almıştı. Büyük bir sevinçle karşılandı. Onun durmak dinlenmek bilmeyen faaliyeti herkesin takdirini kazanmıştı. Dün de Hafız Paşa 7 top ve 7 mühimmat arabasıyla nehir yolundan buraya vardı, bugün de yine toplar geldi. Şimdi kuvvetimiz 36 tabur, 10 süvari bölüğü ve 34 toptan mürekkep, üç yeni redût'ün inşasına alabildiğine çalışılıyor.

İbrahim fırsatı kaçırdı. Halbuki bizim durumumuzu, hiç değilse kısmen biliyordu; kendisi de zorluk içinde olsa gerek, yoksa bundan istifade ederdi.[167]

Birecik'te mevziimizden geri çekilmek imkânımız yok. Öğre-

---

(166) Cerablus yakınındaki Belkıs harabeleri.
(167) Sahiden de durum böyle idi. İbrahim askerlerini ancak zor kullanarak bir arada tutabiliyordu. Çünkü askerlerinin yiyeceği, elbisesi ve ücreti gayet kötü ve azdı.

nilip bilinen kurallara göre bunu kötü görmek lazım, fakat ben bunu, bu mevzi için ayrıca bir meziyet olarak sayıyorum. Savaş meydanının hemen arkasındaki bir köprü, sadece kaçakların işine yarayabilir. Şimdi herkes ya yerinde kalmak ya da mahvolmak zorunda bulunduğunu biliyor. Mevziimizin müdafaa cephesi 3500 adım. Bu mesafede dört istihkâm tamamlanmak üzere. Her iki kanat Murat'a dayanıyor, cephenin önünde 600 adımlık bir sahra şevi, sonra küçük, tamamıyla göz önünde bir vadi, bunun öte yakasında ise tatlı bir meyille yükselen tepeler var. Tepelerin arka tarafı dik olarak iniyor. İkinci kademeyi bile düşman hiçbir taraftan göremeyecek, ihtiyarlar da tamamıyla emniyet altında. Siperlerin arkasında 1000 adım genişliğinde açık bir saha, sonra Mansuriye yani hattı harp ve hassa askerlerinin çadırlarından meydana gelen 2500 adım uzunluğunda bir hat geliyor, bunun arkasında redifler, daha geride, nehir kenarında süvari ve topçu var.

Arada şunu da söyleyim ki siperlerden aşağı bakıldığı zaman 4000 çadırın, Fırat'ın ve Birecik'in eski kalesinin çok güzel bir manzarası var.

İbrahim Halep'in arkasında Han-Tuman'da sekiz alayla bulunuyor ve kendisinin Akkâ'ya çekileceği hakkındaki bütün rivayetlere rağmen, ben onun Halep'in önünde savaşa girişeceğine kaniim. Kuzey Suriye ve Adana'yı çarpışmadan bırakamaz, çünkü bu suretle Hacı Ali'nin (Konya) 18.000 askerine kapıyı açmış olur. Şimdi siz olsanız ne yapardınız? Biz kumanda birliğini sağlamaya muvaffak olamadık.

Not: Şimdi asker kaçaklarımız için 1000 kuruş veriyoruz, sanırım ki İbrahim bile bu fiyata onları bize teslim eder, çünkü o tarafta para kıt. Kıtalarımızın maneviyatı yerinde, 80.000 kişilik bir kuvvet olduklarını sanıyorlar ve burada neden bu kadar uzun zaman kaldığımızı bir türlü anlayamıyorlar. Biz de onların işi böyle sanmalarından memnun oluyoruz.

Birecik'te ordugâh, 15 Mayıs 1839

Şuna dikkati çekmeden geçemeyeceğim: Her iki ordunun birbirine bu kadar yakın oluşu yüzünden şimdi sadece bir tesadüf bile çarpışmaların başlamasına sebep olabilir. Şimdiden başıbozuk kı-

talar bu taraftaki bir köyü yağma ettiler. Her ne kadar Hafız Paşa
bu uygunsuzluğun karşılığını görmesine müsaade etmedi ise de,
aynı zulümler ya da mevziî isyanların Kuzey Suriye'de de olması
çok muhtemeldir. Ben her zaman harbi değil, aksine Avrupa dev-
letlerinin müşterek teşebbüsleriyle, barışçı bir ara bulmayı en ar-
zuya değer çare olarak gördüm. Şimdi de aynı şeye inanıyorum,
fakat ne yapılacaksa hiç geciktirmeden yapılmalıdır, zira İstan-
bul'dan gelen haberler ne kadar barışseverce olursa olsun, ben
görüş açımdan harbi son derece muhtemel görmekteyim ve buna
inancımı bir kere daha bildirmekle görevimi yaptığıma inanmak-
tayım.

Birecik, 13 Mayıs 1839

Durumun sakinliği hakkındaki haberler, eğer buradaki gerginlik,
işin tatlı bir sonuca bağlanabileceği hakkında pek az ümit bıraka-
cak dereceye varmamış olsaydı, beni daha da sevindirecekti.

Ordumuzun öncüleri, kumandanın kati bir emri üzerine, ta
hududa kadar ilerletildi. Az sonra gayrı muntazam kıtalardan
önemli bir miktarı buraya yerleşecek ki bunların daimi olarak
beslenmesi imkânı yok; o zaman ya bu kadar büyük fedakârlık-
larla sağlanan bu topluluğu yeniden dağıtmak ya da hücuma
geçmek lazım gelecek.

Öte yandan İbrahim Paşa'dan ordularını Şam'a çekmesi de ar-
tık pek beklenemez. Bu hareket bütün Kuzey Suriye'yi resmen bı-
rakmak demektir. Halep hemen silaha sarılır ve Adana'daki or-
dunun etrafı tamamıyla kuşatılmış olur. Acaba İbrahim, şimdiki
durumunda (ki hiç şüphesiz pek naziktir), sahiden toprak bırak-
maya taraftar olur mu olmaz mı burası bilinmez ama, böyle bir
şey olmadan Osmanlı devleti ordusunu geriye zor çekecektir.

Yüzbaşı Fischer'in muhtemelen artık geri dönmüş olması çok
esef edilecek şey. Babıâli üç[168] Asya ordusunu tek bir kumanda
altına vermek istemediği için bunların şöyle böyle birbirine uy-
gun tarzda hareket etmeleri sadece Prusyalı subaylar sayesinde
mümkün olmuştu.

---

(168) Üçüncüsü Ankara'da İzzet Mehmet Paşa'nın ordusu. Burada Prusyalı su-
bay von Bincke vardı. Fischer de Konya'da Hacı Ali Paşanın yanında idi.
Aşağıdaki mektup Von Bincke'yedir.

Birecik'te ordugâh (sağ kıyı),
20 Mayıs 1839 Pentacote yortusu

Dün Ankara'dan gelen piyade kaymakamı yazık ki senden haber getirmedi; bununla birlikte, 22 Nisan tarihlisine kadar olan mektuplarını almıştım, fakat o zamana kadar bunların hep barış kokmasına ve ordumuzun yakında harekete geçeceğine dair hiçbir haberin bulunmayışına şaşıyorum. Sana İstanbul'dan resmî barış haberleri ne kadar çok gelirse gelsin, inan bana, bu harpten kaçınılması imkânsızdır ve buna kesin karar verilmiştir.

Sana İstanbul üzerinden son kurye ile, buraya yürüyüşümüzü, kelleyi koltuğa alarak toplanışımızı ve şimdiki çok mükemmel mevzilerimizi ayrıntılarıyla bildirmiştim. Topçu buraya (beş, hatta hemen hemen altı hafta geçtiği halde) henüz tamamıyla gelemedi. Burada 80 top var, 40'ı yolda, fakat bunlardan 20'sinin bu akşam, Murat üzerinden buraya varmaları çok muhtemel. İlk alayın 40 atı ölmüş, geri kalanları da o hale gelmişler ki eski ihtişamlarından eser kalmamış; Laue bundan çok üzüntülü, sonsuz tamirata ihtiyaç var. Süvarimiz tekmil, şimdi 8 alayımız var, bunlara Muş'tan da 1500 atlı iltihak edecek; ordugâhta 53 tabur piyade var. Yine birçok askeri, özellikle kaçmak yüzünden, kaybettiğimizi söylememe bile lüzum yok. Hakikî kuvvetin 25.000 ila 28.000 piyade, 5000 atlı ve 100 top olduğunu tahmin ediyorum; eğer 30.000 kişiyi harbe sokabilirsek sevineceğim, fakat bu miktarın İbrahim'in, muntazam asker olarak, bize karşı sürebileceklerinin hepsinden daha fazla olması çok muhtemel, çünkü İbrahim'in, Hacı Ali peşine düşmeden Külek boğazını boşaltmasına imkân yok.

Biz, nispeten çok büyük sayıda gayri muntazam kuvvetler bekliyoruz; önce Ennesi Araplarını söyleyim; bunlar Doğu Suriye ve Mezopotamya'da dolaşıp duruyorlar, İbrahim'i çok rahatsız edeceklerdir. Sonra Diyarbekir, Mardin, Palu vb.... başıbozukları, bizim Sait Bey kalesi önündeki eski müttefikler, Bedirhan Bey'le Kürtleri ve hempaları. Bütün bunların kaça mal olduğunu hesaplayabilirsin; 10.000 kilo buğday satın alındı, gayrımuntazam askerler de tayınlarını alıyorlar ve geri kalan şeyleri de herhalde çapulla sağlıyorlar. Kıtalara çift maaş verildi; para avuç dolusu dağıtılıyor.

Öncülerimiz (iki süvari bölüğü) Nizip'in ilerisinde, tam sınırda bulunuyor. Atlarından bazısı kaçmış, sipahiler onları sınırın öte tarafında aramışlar, içlerinden biri yaralanıp ölmüş. Bu olay yüzünden korkunç bir hengâme koptu. *Paşa efendimiz* bir mollalar divanı kurdu; şimdi yanımızda bunlardan düzinelercesi var ve feriklerden daha ileride geliyorlar (ihtimal ki fetva yazılıp tamamlanıncaya kadar).

Paşa herkesi bu olayın harp için geçer bir sebep olduğu hususunda kendisini tasdike zorluyor, mollalar tamamıyla onun düşüncesinde; tabii bizim mutlak surette bu düşüncede olmadığımızı düşünebilirsin.

Paşa'ya dün, yanlış anlaşılmaması için tercümanla harfi harfine şunları söyledim: "Mollalar sana harbin haklı olup olmadığını söyleyebilirler, fakat bunun akıllıca olup olmadığını yalnız sen takdir edebilirsin. Şartların tümü, padişahın ve Avrupa hükümetlerinin maksatları... bizim bütün ordularımızla düşmanın bütün ordularının kuvveti ve mevzileri, memleketin serveti, yığılmış olan erzak, mühimmat vesaire... Bu çok önemli meselede bir tavsiyede bulunabilmek için bütün bunların bilinmesi lazımdır; bunları da ne mollalar, ne ben, ne de senden başka herhangi bir kimse bilir. Bütün şeref ve bütün sorumluluk sana aittir ve başka hiç kimseden tavsiye beklememelisin." Ama onun işitmek istediği şey bu değildi.

Paşa'da confiance değil, bazen confidence eksik[169]. Ama gene de hemen başlayabilmek için tamamıyla hazır olmadan asla harp ilan etmememiz lazım olduğunu tasdik etti. Sadece yürüyüşe hazır olmak için bugünden itibaren iki ya da üç haftaya ihtiyacımız var. Bizimle birleşmek yahut hiç olmazsa müşterek hareket edebilmek için size de bu kadar zaman kalıyor. Fakat o vakit nereye gideceksiniz? Maraş'a mı? Kayseri'den Zamantı Suyu üzerinden Ekrek, Dallar, Göksu köyleri üzerinden Elbistan'a kadar gidebilirsiniz. Oradan itibaren topların nasıl ilerleyeceğini, o araziyi tanıdığım için, tasavvur edemiyorum, meğer ki 18 saatlik yolda deve sırtında taşıttırasınız. Bu da olmazsa topçuyu Malatya'ya sevk etmek için başka hiçbir imkân yoktur.

Eğer bize iltihak etmezseniz (ki bu herhalde olamayacaktır) sanırım ki Kilis'e doğru gitmek zorunda kalacaksınız, fakat Kara-

---

(169) Kendine güvenme değil, başkasına tam güvenme eksik.

dağ'ı ve onun "*derbend*" yani geçitlerini aşabilir misiniz aşamaz mısınız burası şüpheli; fakat yine de düşman kuvvetlerinin bir kısmını hareketsiz bırakacaksınız. İkinci bir soru da, o sırada oraya gelmiş olması gereken Hacı Ali'ye boğazı açmak[170] için Maraş'tan Adana'ya bir kuvvet gönderip göndermeyeceğinizdir. Yazık ki bunların hepsi münferit teşebbüslerden ibaret, Kıbrıs'a asker çıkarma da öyle. Fakat bu hususta senden haber bekliyorum; mutlaka haberleşmeyi sağlamalıyız. Eğer ben sizin nerede olduğunuzu öğrenebilirsem, gerekirse özel bir tatar gönderirim.

Ordugâh

Fırat kenarında Birecik'te ordugâh, 10 Haziran 1839

Bugün sana uzun bir mektup yazmayı isterdim, çünkü benden o kadar zamandan beri haber alamadın. Ama bu pek mümkün olamayacak, çünkü tatar yarın sabah erkenden yola çıkıyor, benim mum parçacığım da hemen hemen, şamdan yerine yanı başımda toprağa saplanmış olan süngünün deliğine kadar eridi. Fakat seni daha uzun zaman buradan habersiz bırakmamak için bugün sade en önemli işi bildiriyorum: Malatya'dan ayrıldık, bütün kuvvetlerimizle bu ordugâhtayız, ben iyiyim ve sıhhatteyim, iştahım son derece yerinde, sade çizmelerim ve elbiselerim biraz yırtık pırtık, çünkü Toros'lardan geçişimiz çok zahmetli oldu. Yüksek kar, derin çamur, yirmi dokuz gün yağmur ve çetin dağ yolları bize çok çektirdi. Şimdi burada biraz dinlenmek, talimler ve manevralarla vakit geçirmek istiyoruz. Siperlerimizden aşağı muhteşem bir manzara seyrediyorum. Aşağıdaki vadide, Fırat kenarında 400 çadırdan bir şehir kurduk. Öndeki dümdüz cadde çeyrek mil uzunluğunda; müthiş kabarmış olan nehir kıvrılarak ordugâhımızın üç kenarını çevreliyor, öbür yakası surları ve burçları, camileri ve bahçeleri göze çarpan Birecik'in beyaz kaya duvarına doğru yükseliyor ve hepsinin üzerinde garip, eski Kalai-Beda şatosu yükseliyor. Yüzlerce yüklü deve, her yirmi beşinin önüne bir eşek düşmüş, ağır ağır dağdan aşağı iniyor, en öndeki-

---

(170) Külek Boğazını.

nin üstünde bir Arap, iki davula vurarak bize un, peksimet ve pirinç getirdiğini haber veriyor. Koyun derilerinden yapılma sallardan küçük filolar odun, saman ve lazım olan başka maddeleri getirmek için nehirden aşağı akıp geliyor; sayısız koyun ve keçi sürüleri vadinin yamaçlarında sıçraşıyor. Arpa tarlalarında binlerce at bağlanmış duruyor; süngüler, mızraklar ve toplar güneşte parıldıyor ve her yandan davul ve boru sesleri geliyor. Şurada yüzlerce asker, bir zamanlar Bağdat'ı dövmüş olan yüzlerce yıllık bir topu tepeye çıkarmaya çalışıyor, burada başka yüzlercesi toprak siperleri yığmak için katı zemini kazıyor ve kürekliyor. Çadırların önünde insanlar kaynaşıyor, birisi bizim taraflarda omlet yapıldığı gibi ekmek pişiriyor; deve tezeği ateşi üstüne konmuş bir saç üzerine ince bir pide yayıyor, öteki gömleğini yıkıyor, şu tüfeğini temizliyor, beriki papucunu yamıyor ve hepsi, ben de dahil, çubuk içiyor. Bir sipahi alayı kalabalığın ortasından geçerek ileri karakol mevkiine gidiyor ve 14 ayak uzunluğunda kamış mızrakları ve eski muhteşem kılıklarıyla Arap atlarını oynatan gayrı muntazam süvarilere gururla tepeden bakıyor. Burada Dageuerre'in camera obscura'sından bir tanesinin elimde olmayışı ne yazık.[171]

Nizip Harbi

Malatya'da Asbuzu, 12 Temmuz 1839

Çok uzun zaman benden habersiz kaldın, çünkü son günlerde olaylar o kadar birbirini kovaladı ki mektup yazmak için bir an bile bulamadım. Şimdi yeniden Asbuzu'nun o kızılcık ağacının altında, köprü üzerindeki gölgeli barınağımdayım; fakat buradan ayrıldığım zamandan beri ne kadar şey değişti.

Birecik'teki ordugâhımızda bütün haziran ayı boyunca o kadar hareketsiz kaldık ki kırlangıçlar çadır direğime yuva kurmaya ve işsiz geçen zaman bize uzun gelmeye başladı. Bu biteviyeliği sadece korkunç bir olay kesmişti: 29 Mayısta öğle vakti, içinde 1000 kentalden fazla hazırlanmış cephane bulunan barut deposu havaya uçtu. Bu cephaneyi yerleştirmek için mevzilerimizin alt

---

(171) İlk fotoğraf makineleri.

tarafında, Murat kıyısındaki bir han, ya da hana benzer, üzeri kubbeli taş bir bina seçilmişti. Ancak birçok müracaatlarla, bu dört köşeli binanın iç avlusundaki altmış kişilik muhafız kuvvetini uzaklaştırmak imkânını bulmuştum. Bunlar orada yemek pişiriyor ve çubuk içiyorlardı; fakat sonradan hal yine bütün Türk barut depolarında olduğu gibi o kadar kötüleşti ki, daha ilk gümbürtüde başımıza hangi belanın geldiğinden şüphe bile etmedim.

Çadırım 1000 adım uzaklıkta ve bir tepede idi, kapısı hana doğruydu ve bütün tehlikelerin dışında kalacak kadar uzak, fakat bu sahneyi apaçık görebilecek kadar yakında idi. İlk şiddetli patlayış dikkatimi çekince, tam o sırada piyade cephanesi sandıklarının açılmakta olduğu, iç avludan bir ateş sütununun yükseldiğini gördüm; bunun hemen arkasından han da havaya uçtu. Koyu bir duman direği berrak mavi havada inanılmayacak kadar yükseklere çıktı. Bu dumanın içinden parlak şimşekler çakıyor ve kubbe taşlarıyla mermiler yağıyordu. Yüzlerce dolu kumbaranın aynı anda patlayışı öyle bir gürültü çıkardı ki ses, saatlerce uzaklıktaki dağlarda yankılandı. Şurasını da bil ki hanın her iki tarafında 80 adım mesafede 200 dolu cephane ve kumbara arabası duruyordu; içlerinden bir toparlak havaya uçtu, fakat mahvolmak tehlikesinde bulunan bütün geri kalan arabalar mucize kabilinden kurtarılabildi. Arkadaşlarımdan Yüzbaşı Laue büyük bir tehlikeye düşmüştü; infilak sırasında depodan ancak birkaç yüz adım ötede çalışmakta idi ve düşen enkaz ve parçalardan üç yerinden hafif yaralandı; buna rağmen, yanmaya başlamış olan kumbara yüklü toparlağı ilk olarak söndüren de o oldu. Piyade ile oraya yetiştiğimiz zaman çabucak bu yanardağın yakınındaki bütün cephane arabaları uzaklaştırıldı; birçok kumbaralar ve hartuç dolu sandıklar tutuşmadan arabaların arasına fırlamıştı, bunlar askerlerin kucağında taşındı. Görünüşe göre, bir bahtiyarlık eseri olarak, daha ilk patlamadan kubbenin bir kısmı çökmüş olacaktı. Sandıkların hepsi büyük bir itina ile önce keçe, sonra da meşin kaplanmıştı ve bu suretle, sadece barutla beslenen bir yangının öğleden akşama kadar sürmesi mümkün oldu. Ortalık karardıktan sonra da hâlâ kumbaralar patlıyordu, fakat ilk şiddetli infilaktan beri bunlar sadece hanın içinde ya da enkaz arasında patlamaktaydılar. Eğe bütün barutlar birden tutuşmuş olsaydı arabalara da yayılırdı ve tahribat müthiş olurdu. Tam bu sırada beş yüz kental barutun gelmesi de bekleniyordu, Allahtan bunlar iki gün sonra gelebildi. Bir miralayla iki yüzden fazla ölü ve yaralının yasını çektik.

Birkaç gün sonra, iki kol halinde, Birecik'in iki saat batısındaki Nizip'e doğru yola çıktık. Oraya varınca ordugâh kurduk ve hemen siper kazdık. Sıcak çoktu, gölgede 30, hatta 35 derece Reomur'a çıkıyordu. Bizi bir an bile rahat bırakmayan sinekler gerçek bir bela idi. Bu memlekette ağaç nadirdir, fakat bulunduğu zaman muhteşemdir; Nizip'te çadırım, içerisinden muazzam ceviz ve kayısı ağaçlarının da yükseldiği bir nar koruluğunda bulunuyordu. Binlerce nar, açık yeşil yapraklar arasından kıpkırmızı ışıldıyordu. Burada *"andelip"* denen bülbüller dalların arasında şakıyor ve küçük bukalemunlar ağaç gövdelerinde aşağı yukarı tırmanıp duruyorlardı. Fakat iğrenç böcekler, zehirli örümcekler, kulağakaçanlar ve yılanlar da eksik değildi; kaplumbağa otların arasından ağır ağır sürükleniyor ve binlerce ateş böceği karanlıklar içinde parıldıyordu.

Bu ordugâhta da üç hafta geçirdik, uzun süreden beri salgın halinde olan dizanteriye yakalanıp yatakta kalmaya mecbur olduğum, üstelik benim tavsiyelerimin ve kanaatlerimin aksine birçok şeyler olduğu için bu, hiç de hoşa gitmeyecek bir zaman oldu. Nitekim bu yapılan işler bizi acı bir felakete sürükledi.

Bilinen sebeplerden dolayı eski mektuplarımda sana benim buradaki resmî vazifeme dair hiçbir şey yazmadım; fakat anlatmak istediğim olaylar artık geçmişe aittir ve tamamıyla meydanda bir hakikat olarak göz önünde durmaktadır.

Bu anın en önemli problemleriyle uğraşan Avrupa diplomasisi çözülmesi imkânsız gibi görünen Doğu meselesini, kabil olduğu kadar uzak bir geleceğe atabildiği için memnundu. Kütahya barışından beri[172] bu memleketlerde silahlar susmuştu, her taraftan ve kesin olarak, Babıâli'den de, Mehmet Ali'den de, şimdi mevcut olan durumu muhafaza etmeleri istenmekteydi ve belki de, acaba bu durum dayanılır bir şey midir, devamlı mıdır, yoksa zamanla her iki tarafı da çekinilmesi imkânsız bir surette mahva mı sürekleyecektir noktası tam olarak bilinmemekteydi. Kimyada nasıl iki madde birbirini tamamıyla nötürleştirirse Türkiye'nin bütün kuvvetlerini Mısır, Mısır'ın bütün kuvvetlerini de Türkiye

---

(172) 1838'de Konya savaşından sonra, Mısırlılara o sırada sadece Suriye değil büyük devletlerin zoruyla Adana da terk edilmişti.

yok etmiş ve her iki devlet de dışarıya karşı tamamıyla mahvolmuştu. Tuna, Şumnu, İstanbul müdafaasızdı. İskenderiye ve Kahire'yi sakatlar koruyordu; buna karşılık Kürdistan ve Suriye'nin bir köşesinde iki muazzam ordu, tepeden tırnağa silahlı, birbirine karşı cephe almış duruyordu.

Bizzat tabiat bir yerde büyük insan yığınlarının toplanmasına karşı koyar. Medeni memleketlerde bu iş zor ve masraflıdır, buradaki gibi memleketlerde ise öldürücüdür ve uzun sürünce para yetiştirilemeyecek bir şey olur. Bu sebeple senelerden beri bu zavallı vilayetlerin üzerine çöken tazyik korkunçtur; fakat bütün imparatorluk da büyük bir orduyu uzak yerlerde, sadece kudretli bir komşunun da orada bir ordu bulundurmasından başka bir sebep olmadan, beslemenin yükü altında inliyordu.

Yedi senede burada en azdan 50.000 asker toplanmış ve gömülmüştü. Karşılığında bir şey kazanılmadan 100 milyon sarfedilmiş, bütün vilayetlerin ürünü yenmişti. Bunlar sadece karşı taraf aynı ısrafı yapıyor diye yapılmıştı. Kim bu zoraki durumu yakından görseydi, çok geçmeden şuna inanırdı ki statüko iki hasım tarafa bundan sonra, olsa olsa ilkbahara ya da sonbahardan ilkbahara kadar, belki zorla muhafaza ettirilebilir ama eninde sonunda ya Avrupa büyük devletlerinin ara bulmak için teşebbüse girişmelerinden ya da işin savaşla bitirilmesinden başka çare yoktur. Bunlardan birincisi olmadı, bu yüzden de, ikincisinin olması gecikmedi.

Muhakkak ki Sultan Mahmut Ocak ayının başından beri kesin olarak, bu ezici duruma savaşla son vermeyi kararlaştırmıştı. Yeni fedakârlıklara girişildi, hiçbir masraftan çekinilmedi, bol keseden nişanlar ve rütbeler dağıtıldı, kıtaların ikmali zor kullanılarak tamamlandı, topçunun teçhizatı mükemmel bir hale kondu, erzak ve mühimmat yığıldı, kumandan generalin her isteği yerine getirildi. Bu arada, Avrupa sefirlerinden ürkerek İstanbul'da resmen ve inandırıcı barış teminatı verildi. Altı aydan beri harp meselesi kararlaşmış olduğu, biz de artık sınırı aşmış olduğumuz halde, İstanbul'da hâlâ statükonun muhafaza edileceği hususunda teminat verilmekte idi.

İşler kendi zorunluluklarına göre böylece gelişmişti; şimdi bakalım başarı hususundaki ümitleri padişah ne kadar yerine getirebilecekti. Hükümet Küçük Asya'da üç askeri kuvvet bulunduruyordu ki bunların toplamı 70.000 kişi idi (ben sahiden toplanmış olan kuvvetlerden bahsediyorum. Çünkü nazarî sayı çok daha büyük). Bu kuvvetlerin yarısından çoğu hemen toplanmış askerler arasından yetiştirilmiş ve kendilerine çarçabuk biraz Avrupa savaş usulleri öğretilmiş olan redifler ve iltimasla seçilmiş, kendi mevkilerinde olanların bilmeleri gereken şeylerden hiçbirini bilmeyen subaylardan mürekkepti. Nizamiye kıtalarının da yarısını yeni askerler teşkil etmekte idi. Ölüm nispeti o kadar korkunçtu ki burada bulunduğumuz sürede piyadenin yarısını gömmüştük. Bütün bunların yerini doldurmak şimdi hemen hemen tamamıyla Kürdistan'a yükleniyordu. Köylerdeki halk dağlara kaçıyordu, peşlerinden köpekler saldırtarak kovalanıyorlardı; tutulanlar, çoğu zaman çocuklar ve sakatlar, uzun iplere sıralama bağlanmış ve elleri bağlı olarak getiriliyorlardı. Subayların dillerini bile anlamayan bu askerler daimi olarak esir muamelesi görmek zorunda idiler; her alay karargâhının etrafını sık karakol hatları sarıyordu, fakat çok defa bizzat nöbetçiler kaçıyordu. Her kaçak için 20, sonraları 100 gulden veriliyordu. Fakat bu da kaçmayı önleyemiyordu. 50 askerin birden, atları ve silahları ile, ön karakollardan kaçtıkları oldu. Askerin maaşı iyi idi, elbisesi mükemmel, yiyeceği boldu ve kendilerine tatlılıkla muamele ediliyordu; fakat hemen hemen hiçbir Kürt iki seneden fazla dayanamıyordu. Hastahaneye gidiyor, ölüyor yahut kaçıyordu. Ordunun üçte ikisinin bu haline ilave olarak muktedir subayların yokluğunu da söylemek lazımdır. Onun için, böyle askerlerle hiçbir savaşın yapılamayacağına inanmak lazımdı.

Ama İbrahim Paşa ordusu için de, ancak Türklerle kıyaslandığı zaman, daha iyidir denebilir. Bu ordu da geçen yıl Dürzilerle savaşta korkunç zayiat verdi, büyük bir kısmı yeni askerlerden müteşekkildi ve sayıca da çok daha azdı. İbrahim Paşa sonra, savaş için, bütün Suriye'de ne varsa hepsini topladı. Hatta Adana'daki kuvvetlerini çekmesine de müsaade edildi; bütün bunlara rağmen ordusu, yalnız Hafız Paşa'nın ordusundan 10.000 kişi fazla idi. Osmanlı devletinin Asya'daki kuvvetleri, eğer birleşmiş olsalardı, ondan hemen hemen bir misli üstün olurdu. İbrahim'in kıtalarının Türklerden daha üstün manevra kabiliyeti vardı, topları daha çoktu ve daha iyi kullanılıyordu, fakat ordunun maneviyatı Hafız Paşa'nın kuvvetlerininkinden daha düzgün değildi.

Düşmanla karşı karşıya geldiğimiz zamandan beri gün geçmiyordu ki bize otuz kırk kişi iltica etmesin. Subaylar ve askerler silahlarıyla geliyorlardı. Türk ordugâhında muazzam paralar sarfedildiği halde Mısır ordusunda yokluk hüküm sürüyordu; Mısır askerinin günlük yiyeceği bizimkinin üçte birini zor buluyordu, askerler çadırsız konaklıyorlardı ve tam on sekiz aylık ücretlerini alamamışlardı. İaşe çok zorlukla sağlanıyordu ve bütün Suriye, özellikle büyük şehirler halkı, isyan için bir işaret bekliyordu.

Başarı ihtimali Osmanlı devleti tarafında idi, fakat kökten bir hata bütün üstünlükleri yok etti: Suriye'de, kendi varlığı bahis konusu olan, tek bir insan kumanda etmekte idi. Halbuki Küçük Asya'da her birinin menfaatleri ayrı olan ve birbirlerini kıskanan dört kumandan vardı; bu yüzden de, bizim çarpışmaya başladığımız sırada İzzet Paşa kuvvetleri hâlâ 150 saat geride, Kayseri'de bulunuyordu ve Konya'da Hacı Ali Paşa da o kadar pasif kalıyordu ki İbrahim bütün geçitlerdeki askerlerini çekebilmiş ve bu suretle kuvvetini artırabilmişti.

Hafız Paşa harbi istiyordu ve bu suretle hükümdarının en gizli emellerine göre hareket edeceğinden emindi; buna bahaneyi Arapların birkaç el silah atmasında buldu. Bu sıralarda, daima önlemek, daima bütün teşebbüslere engel olmak, daima geri kalan kuvvetlerin de gelmesini beklemeyi tavsiye etmek bana zor geliyordu ve itibarımı korumak için, el altından önleyemediğim böyle harekâta fiilen katılmaktan başka yol bulamıyordum.

Görünüşe göre İbrahim Paşanın çarpışmalara başlamaya hiç arzusu yoktu ve birçok şeylere tahammül etmişti. Gayri muntazam kıtaların savaşında ondan seksen esir almıştık ve keşif harekâtımız (ki bunlarda süvarinin hiçbir işe yaramaz halde olduğu meydana çıkmıştı) sınırın beş saat ötesine kadar uzanmıştı. Antep'teki ahali oradaki askeri kuvveti iç kaleye tıkmıştı. Bunlar çok zayıf bir bombardımana dayandılar, fakat tedahüle kalmış on sekiz aylıklarının ödeneceği vaadi üzerine sadece teslim olmakla kalmadılar, bizim hizmetimize bile geçtiler. Artık bu, Suriyeli bir serdarın bile tahammül edeceğinden fazlaydı; 20 Haziran günü bütün ordusuyla göründü, öğleye doğru Mizar geçidini aştı ve toplu kıtalar halinde geçidin bu yanında, bizden sadece bir buçuk saat ötede, ordugâh kurdu. Bizim habercilerin güzel havadislerine rağmen İbrahim'in bizden çok kuvvetli olduğu hemen meydana çıktı. Bizim gayri muntazam süvarilerimizle bir bataryamız, bir hassa süvari livamız Mizar'dan darmadağınık bir halde püskürtüldü; bunlar çadırlarını bile düşmana bıraktılar. Bu sırada Hafız Paşa kuvvetleri çarçabuk ve intizamla, çadırlı ordugâhın takriben 1000 adım ilerisinde harp nizamını aldı, bu sık sık talim edilmiş bir manevra idi. O gün hücuma uğrayacağımıza emin olarak bekledik, fakat İbrahim o günün geri kalan zamanıyla gecesinde yerinde kaldı. Bizim kuvvetlerimiz geceyi silah başında geçirdi.

Ertesi sabah (21 Haziran) gün doğmadan önce, sağ kanadımızda kuvvet yerleştirilmiş ve tahkim edilmiş olan, dürbünle her taraf görülebilecek sivri bir kayalığın tepesine çıktım. Düşmanın ileri hareketi buradan gayet belirli bir tarzda, bütün ayrıntılarıyla görülebiliyordu ve bunlara karşı zamanında karşı tedbirler almak mümkündü.

Saat 9'a kadar düşman ordugâhında sükûnet hüküm sürdü, sonra 9 süvari alayı, 18 süvari topu ve bir piyade livası cepheye ve mevziimizin sol yanına doğru harekete geçti. Ordunun geri kalan kısmı ordugâhta kaldığı için paşama hemen, yazılı olarak, düşmanın maksadının sadece bir keşif hareketinden ibaret olduğunu haber verdim. Çok uzak mesafeden bir bombardıman oldu ve sadece gayri muntazam kıtalar çarpışmaya giriştiler. Bundan sonra düşman geri çekildi. Anlaşılan mevzilerimizi çok kuvvetli bulmuşlardı; hiç değilse bu keşif hareketinin arkasından bir hücum olmadı. Askerlerimizin çadırlara çekilmesini ve yemek pişirmesini, olsa olsa yalnız birinci hattakilerin silah başında kalmasını teklif ettim. Fakat bunu tehlikeli buldular ve bu gece de silah başında kaldık. Mevziimiz sağ ve solda kolayca tırmanılamayacak tepelere dayanıyordu. Siperlerle tahkim edilmiş olan cephe hafifçe içeri doğru giriyordu. Bizim kaidelerimize göre bu durumda biraz fazla cephe ve az derinlik vardı. Esasında pek de çok top yerleştirilmişti; fakat Doğuluların benim bildiğim savaş tarzlarına göre bu özellik faydalıydı ve İbrahim Paşa da bu hükme varmışa benziyordu. Bu milletlerde harp ancak birkaç saat sürer, ilk hücum kesin sonucu verir, büyük sayıda ihtiyatların kullanılmasına zaman kalmaz; onun için daha başlangıçta birçok kuvvetleri savaşa sürmek ve en iyi kozu hemen oynamak tavsiyeye değer. Bu sebeple en güvenilir kıtalar ilk safta, en kötüleri de ihtiyattadır.

22 Haziran sabahı düşman ordugâhında büyük bir kaynaşma vardı. Binlerce deve Mizar geçidinden geriye gidiyor, bunları kuvvetli süvari kitleleri ve bir miktar piyade takip ediyordu. Ge-

nel olarak buna bir ricat anlamı verildi, fakat ben çok geçmeden paşaya yürüyüş yönünün, sol yanımızı çevirmek istediklerini anlattığını haber verdim. Saat 10'a doğru, kendisine bu manevra hakkında kesin fikir vekmek için, kumandanının yanına gittim. Karşı taraf öncüleri bize bir saat bir çeyreklik yerdeydiler ve henüz dörtte üçü Mizar deresinin bu tarafında bulunan büyük kısımlarından iki saat uzakta bulunuyordu. Mühlbach, Laue ve ben, bu durum karşısında toptan bir taarruza geçmeyi teklif ettik; fakat bu, bizim zavallı süvarimizin hiçbir şey ifade etmeyen bir gösterisine kadar indirildi.

Öğleden sonra paşa, benimle durum hakkında konuşmak için, sivri tepeye geldi; ben ona, şimdi mevzilerimizin bir buçuk saat aşağısında, Nizip deresi üzerindeki bir köprüye doğru ilerleyen İbrahim Paşa ordusu kollarını gösterdim. Onun ısrarı üzerine, düşmana sarma hareketi sırasında taarruz etmek istenmediğine göre şimdi, bu hareket tamamlanmadan, geri çekilmekten başka çare olmadığını anlattım. Üç saat gerimizde Birecik'te tahkim edilmiş mevzilerimiz vardı; Avrupa kurallarına göre bu mevzilerin ricat yolu olmamak gibi bir kusuru bulunuyordu; fakat evvelce görmüş olduğum şeylere bakılırsa bu durum benim için oranın en büyük üstünlüğüydü. Herkes, en aşağı Kürt bile orada dayanmak ya da mahvolmak zorunda olduğunu bilecekti; sarılmak bahis konusu olamazdı, çünkü her iki kanat, geriyi de kapayan Fırat'a dayanmaktaydı. Cephe mükemmel siperlerle tahkim edilmişti, arkamızda, içerisinde muazzam miktarda erzak ve mühimmat bulunan bir hisar, önümüzde sahra şevi gibi bir ova vardı ki hayvanlar için ne var ne yok hepsi biçilmiş, düşmana tek bir ot bile bırakılmamıştı[173]. Paşa geri çekilmenin ayıp olduğunu söyledi; öte yandan da, Birecik çok müstahkem olduğundan, düşmanın orada bize taarruza cesaret edemeyeceğinden filan korkuyordu. Ben de buna karşılık, İbrahim muharebe etmeden Halep'e çekilirse benim elimi kesmesini söyledim. Burada en önemli menfaatler bahis konusu olduğu için artık ordunun yüksek rütbeli subaylarının, Mustafa Paşa, Mazhar Paşa, Han Efendi ve ötekilerin karşısında, tam bir açıklık ve şiddetle her şeyi söyledim. Paşaya ordusunun ne kadar az güvenilir olduğunu ve düşmanın kuvve-

---

(173) Mısırlılar sonradan, o gün İbrahim Paşa'nın askerlerine son ekmekleri dağıtmış olduğunu bildirmişlerdir.

tini anlattım, takviyelerimizin nasıl her yandan harekete geçmiş bulunduklarını, şimdi işin onlar gelinceye kadar zaman kazanmak olduğunu, zati bunun düşmanın tazyikiyle değil kendi arzusuyla bir çekilme olacağını, işin içinde bu kadar önemli meseleler varken böyle ufak tefek şeylere aldırış etmenin, hatta bu sırada Antep'in elden çıkmasının bile, üstünde durulacak bir şey olmadığını anlattım. Nihayet ona Sultan Mahmut'un beni tayin etmiş olduğu makam dolayısıyla kendisine bunları söylemeye borçlu olduğumu ve bu saatten itibaren, kanaatimce Nizip'te daha fazla kalmaktan doğacak bütün sonuçları kendi payıma kabul etmeyeceğimi bildirdim. Orada bulunan Laue de, kendisine sorulunca, bu fikirlere tamamıyla katıldı. Neticede, önceki itirazlara rağmen Birecik'e çekilmeye hemen hemen karar verildi, hareket saati, kolların sayısı gibi işler hakkında müzakere edilecekti.

Bir saat sonra, İbrahim Paşa ordusunun büyük kısmının da artık ötekiler gibi Kersun köprüsüne doğru yola çıktığını, öncülerin yarım saat sonra o noktaya varmış olacaklarını bildirmek üzere paşanın yanına gittim. Kumandanı, kısa zamandan beri büyük bir nüfuz kazanmış olan mollalar ve hocalarla oturmakta buldum. Fikrini tamamıyla değiştirmişti. "Benim haberlerim pek de doğru olamazmış; düşman sadece yarın sabah Halep'e çekilmek niyetindeymiş. Sultanın davası haklıymış, Allah ona yardım edecekmiş, bütün ricatler de ayıpmış; ben sol kanatta, cephe köprüye olmak üzere mevzi almalıymışım!" Ben bunu kesin olarak reddettim ve çadırıma döndüm.

İbrahim'in yaklaştığı haberinin ilk alındığı sırada ben hasta yatıyordum. Son günlerdeki keşif hareketleri sırasında at üzerinde zor duruyordum, şimdi bir saatlik istirahat benim için zorunluydu. Atla geçerken, birkaç günden beri genel karargâhta bulunan, Londra Coğrafya Cemiyeti üyelerinden Bay R. ve A[174]'ya, eşyalarını hazırlamalarını, çünkü yarın kötü bir durumda savaşacağımızı ve işin sonunu garanti edemeyeceğimi söyledim. Fakat kendimi daha yeni yatağa atmıştım ki paşa beni çağırttı; düşmanın köprüye varmış olduğu haberi bu sefer oradan da gelmişti; deminki güven ne kadar büyükse, şimdiki şaşkınlık da o kadar

---

(174) Bunlar Mr. Ainsporth ile Thomas M. Russel'dı. Kendilerine Londra'daki Geographical Society ve Societys for Promoting Christian Knopledge'den Geldani Hıristiyanlarının durumlarını inceleme görevi verilmişti.

büyüktü. Hücum daha bu akşamdan bekleniyordu, halbuki bunu akla getirmek bile saçmaydı. İngilizlerin ve birçok subayların önünde arkadaşlarım ve ben, henüz hiçbir şeyin kaybedilmiş olmadığını, fakat vakit kaybetmeden Birecik'e hareketin artık zorunlu olduğunu tekrarladık. Paşa büyük bir heyecan içindeydi, fakat bu çareyi bir türlü anlamak istemiyordu. Bu belki de bozuk kıtalarına pek az güvendiği ve bu sebeple de her türlü ricatin onların moralini tamamıyla bozacağından korktuğu içindi. Bütün paşalar bu çekilişi candan istiyorlardı, fakat hiçbiri bunu söylemeye cesaret edemiyordu. Ben, sivri tepede düşünceme katılmış olan Ferik Mustafa Paşadan ve Han Efendiden açıkça bunu söylemelerini istedim; Hafız Paşaya, askerlik işlerinden anlamayan mollalar gibilerine kulak asmamasını söyledim ve ona, yarın güneş yeniden şu dağların arkasında battığı sırada, kendisinin çok muhtemel olarak ordusuz kalacağını ihtar ettim. Sözlerimin hepsi boşa gitti.

Ortalık kararmaya başlamıştı, fakat hâlâ bir karara varılamamıştı. Paşa kalabalık bir maiyetle, kendisine yer aramak üzere sol kanadımıza gitti. Kendi sorusu üzerine kumandana, arazi her ne kadar tam anlamıyla uygunsuz değilse de kendi kıtaları gibilerine yetecek garantiyi sağlamadığını söyledim ve yine yola çıkmak için emir vermesini istedim, bunu kesin olarak reddetmesi üzerine, beni görevimden almasını söyledim. Gayet tabii olarak, harbe herhangi bir başka asker gibi katılacaktım, fakat benim "müsteşar"lığım, bu saatten itibaren sona ermiş bulunuyordu. İlk kızgınlıkla Hafız Paşa istifamı kabul etti, fakat birkaç dakika sonra beni yeniden çağırdı: "Şu anda kendisini bırakmayacağımı benden ummaktaymış, Birecik'e gitmektense kendisini parça parça ettirmeyi yeğ bilirmiş ve ben de nasıl yapabilirsem öyle mevzi almalıymışım". Artık onu Birecik'e götürmenin imkânsız olduğunu gördüm ve lüzumsuz yere düşmüş olduğumuz bu kötü durumda yapılabilecek şeylerin en iyisini yapmanın ödevim olduğuna kanaat getirdim. Bunun üzerine hemen bütün kıtaların şimdi bulunduğumuz tepeye gönderilmesini istedim. Livalar birbiri ardı sıra geldiler ve mehtabın ışığında yeni mevzilerine yerleştirildiler. Sağ kanadı, evvelce solumuzu koruyan siperler teşkil ediyordu, sol sanatta bir ağır batarya bulunuyordu, cephenin önünde bir sel yatağı vardı. İhtiyatlar çukur bir yerde bulunuyorlardı, fakat hepsi gayet sıkışık bir haldeydi. Laue topları yerleştirdi. Sabahın saat

3'üne doğru işlerimizi tamamlamıştık. Herkes yerinde bulunuyordu ve askerler bu üçüncü gece de silah başında kaldılar.

Ben hizmetçilerimi kaybetmiştim ve toprak üstünde bir saat uyudum; fakat gün doğmadan paşa beni çağırttı, atla bütün mevzilerin önünden geçti, Birecik'e gitmemiş olduğu için son derece sevinçli ve mutluydu. O sabah (23 Haziran) İbrahim Paşa ordusu Kersun köprüsünden geçti. Kuvvetlerimizin, özellikle topçunun tamamıyla âtıl kalışı ona, cephemizden bir saat mesafede ve arkasında köprüden geçmekte olan kıtalar bulunduğu halde, sık gruplar halinde konaklamak ve bütün gün rahat rahat orada kalmak cüretini verdi. Paşaya, bu cesareti bir gece baskınıyla cezalandırmasını teklif ettim.

Akşama doğru Yüzbaşı Laue ile birlikte, Mısır ordugâhının ta yakınlarına kadar atla sokulduk, karşımızda ileri karakollar görmedik, sadece soldaki tepelerde tek tük Hannadî Arabı at oynatıyordu ve cephenin tam önüne kırk top yerleştirilmişti. Yanımızdaki Türkler arkadaki bir tepede kalmışlardı ve bizimle düşmanı dürbünle gözetliyorlardı. Sonradan düşmanın bir topla bize nişan almaya uğraştığını söylediler. Eğer doğru olsa bu bizim için büyük bir şeref olurdu ve herkesin bildiği gibi bunun bir tehlikesi de yoktu. On iki havan topu için düşmandan 1600-1800 adım mesafede bir çukurda gayet uygun bir yer bulduktan sonra geri döndük.

Gece yarısından bir saat önce İsmail Paşanın (Kürt savaşından beri ordunun en iyi kıtası olarak tanıdığım) piyade livası ve on iki havanla yola çıktık (süvarinin birlikte gelmesini açık açık reddetmiştim). Mehtap vardı, yol düz ve iyiydi; yürüyüş büyük bir sessizlik içinde oluyordu. Piyade, topçunun her iki tarafından kollar halinde ilerliyordu. Küçük bir öncü kıtası ancak seksen adım ileriden gidiyordu; seçmiş olduğumuz yere hiçbir düşman devriyesine rastlamadan vardık. Sonradan neden bu teşebbüse daha büyük kuvvetlerle girişmediğimizi söyleyenler oldu, fakat bunu söyleyenler, sadece on iki topun bile düşmanın oldukça yakınına yerleştirileceği duyulunca kopan şaşkınlığa şahit olmuş değildirler. Piyadeden de, çeşitli rütbelilerden, boyuna artık kâfi yakınlığa varılıp varılmadığı sorusu geliyor, buna hep: "Daha çok var" karşılığını veriyorduk. Genel bir tarruzda, yarısından fazlası kaçmak için bir gece yürüyüşünü bekleyen bu adamlarla, aralıklı kollar halinde bir gece yürüyüşü yapmak, sonra aynı kollarla sağa çark etmek lazımdı. Fakat amirlerinin, üç saatlik bir mesafeye çekmeye ya da en uygun şartlar altında (ayın 2'sinde) bir hücuma kaldırmaya cesaret edemedikleri böyle kıtalardan; kaçma imkânları arkalarındaki nehir yüzünden ortadan kalkmış, bizim gibi çadırlarda değil, silah çatıları arasında konaklayan ve düşmanlarını karşılamak için sadece ayağa kalkmaları kâfi gelecek olan bu sayıca üstün kitlelerin üzerine yüklenmek ve bunu kırk topun ateşi arasından geçerek yapmak beklenebilir miydi? Paşa ancak uygulamasını kendimin ele alacağım ve sorumluluğunu yükleneceğim tekliflerime kulak asmaya alışıktır.

Yüzbaşı Laue bütün topları teker teker teftiş ettikten, ben de piyadeyi her iki yana yerleştirdikten sonra "ateş" emri verildi. Daha ilk kumbara karakol ateşlerinin ortasına düştü ve orada patladı, bunu gülle üstüne gülle takip etti, bunlar gecenin siyah göğünde ateşten yaylar çiziyordu; hemen hepsi daha yere ilk çarpışlarında patlıyordu. Düşman sık kitleler halinde ordugâh kurmuş olduğu için, kumbaraların etkisi herhalde korkunç ve ilk şaşkınlık da büyük olsa gerekti. Fakat çok geçmeden düşman da ateşimize mukabeleye girişti. Toplarımızın önündeki otlar tutuşmuş, küçük bir yangın çıkmıştı; bu da düşmana toplarımızı göstermişti. Fakat onlar herhalde bizim gerçekte olduğumuz kadar yakında bulunduğumuza inanmadılar, mermilerin çoğu başımızın üzerinden aşıp gitti. Ancak bütün kumbaralarımızı sarf edip geri çekildiğimiz zaman oldukça şiddetli bir yalayıcı ateş hattından geçmek zorunda kaldık. Bununla birlikte sadece piyademiz birkaç yaralı verdi, topçuya bir şey olmadı, topların hepsi de mükemmel bir halde geri döndü.

Bu küçük taarruz, ilk defa burada teşebbüs kendileri tarafından olarak çarpışan askerlerimiz üzerinde çok iyi bir etki bıraktı. Dönüşümüzde paşalar bizi tebrik ettiler. Hepsi taarruzun yapılacağını tahmin ettikleri bir tepeye atla çıkmışlardı, fakat bu tepe bizim mevziimizden hiç şüphesiz iki bin adım gerideydi. Buradaki insanların yakın ve uzak hakkında tamamıyla kendilerine göre kavramları var.

O gece üç saat uyudum, sonra paşa bana İbrahim'in ordusunun harekete geçmiş olduğu haberini gönderdi. Sahiden de onlar erkenden yola çıkmışlardı ve üç kol halinde, doğruca Birecik yönünde ilerliyorlardı, öyle ki çok geçmeden bizimle depolarımızın arasına girdiler. İbrahim varını yoğunu ortaya atıyordu, eğer ye-

nilecek olursa artık ricat imkânı yoktu; fakat böyle harekette ta-
mamıyla haklıydı, çünkü ya her şeyi kazanacağı ya da kaybede-
ceği bir durumdaydı.

Geceleyin birkaç yüz kaçak bize sığındı, bunlar ve bunlardan
öncekiler arasında silâhları yanlarında olan subay ve erler de bu-
lunuyordu.

Birecik'te iyi mevziimizden kendi arzumuzla vazgeçtikten
sonra artık harbi İbrahim nerede istiyorsa orada kabul etmek zo-
rundaydık. Şimdi iş süratle yeni bir cephe kurmaktaydı. Bu mak-
satla sağ kanatta evvelce tertip edilmiş olan ağır bataryayı ve has-
sayı bıraktım, bunlar alınacak olan yeni harp nizamının sağını
teşkil edecekti; onların soluna üç muvazzaf piyade livası geliyor-
du. Redif livaları ihtiyatı teşkil ediyordu, bunlardan biri sağ ka-
nadın, öteki sol kanadın, üçüncüsü de merkezin gerisinde bulu-
nuyordu. İlk hatta 14 taburla 92 top, ikinci hatta 13 tabur, ihtiyat-
ta 24 taburla 9 süvari alayı (42 süvari bölüğü) ve 13 top vardı.
Cephenin önünde, geceleyin Yüzbaşı von Mühlbach'ın kazdırmış
olduğu iki sıra siper bulunuyordu, sağ kanat sel yatağına dayanı-
yordu, sol kanat sık bir zeytin ormanındaydı; ihtiyat, arazinin çu-
kur bir yerine, görülmeyecek şekilde yerleşmişti, gayri munta-
zam kıtalar da ta solda, ağaçlar arasında mevzi almıştı.

Her tabur, her top ve tek tek her süvari alayı yerine yerleştiril-
dikten sonra da düşman hâlâ Birecik yönünde yürüyüşüne de-
vam ediyordu. Bana Yüzbaşı Laue ile rahat rahat bir tavuk yiye-
cek kadar vakit kaldı, bu sırada etrafımızdakiler iştahımıza hay-
ran kaldılar; bundan sonra atla, mevzilerimizden aşağı yukarı bin
adım ileriye gittim ve dönüşümde, hâlâ sol yan için tasalanan pa-
şaya, sağ yanın karşısında da sol yanın karşısında olduğu kadar
önemli kuvvetlerin bulunduğunu temin ettim. İbrahim Paşa ev-
velki bütün harplerinde bu kanadı çevirmişti, bu sabahki yürü-
yüşünden de bu maksadı anlaşılıyordu. Fakat 24 Haziran harbin-
de hiçbir ani baskın olmadı ve çevirme hareketine daha savaşın
başlangıcında, yeni bir vaziyet alınarak karşı kondu. Her şey bir
saattan beri hazırdı, askerler rahat ateş edebilmek için sırt çanta-
larını arkalarında yere koymuşlardı, ilk hattın taburları yayılmış-
tı, sol kanattakiler avcılarını ileri çıkarmıştı ve ihtiyat piyade kol
nizamında ortadaydı.

Bizim süvarinin işe yaramadığına haklı olarak inanan düş-
man, cephemizden bir saat ötede yan yürüyüşe geçti. Bize en ya-

kın olarak süvarisinin en büyük kısmıyla aşağı yukarı 120 toptan
mürekkep topçusu ilerliyordu, bunların sağında piyade ve her sı-
nıftan ihtiyatlar geliyordu; bu kolun derinliği üç çeyrek saatlikten
aşağı değildi. Kısa bir mola verdiler, sonra topçu süratle kalkarak
ilerledi ve ateş açtı; piyade önceleri tamamıyla ateş menzilimizin
dışında kaldı ve topçuyu korumak için onlarla birlikte süvari ile-
riye çıktı. Bu harp nizamı çok makuldü ve bunun neticesinde, bi-
zim çok şiddetli olan ateşimiz geniş bir alana dağıldı ve düşman
ihtiyatlarına asla erişemedi, halbuki düşman bizim işgal ettiğimiz
bütün alana gülle yağdırıyordu. Düşman topçusu çok uzakta
mevzie girmişti, bizim sağ kanadımızdan 2000 adım kadar uzak-
ta, sola biraz daha yakındı, bu sebeple çok dikine ateş ediyordu.
Top gülleleri de, kumbaralar da yukarıdan aşağı iniyordu; sürat-
leri o kadar azalmış olarak geliyorlardı ki gözle izlemek müm-
kündü. Bu durum bizim için çok uygunsuzdu. Düşman daha ya-
kına gelmiş olsaydı birinci hat daha fazla sıkıntı çekerdi ama
ikinci kısmen, ihtiyat ise tamamıyla doğru ateşin etkisi dışında
kalırdı; fakat bu durumda daha birkaç dakika geçer geçmez, zayi-
at yüzünden morali sarsılmayan tek bir kıta kalmadı. Bu adamla-
rın sekizde yedisi daha tek bir defa bir güllenin ıslık çalarak geli-
şini duymuş değildi. Bazen bir kumbara bir kolun ortasına dü-
şüp patlayınca bütün bölükler bir zaman için dört yana dağılıve-
riyordu.

Paşa beni, hassa ve ihtiyatın bir kısmının yardımıyla sağ kana-
dı ileri sürmek mümkün olabilip olamayacağını görmek için ora-
ya göndermişti. Fakat düşman bir taarruz için henüz pek uzak-
taydı; Yüzbaşı Mühlbach sağ kanat bataryasını düşmana biraz
yaklaştırmakla meşguldü; fakat biraz ilerler ilerlemez batarya he-
men yeniden mevzi aldı ve şiddetli bir ateş açmaktan vazgeçirile-
medi. Buna karşı sağ kanatta, ilk üç çeyrek saat zarfında, her şey
yolunda gitti; Yüzbaşı Laue de daha yakından ve daha şiddetli
ateş altında bulunan sol kanattan aynı halde ayrılmıştı; bataryası-
nın yarısıyla yerinden ayrılmış olan bir yüzbaşıyı Laue tabancay-
la tehdit ederek yeniden harp hattına götürmüştü. Fakat çok geç-
meden her şey değişti.

Merkeze, paşanın yanına döndüğüm zaman, sol kanada yer-
leştirmiş olduğum muvazzaf livasının şimdi, ihtiyatların yerleşti-
rildiği çukur yerde bulunduğunu görerek ürktüm, ikinci alayın
kumandanını adıyla çağırdım ve bir kere daha ilerlemesini, düş-

manın gerilemekte olduğunu, işin artık sadece yarım saat daha dayanmaktan ibaret bulunduğunu söyledim. Fakat boşuna! Artık tek tek toplar, hatta koşum kayışları kesilmiş atlar geri geliyordu. Birkaç cephane arabası patlamıştı; hemen bütün taburlar ellerini kaldırmış dua ediyorlardı, bunu herhalde kumandan emretmiş olacaktı. Yaralıları götürmek bahanesiyle dört beş kişilik gruplar savuşuyorlardı. İhtiyat, yalayıcı ateşten kaçmak için şuraya buraya kaçıyordu, hulasa harp moral bakımından şimdiden kaybedilmişti. Gerçekten şiddetli bir top ateşi bu kıtaların başına gelebilece şeylerin en kötüsüydü. 480 kişilik bir tabur, kumandanının söylediğine göre, 40 kişi kaybetmişti. Sol kanatta bulunanlar da herhalde toptan bu kadar kayıp vermiş olacaklar. Bununla birlikte harp meydanında 1000'den fazla ölü ve yaralı verdiğimizi sanmıyorum.

Tam, sol kanadı yeniden ileri sürmenin zorunlu olduğuna paşanın dikkatini çektiğim sırada, hassa süvari livası, emir almadan, herhalde sadece iç huzursuzlukları yüzünden, ihtiyattan hücuma kalktı; fakat bizim birinci piyade hattımızdan bile ileri gidemedi; birkaç kumbara bu kitlenin içine düştü, bunun üzerine sağını solunu düşünmeden olanca hızlarıyla geri döndüler, bizi devirip geçtiler ve piyadeyi kargaşalığa uğrattılar. Paşa, herhalde ölümünü aramak için, sağ kanada gitmişti. Bir hassa redif taburunun bayrağını eline almıştı, fakat tabur arkasından gelmiyordu. Harbin bundan sonraki cereyanı hakkında söylenecek şey pek az.

Halit Paşanın livası, cephenin önünde dürbünle bakarken, bir top güllesiyle başı kopan yiğit kumandanlarının ölümü üzerine kargaşalığa uğradı; İsmail ve Mustafa'nın livaları bir süvari hücumunu püskürttükten sonra nihayet geri çekildiler. Haydar Paşa livasının birinci alayı, ilk olarak sol kanadı bırakmış olduğu halde, sonradan düşman piyadesine karşı en uzun zaman karşı durdu; fakat bunlardan başka gerçek bir yakın savaş olmadı. Piyadeler, çok defa kol halindeyken, muazzam mesafelerden havaya tüfek atıyorlardı. Süvari dağıldı, çok geçmeden ne var ne yok darmadağın oldu. Fakat yine de topçu hepsinden daha iyi çarpışmıştı.

Mutluluk eseri olarak iki arkadaşımla savaşın sonuna doğru merkezde buluşunca artık ayrılmamaya karar verdik. Bizim için önemli olan, kaçanlarla aramızda mesafe kazanmaktı, çünkü ricat başlar başlamaz bütün disiplin bağları çözülmüştü. Kuvvetlerimizin yarısından çoğunu teşkil eden Kürtler düşmanımızdı; kendi subayları ve arkadaşlarına ateş ediyorlar, dağ yollarını kesiyorlardı. Bizzat Hafız Paşaya birçok defa hücum ettiler. Öteki kaçaklar tüfeklerini fırlatıp atıyor, kendilerini rahatsız eden üniformalarını sıyırıp çıkarıyor ve keyifli keyifli türkü söyleyerek köylerine yollanıyorlardı. Biz akşamüstü, dokuz saat ötedeki Antep'e vardık, fakat daha o gece bütün ahali, İbrahim Paşanın intikamı korkusundan şehri bırakıp kaçtı. Bu sebeple biz de aynı gece yorgun atlarımızla yeniden yola çıkmak zorunda kaldık. Bütün ertesi gün, kendimiz için yiyeceksiz ve hayvanlarımız için arpasız, yürüdük; akşam vakti Maraş'tan dört saat uzakta bir dereye vardık ve orada hiç değilse su ve ot bulabildik.

26 sabahı Maraş'a vardığımız zaman ben yorgunluktan tamamıyla bitkin bir haldeydim, orada biraz dinlenebildik. Savaştan önceki gün, sonra savaş sırasında, nihayet savaştan sonraki iki gün ve bir gece, hep atımın sırtındaydım; bütün bu sürede hayvanım kurumuş otlardan başka bir şey yememişti.

Maraş'ta yavaş yavaş birçok kaçaklar toplandı. Bana, Türklerin sayıca düşmanlarına çok üstün oldukları Hums, Beylan ve Konya savaşlarına katılmış olan subayların söyledikleri dikkate değer göründü; bunlar Nizip savaşının evvelce olan bütün savaşlardan daha kanlı ve savunmanın da daha iyi ve kuvvetli olduğunu iddia ediyorlardı! Fakat ricat bütün ordunun altıda beşine, üstelik topçunun bütün malzemesine mal oldu; redifler hemen hemen in corpore[175] evlerine döndüler.

Mahmut Paşanın livası bugün 65 kişiden ibaret, Bekir Paşanınki evvelce 5800 kişiyken şimdi 351, ötekiler de böyle, sadece sipahilerden mürekkep olan süvarilerin çoğu bir arada. Bütün bunlardan işimizin nasıl adamlarla olduğunu anlıyorsun.

Bununla birlikte İbrahim'in ordusunda da intizamsızlığın aynı derecede büyük olması lazım. Muzafferane bir savaş gününde iki taburları bizim tarafımıza geçti ve Mısır mızraklı zırhlı askerleri, kaçışları sırasında, bizim süvarilerimize yoldaşlık ettiler. O gün Birecik ordugâhında, oradan Fırat'ı geçip canlarını kurtaran Mısırlı kaçaklar tarafından 3000 tüfek teslim edildi. İddia olunduğuna göre İbrahim ricat eden kendi taburları üzerine ateş açtırmış, fakat bunun tamamıyla doğru olduğunu iddia edemem. Böylece sonuç pamuk ipliğine bağlı bulunuyordu, bu sebeple de

---

(175) Toptan.

yenen, en küçük bir takibe bile girişmedi. Gerçi bizim kıtaların durumuna göre bu da pek lüzumlu gibi görünmüyordu, ancak böylelikle kaçakların en büyük kısmının sağ taraftaki dağlara can atabilmesi ve Hafız Paşanın da Rumkale ve Besni yolunu tutabilmesi mümkün oldu, fakat bu yoldan tek bir top bile geçirilemedi.

Savaş meydanından dönüşteki yolum eski ordugâhımızdan geçiyordu. Adamlarım ve atlarımın ne olduğunu görmek için oraya gittim. Bir güllenin delmiş olduğu çadırımın önünde katırlarımdan birini vurulmuş buldum. Çadırın içindeki bütün eşyam hayvanlara yükletilmek için hazır bir haldeydi ve yabancı bir yaralı da orada bulunuyordu. Fakat hizmetçilerim sekiz atla birlikte savuşup gitmişlerdi. Çadırları ilk yağma eden kendi gayri muntazam kıtalarımız olmuştu; bu sırada düşman süvarisinin kendilerini ürkütmüş olduğu anlaşılıyordu. Savaş sırasında yanımda olan çavuş da biraz erken yola çıkmıştı, fakat talih eseri olarak sonradan ona tekrar rastladım. Bu durumda, emniyetimiz için bir Türk muhafız kıtası zorunluydu. Ben en çok, kopyaları bulunmayan haritalarımdan bir kısmının kaybolduğuna üzülüyordum. Maraş'ta, zorunlu olan iki günlük dinlenmeden sonra, Hafız Paşanın Malatya'ya gitmiş olduğunu öğrenince yola çıktık. Fakat bütün doğru yolları Kürtler ve Türkmen göçebeleri kesmişti; bu sebeple Mıstık Beyin kumandasında Payas'a küçük bir akın yapmış olan ve şimdi dağlar arasında dolaşarak arka yollardan orduya kavuşmak isteyen 80 atlıya katıldık. Çok zahmetli bir yolculuktan sonra, sarp dağların ortasındaki güzel bir yeşil ovada dost bir Türkmen aşiretine eriştik. Ertesi gün atların yorgunluğu yüzünden ancak Geben'e varabildik, üçüncü gün Yüzbaşı Laue ile birlikte, Maryamçıl kalesinin korkunç bir şöhreti olan sarp derbentlerinden geçerek Göksun'a kadar gittik. Böyle dolaşmak zorunda kaldığımız sapa yollar hiç değilse haritam için bir kârdı.

Göksun'da, mutlu bir tesadüf eseri olarak, mandaların çektiği iki tekerlekli arabalardan kırk tanesinden mürekkep bir kafile bulduk; bunlar İzzet Paşa ordusunun peşinden gidiyordu. Akşam olmuştu, fakat biz bütün gün atla yolculuk etmiş olduğumuz halde bunlarla birlikte hemen yola ıktık. Göksun'dan Yarpus'a (9 saat) kadar olan yol boyu kaçaklar ve Atmalı, Çorid ve Çadarlı aşiretleri yüzünden çok emniyetsizdi. Muhafız kıtamız zayıf olduğu için, taarruza uğramaktan korkuluyordu. Bu gece yürüyüşü tabii çok yavaş oluyordu ve insanın sabrını o kadar tüketiyordu ki Laue ile ben, yalnız iki çavuşumuzla birlikte, ilerledik. Gece yarısı yorgunluktan kısa bir süre dinlenmek için bir çalılıkta yattık. Bizi adamlarımız uyandırdılar, çalılıklar arasında sine sine dolaşan adamlar görmüşlermiş. Ay doğduğu ve ben buraları bildiğim için, usulca yolumuza devam ettik, güneş doğarken, kazasız belasız Yarpus'a vardık. Halbuki nakliye kolu taarruza uğramış ve birkaç ölü vermişti. Yarpus'ta, İzzet Paşa ordusunun Elbistan'ın arkasında ordugâh kurmuş olduğunu memnunlukla öğrendik. Aynı günde yorgun atlarımızla yola devam ettik ve arkadaşım Yüzbaşı Bincke'yi orada bularak sevindik; Bincke bizi candan karşıladı ve biz zavallı bitkinler ve kaçakları, o kadar uzun zamandan beri ilk defa gördükleri bir şekilde ağırladı. Biz hemen onun yiyeceklerine, elbiselerine ve çamaşırına saldırdık, bunları dörde pay ettik ve her birimiz bir pay aldık, bu suretle o da bizim kadar yağmaya uğramış oldu. Buradan Darende'ye kadar olan iki merhale yolu ordu ile birlikte gittik, oradan sonra biz, Bincke ile birlikte, iki gün yol aldık ve Akçadağ'dan geçerek Hafız Paşanın yanına vardık.

Hafız Paşa bizi bulunduğu durumda elinden gelebildiği kadar iyilik ve iltifatla kabul etti. Yenilmiş olan bir Türk generali omuzlarının üzerinde bir kafa bulunup bulunmadığını pek emniyetle bilemez. Artık bütün kumandanlık yetkileri sona erer, bu sebeple bu memleketlerde bir zaferden sonra düşmanı takip etmekle, elde edilmiş olandan sonsuz derecede daha üstün sonuçlar sağlanır. İstanbul'la burası arasında tatarlar vasıtasıyla haberleşme en aşağı on altı gün sürer, bu yüzden Hafız Paşa bugün, hâlâ doğuda serasker mi, yoksa mahkûm olmuş bir sürgün mü olduğundan habersiz. Bu işin sonu her gün beklenmekte.

Fakat İstanbul'da bu iş hakkında müzakereler sürerken, başka önemli olaylar da geçti. Buraya varır varmaz haber aldık ki Kayseri'deki 3000 kişilik Osman Paşa kuvvetleri, Gürün'da silahlarını atarak dağılmış; sekiz gün sonra 1200 kişilik İzzet Paşa kuvvetleri de Darende'de aynı yolu tutmuş. Utanç verici firarlar buradaki duruma, kaybedilen bütün savaşlardan daha feci bir ışık serpiyor.

Biz, Hafız Paşanın yanına, artçı savaşlarının burada olacağını hesaplayarak gelmiştik. Fakat bunun yerine derin bir durgunluk bulduk; İbrahim Paşa zaferinden sonra büyülenmiş gibi olduğu yerde kalmıştı. Eğer diplomatik teşebbüsler, felaket olup bittikten sonra, bu büyüyü sağladıysa, bunu tamamıyla önlemek için harekete geçmeyişleri esef edilecek şey. Aslında ben, buradaki durumun içyüzü hakkında Avrupa'da hiçbir şey bilinmediğine inanıyorum. Mehmet Ali ile Babıâli, tıpkı olanca kuvvetlerini karşılıklı kullandıkları halde, kuvvetlerin denk gelişi yüzünden, görünüşte hareketsizlik hissini veren bir hale gelmiş iki pehlivana benzemekteydiler. Burada bir mücadele göremeyişten memnun kalan Avrupa diplomasisi: "Pekâlâ; artık kımıldamayın bakayım, hanginiz önce kımıldarsa ona saldırgan diyeceğiz!" dedi. Her iki zavallı pehlivan da yedi sene böyle kaldı; derken biri artık kuvvetlerinin tükendiğini hissetti, ümitsiz bir çabalamada bulundu ve yere serildi.

İstanbul'a Dönüş – Vezirin Kabulü – Sultan Abdülmecit'in Huzuruna Kabul Olunuş

İstanbul, 10 Ağustos 1839

Padişahın, Hafız Paşanın kumandanlıktan azlolunduğu ve şimdilik Sivas'a sürgün edildiği hakkındaki fermanı 23 Temmuzda merasimle okundu. İmparatorun habercisi Mehmet Ali Bey bizi kendisiyle birlikte karadan İstanbul'a gitmeye davet etti; fakat o Ankara ve Konya'da bir müddet kalacağı için biz, 3 Ağustosta Samsun'dan hareket edecek olan buharlı gemiye binmeyi tercih ettik. Sivas'a kadar paşamla birlikte gittim, bundan sonra iş Samsun limanına vaktinde erişmedeydi ki bu da ancak sıkı bir at yolculuğuyla mümkündü. Laue ile ben bunu göze almaya karar verdik, Bincke iki gün önce yola çıkmıştı; bir tatarla, eğer geminin hareketinden önce varacak olursak bir kese yani 50 gulden mükâfat alması, fakat bir dakika bile geç varırsak hiçbir şey vermememiz şartıyla anlaştık. Adam işi çok düşündü, çünkü önümüzde birçok Türk bey ve ağaları yoldaydı ve bunların bütün menzil atlarını çoktan tutmuş olmaları pek muhtemeldi, nihayet: *"İyi söyledin! Bakalım, baş üstüne!"* dedi. Bir saat sonra ata binmiş, yayla üzerinden Yıldız dağına doğru ılgar ediyorduk. Ertesi gün dik, ormanlık boğazlardan aşağı, Tokat'a indik ve akşam geç vakit Turhal'a vardık. Fakat orada at tedarikine imkân yoktu, ancak ertesi sabah birkaçı Amasya'dan geri döndü, biz bunları hemen tuttuk, fakat

Sultan Abdülmecit

hayvanlar o kadar yorgundu ki on iki saatlik yolu tamamlamadan önce yere serileceklerinden korkuyorduk; bu sebeple Zile (eski Zela) üzerinden dolaşmaya karar verdik, orada at bulacağımızı umuyorduk. Bu şehir dağların eteğindeki verimli bir ovada, güzel bir yerdedir; yüksek bir sunî tepenin üzerinde eski iç kalesi vardır, şehrin etrafını surlar ve burçlar çevirir. Burası Hasan Beyin halkı soyması yüzünden hemen hemen mahvolmuştur. Hasan Beyse bu sayede kendisine Sivas'ta muhteşem bir konak yaptırmıştır. Biz ahalinin Babıâli'ye karşı isyan tehditlerine rağmen iyi bir şekilde kabul edildik ve mükemmel atlar bulduk. Derin ve güzel Tokat suyu vadisine indiğimiz zaman artık karanlık basmaya başlamıştı; ancak gece yarısı Amasya'ya varabildik. Her ne kadar Torosların kuzey tarafında hava bir hayli serinlemiş gibi görünüyorsa da geceleyin yine ağır bir sıcak vardı. Koyu bir toz bulutuna bürünmüş olarak karanlıkta, inişli yokuşlu patikadan dolu dizgin gidiyorduk; fakat müsellimin avlusunda Mehmet Ali Beyin bütün maiyetini bulduk; tek bir at tedariki mümkün değildi. Bizim tatar da çok yorulmuştu ve herhalde işin bu kadar acelesi olmadığı fikrindeydi. *"Ne yapalım?"* dedi, çubuğunu yaktı ve sabrı ele aldı. Fakat bizim niyetimiz bu değildi, mutlaka at istiyorduk. Türk: *"olmaz!"* dedi, biz de *"olur!"* dedik. Adam omuzlarını silkti ve *"ne yapalım!"* dedi, kesti. Benim artık ümidim kalmamıştı, fakat Laue mükemmel bir fikir buldu: Tatara, va'dini yerine getiremediğine göre artık bizimle birlikte gelmesine lüzum olmadığını, yalnız Hafız Paşadan kendisini korumasını, çünkü ona bu gevşekliğini haber vereceğimizi söyledi. "Ama o zaman hiç at bulamazsınız, yarın da bulamazsınız, öbür gün de!". "Bundan kolay bir şey yok, biz sana 500 kuruş vaat etmiştik, şimdi bu para bize kaldı; bundan 250'sini hemen bu menzilde, geri kalan 250'sini de ötekinde imrahora veririm. Daha bu akşamdan Samsun'a varırız". Sahiden de Türk menzilcisi bu kadar önemli bir bahşiş için bizzat beyin atını çalıp bize verirdi; basit bir hesap tatara, imrahorla daha az para karşılığında uyuşursa iyi olacağını anlattı. Yolculuk artık durmadan devam etti, sadece hepimiz son derece yorgun ve bitkindik, son 36 saatte 38 saatlik veya lieue[176] lük yol almıştık. Nihayet, yaprağını döken ağaçlardan muhteşem bir ormanla kaplı bir dağ sırtından, pırıldayan denizi gördük ve Ksenophon'un Yunanlıları gibi bir sevinç narası attık; dolu dizgin dik yamaçtan aşağı iki saatte inerek Samsun karantinasına vardık. Fakat Türk karantinası, paşanın bir tavsiye mektubunu okumak ya da bir minderin üzerine 50 kuruş sayman için gereken zamandan fazla sürmez. Artık kendisine yetişebilmemizden ümidini kesmiş olan Bincke bizi görünce çok sevindi, ertesi gün de hepimiz birlikte gemiye bindik.

Samsun'dan Avusturya buhar gemisine atılan bir adım bizi Asya'nın barbarlığından Avrupa medeniyetine geçirdi. Her şeyden önce, bir buçuk seneden beri yokluğunu en acı bir şekilde duyduğumuz patatesle, kralımızın doğum gününde Karadeniz'in dalgaları üzerinde sıhhatine içmek için, bir şişe şampanya istedik. Yırtık pırtık olmuş Türk elbiselerimiz, zayıf, sıska vücut-

---

(176) Bir lieu. 4. km. 444 m.

larımız, uzun sakallarımız ve Türk maiyetimizle bizi önce, ta
kaptanla Fransızca konuşuncaya kadar, birinci kamaralara sok-
mak istemediler. Her şeyin bize ne kadar rahat ve hoş geldiğini
anlatamam; burada sandalyeler, masalar ve aynalar, kitaplar, bı-
çaklar ve çatallar, hulasa bizim hemen hemen unuttuğumuz bü-
tün rahatlıklar ve zevkler vardı. İlk olarak burada, donanmanın
düşmana iltica ettiği[177] haberini aldık, fakat bu rivayete başlan-
gıçta inanmak istemedik.

İkinci sabah (4 Ağustos) Boğazın beyaz deniz fenerleri ufuk-
tan yükseldi. Çok geçmeden Kyane[178]'lerde dalgaların köpürü-
şünü ve Boğaz bataryalarını gördük; sonra Büyükdere, Tarabya
ve Boğazın benim o kadar iyi tanıdığım bütün öteki köyleri önü-
müzden süzüldü, sonunda Sarayburnu karşımızda parıldadı ve
Altınboynuza demir attık.

Bütün Türk büyük rütbelilerinin bize karşı o kadar iyi davra-
nışları üzerimizde fevkalade bir tesir bıraktı. Eski koruyucum
Mehmet Husrev Paşayı menkûpluktan yeniden en üstün iktdara
yükseltilmiş buldum. Beni eskisi kadar yakınlıkla karşıladı. Artık
tercümansız olarak konuşabildiğim için ona, Dahiliye Nazırıyla
Defterdarın yanında, bir saat kadar olayları anlatmam lazım gel-
di. Bütün suçu Hafız Paşaya yüklemeye ve onu idama mahkûm
etmeye pek niyetliydiler. Vezir bana ordunun hareketinden itiba-
ren bütün olup bitenler hakkında yazılı bir rapor vermemi emret-
ti. Fikrimce Hafız Paşanın yapmış olduğu ve o zamanlar kâfi de-
recede açık bir şekilde kendisine bildirdiğim hataları örtbas etme-
den, onu, hakkında yapılan haksız suçlamalara aklı iyiden iyiye
yatmış olan Husrev Paşaya karşı savunmak benim için pek zevk-
li oldu. Mevcut 80.000 asker yerine 40.000'ini muharebeye sok-
mak onun suçu değildi; o zamanki seraskere bütün yazılarımızda
o kadar sık tekrar ettiğimiz, bütün orduların bir tek kumanda al-
tında toplanması işinin yapılmayışı onun suçu değildi; tıpkı bun-
lar gibi ordunun üçte ikisinin, açıktan açığa zorla hizmet eden ve
kesin an geldiği zaman kaçan Kürtlerden mürekkep oluşu hatası-
nı da ona yüklemek doğru değildi. Hafız Paşa dürüst bir insandır

---

(177) Amiral Fevzi Paşa kumandasındaki filo İskenderiye'ye gitmişti. Bir buçuk
    sene sonra 11 Ocak 1841'de Mehmet Ali Paşa, barış arzusunda samimi ol-
    duğunu göstermek için bunları iade etti.
(178) Boğazın ağzındaki Öreke Taşları, kara kayalar.

ve Osmanlı generalleri arasında yine de en iyisidir. Ordunun ta-
lim ve terbiyesi için mümkün olan her şeyi yapmıştır. Paşa
(onunla birlikte biz de) bir kubbe yapması istenen, fakat eline sert
taş yerine sadece yumuşak balçık verilen bir sanatkâra benziyor.
Parçaları ne kadar doğru bir tarzda birleştirirse birleştirsin ilk
sarsıntıda bunlar mutlaka yıkılır çünkü üstat maddeye şekil vere-
bilir, fakat onun niteliğini değiştiremez. Hafız Paşanın ordusu
muhakkak ki Osmanlı devletinin şimdiye kadar topladığı en iyi
yetişmiş, disiplini en kuvvetli, en mükemmel talim görmüş; fakat
buna rağmen moral bakımından en kötü orduydu. Vezirin, Hafız
Paşanın da, dostu Ahmet gibi Mehmet Ali Paşanın tarafına geçe-
bileceği endişesini teskin ettim ve ona bütün ordunun silahlarını
atmış, donanmanın düşman tarafına geçmiş olduğu bir sırada,
üstün bir düşmana karşı başarı gösterememiş, fakat şahsen yiğit-
çe savaşmış olan bir generale bu kadar sert davranmanın uygun
olmadığını açıkladım. Nüfuzlu diplomatlardan birkaçından Ha-
fız Paşa için araya girmelerini rica ettim, çok geçmeden Hafız Pa-
şa affedildi ve kendisine Erzurum paşalığı verildi.

İştirak ettiğimiz savaş ne kadar kötü bittiyse, bizim de bu kö-
tü sonucun sebeplerinden hiçbir payımız olmadığının açıktan açı-
ğa bildirilmesinde o nispette ısrar etmemiz lazımdı. Bu sırada
sultan ölmüştü, sefirler yeni itimatnamelerini henüz almamışlar-
dı ve şimdiye kadar kimse yeni hükümdara takdim olunmamıştı;
fakat kudretli vezirimizin bir mektubu hemen huzura kabul
olunmamızı sağladı. Padişah bizi iltifatla kabul etti, hediyeler
verdi ve gitmemize müsaade etti. Serasker şimdiki karışık durum
düzelince, artık lisanlarını ve âdetlerini de iyice bildiğimize göre,
tekrar İstanbul'a dönersek çok memnun kalacağını ve kendileri
bizden ne kadar memnunsalar bizim de onlardan o kadar mem-
nun kaldığımızı ümit ettiğini söyledi.

Sultanla (6 Eylül) Beylerbeyi'nde, babasının bizi iki sene önce
o kadar hoşlukla ve dostça kabul etmiş olduğu aynı salonda kar-
şılaştık. Genç hükümdarın görünüşü bana merhum sultanı çok
hatırlattı. Abdülmecit yakışıklı bir delikanlıdır, ancak 17 yaşında
olmasına rağmen, zarif, biraz da solgun çehresini muhteşem bir
siyah sakal süslüyor; padişah hastalıklıdan ziyade ince yapılı gö-
rünmekte[179]; elmas iğneli kırmızı fesi ve geniş lacivert harmani-

---

(179) 1861'de veremden öldü.

yesiyle tıpkı babasının kıyafetinde; fakat bana Sultan Mahmut'tan daha sükûtî ve daha asık yüzlü göründü. Asık yüzlü olmakta da hakkı var.

II. Sultan Mahmut

İstanbul, 1 Eylül 1839

Bugün müteveffa padişahın mezarını ziyaret ettim. Marmara deniziyle liman arasında ve Nuruosmaniye camii yakınındaki bir sırtta, yerküresinin başka hiçbir yerinde böyle zengin bir tarzda bir araya gelmemiş kasabalar, denizler, dağlar, adalar, saraylar ve donanmaların genel panoraması seyredilir; bir zamanlar Sultan Mahmut, orada gömülmek istediğini söylemiş. Tabutunu işte buraya getirmişler; üzerine bir çadır kurulmuş, türbe de şimdi çadırın üzerinde kubbelenecek, çünkü müteveffa hükümdarın kemiklerinin bir kere daha rahatsız edilmemesi lazım. Huzur ve sükûn içinde yatsınlar.

Sultan Mahmut bütün hayatınca derin bir acı çekti: Milletinin yeniden dirilmesi onun hayat göreviydi, bu planın boşa çıkması da onun ölümü oldu.

Son yüzyıl, Avrupa'nın doğusunda başka bir devletin ansızın siyasi hiçliğinden uyanışını ve Batı medeniyetini benimsemesi sayesinde çabucak Avrupa büyük devletleri arasına girişini görmüştür. Rusya barbarlıktan çıkar çıkmaz medeni dünya ilişkileri arasına kudretle karışmıştır; şimdi Finlandiya körfezinden Azak denizine kadar başarıyla uygulanan ıslahata bakıp, öte yanda Toroslardan Balkan'a kadar yayılan bu kadar bereketli memleketlerde bunların tamamıyla başarısızlıkla sonuçlandığını görünce, tabii bu denemelerin hiç de eşit olmayan sonuçlar verişinin sebeplerini araştıracağız. Fakat bu incelemelerde sadece şahısların değil şartların da göz önünde tutulması, sadece Büyük Petro ile II. Sultan Mahmut'un değil o zamanki Rusya ile şimdiki Osmanlı imparatorluğunun genel durumlarının birbirleriyle kıyaslanması lazımdır.

Her iki memlekette de devrim halktan gelmemiş, tersine, kendilerine yukarıdan zorlanmıştır; her ikisinde de halklar muhafazakâr, hükümetler ihtilalci unsurlardı, çünkü sadece devlet dümeninde oturan insanlar, hatta bunda rol alacakların arzularının aksine bile olsa, bir yenileşmenin zorunlu olduğunu anlamışlardı. Fakat çarın, genç bir imparatorluğun kaynaşan enerjisini doğru yola sevk etmekten ibaret olan göreviyle padişahın, artık hayatiyeti kalmamış olan Osmanlı devleti bünyesine yeniden ruh vermek olan rolü esastan birbirinden farklıdır. Yine aynı suretle her iki hükümdarın, büyük eserlerini meydana getirmek için harekete geçtikleri başlangıç noktaları da apayrıdır.

Din ve gelenekler genç çarın bizzat Avrupa'ya, kendilerinden öğrenmek istediği memleketlerin içerisine gitmesini yasak etmiyordu; çarın oradaki hayatı sağlam bir akıl ve durmak dinlenmek bilmeyen bir çaba olarak göze çarpar. Saardam'da bir kayık yapmıştı, çünkü ileride Petersburg'da bir filo inşa etmek istiyordu. İngiliz yüksek okullarında memleketine sokmak istediği bilgilere çalıştı ve kendi payesinin ihtişam ve yüksekliğini alelade hayat şartlarıyla değişmesi sayesinde, bilgileri ve becerileri ilerideki teşebbüslerine destek olacak insanları tanıdı.

Padişahın, kendisini geleneklerin bir mahpus gibi yaşamaya mahkûm ettiği İstanbul'daki sarayda geçen gençliği bundan ne kadar başkadır! Üstelik onun yabancılarla her türlü temasını din yasak etmekteydi. Sultan Mahmut'un annesinin Avrupalı bir kadın (tabii bir Fransız!) olduğunu anlatırlar; bu iddianın ispatı pek zor olsa gerek; şu kadarı muhakkak ki padişah tek bir kelime bile İngilizce, Fransızca ya da Almanca anlamazdı. Bu sebeple dünya şartları hakkında kitaplardan da bilgi edinemezdi. Bütün bilgisi Kur'anla, Türkçe yazabilmek için lazım olduğu kadar Arapça ve Farsçadan ibaretti. Osmanlı prensi sadece, kıskançlık ve istibdadın temasa müsaade ettiği, pek az insanla görüşebilirdi ki bunlar da kadınlar, hadımlar yahut mollalardan ibaretti.

Sultan Mahmut böylece 23 yaşına girmişti ki bir ihtilal onu, o zamana kadar sarayın yaldızlı kafeslerinden seyretmiş olduğu, dünyaya çağırdı. Onu sarayın bahçe tarafına açılan giriş kapısı üstündeki beyaz köşkte, bir yığın hasırın altından çıkardıkları zaman, kardeşinin emriyle boğdurulacağını sanmıştı. Bunun yerine ona Eyüb'ün kılıcını kuşattılar ve kendisini, sadece Boğaz kenarındaki bahçelerini tanıdığı, geniş bir ülkenin mutlak hükümdarı yaptılar.

Yeni hükümdar memleketinin iç ve dış meseleleri hakkında ne biliyorsa muhakkak ki hepsini bedbaht amcasına; kendisini kurtarmak için çıkarılan isyan Mahmut'u padişahlığa yükseltip onun hayatına mal olan, mahlû Sultan Selim'e borçludur. Hiç şüphe yok ki Sultan Mahmut'a Avrupa'nın üstünlüğünü tanıma, ıslahat aşkı ve yeniçerilere karşı kin Selim'den miras kalmıştır.

Sultan Mahmut tahtı, bütün dileklerini kabul zorunda kaldığı asilerle pazarlık ve kardeşinin idamı sayesinde elde etmiştir. Doğuda aile bağı bize göre gevşektir ve kulübe içerisine göre de taht üzerinde daha kolay kopar. Sultan Mahmut için Mustafa sadece babasının herhangi bir cariyeden olma oğlundan başka bir şey değildi; hatta ona hayatını bağışlamak istese bile isyan eden halkın arzularına karşı koyamazdı. Mahmut buna razı olmakla Mustafa'yı kendi güvenliği uğruna feda etti ve Osman soyunun geri kalan son ve tek dalı olarak kaldı.

Sultan Mahmut'un saltanat devri, yüzyıllardan beri Türk egemenliği altında ezilmiş olan Hıristiyan milletlerin uyanış ve benliklerini anlayışlarına rastlar. Dedelerinin ettiği haksızlıkların cezasını Osman'ın yirmi dokuzuncu torunu çekti. Sırbistan'da, Eflak ve Boğdan'da, Hellas'taki reaya silaha sarıldılar; müslümanlar arasında da bir püriten tarikatı (Vahabîler) baş kaldırdı; ezelî düşman Moskoflar imparatorluğun kuzey sınırlarını tazyik ediyordu, Rumeli ve Vidin, Bağdat, Trabzon ve Akkâ, Şam ve Halep, Lazkiye ve Yanya paşaları birbiri ardı sıra isyan bayrağını çektiler, bu sırada başşehri boyuna yeniçerilerin isyanları tehdit ediyordu.

On sekiz saltanat yılının acı tecrübeleri sayesinde Sultan Mahmut, mevcut devlet teşkilatıyla memleketi idareye devam edemeyeceği ve hükümdarlığıyla hayatını, bu şartları tamamıyla değiştirmek uğrunda, ortaya koyması gerektiği düşüncesine candan inandı ve bunun örneklerini mutlu Batı memleketlerinin teşkilatında aradı. Her ne kadar ıslahat yoluna hazırlıksız olarak girdiyse de, bunun kaçınılmaz zorunluluklarını görmeye kâfi aklı ve bunları uygulayabilecek cesareti vardı. Maksadına erişmek için imparatorluk içindeki bütün ikinci derece kudretleri yere sermesi ve bütün kuvvetleri kendi elinde toplaması, yani yeni binasını kurmadan önce inşaat alanını temizlemesi, kaçınılmaz bir zorunluktu. Sultan, büyük ödevinin ilk kısmını zekâsı ve metanetiyle başardı, fakat ikinci kısmında yıkıldı.

Önce baş eğdirilmesi gereken serkeş ve şımarık yeniçeri kudretiydi. Şimdiye kadar dört padişahın tahtına ve hayatına mal olan bu teşebbüsü Sultan Mahmut yıllarca, zekâ ve sebatla hazırladı ve tek bir günde, bir saatte, cesaret ve iyi talihle sonunu getirdi. 14 Haziran 1826 günü öğleyin İstanbul'dan gelen top sesleri, Beyoğlu'nda gürlemişti ve daha ilk haber, Türk strelitz'lerinin,[180] İslamın pretorien'lerinin artık mevcut olmadığıydı. Padişah çeşitli isimler ve maskeler altında yetiştirilmiş olan muntazam kıtalara, özellikte başşehrin Türk halkının büyük bir kısmına dayanarak, peygamberin kutsal bayrağıyla şeyhülislamın bir lanet fetvası elinde, saraydan çıktı; yeniçeri ağası Hüseyin Paşa yeniçerilerin tepelenişinde en faal rol alan insandı, fakat At meydanındaki kışlaların cepheleri topa tutulurken arka kapıları kaçış için açık bulunduruldu; her ne kadar Rumelihisarı'nda ve imparatorluğun başka birçok noktalarında sel gibi kan aktıysa da, Hacı Bektaş evlatları içinden gizlenmek isteyenleri memnunlukla görmemezlikten gelindi, çünkü 199 orta, yani taburdan mürekkep olan yeniçeriler Osmanlı milletinin en savaşçı kısmıydı. Sadece en yüksek rütbelilerle en tehlikeli ve serkeş olanlar acımak bilmez bir şiddetle yok edildi. Boğaziçi'nin Rumeli yakasındaki köylere musallat olan kötü şöhretli otuz birinci orta, son neferine kadar öldürüldü. Fakat yeniçerilerin en büyük kısmı memleket içinde gizlendi, bugün de imparatorluğun bütün vilayetlerinde, ortalarının alametlerini sağ kollarında çıkarılması imkânsız mavi çizgilerle dövülmüş olarak, taşıyan ihtiyar, kuvvetli insanlara rastlarsın. Fertler kalmış, cemaat yok edilmiştir.

Ulema, sultanın keyfi emirlerine karşı daima yeniçerilerle ittifak etmiştir, şimdi her ne kadar bu din adamları sınıfına hâkim olmak mümkün olamamışsa da yine de bunlar, yenilikleri ancak üstü kapalı bir antipati ve gizli bir direnişle karşılayacak kadar ürkütülmüşlerdir.

Bundan başka, Sultan Mahmut, derebeyleri denen beylerle, Karaosmanoğlu ve Çapanoğlu gibi az sayıdaki büyük ailenin babadan oğula intikal eden kudretlerini yok etmiş ve vilayetlerin aşırı kuvvete sahip paşalarını, tek biri müstesna, yenmişti.

Böylece yıkma yolu sona ermiş, sıra daha iyisini kurmaya gelmişti; fakat işte o zaman bir devlet yapısının eksik taraflarını gör-

---

(180) 16 ve 17. yüzyıllarda Rus çarlarının muhafız askerleri.

menin buna çare bulmaktan ne kadar kolay; yapmanın yıkmadan ne kadar güç olduğu meydana çıkmıştı.

Sultan Mahmut, milleti arasında, bu yenileşme hareketinde idare edici ya da yardımcı olarak yanına alabileceği aydın bir insan da bulamadı. Avrupalılar için Doğuluların fikir seviyelerini gerçekte olduğu kadar aşağı tasavvur etmek hemen hemen imkânsızdır. Okuma yazma bilen bir Türke "hafız" yani bilgin denir. Kur'an'ın ilk ve son surelerini ezberlemekle tahsilini tamamlar, dört işlemi de pek azı tam olarak bilir. Herkesten fazla aydın diyebileceğim ricalden bir Türk fala ve rüya tabirlerine tamamıyla bağlıydı ve dünyanın küre şeklini tasavvur bile edemiyordu; sadece nezaket icabı ve biz bu nokta üzerinde o kadar inatla durduğumuz için, dünyanın bir tabak gibi düz olduğunu iddiadan vazgeçmişti. Sadece dönmelerden başka herhangi bir Avrupa dili konuşan kimse yoktur. Yüksek memuriyetlerde bulunan birçok Türkler kendi dillerinde yazılmış mektupları bile okutturup dinlemek zorundadırlar. Bir kâğıt parçası üzerine kamış kalemle boyuna kendi adını yazıp duran feriki hatırlıyorum, bu sanatı az önce kâtibinden öğrenmişti. Bu, hiç de mübalâğalı olmayan sözlerimden, Avrupa'da okuyarak kısmen büyük faydalar sağlamış olan Osmanlıları müstesna tutuyorum. Bu insanlar gelecekte büyük bir önem kazanacaklardır. Sultan Mahmut bu tohumları serpmek mutluluğuna erişmişti, fakat meyvelerini henüz derememişti.

Bu sebeple padişah için yabancılardan fikir almaktan başka çare yoktu; fakat Türkiye'de, Hıristiyan elinden gelen en iyi hediyeden bile şüphe edilir. Büyük Petro, maiyetinde çalışmak üzere 500 subay, mühendis, topçu, cerrah ve sanatkârı bizzat seçmişti; bunlar onun emeklerine katılıyor ve bu emeklerin meyvelerini de topluyorlardı. Rusya'da yabancılardan nefret edilebilir, ama Türkiye'de bunlar hor görülür. Bir Türk Avrupalıların kendi milletine ilim, sanat, zenginlik, cesaret ve kuvvette üstün olduğunu itiraz etmeden kabul eder de, bu sebeple bir Frengin kendisini bir Müslümanla aynı seviyede sayabileceğini aklına bile getiremez; bu yenilmez gururun kökü bizzat dindedir, dinleri Müslümanlara bir Hıristiyanın "selam aleikon" diye verdiği selama karşı, âdet olduğu üzere "aleikon selam" diye mukabele edecek yerde "aleikon" diye cevap vermeyi emreder ki bu "Allah belanı versin" manasına gelir. Pek az Avrupalı Türkiye'de bizim kadar uygun şartlarla karşılaşacaktır; imparatorluğun en üst ricali bize karşı en büyük itibarı gösteriyor, içeri girdiğimiz zaman ayağa kalkıyor, bize divan üzerinde, yanlarında yer gösteriyor ve içmek üzere kendi çubuklarını ikram ediyorlardı; yüksek rütbeliler bir yere giderken bize yol veriyorlardı; subaylar da oldukça terbiyeli davranıyorlardı, fakat avamdan olanlar bize asla saygı göstermiyor ve kadınlarla çocuklar bazen arkamızdan küfrediyordu. Asker itaat ediyor, fakat selam vermiyordu. Her ne kadar müstesna bazı durumlarda selam durmak zorunda kaldıkları oluyorsa da Türk askerinin bir gâvura resm-i tazim ifa edeceği yolunda gene bir prensip koymaya henüz cesaret edilememektedir. Biz son derece aşağı görülen bir sınıfın üstün paye verilmiş fertleriydik; fakat Türklere ücret karşılığı hizmetlerini arz eden Frenkler bize göre sonsuz derecede kötü durumda idiler; bunun tabii sonucu da (pek az sayıdaki saygı değer müstesnalar bir tarafa bırakılırsa) sadece her türlü hakarete katlanabilen şahısların burada kalmaya dayanabilmesi ve memleketlerinde kötü öğrenciler olan insanların Türkiye'de kendilerine öğretmen süsü vermeleri oluyor.

Uzun zaman Türkler, Avrupalı olarak yalnız serserileri tanımışlardır; Frenkler hakkındaki kötü kanaatleri de, özellikle polis teşkilatının yokluğu sayesinde Galata ve Beyoğlunda Adanmış Topraklarını bulan, her çeşitten sürü sürü maceracılar yüzünden her gün daha haklı çıkmaktadır.

Rusya yenileşme işine başladığı zaman bu memleketin Avrupa ile teması o kadar azdı ki Batı devletleri, önemlerini ancak muazzam sonuçlarıyla anladıkları teşebbüslerden hiç haber alamamışlardı. Osmanlı İmparatorluğunda iş bundan ne kadar başkadır. Denebilir ki Avrupa Türkiye ile bizzat Türkiye'nin kendi kendisiyle olduğundan daha fazla ilgiliydi. Hiç değilse halk tabakasından olan adam, hünkârın gâvur olmak için neden zahmete katlandığını kavrayamamaktadır ve hâlâ, elçilerin kralları için padişahtan bir taç rica etmek üzere burada bulunduklarına inanarak yaşar. Bir molla Birecik'teki toplantıda: "Neden hemen bugün on bin Osmanlı atlarına binip Allah'a olan kuvvetli imanları ve keskin kılıçlarıyla ta Moskova'ya kadar gitmesin?" demişti. Oradaki bir Türk subayı: "Evet neden?" diye cevap vermişti, "yeter ki pasaportlarını Rus sefarethanesi vize etsin!" Bu subay Reşit Beydi, tahsilini Avrupa'da yapmıştı; fakat bu sözleri Fransızca söylemişti; böyle kendisini kimse anlamadıktan sonra en cüretli sözleri söyleyebilirdi. Nizip felaketinden sonra halk: "Ne zarar" diyordu, "padişah, ara sıra bir muharebe ve birkaç vilayet kaybetmesinden bir şey çıkmayacak kadar zengindir". Fakat Avrupa devletlerinin bu hususta başka bir görüşleri vardı; hepsi Osmanlı hükümetini mümkün olduğu kadar kuvvetlenmiş görmek istediklerini söylüyordu, fakat hepsi bu sözü başka türlü anlamaktaydı. Fransa, "pour avoir deux fortes puisance en Orient",[181] Türkiye ile Mısır aynı derecede kuvvetli hale getirilirse Doğunun tamamıyla emniyet altına girmiş olacağı fikrindeydi. Bu, aşağı yukarı şöyle demektir: Eğer siyaset terazisine iki ağırlık koyabilecek durumda isen bunları böl, birini sağ, ötekini sol kefeye koy, böylece, sauf l'intégrité de la Porte,[182] tartılamayacak kadar küçük bir parça olarak birazcık Cezayir sana kalır. Buna karşılık İngiltere her şeyden önce padişaha, kendisine ait olanları ele geçirmesi için yardım etmek fikrindedir; böylelikle İskenderiye'deki hidiv de ticaret anlaşmalarını ve demiryollarını protesto etmeye kalkışamayacaktır; İngiltere, Osmanlı devletinin haziranda bir orduyla bir donanma kaybettiğini hiç görmemekte ve yenene sulh şartı olarak zaferden önce sahip olduğunun yarısını teklif etmektedir. Rusya'nın, aslında Boğaz kıyısında bir gölge hükümdarla Nil kenarındaki ikinci bir tanesine karşı hiç itirazı yoktur ve bu hükümetin de statükoyu devam ettirmek istediği anlaşılmaktadır; hatta, kendi memleketinde yapacak birçok işi olan Yunanistan bile Bizans İmparatorluğunun yeniden doğması gibi güzel bir rüya görmektedir. Bir devletin menfaatlerini zedelemeden herhangi bir enerjik tedbire başvurmak mümkün değildir ve birçok teklifleri birisi, salt bu tavsiyeyi öteki yaptı diye, reddedecektir. Türkiye'de yabancıların nüfuzu o kadar kuvvetli ki, bir Frenk bahis konusu olduğu zaman padişah payitahtına sahip değildir, çünkü bu Frenk memleketin kanunlarına tabi değildir, aksine, kendi sefirinin himayesi altındadır. Hatta en ağır suçlarda bile suçlu sadece tevkif edilebilir, fakat cezalandırılamaz, ilk isteme üzerine elçiliğine teslim edilmesi lazımdır; aksi halde hükümet siyasi münasebetlerin kesilmesi, filolar ve bombardımanlarla tehdit edilir. Elçiliklerde ise mahkeme diye bir şey bulunmadığı için suçlunun memleketine iadesiyle yetinilir, o da binebildiği ilk ge-

---

(181) Doğu'da iki kuvvetli devlet bulunması için.
(182) Osmanlı devletinin bütünlüğüne dokunulmaksızın.

mi ile yeniden, cezasızlığın bu Eldorado'suna döner ve Türk makamlarının gözü önünde, inadına ve dokunulmazlıkla dolaşır durur. Beri yanda, bir Türk mahkemesinde bir Frenk için adaletin bahis konusu olamayacağı da inkâr edilemeyecek bir haldir. Böylelikle bir kötülük daima bir başkasının kaynağı olmakta ve bir bela ötekini doğurmaktadır.

Hıristiyan Batının bütün tarihi boyunca süren ve hâlâ ara sıra alevlenerek felaketlere sebep olan, kilise ile devlet arasındaki uzun mücadele, belki de hiçbir memlekete, devlet reisinin aynı zamanda kilisenin de reisi olduğu Rusya kadar az zarar vermemiştir. Dünyevî iktidarın din adamlarına karşı böyle bir savaşı ise, dinin Türkler, Araplar, Kürtler, Bulgarlar, Arnavutlar ve Lazlar gibi çeşitli kavimleri bir bütün halinde birleştiren tek bağ olduğu ve tabaasının yarısının komşu bir devletin dindaşı bulunduğu böyle bir yerde, son derece tehlikeli olurdu.

Gerçi padişah aynı zamanda halifedir, fakat bu sıfatla Müslümanlık hükümlerine sıkı sıkıya bağlı kalmaya bir kat daha mecburdur. Musa kanunları gibi İslamlık da tamamıyla maddi birçok kanunları kapsamaktadır, kendisine bağlı olanların düşünce tarzlarına belli bir yön çizer, birazcık olsun bilince ermiş bir aklın kabul edemeyeceği kaba, maddi zevkli bir gelecek vaat eder ve zabıta nizamlarını dini kanunlar haline getirir ki, bunlar kısmen düşüncenin gelişmesini, toplumun evrimini ve maddi kazançların gelişmesini önler. İnsan vücudunun teşrihi haram sayıldığı için cerrahlık ilerleyememiştir, kadere inanış vebaya karşı tedbir almayı önlemektedir. Resim sanatı yasaktır, çünkü resimlerdeki insanlar, hatta hayvanlar, kıyamet gününde resimlerini yapanlardan ruh isteyeceklerdir; beri yanda sefer ayının uğursuzluğu, pazartesinin uğurluluğu ve eşref saatin tayini, mevsim ve hava durumuna önem vermeden askeri hareketleri ayarlamaktadır. Belirli sebeplerle yıkanmanın dini bir zorunluluk oluşu, her türlü ödevden kaçmaya imkân vermekte ve ramazan ayında oruç bütün işleri durdurmaktadır. Mühürler balmumu üstüne basılır, çünkü Kur'an gündüzün mum yakmayı yasak eder, onun için mühür mumu kullanılmaz. Evet, dinî emirler gündelik hayata o kadar işlemiştir ki sıhhî gıda maddeleri sofralardan uzaklaştırılmıştır ve hastanelerde nekahet halinde bulunanlara bile kuvvet ilacı olarak şarap yasaktır. Kan aldırmaya Müslüman, ancak vicdan huzursuzluğu ile ve *"Bismillah el kâfi, eş safi ve el muafi"* dualarını tamam-

MOLTKE'NİN TÜRKİYE MEKTUPLARI

ladıktan sonra razı olur. Müminin gözleri bir siperle korunamayacağı, çünkü dua sırasında alnının yere değmesi gerektiği için sayısız insan kör olmaktadır.[183] Asker, ayağında iken yürüyüş yapamayacağı kunduralar giyer, çünkü bunları günde beş defa abdest alırken çıkarmak zorundadır; ama, zorunlu bir hale gelmiş olan ilerilikleri önleyen çok belirli ve ciddi engeller olmasalar pekâlâ önemsiz şeyler gibi görünecek bu münferit örnekleri bırakalım.

Böylece halife, eğer Osmanlı sultanı olmak isterse, mutlak iktidarını borçlu olduğu, İslam akidelerini sarsmak gibi talihsiz bir duruma düşer. Padişahın bu dini payesine ne kadar kıskançlıkla bağlı olduğunu, vefatından birkaç gün önce, hemen hemen ölüm halindeyken, cuma namazı için kendisini Beyazıt camiine taşıttırışı gösterir.

Çar da, sultan da iç meseleleriyle tamamıyla meşgul bir haldeyken dış düşmanlarla savaşmak zorunda kalmışlardır; fakat Rusya muzaffer olmuş, Babıâli her yanda yenilmiştir. Bir sıra yenilgi, yeniliklerin zorunlu oluşunu kavrayamayan ve bu yeniliklere bağlı ve kaçınılması imkânsız dertlerden ıstırap çeken halk tarafından, dine karşı gelmenin Tanrı cezası olarak görülmüştür.

Padişah bir darbede Türkiye'nin o zamana kadar Avrupa'nın siyasi terazisine attığı ağırlığı yok ettikten, yeniçerileri ortadan kaldırdıktan sonra, düşmanları ve kendi uyrukları onun elinden ülkeler ve memleketler aldılar. Hellas, Sırbistan, Boğdan ve Eflak elinden çıktı, Mısır, Suriye, Girit, Adana ve Arabistan bir hidivin eline geçti. Besarabya ve Kuzey-doğu Küçük Asya'yı Ruslar zapt etti, Cezayir'i Fransızlar işgal ettiler, Tunus istiklalini ilan etti, Bosna, Arnavutluk ve Trablusgarp imparatorluğa hemen hemen sözde tabi kaldılar, iki filo kaybedildi: Birisi savaşta, öteki ihanetle. Bir Rus ordusu Balkanları aştı ve memleketin ikinci payitahtının surları önüne geldi. Evet, felaketi tamamlamak için, kâfirlerin silahlarının padişahı, kendi payitahtında bir Müslüman ordusuna karşı koruması bile lazım geldi.

Böyle çok ve böyle büyük engeller padişahın planlarını önledi. Ne yazık ki şu söz doğrudur: En Turquie on a commencé la réforme par la queue.[184] Bu reformların çoğu görünürdeki şey-

(183) O devirde salgını başlayan trahomun henüz bulaşıcı olduğu bilinmiyordu.
(184) Türkiye'de devrimlere kuyruğundan başlandı.

lerden, isimlerden ve projelerden ibaretti. En zavallı eser de Rus ceketleri, Fransız talimnameleri, Belçika tüfekleri, Türk serpuşu, Macar eyerleri, İngiliz kılıçları ve her milletten öğretmenleriyle, Avrupa örneğine göre bir orduydu; ordu, tımarlılar, ömür boyunca mükellef nizamiye kıtalarıyla bellisiz süre için yükümlü rediflerden müteşekkildi, bu kıtaların amirleri acemi askerler, askerleri de daha yeni mağlup edilmiş düşmanlardı. Sivil idarede vergileri iltizama vermeyip doğrudan doğruya devlet için toplamak yolunda zayıf bir teşebbüse girişilmişti. Bu yüzden devlet gelirindeki, başlangıçta kaçınılması imkânsız olan azalmalar, üstelik dürüst memurların kıtlığı, bütün ıslahat içinde en önemli olanının uygulanmasının daha genişletilmesine engel olmuştu. Devlet adamlarının unvanları değiştirilmişti, bu memuriyetleri işgal eden adamlar aynı yetersizlikte kalmışlardı. Görünüşe göre padişah çok defa dinî taassuba karşı lüzumsuz yere meydan okumuştu, çünkü şeyhülislama, dinin reisine, dinin yasak ettiği portresini gönderişinden ne fayda elde edilebilirdi?

Sultan Mahmut genç halefine memleketi çok acıklı bir durumda bıraktı, çünkü, bu andaki karışık hal bir yana dursun, Osmanlı İmparatorluğu henüz kök salamamış olan yeni teşkilat bakımından bir çocuk gibi zayıf, devri geçmiş eski kurumlarıyla da bir ihtiyar kadar çökmüş haldedir. Tarafsız bir göz Büyük Petro'ya tarihte II. Mahmut'tan çok daha üstün bir yer verecektir, fakat sultanın üzerindeki görevin bile çarınkinden sonsuz derecede daha güç, hatta başarılması imkânsız olduğunu da itiraf edecektir.

Karadeniz ve Tuna'dan Orsova'ya Kadar Yolculuk

Fernando İbrail gemisinde, 13 Eylül 1839

İstanbul'dan 9 Eylül öğle üzeri ayrıldım. Oldukça sert bir kuzey rüzgârı esiyordu ve kayığımız, Büyükdere'de bizi almak için duran vapura zor yanaşabildi. Fenerleri geçer geçmez gemi öyle sallanmaya başladı ki yolcular birbiri ardı sıra hastalandılar ve ancak ertesi gün, hava sakinleşince herkes birbirini görebildi. Öğle üzeri Varna'ya eriştik, orada paşayı ziyaret ettik, sonra oldukça sakin bir denizde ve açık bir havada yolculuğumuza devam ettik. Başlangıçta, Gülgrad burnuna kadar, kıyıya oldukça yakın ilerledik; burası eski bir harabeyle taçlanmış, yamaçları denize dimdik inen çok güzel bir burundur. Kıyı buradan sonra geriye çekilir, gittikçe daha alçalır, nihayet geniş göller ve Tuna'nın kollarıyla çevrilmiş düz bir bataklık halini alır. Millerle genişlikteki bütün arazi, Alplerin, Balkanların ve Karpatların sularıyla burada mavi denizi 3-5 coğrafi mil açığa kadar sarıya boyayan bu muazzam nehrin alüvyonlarından meydana gelmedir. Gemiciler denizin bu sarı renginden kıyıya yaklaştıklarını anlarlar, çünkü kara ancak sonradan görülür ve geceleyin Tuna'nın tehlikeli ağzını işaret eden bir deniz feneri bile yoktur. Nehrin yığmış olduğu deltadan üç esas kolu geçer. Bunlar güneyde Georg yahut Hıdır İlyas boğazı, kuzeyde Kilye boğazı, ortada da gemi işleyebilen tek kol olan, Sulina'dır.

Sulina 150-200 adım genişliğindedir ve denize döküldüğü yerde bir kum bankı meydana getirmiştir. Biz burada ancak on buçuk ayak derinlik bulduk. Denizde sefer yapan buharlı gemilerin bu kesimi herhalde 8 ayaktan daha az olamayacağına göre, suyun derinliğinin 1-2 ayak daha azalması gemilerin içeri girmesini tamamıyla imkânsız bir hale koyacaktır. Tuna buharlı gemi ulaştırmasının, Almanya'nın göbeğinden doğrudan doğruya Trabzon ya da İskenderiye ile bağlantısının sağlanmasından sonra, kazandığı ehemmiyete göre, yolun böyle kesilmesi birçok bakımlardan önemli bir hadise olacaktır. Fakat Karadeniz'e ikinci bir yol açmak arzusunu artıran başka bir sebep de var:

Edirne barışında Tuna'nın kuzey kolu Ruslara, güney kolu da Türklere bırakılmıştı, aradaki arazi, yani Sulina'nın iki yakasındaki büyük bataklık adalar boş kalacaktı. Halbuki biz Rus karantina kordonunu ta Sulina'nın kuzey kıyısına kadar ilerletilmiş bulduk. Hatta ağızda, güney kıyıda, küçük bir Rus kasabası gördük ki muhakkak gelişecek ve büyüyecektir, çünkü birçok gemiler burada demir atmaktadır. Gazetelerin bahsettikleri deniz fenerinden eser bile görmedik ama birkaç topçeker şalupa ile, kıyıda birkaç top gördük. Bu mevkiin Rus kumandanı birçok defa Avusturya buharlı gemilerini bir çeşit yoklamaya tabi tutmak istemişse de daima redle karşılanmıştır; fakat Ruslar Almanya'nın bu önemli can damarının ağzına fiilen sahiptirler, tıpkı Hollandalıların, ne yazık ki o kadar uzun zaman, Rhein'ın ağzının sahibi olarak kaldıkları gibi... Avrupa'da barışın devam ettiği sürede Tuna gemi ulaştırması herhalde engellenmeyecektir, fakat harp çıkarsa Avusturya'nın buradaki ticareti tamamıyla Rus hâkimiyeti altında kalacaktır. Onları buradaki mevzilerinden silahla çıkarmak güç olacaktır, çünkü sığ kıyı harp gemilerinin deniz tarafından buraya yaklaşmasına engel olmakta, karadan yaklaşma teşebbüslerine karşı da burası, yolsuz izsiz bataklıklarla savunulmaktadır. Tuna, Silistre'den aşağı, kuzeye doğru geniş bir yay çizer; Çernavoda'da Karadeniz kıyısındaki Köstence'den ancak 7 mil uzaklıkta bulunulur, fakat gemiyle dolaşmak suretiyle Köstence hizasına varmak için 70 mil yol gitmek lazımdır. Bundan başka Çernavoda'dan itibaren bir sıra göller uzanır ki bunların alçak vadisi ta Köstence'nin yakınına kadar varır, bu sebeple bir kanal açmak düşüncesi akla yakındır. Sana daha önceki bir mektubumda araziyi bu bakımdan incelediğimi, özellikle Yüzbaşı von Bincke'nin Köstence'nin arkasındaki tepelerin nivelmanını yaptığını, her ne kadar bu tepeler fazla önemli değilse de burada bir kanal besleyecek su bulunmadığını yazmıştım. Bu sebeple kanalın, Tuna'nın Çernovada'daki seviyesine kadar indirilmesi lazımdır, bu da öyle hesapsız derecede büyük bir toprak kazma işine muhtaçtır ki, sadece bu yüzden bile bu teşebbüse imkânsız gözüyle bakmak gerekiyor. Hatta bir tren yolu bile azımsanamayacak zorluklara mal olacaktır. Buna karşılık bir şoseyle yetinmek istenirse böyle kara yolundan ulaştırma muhakkak su üzerinden dolaşarak yapılacaklardan daha pahalıya mal olacaktır. Bundan başka İbrail ve Kalas'la, Eflak ve Boğdan'ın bu ağızlarıyla bağlantı kaybedilecektir ki bu şehirlerin öneminin hızla arttığı da açıkça görülmektedir. Ayrıca malların Köstence'de gemilere yeniden yüklenmesi de büyük zorluklar doğuracaktır; Köstence'nin küçük, dar, fakat rüzgârlara karşı çok muhafazalı limanı, Türk gemilerinin yüzyıllardan beri safralarını boşaltmaları yüzünden, hemen hemen dolmuştur; iskelesi ise fırtınalara açıktır. Köstence kasabası da Ruslar tarafından o kadar temelinden harap edilmiştir ki şimdi, eski Roma ve yeni Türk eserleri harabelerinin arasında, olsa olsa kırk elli insan yaşamaktadır. Burada her şey yeniden meydana getirilmek zorundadır. Nihayet şunu da göz önünde bulundurmalıdır ki Rusları antlaşmalar Sulina'nın ötesinde kalmaya mecbur edemedikten sonra,

Trajan istihkâmları onlara karşı bir siper olamayacaktır; burada
mesele, bir sona varması o kadar uzun zamandan beri sürükle-
nip giden, Doğu karışıklıklarıyla içten bağlıdır. Bütün bu düşün-
celerden şu sonuç çıkıyor: Kanallar ve sahil yolları maksadı te-
min edemeyecektir, eskiden beri olduğu gibi Sulina'yı kullan-
mak gerekmektedir.

Gemi ulaştırmasını engelleyen tabii engeller kolayca önlenebi-
lir: Ağızdaki kum bankı 100-150 adımdan daha geniş değildir ve
sadece çok kısa bir mesafede 14'ten 9 1/2 ayağa kadar bir sığlığı
vardır; Tulça'nın bir saat alt tarafında başka bir kum bankı var-
dır, fakat burada gemi geçidi 14 ayak derinliğini muhafaza eder;
şu halde alelade bir tarak makinesiyle yolu daima açık tutmak
mümkündür; fakat nehrin ağzı, denizde hiç de fazla derine inme-
ye lüzum olmadan, yapılacak birkaç mendirekle darlaştırılacak
olursa, sadece nehrin akıntısı ağzı açık tutacaktır.[185] Haritalara
göre insanın Tuna sularının burada hemen hemen meyilsiz aktı-
ğını sanacağı gelir; fakat iş o kadar böyle değildir ki vapurlar ge-
nel olarak aşağı doğru saatte 14, yukarı doğruysa 5 mil yapabilir-
ler, buna göre akıntının ortalama hızının saatte beş buçuk deniz
mili, yahut hemen hemen bir Alman mili olması lazımdır; gerçi
suların alçak olduğu zaman hız bunun yarısı kadarsa da bu kada-
rı bile nehir ağzını açık bulundurmak için yeter de artar bile; me-
sele sadece bu işi kimin üzerine alacağındadır. Türk hükümeti
şimdikinden daha iyi bir durumda iken bile bunu hiç düşünme-
miştir; Ruslara gelince onlar, sadece Odesa'nın hatırı için, Suli-
na'yı değil açmak, tamamıyla doldurmayı tercih ederler. Burada
bütün Almanya'nın menfaatlerini temsil eden Avusturya içinse
bu iş, aslında kimin olduğunu bile söylemek güç olan bir arazide
teşebbüslere girişmek olacaktır.

Gemimiz Tuna'nın alçak ve sazlık kıyıları arasından yukarı
doğru gürül gürül ilerlerken bu düşüncelere kapılıp gitmek için
bol bol vaktim vardı. Buraların tamamıyla kendine mahsus bir
manzarası var, çünkü on millik yerde, dalgalanan sazlardan yeşil
bir deniz içinde ilerleniyor, bu sazlıklardan, Kalas ve İbrail'e ka-
dar nehrin kıvrılışlarını takip eden büyük gemilerin direkleriyle
yelkenleri yükseliyor. Sadece ta uzakta güney ufkunda Baba-
dağ'la Beştepe dağları görülüyor; güneş kıpkızıl bir renkte, güzel

---

(185) Sonradan bu iş yapılmıştır.

söğüt ağaçlarının arkasında batıyor. Karşımda Everding'in bir tablosu var sanıyorum. Bu akşam, hepsi de nehirden yukarı Galas ve İbrail'e giden yüzden fazla geminin önünden geçtik.

Burada sazlarla örtülü olan birçok mil kare arazide kalabalık manda ve sığır sürüleri, sayısız deniz kuşları, bunlarla birlikte herhalde kurtlar da var. Daha birkaç yıl önce, geceleri demir atmış gemileri basan haydut çeteleri de bulunuyordu. Çok muhtemeldir ki az emek sarfıyla yapılacak alçak setlerle, bu adaları Tuna'nın her yılki su baskınlarına karşı korumak ve muazzam genişlikte verimli topraklar kazanmak mümkün olsun.

Ancak Kalas ve İbrail'de karantina görebildik ve ayın 13'ünde bütün gün "Galathea"yı bekledik, nihayet güneş batarken duman sütununun yükseldiğini sevinçle gördük.

Fransız gemisinde, Tuna üzerinde, 10 Ekim 1839

15 Eylül sabahı yolculuğumuza devam ettik. Gemi Türk kıyısı boyunca gidiyordu. "Pannonia" ile "Arpad" ise Eflak sahilini takip ediyorlardı ve oradan pratika[186] almışlardı. Tuna'nın Rusçuk'a kadar olan kıyısını tanıyordum, sağda sazlıklar yahut söğütlükleriyle adalar, solda tepeleriyle Bulgar kıyısı, pek az köy ve az ekin, bazen biraz orman. Birçok yerlerde türbinli denen cinsten su değirmenleri gördüm; Avrupa'da mühendis Journeyron'un çok sözü edilen yeni icadı yatay su çarkları, anlaşılan buralarda çok eski zamanlardan beri kullanılmakta. Her yerde sadece böyle değirmenler var, bu da yalnız su kuvvetinin mümkün olduğu kadar çok kısmından faydalanmak için değil, aynı zamanda bu çeşit değirmenlerin bütün mekanizmasının dikey çarklara göre çok daha sade oluşundan; bunlarda, su çarkının ekseni doğrudan doğruya değirmen taşını çeviriyor.

Rusçuk'ta vezir Sait Mehmet Paşayı ziyaret ettik; bu zat Hafız Paşanın şahsi bir dostuydu ve durumdan pek endişe ediyor gibiydi. Nikopolis'te, Tuna kıyısındaki sarp bir tepe üzerinde çok sağlam kalmış olan kaleyi gezdik; Vidin'de de yeniçerileri kıran ihtiyar vezir Hüseyin Paşayı ziyaret ettik; Hüseyin Paşa hemen Galathea'yı durdurdu, atlar getirtti ve bizden yeni istihkâmları

---

(186) Sefer müsaadesi.

gözden geçirmemizi ve bu işin devamı hakkında fikirlerimizi söylememizi rica etti.

Bu Türk kalesini de tanımak bizim için alâka çekiciydi. Vidin Tuna kenarında geniş çayırlık bir ovada kurulmuş önemli bir şehirdir. Etrafı bastiyonlu bir esas tahkimat siperi ve kuru, kaplamalı bir hendekle çevrili; beş kapısının önünde dar yarım ay tabyalar var; profili Rumeli'nin başka hiçbir kalesinde görmediğim kadar kalın; corp de place'ın[187] etrafında geniş varoşlar var, bunların çevresini on yedi istihkâmla kapamışlar, fakat bunların hendekleri kuru ve kaplamasız. Hüseyin Paşa orada şimdi kapalı, taştan bastiyonlar yaptırıyordu; bunlardan Tuna kenarındaki ikisi tamamlanmıştı. Şehirde bütün dükkânları kapalı bulduk, çünkü, sanki şehir yarın muhasara edilecekmiş gibi, halkın en ileri gelenleri bile tahkimatta çalışmak zorundaydılar.

Vidin'in mevkii çok uygundu ve bir Türk kalesi için gerçekten nadir bir hal olarak, etrafında hiçbir noktasına hâkim yer yoktu. Buna karşılık Nikopolis'in de Vidin'den de mevkileri ne bir Avusturya, ne de bir Rus harbinde fazla bahis konusu olmalarına imkân verebilir; Timok'un Tuna'ya karıştığı yerde Sırp toprakları başlıyor. Biz buraya ayak basamadık, gemi Sırp sağlık memurlarını almak zorunda. Hâlâ Türklerin kalabildikleri biricik yerler olan Gladova (Türklerce Fethi İslam), Yeni Orsova (Adakale) ve Belgrat, Sırp karantina birliğine dahildir. Gemimizde Belgrat paşasına İstanbul'dan resmî yazılar getiren bir ağa vardı, Türk hükümetinin emirlerini bir Türk kalesine ulaştırmak için, bu emirleri götürenin, bir Avusturya buharlı gemisinden faydalanması ve eğer Aleksinaz'da yirmi günlük Sırp karantinasına katlanmak istemezse on günlük Avusturya karantinasına girmesi lazımdı.

Akıntıya karşı gidiş artık çok yavaş oluyordu ve biz İbrail'den Gladowa'nın hemen alt tarafındaki Gladowitza'ya, ay batıncaya kadar gece gittiğimiz halde, ancak beş günde varabildik. Gladowitza'dan Orsova'ya kadar olan sadece iki millik uzaklık için bir bütün gün sarfı lazım geldi, bu mesafe için Demirkapı'nın geçilmesi gerekti.

Bu Demirkapı, adı kadar korkunç değil; Tuna burada pek yüksek olmayan ormanlık dağlar arasında 1000 adım kadar yerde, nehrin yatağında enlemesine bulunan resifler üzerinden akar;

---

(187) Kalenin esas kısmı. Kalbi.

bu kayalıklar ancak su çok az olduğu zaman görülebilir, Tuna 800-900 ayak genişliğinde ve meyli başka taraflara göre fazla olduğu için, nehrin az derin olan gemi geçidinde şiddetli anaforlar meydana gelir. Gemi geçidi kuzeydeki Eflak kıyısı boyunca uzanır. Burada vadinin kenarı oldukça fazla meyille nehre iner ve ancak bir araba yoluna yetecek kadar açıklık bırakır. Buna karşılık Sırbistan dağlarının eteğinde, vadi kenarıyla nehir kıyısı arasında 50-100 adımlık mesafe vardır.

Yolcular ve mallar büyük Tuna kayıklarına yüklenir ve bunlar yirmişer çift öküzle ta Orsova'nın karşısına kadar çekilir; bu sıradaki zaman kaybı özellikle birçok yerlerde yedek çekecek yolun bulunmayışındandır. Nehre doğru çıkmış kayalıklara ya da Elisabeth kalesinin tabyalarına gelince öküzlerin çözülmesi, 400 adımı bulan uzunluktaki halatların bir kayıkla engelin önünden geçirilmesi ve öte tarafta yeniden öküzlere koşulması lazımdır.

Yeni Orsova kalesi, karşısındaki Fort Elisabeth'le birlikte çok güzel bir manzara meydana getirir. Fort Elisabeth perde hattı vazifesini gören bir müdafaa kışlasıyla kazamatlı iki tabyadan meydana gemiştir, bunun üzerinde dimdik aşağı inen vadi yamacında kurulmuş güzel yapılı, dört atış katlı bir burç yükselir, buna yer altından giden dönemeçli bir merdivenle çıkılır. Yeni Orsova, pek çok duvarlar ve mahfuz mahaller kullanmak suretiyle, ileri küçük istihkâmları da bulunan ve iki müfrez tabyalı bir kale olarak inşa edilmiştir, fakat bütün bunlar gayet küçük mikyasta yapılmıştır. Her iki kıyıdaki yollarla Tuna üzerinde işleyen gemilere kalenin topları tamamıyla hâkimdir ve düşünülecek tek şey sadece kaleyi kayıklarla ya da buz üzerinden yapılacak bir baskına karşı emniyet altında bulundurmaktan ibarettir.

Bildiğime göre bu kale İmparator Leopold I. zamanında Avusturyalılar tarafından yapılmıştır; daha biter bitmez, Belgrat'ın düşmesi üzerine, hiç direnmeden Türklerin eline geçmiştir. Onlar da sadece kiliseye tahtadan bir minare ilave etmek ve geri kalan her şeyi buldukları gibi bırakmakla yetinmişlerdir. Mühendislerin bu kaleye ayrı bir saygıları vardır, onlar buraya lağımla taarruz edilemeyeceğini överler ve bu sebeple de onu dünyanın en mükemmel kalesi sayarlar.

Sırpların yeni karantina kurallarını tamamıyla ciddi bir şekilde uyguladıklarına tanıklık edebiliriz. Demirkapı'da karaya çıktığımız zaman etrafımızı nöbetçiler çevirdi, yolumuzdaki her bez parçacığı, her tüy toplandı, çünkü eğer bunlar ayağımıza değecek olurlarsa Demirkapı'nın şerefine leke sürülebilirdi. Önümüzden dolu silahla giden ve bu yüzden bize arkasını çevirmiş olan nöbetçi zor bir durumdaydı; süngüsünü geçit resminde yürür gibi omuzlamıştı; Fekye'deki bir düğüne giden, altın ve gümüş paralarla ve çiçeklerle süslü Sırp kızları bizim şüpheli topluluğumuzun etrafında geniş bir kavis çizerek acele acele kaçıyorlardı. Bu korkaklık bize pek gülünç geldi, fakat insan sebebi düşününce bunu sadece övebilir.

Eski Orsova'da Avusturya toprağına ayak basınca, karantinanın burada artık pek yeni olmadığı görülüyor; fazla kılı kırk yarmadan, fakat yine de ihtiyatla, bir çeyrek saat ilerideki Schupaneck karantinasına götürüldük. İhtiyat tedbiri olarak, araba çeken öküzlerin kuyruklarının bağlanması ve böylelikle bunların önce yabancılardan birini, sonra da "bulaşmamış" olan arabacıyı yelpazelemelerinin önüne geçilmesi unutulmamıştı. Karantinada on gün alıkonmaya mahkûm edildik.

"Galathea" birkaç hafta önce, nehrin suları yüksekken, Demirkapı'dan yukarı doğru gitmeyi denemişti. Aşağı yukarı en akıntılı yerin ortasına kadar varmıştı da. Orada hiç ilerleyemeden bir saat uğraşmış durmuştu. Fakat Galathea, sadece 60 beygir kuvvetlik makinesine göre pek büyüktür ve o gün kuvvetli bir kuzey rüzgârı da ilerleyişini önlemişti. 20 ya da 30 çift öküz koşulacak olsa bu gemi de bu engeli herhalde aşabilirdi. Fakat suyun derinliği her zaman kâfi olmadığı için, bu bir tek denemeden genel olarak ulaştırma pek az şey kazanmıştır.

Başka bir çıkar yol da Sırbistan kıyısında bir kanal açmak ya da mevcudu yenilemektir, çünkü eskiden bütün akıntılı kısım boyunca bir kanalın bulunduğunu gösteren belirli izler vardır. 500-600 adımlık bir yerde bu kanal Tuna'dan, dar, fakat üzerinde sık ağaçlar ve çalılıklar bulunan bir kara şeridiyle ayrılmış olarak hâlâ apaçık görülmektedir. Set bu bitkilerin kökleriyle öyle örülmüş bir haldedir ki Tuna bunu ancak iki noktada yarabilmiştir. Bu kanalın bir Roma eseri ve Trajan tarafından yaptırılmış olması çok muhtemeldir. Demirkapı'nın hemen altında Skala-Gladowa'da Trajan'ın köprüsünün iki ayağı durmakta, Eflak tarafında kuleye benzer bir bina yükselmektedir. Kanalın gemi işleyebilecek hale gelmesi için kanal kapılarına lüzum olacağını sanmıyorum; fakat günün birinde burada da, sahiplerinin yapılacak işle hiçbir ilgisi bulunmayan bir toprakta çalışılması gerekecektir ve asıl mesele şu ki, bununla bütün zorluklar da halledilmiş olmayacaktır, çünkü Demirkapı, Tuna'nın Gollubitza'dan Skala-Gladowa'ya kadar, yüksek bir kalker dağını yarıp geçtiği yeri belli eden akıntılardan ancak bir ksmıdır. Bu 8-9 millik mesafede, özellikle Bibniçe'de öyle yerler vardır ki bana Demirkapı'dan çok daha çetin görünmektedir; Tuna buralarda her iki yandan yüksek kaya duvarları arasına sıkışmıştır ve bu sebeple ne Türkiye tarafında, ne de Avusturya kıyısında bir kanal açmaya imkân vardır. Buna karşılık tek tek lağımlar atmak suretiyle nehrin yatağını temizlemek mümkün olabilir, fakat bunda, böyle geniş ölçüde bir ıslah yüzünden, Tuna'nın yukarı tarafındaki su seviyesinin bir hayli değişmesi ihtimalini de göz önünde bulundurmak lazımdır.

Romalılar gemilerini Demirkapı'dan kanal vasıtasıyla geçirmişler, fakat oradan sonra Tuna'nın sağ kıyısı boyunca yedekte çekmişlerdir. Bunun için de bir yedekçi yolu açmışlardır ki bugün hâlâ izleri açıkça görülmektedir. Bu yol Orsova'nın bir mil yukarısında, Yeşelnitza köyünün karşısında başlamaktadır, burada, Sırbistan kıyısında, kaya kenar üzerinde bir yazıt bulunmaktadır, her ne kadar çobanların yaktıkları ateşlerden tamamıyla is içinde kalmışsa da – bu başarıyı on günlük karantina ile ödemeyi göze alan biri çıkarsa – okunması pekâlâ mümkündür.[188] Nehrin her iki yakası buradan itibaren yüksek ve dik, çok defa dikey olarak nehre iner. Suyun en yüksek olduğu zamanki seviyesinin hemen üstünde, kayaya dar bir yol oyulmuştur. Fakat bu işin çok zor olduğunu, bazı yerlerde bir zamanlar içerilerine nehir boyunca ağaçtan bir yolu taşıyan merteklerin çakılmış olduğu dört köşe delikler apaçık göstermektedir. Şimdi bu yol, her ne kadar yakınlarındaki köylerin halkı tarafından hâlâ kullanılmakta ise de, birçok kısımlarında geçilmez hale gelmiştir. Esasen sağ kıyı "bulaşık" sayılarak ulaştırmaya kapanmış olduğu için, vatanına pek çok hizmetler görmüş olan Kont Széchényi, Ogradina'dan Kazan'a kadar, sol kıyıda yeni bir yol yaptırmıştır.

Kazan yolu çok cüretle yapılmıştır, çok defa dikey kaya duvarları içinden, sadece nehir tarafı açık olan, geniş, yüksek galeriler halinde geçer ve yaptığı birçok kıvrımlar yolcuların gözü önüne kıyılardan birinin ya da ötekinin muhteşem ve daima değişen

---

(188) Bu yazıt İmparator Trajan'ın bu yolu açtığını anlatır.

dağ manzaralarını serer. Her geçidi kapamak için el ele vermişe benzeyen çetin kayalıklarla burgaçlı nehrin arasından, böyle en rahat bir yol üzerinden geçmek pek zevkli oluyor; fakat bu, özellikle uzun yıllar boyunca hep böyle dağları ve vadileri at sırtında, yorgun argın tırmanmak ve geçmek zorunda kalmış biri için daha da zevkli. Yol, Avusturyalıların kendilerini, zannedersem 80 kişi ve birkaç küçük topla uzun zaman başarıyla savunmuş oldukları emektar mağaranın önünden geçiyor.[189] Bu mağaranın içinde bir kuyu var, ışığını da yukarıdaki bir delikten alıyor. Giriş yeri mazgallı bir duvarla muhafaza altına alınmış.

Tuna, Boğdan'dan yukarı, yeniden gemilere yol verir hale geliyor; akıntısı daha sakin, nehir yatağında kayalıklar yok; fakat muhteşem dik vadi kenarları ta sivri bir kaya konisinin üstünde, yukarıdan aşağı ve aşağıdan yukarı uzanan yüksek surları ve burçlarıyla duran eski Gollubitza şatosuna kadar devam ediyor. Bu şatonun harikulade esrarlı bir görünüşü var, bulunduğu alan da bütün Tuna boyunca görmüş olduğum en vahşi ve en güzel manzaraya sahip; muazzam nehir yukarı tarafında 2000, hatta daha fazla ayak genişliğinde iken bu garip şatonun eteğinde, belki de ancak 400 adım kalacak kadar, darlaşıyor ve dimdik, başı göğe erişen kaya duvarları arasında, derin, karanlık bir derbentten akıp gidiyor.

Tuna buharlı gemi ulaştırmasının şimdiden elde etmiş olduğu ilerleme ve ileride varması çok muhtemel olan büyük gelişme karşısında, nehrin bu geçit yerlerinde ortaya çıkardığı engellerin ortadan kaldırılması çok önemlidir. Fikrimce bu da büyük makine kuvvetine sahip, demirden, altı düz buhar gemilerinin kullanılmasıyla en kolay ve en emin şekilde sağlanabilir. Kayalıkların atılması ve eski kanalın kullanılışı bu gemilere her zaman, Skala-Gladowa'dan ta Boğdan'a kadar, akıntı yukarı ve akıntı aşağı gitmek imkânını verecektir, yalnız ekimdeki su alçalması zamanı müstesna; esasen o sırada Viyana ile Peşte arasındaki gemi seferleri bile kısa zaman için imkânsız olacaktır. Bundan başka, şimdi Orsova yakınındaki sağlığa zararlı bir bataklıkta bulunan karantinanın ya geriye Boğdan'a ya da daha iyisi doğruca İbrail'e kadar götürülmesi lazımdır. Çünkü şimdiki bulunduğu yerde kaldıkça demirden iki buhar gemisine, bu yüzden de bu kısa mesafe

---

(189) Önce 1692, sonra da 1718 yıllarında.

Türkiye'de bulunduğu sırada, Moltke'nin kendi çizdiği bir resmi.

için nispetsiz derecede büyük masrafa ve iki defa aktarmaya ihtiyaç olacaktır. Fakat belki de bu sırada bütün karantina şartlarında önemli değişiklikler yapılmak üzeredir.[190]

---

(190) Babasının yazdığına göre: "Moltke, kralın kendisini çağırmış olduğu Berlin'e dönerken Orsowa'da Ekim ayında karantinada kalmıştı. Dönüşte vebaya tutuldu ve üç hafta yatakta kaldı. Büyük zorluklarla Viyana'ya varabildi; orada bir mide hummasına yakalandı. 27 Kasımda Berlin'e vardı ve kral tarafından kendisine, en büyük takdir alameti olan, Pour le mérite nişanı verildi. 1840 sonbaharında Moldawa hummasına yakalandı ve Ilmenau'a içmelere gitmek zorunda kaldı; bu tedavi ona o kadar iyi geldi ki aynı kış Roma ve Napoli'de bir seyahat yapabildi, 23 Ocak 1841'de sıhhati tamamıyla yerinde olarak Berlin'e döndü.